Het geheim van de nachtegaal

Van dezelfde auteur verschenen onder andere:

De vreemdeling in het woud
Verraderlijke liefde
Geluk is als een zijden draad
Een waaier van geluk
Gevangene van de pasja
Onschuld is als een tere bloem
Dochter van het verraad
De vlucht van de zeven zwaluwen
De zwarte opaal

Victoria Holt

Het geheim van de nachtegaal

Van Holkema & Warendorf

Voor mijn dierbare vriendin Patricia Myrer, die als eerste mijn belangstelling wekte in dokter Damian en de jonge vrouw die onvermijdelijk betrokken raakte bij de Krim-Oorlog.
Ter herinnering aan de vele productieve uren die we hebben doorgebracht met het spreken over mijn 'volk'.

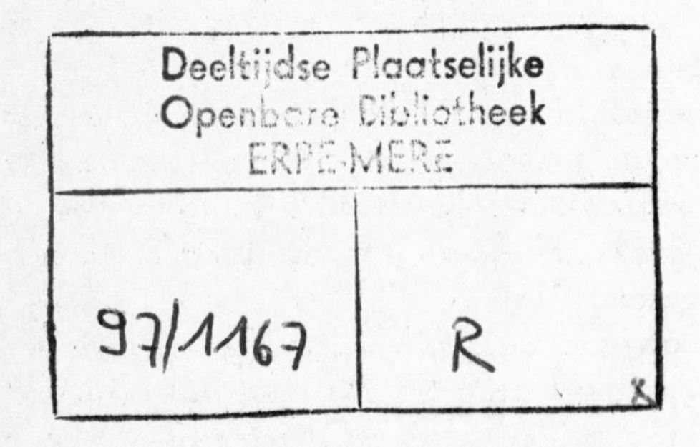

Oorspronkelijke titel: *Secret for a Nightingale*

Nederlandse vertaling: Liesbeth Kramer-Plokker

Omslagontwerp: Julie Bergen

ISBN 90 269 7442 6/NUGI 341/CIP

De bruiloft

In de nacht voor mijn bruiloft had ik een vreemde droom waaruit ik doodsbang wakker werd. Ik was in de kerk en Aubrey stond naast me. Er hing een sterke geur van bloemen in de lucht – van lelies, zwaar, overweldigend, de geur van de dood. Oom James – dominee James Sandown – stond voor ons. Het was de kerk die ik zo goed had leren kennen tijdens mijn schooldagen toen ik bij oom James en tante Grace in de pastorie had gewoond. Ik kon toen namelijk niet bij mijn vader blijven op de Indiase buitenpost waar hij misschien gestationeerd zou worden. Ik hoorde mijn stem buiten mijn lichaam, alsof hij weerklonk in een lege ruimte: 'Ik, Susanna, neem u, Aubrey, tot mijn wettige echtgenoot...' Aubrey had de ring. Hij pakte mijn hand en zijn gezicht kwam steeds naderbij... en toen werd ik overstelpt door angst. Het was Aubrey's gezicht niet en toch weer wel. Niet het gezicht dat ik kende. Het was vertrokken, glurend, vreemd, afschuwelijk, beangstigend. Ik hoorde een stem die riep: 'Nee! Nee!' Het was mijn eigen stem.

Ik zat rechtop in bed, staarde huiverend in de duisternis, mijn klamme handen grepen het laken. De droom was zo levendig geweest dat het een poosje duurde voordat ik weer tot mijzelf kwam. Toen hield ik me voor dat het onzin was. Ik ging die ochtend trouwen. Ik wilde trouwen. Ik was verliefd op Aubrey. Hoe was ik aan die droom gekomen?

'Zenuwen voor de bruiloft!' zou tante Grace, die door en door praktische vrouw, zeggen. En ze had gelijk. Ik probeerde het effect van die droom van me af te schudden, maar het lukte niet. Ik stapte uit bed en liep naar het raam. Daar was de kerk met de Normandische toren, zichtbaar in het licht van de sterren. Hij stond daar zoals hij er al achthonderd jaar had gestaan, onaantastbaar, uitdagend in de wind, de regen en de eeuwen, bewonderd en bezocht door velen, de trots van oom James' hart. 'Het is een voorrecht in zo'n kerk te trouwen,' zei hij. Morgen zou mijn vader me door het gangpad van de kerk geleiden en dan zou ik daar naast Aubrey staan. Ik huiverde nog steeds. Maar het zou in niets lijken op de droom.

Ik ging naar mijn klerenkast en bekeek mijn japon: witte satijn afgezet met Honiton kant; en er hoorde een krans van oranjebloesem bij.

Achter de kerk, in de Zwarte Beer – de enige herberg in Humberston – sliep Aubrey. 'Een bruidegom moet de nacht niet onder hetzelfde dak doorbrengen als zijn bruid,' zei mijn tante Grace. Zou hij door dromen over de komende dag worden gestoord?

Ik ging terug naar bed, maar wilde niet meer slapen. Ik was bang dat de droom verder zou gaan. In bed bleef ik aan dat alles liggen denken.

Ik ontmoette Aubrey voor het eerst in India waar mijn vader gestationeerd was. Ik was pas weer naar mijn vader toe gekomen, na zeven jaar Engeland waar ik op school was geweest en mijn vakanties had doorgebracht in de pastorie bij mijn oom James en tante Grace. Zij waren zo lief geweest in de leemte te stappen en voor de dochter van een zwager te zorgen die, als alle Engelse jongedames van goeden huize, in Engeland naar school moest gaan. Die noodzaak veroorzaakte natuurlijk de gewone complicaties voor mensen die op buitenposten van het Keizerrijk dienden, maar over het algemeen schoten goedhartige familieleden dan te hulp.
Ik herinnerde me de vreugde toen mijn zeventiende verjaardag naderde. Het was juni en ik was indertijd nog op school maar wist dat het mijn laatste trimester was. In augustus zou ik terugkeren naar India waar ik de eerste tien jaar van mijn leven had doorgebracht.
Misschien was ik wel ondankbaar dat ik zo dolgraag wilde vertrekken, zelfs al keerde ik terug naar mijn vader. Oom James en tante Grace waren, samen met mijn nicht Ellen, buitengewoon aardig voor me en deden alles om me er maar thuis te laten voelen. Maar het moet een soort inbreuk zijn geweest – vooral in het begin. Ze hadden hun eigen leven en de parochie had veeleisende zaken. Nicht Ellen was twaalf jaar ouder dan ik en zeer geïnteresseerd in de hulppredikant van haar vader met wie ze zou trouwen zodra hij beroepen werd. Oom James had zijn kudde toegewijde parochianen; tante Grace had talloze activiteiten – organiseerde verkopingen, tuinfeesten, zangers voor de kerstliederen – iets voor iedere gelegenheid, en bovendien de Moedersbond en naaikransjes. Ik moet zeggen dat ik het probeerde, maar mijn hart was ver weg, over de zee, en omdat ik me bewust was dat ik toch iets van een last betekende, nam ik ongetwijfeld een houding van onverschilligheid en arrogantie aan. Natuurlijk vergeleek ik een oude, tochtige pastorie met één kokkin, één dienstmeisje en een hulpje, met de residentie van een kolonel met ontelbare Indiase bedienden die heen en weer vlogen om alles wat we wensten, in te willigen.
Ik was niet direct een engelachtig kind en mijn aya en mevrouw Fearnley, die mijn gouvernante was geweest tot ik tien was, hadden gezegd dat ze nooit wisten wat ze van me konden verwachten. Mijn aard had twee kanten. Ik kon heel zonnig zijn, meegaand, lief en hartelijk.
'Het is als de maan,' zei mevrouw Fearnley die graag een opvoedende opmerking maakte bij iedere situatie. 'Er is een heldere kant en een donkere.' In tegenstelling tot de maan liet ik mijn donkere kant nu en dan zien. 'Niet dikwijls, goddank,' zei mevrouw Fearnley, maar ze maakte zich bezorgd dat hij bestond. Dan kon ik koppig zijn. Ik besloot iets en niets kon me ervan afbrengen. Ik was gewoon ongehoorzaam om mijn zin te krijgen. Bij zulke gelegenheden was ik inderdaad een buitengewoon recalcitrant kind – een groot verschil met het zonnetje dat zo prettig was om te onderwijzen en met wie je graag samen wilde zijn.

'We moeten de donkere kant bevechten,' zei mevrouw Fearnley. 'Susanna, je bent een van de meest onvoorspelbare kinderen die ik ooit heb ontmoet.'
Mijn aya – op wie ik dol was – zei het anders. 'Er zijn twee geesten in dit kleine lichaam. Die vechten samen... en we zullen zien wie de winnaar is. Nu nog niet... niet zolang je niet veel meer bent dan een baba, maar wanneer je bent opgegroeid en een dame bent.'
In die jaren in Engeland bleven de herinneringen aan mijn kindertijd in India me steeds bij en ik moet zeggen dat ze verrukkeljker werden naarmate ik van ze vandaan groeide. Er kwamen levendige beelden bij me op als ik in bed lag en me dingen herinnerde voor ik in slaap viel.
Na de dood van mijn moeder werd mijn leven beheerst door mijn aya. Mijn vader stond op de achtergrond, groots, belangrijk, direct volgend op God. Hij was teder en liefhebbend maar kon niet zoveel bij me zijn als hij wilde en ik weet dat hij bezorgd om me was. De uren die we samen doorbrachten, waren zeer kostbaar. Hij vertelde me over het regiment en hoe belangrijk dat was. Ik was heel trots op hem, omdat hij overal waar hij kwam, geëerd werd.
Maar het was mijn aya, bekend, naar muskus geurend, die mij aanhoudend gezelschap hield en misschien belangrijker voor me was dan wie dan ook in die tijd. Ik genoot van de spanning als ik met haar op straat liep. Ze hield mijn hand in de hare en waarschuwde me die nooit los te laten. Dat gaf me een gevoel van gevaar op die expedities, waardoor ze dubbel opwindend waren. Overal waren geluiden en kleuren als we ons een weg baanden tussen vertegenwoordigers van iedere stam en kaste. Ik leerde hen allemaal kennen – de boeddhistische priesters met hun geschoren hoofden, hun saffraankleurige kleding die ritselde als ze langs renden zonder naar de menigten te kijken, de Parsies met hun eigenaardig gevormde hoeden en hun parasols, de vrouwen die hun gezicht niet mochten tonen en wier zwart gekoolde ogen door de spleten in hun sluier naar buiten keken. En dan de slangenbezweerder met zijn tulband, die zijn griezelige muziek speelde terwijl de sinistere cobra oprees uit de mand en dreigend ronddraaide. Ik mocht altijd een roepie in de kruik naast hem gooien, waarvoor ik kruiperige dank oogstte en de belofte van een gelukkig leven, gezegend met vele kinderen van wie de oudste een zoon zou zijn.
De geur van muskus hing in de lucht; er waren andere luchtjes die minder aangenaam waren. Als ik mijn ogen had gesloten, zou ik door de geuren geweten hebben dat ik in India was. Ik werd geboeid door de helder gekleurde sari's van de vrouwen die ongesluierd waren omdat ze, zei mijn aya, van een lage kaste waren. Ik zei dat ze er veel aardiger uitzagen dan die van de hogere kasten met hun vormeloze kledij en gesluierde gezichten.
Mevrouw Fearnley vertelde me dat Bombay de 'Poort tot India' werd genoemd en dat we het hadden gekregen toen Karel de Tweede Catherine van Braganza trouwde.

'Wat een mooi huwelijkscadeau!' riep ik uit. 'Als ik trouw, zou ik ook wel zo'n cadeau willen hebben.'
'Alleen koningen krijgen een dergelijk cadeau,' zei mevrouw Fearnley, 'en het is dikwijls meer een last dan een zegen.'
We reden vaak in het ponywagentje de Malabar Heuvel op en ik zag hoe groots en indrukwekkend het huis van de Gouverneur op de Malabar Punt eruitzag; rondom waren tuinen en de clubs voor officieren en Engelsen die in Bombay woonden. Mevrouw Fearnley ging bijna altijd mee op deze tochtjes en gebruikte iedere gelegenheid om mij op te voeden. Maar soms was ik met mijn aya, die juist dingen vertelde die ik graag wilde horen. Ik was veel meer geïnteresseerd in de begraafplaatsen waar de naakte lichamen van de doden gewoon buiten lagen om door de gieren kaal gepikt te worden en wier beenderen verbleekten in de zon – iets wat volgens mijn aya, veel waardiger was dan ze aan de wormen over te laten – dan in een verslag van hoe de Mogols eens het land domineerden voor de komst van de Oost India Compagnie en hoe gelukkig India was omdat onze grote Koningin voor hen zou zorgen.
Dikwijls zat ik tijdens die jaren in Engeland in de schoolvakanties vanuit de pastorie te kijken over het kerkhof met zijn grijze stenen, waarvan de inscripties die op veel ervan stonden, al half door de tijd waren uitgewist. Dan dacht ik aan de hete zon, de blauwe zee, de eentonig zingende stemmen, de kleurige sari's en geheimzinnige ogen door de spleten in de sluiers. En aan de bedienden die voor ons zorgden – de jongens in een lang, wit hemd en een witte broek; de slimme en geslepen Khansama, die regeerde over de keuken. Hij ging iedere dag als een maharadjah op pad, terwijl zijn knechtjes een paar stappen achter hem klaarstonden om op zijn bevel naar voren te rennen en de aankopen voor hem te dragen wanneer de conferentie, die voor iedere handeling vereist scheen, afgelopen was.
Ik dacht aan de karren, getrokken door geduldige, lijdzame ossen, de nauwe straten, de gemene, nooit aflatende vliegen, de balen schitterend gekleurde zijde in de winkels, de waterdragers, de uitgemergelde honden, de geiten met belletjes om hun nek die tinkelden onder het lopen, de boerenvrouwen uit de nabije dorpen die hun waren kwamen verkopen, de koelies, de boeren, de Tamils, Pathans en Brahmanen, alles door elkaar in de kleurige straten... en soms een waardige heer met zijn prachtig geschikte sluier van mousseline en hier en daar een glinsterend juweel. In tegenstelling daarmee de bedelaars, de zieken en mismaakten, met hun smekende donkere ogen waarvan ik bang was dat ze me voor altijd zouden achtervolgen, en van wie ik droomde als mijn aya me had ingestopt en me alleen liet onder het beschermende net dat me beveiligde tegen de boosaardige insecten van de nacht.
Vaag herinnerde ik me mijn moeder – teder, liefhebbend en mooi. Ik was vier toen ze stierf.

Daarvóór scheen ze altijd bij me te zijn. Ze praatte dikwijls met me over Thuis, en dat was Engeland. Als ze vertelde, was er een groot verlangen in haar stem en in haar ogen en zo klein als ik was, besefte ik dat. Het zei me dat ze daar zou willen zijn. Ze praatte over groene velden, boterbloemen en een speciaal soort Engelse regen – mild en zacht – en een zon die warm en weldadig was en nooit – of bijna nooit – fel. Ik dacht dat het een soort Hemel moest zijn.
En ze zong Engelse liedjes voor me.
Drink me slechts toe met je ogen; Sally in ons straatje; De Dominee van Bray.
Ze vertelde me over de dagen toen ze even klein was als ik. Ze had toen in de pastorie van Humberston gewoond, want haar vader was er predikant. Haar broer James had die plaats bij zijn dood overgenomen en toen het mijn beurt was om erheen te gaan, was het niet zo'n volkomen vreemde plaats, want ik had het gevoel dat ik er lang geleden met mijn moeder was geweest.
Toen kwam de dag dat ik haar niet zag en ze wilden me niet naar haar toe laten gaan, want ze had een soort koorts die besmettelijk was. Ik herinner me dat mijn vader me op zijn knie nam en me vertelde dat we alleen elkaar nog hadden.
Ik was misschien te jong om de tragedie in ons huis te begrijpen, maar ik was me vaag bewust van verlies en droefheid, hoewel de enormiteit van de ramp niet direct tot me doordrong. Goed bedoelende dames – voornamelijk officiersvrouwen – vielen de kinderkamer binnen; ze verwenden me en zeiden dat mijn moeder naar de Hemel was gegaan. Ik stelde het me voor als een tocht naar een land met groene velden en een zachte regen, zoiets als naar de heuvels gaan, alleen meer bijzonder, waar ze misschien thee dronk met God en de engelen in plaats van met de officiersvrouwen, en ik nam aan dat ze na een poosje zou terugkeren en me er alles over zou vertellen.
In die tijd kwam mevrouw Fearnley. Dezelfde koorts die mijn moeder gedood had, had ook haar man, een van de officieren, geveld. Hij stierf in dezelfde week als mijn moeder.
Mevrouw Fearnley die voor haar huwelijk gouvernante was geweest, was heel onzeker over haar toekomst en mijn vader stelde voor dat ze, terwijl ze een beslissing nam over wat ze wilde gaan doen, in die tijd als gouvernante zou kunnen optreden voor zijn moederloos dochtertje.
Het leek een door God gezonden oplossing voor zowel mijn vader als mevrouw Fearnley en zo kwam ze bij mij.
Ze moet een jaar of vijfendertig zijn geweest, was goedwillend, plichtsgetrouw en vastbesloten me goed op te voeden. Ik hield van haar op een negatieve manier. Het was mijn aya die een bron van opwinding voor me was; ze was anders, exotisch, met gevoelvolle ogen en lang donker haar dat ik graag borstelde. Soms legde ik de borstel opzij en masseerde haar hoofd. Dan zei ze: 'Dat geeft me rust, kleine Su-Su. Er is goedheid in je handen.' Dan vertelde ze me over haar kindertijd in de Punjab en hoe ze naar Bombay was gekomen om bij

een rijke familie te werken; hoe haar goede vriend, de Khansamah haar naar het huishouden van de Kolonel had meegenomen en dat haar grootste geluk in dit leven was om bij mij te zijn.

Nadat mijn moeder was gestorven, kwam mijn vader bijna iedere dag bij me – een uurtje of zo – en zo leerde ik hem beter kennen. Hij scheen altijd bedroefd. Maar er waren ook theemiddagen met een aantal mensen en ze praatten met me en vroegen hoe het met mijn lessen ging.

Er waren een of twee kinderen bij het regiment en ik ging naar partijtjes die door hun ouders werden georganiseerd. Vervolgens regelde mevrouw Fearnley zoiets voor mij om hun gastvrijheid te beantwoorden.

Mijn aya kwam dikwijls kijken als we spelletjes deden en liedjes zongen, zoals *Aan d'oever van de Snelle Vliet*, of stoelendans deden met mevrouw Fearnley of een van de andere dames aan de piano. Mijn aya zong naderhand dikwijls een paar van de versjes na. Vooral haar Snelle Vliet klonk heel pathetisch; bij andere werd het weer echte marsmuziek.

De officiersvrouwen hadden medelijden met me omdat ik geen moeder had. Dat begreep ik toen ik ouder werd en besefte dat haar tocht naar de Hemel niet de tijdelijke afwezigheid betekende die ik me eerst had voorgesteld. De dood was iets onherroepelijks. Het gebeurde overal om ons heen. Een van de huisjongens vertelde me dat veel van de bedelaars die ik op straat zag, de volgende dag dood waren. 'Ze komen met een kar om ze op te halen,' zei hij. Het was als de pest van Londen, dacht ik toen ik dat hoorde. 'Breng je doden naar buiten!' Maar de bedelaars in de straten van Bombay hoefden niet naar buiten gebracht te worden, want ze hadden geen huis om uit te komen.

Het was een vreemde wereld van pracht en vuilnis, van luidruchtig leven en stille dood; herinneringen eraan zouden me voor altijd bijblijven. Flitsen ervan kwamen telkens in mijn leven weer terug. Dan zag ik de Khansamah op de markt, een glimlach van triomf op zijn gezicht, en later wist ik wat dat betekende. Hij maakte winst op al zijn aankopen. Ik hoorde de vrouwen erover praten toen ze elkaar het droeve verhaal van Emma Alderston vertelden. Die had gedacht dat ze haar oneerlijke Khansamah te slim af kon zijn door zelf boodschappen te doen; de marktkooplieden hadden toen samengespannen en haar zo veel berekend dat ze veel duurder uit was dan met de 'commissie' van de Khansamah. 'Het is een manier van leven,' zei Grace Girling, de vrouw van een kapitein. Je kunt het beter accepteren.'

Ik zat graag in de keuken om onze Khansamah aan het werk te zien. Hij was groot en belangrijk, voelde mijn bewondering en vond die onweerstaanbaar. Hij gaf me dingetjes om te proeven en terwijl hij zijn handen over zijn dikke buik vouwde, keek hij me gespannen aan als ik aan het eten was. Ik wilde hem een plezier doen en dwong mijn gezicht tot een uitdrukking van extase. 'Niemand maakt Chicken Tandoori zoals de Khansamah van Kolonel Sahib. Beste Khansamah van India. Hier, Missee Su-Su, kijk! Ghostaba!' En hij gooide een gehaktballetje van fijn gemalen lam naar me toe. 'Jij vindt goed, hè? Nu drinken. Ah, goed? Nimboo pani...'

Ik dronk het ijskoude limoensap, op smaak gebracht met rozenstroop, en luisterde naar het gebabbel over zijn gerechten en vooral over hemzelf.

Tien jaar lang was dat mijn leven – de eerste ontvankelijke jaren – dus het is geen wonder dat deze herinneringen me bijbleven. Een ervan was levendiger dan alle andere.

Ik herinner het me nog in detail. De zon was al warm hoewel het ochtend was en de echte hitte van de dag nog moest komen. Met mijn aya was ik door de drukke straten naar de markt gegaan, bleef staan bij het bijouteriestalletje, terwijl mijn aya met de eigenaar stond te praten, liep met haar verder langs rijen sari's die op een stang hingen, langs het grotachtige binnenste waar vreemd uitziende taartjes werden gebakken, vermeed de geiten die overal doorheen liepen, kwam vlak langs een enkele koe en lette op de snelle bruine lijven van jonge jongens die zich tussen de menigte drongen. Maar ik lette meer op hun nog snellere bruine vingers. Zo kwamen we via de markt in een bredere straat, en daar gebeurde het.

Er was veel verkeer die ochtend. Hier en daar baande een beladen dromedaris zijn zwaarwichtige en minachtende weg naar de bazaar; de ossekarren volgden op hun onbehouwen manier. Juist toen mijn aya opmerkte dat het tijd was om naar huis te gaan, rende een jongetje van een jaar of vier, vijf voor een van de ossekarren. Ik zag ontdaan hoe hij opzij werd geschopt, vlak voordat de kar hem overreden zou hebben.

We schoten toe om hem te helpen. Hij was bleek en geschokt en we legden hem aan de kant van de weg. Er verzamelde zich een menigte en er werd druk gepraat, maar het was in een dialect dat ik niet verstond. Iemand ging hulp halen.

Intussen lag de jongen op de grond. Ik knielde naast hem neer en legde mijn hand op zijn voorhoofd. Vreemd, maar ik voelde iets – ik weet niet precies wat – maar het was een gevoel van triomf, denk ik. Tegelijkertijd veranderde het gezicht van het jongetje. Het was bijna of hij – heel even – geen pijn meer voelde. Mijn aya keek oplettend toe.

In het Engels zei ik tegen hem: 'Het komt weer goed. Ze komen gauw en maken je beter.'

Maar het waren niet mijn woorden die hem rust gaven, het was de aanraking van mijn handen.

Het was allemaal gauw voorbij. Ze kwamen hem halen, tilden hem voorzichtig op en legden hem in een kar die snel verdween. Toen ik mijn hand van zijn voorhoofd haalde, waren de donkere ogen die mij aankeken en de lijnen van pijn die op zijn gezicht terugkeerden, het laatste wat ik van de jongen zag.

Het was een vreemd gevoel, want toen ik hem had aangeraakt, was het alsof er een soort kracht van me was uitgegaan.
Mijn aya en ik liepen zwijgend verder. We zeiden niets meer over het incident, maar ik wist dat we er beiden in gedachten mee bezig waren.
Toen ze me die avond in bed stopte, nam ze mijn handen en kuste die eerbiedig. Ze zei: 'Er is kracht in die handen, kleine Su-Su. Misschien heb je de genezende hand.'
Ik vroeg opgewonden: 'Bedoel je die jongen... vanochtend?'
'Ik zag het,' zei ze.
'Wat betekende het?'
'Het betekent dat je een gave hebt. Het zit daar in die mooie handjes.' 'Een gave? Bedoel je om mensen beter te maken?'
'Om pijn te verzachten. Ik weet het niet. Het ligt in hogere handen dan de onze.'
Sommige avonden ging ik paardrijden met mijn vader. Ik had mijn eigen pony die een van de vreugden van mijn leven was; en het was wel een trots ogenblik als ik in mijn witte blouse en rijrok met hem op stap ging. Hoe ouder ik werd, hoe intiemer we samen werden. Hij was wat verlegen bij kleine kinderen, maar ik was dol op hem – zeker omdat hij vrij afstandelijk was. Nu ik op een leeftijd was dat familiariteit tot minachting kon leiden, wilde ik een vader om tegenop te zien – en die had ik.
Hij praatte altijd met me over het regiment en India en de taak van de Engelsen. Dan kreeg ik een kleur van trots bij de gedachte aan het regiment en het Rijk en vooral aan hem. Ook had hij het over mijn moeder en zei dat ze eigenlijk nooit van India gehouden had. Ze had aanhoudend heimwee gehad, maar had dapper geprobeerd het niet te tonen. Nu maakte hij zich bezorgd over mij – een moederloos kind van wie de vader haar niet de aandacht kon geven die hij wenste. Ik zei dat ik gezond en gelukkig was, dat mevrouw Fearnley prettig gezelschap was, dat ik haar graag mocht en dat ik van mijn aya hield.
Hij zei: 'Je bent een lief meisje, Susanna.'
Ik vertelde hem over het incident met de jongen op straat. 'Het was zo gek, vader. Toen ik hem aanraakte, voelde ik dat er iets uit me kwam en hij voelde het ook omdat hij, toen ik mijn hand op zijn voorhoofd legde, de pijn kwijt was. Dat was kennelijk zo.'
Mijn vader glimlachte. 'Je goede daad van de dag.'
'Gelooft u echt niet dat er iets was?'
'Je was de barmhartige Samaritaan. Ik hoop dat ze aandacht aan hem hebben geschonken. De ziekenhuizen hier zijn niet direct ter zake kundig. Als hij een been gebroken heeft, mag God hem wel helpen. Het is een kwestie van geluk of ze het goed kunnen zetten.'
'Denkt u dan niet dat ik een speciale hand heb... of zoiets? Aya gelooft van wel.'

'Aya!' Zijn glimlach was vriendelijk maar ook wat minachtend. 'Wat weet een inlander nu van zulke dingen?'
'Nou ja, ze zei iets over een genezende hand. Echt, vader, het was een wonder.'
'Ik zou liever zeggen dat de jongen het prettig vond dat een Engelse dame naast hem knielde.'
Ik zweeg, zag dat het geen zin had met hem te praten over mystieke dingen, evenmin als met mevrouw Fearnley. Ze waren te praktisch, te beschaafd, zouden ze zeggen. Maar ik kon de gebeurtenis niet zo gemakkelijk van me afzetten. Ik voelde dat het een van de belangrijkste dingen was die me was overkomen.
Na mijn tiende verjaardag zei mijn vader tijdens een van onze tochtjes te paard: 'Susanna, je kunt zo niet doorgaan. Je moet een opleiding krijgen, weet je.'
'Mevrouw Fearnley zegt dat ik het heel goed doe.'
'Maar liefje, er zal een tijd komen dat je mevrouw Fearnley ontgroeit. Ze vertelde me dat je al te goed wordt voor haar lessen en bovendien heeft ze besloten naar huis te gaan.'
'O, betekent het dat je iemand anders moet vinden om haar plaats in te nemen?'
'Eigenlijk niet. Er is slechts één plek waar Engelse jongedames een opleiding kunnen krijgen, en dat is in Engeland.'
Ik zweeg en overdacht de enormiteit van wat hij voorstelde. 'En u?' vroeg ik.
'Ik moet natuurlijk hier blijven.'
'U bedoelt dat ik alleen naar Engeland moet gaan?'
'Mijn lieve Susanna, dat gebeurt met alle jonge mensen hier. Dat heb je wel gezien. En binnenkort is het jouw beurt. Feitelijk zijn er mensen die zeggen dat je al eerder had moeten gaan.'
Hij stippelde zijn plan uit. Mevrouw Fearnley was buitengewoon hulpvaardig. Ze was een goede vriendin van ons geweest; ze maakte nu plannen om naar Engeland terug te keren en als zij ging, zou ik met haar meegaan. Ze zou me dan naar James, de broer van mijn moeder, en zijn vrouw Grace in de pastorie van Humberston brengen, en dat zou mijn thuis zijn tot ik weer naar hem in India kon komen als ik zeventien of achttien was.
'Maar dat is pas over zeven jaar! Een heel leven!'
'Niet helemaal, mijn schat. Ik vind het idee van een afscheid even erg als jij... erger misschien... maar het is nodig. We kunnen je niet laten opgroeien zonder behoorlijke opleiding.'
'Maar die heb ik toch. Ik lees veel. Ik heb zoveel geleerd.' 'Het gaat niet alleen om boekenwijsheid, lieverd. Ook om sociale vaardigheden... hoe je je in gezelschap moet gedragen. Echt gezelschap, niet wat wij hier hebben. Nee schat, er is geen uitweg mogelijk. Als die er was, zou ik hem gevonden hebben, want het laatste wat ik wil, is jou verliezen. Je moet me schrijven, dan zijn we samen door jouw brieven. Ik zal alles willen weten wat er met je gebeurt. Misschien dat ik voor een lang verlof naar Engeland kan komen. Dan zijn we bij elkaar. In die

tussentijd ga je naar school en de pastorie is je thuis tijdens de vakanties. De tijd zal snel voorbijgaan. Ik zal je ontzettend missen. Zoals je weet, ben je alles voor me sinds de dood van je moeder.'

Hij keek recht voor zich uit, bang me aan te kijken, bang de emotie die hij voelde, te tonen. Ik had minder zelfcontrole. Een van de dingen die ik in Engeland moest leren, was het in bedwang houden van mijn gevoelens.

Ik zag de zee, de heuvels, het witte gebouw door een mist van tranen.

Het leven veranderde. Alles zou veranderen... niet langzaam zoals het leven meestal deed, maar drastisch.

Er was meer dan een maand om aan het idee te wennen en na de eerste schok ging ik iets van opwinding voelen. Ik had dikwijls naar de grote schepen gekeken die de haven binnenkwamen en had ze zien vertrekken. Ik had jongens en meisjes afscheid zien nemen van hun ouders en weggaan. Het hoorde bij het leven – en nu was het mijn beurt.

Mevrouw Fearnley had het druk met het organiseren van alles en de lessen waren minder geregeld.

'Ik kan je niet veel meer leren,' zei ze. 'Je moet verder zijn dan de anderen van je leeftijd. Lees zoveel mogelijk. Dat is het beste wat je kunt doen.'

Ze was opgewekt en verheugde zich erop om naar huis te gaan. Ze zou bij een nicht gaan logeren tot ze, zoals ze zei, 'een eigen stek' gevonden had.

Anders was het met mijn aya. Het was een treurig afscheid voor haar en voor mij. We waren zo bevriend geweest – veel intiemer dan met mevrouw Fearnley. Aya kende me al vanaf de tijd dat ik een baby was. Ze had mijn moeder gekend en de band tussen ons was zeer sterk geworden sinds de dood van mijn moeder. Ze keek me aan met de geduldige aanvaarding van haar ras en zei: 'Zo gaat het altijd met de aya. Ze verliest haar kleintjes. Ze zijn niet van haar, ze zijn alleen maar geleend.'

Ik zei dat ze zeker een ander kleintje zou vinden. Daar zou mijn vader wel voor zorgen.

'Weer opnieuw beginnen? En waar is er een andere Su-Su?' Toen nam ze mijn handen en keek ernaar. 'Ze zijn als lotusbloemen,' zei ze.

'Wel een beetje vuil.'

'Ze zijn prachtig.' Ze kuste ze. 'Er is kracht in die handen, die moet gebruikt worden. Het is niet goed iets wat je gekregen hebt verloren te laten gaan. Jouw god... mijn goden... zij houden er niet van hun gaven geminacht te zien. Het is jouw taak, kleintje, de gaven te gebruiken die je gekregen hebt.'

'O nee, Aya, mijn liefje, je verbeeldt je dat er iets speciaals aan me is, omdat je van me houdt. Mijn vader zei dat dat jongetje het fijn vond dat ik naast hem knielde en dat hij daardoor zijn pijn vergat. Dat was alles, zei mijn vader.'

'De Kolonel Sahib is een heel groot man, maar grote mannen weten niet alles...

En soms heeft een bedelaar van de laagste kaste een zekere kennis die de grootste radjah niet gegeven is.'
'Goed, Aya lief, ik ben bijzonder. Ik ben speciaal. Ik zal op mijn prachtige handen passen.'
Toen kuste ze die plechtig en hief haar gevoelvolle ogen op naar mijn gezicht. 'Ik zal altijd aan je denken en op een dag kom je terug.'
'Natuurlijk kom ik terug. Zodra ik van school kom, ben ik weer hier. En jij moet alles opgeven en weer bij me komen.'
Ze schudde haar hoofd. 'Dan heb je me niet meer nodig.'
'Ik zal je altijd nodig hebben. Ik zal je nooit vergeten.'
Ze stond op en liet me alleen.
Ik zei al mijn vrienden en vriendinnen vaarwel. De laatste avond aten mijn vader en ik alleen met elkaar. Zo wilde hij dat. Er hing een neerslachtige sfeer in huis. De bedienden spraken zacht en keken zwijgend naar me. De Khansamah had zichzelf overtroffen met een van zijn lievelingsgerechten die hij *yakhni* noemde, een soort gekruid lam dat ik altijd bijzonder lekker had gevonden. Maar deze avond niet. We waren veel te emotioneel om te willen eten en we moesten ons uiterste best doen te laten zien dat we aten, en naderhand moesten we ons aan de mango's, nectarines en druiven wagen die voor ons stonden. Het leek of het hele huishouden in de rouw was om mijn vertrek.
Het gesprek was die avond hoogdravend. Ik wist dat mijn vader alles probeerde om zijn gevoelens te verbergen, iets wat hij natuurlijk bewonderenswaardig deed, en niemand zou kunnen beseffen hoe ontroerd hij was, behalve dat zijn stem broos klonk en zijn lach geforceerd.
Hij praatte veel over Engeland en hoe het verschilde van India. Op school moest ik een zekere discipline verwachten en ik moest natuurlijk niet vergeten dat ik de gast was van oom James en tante Grace die ons zo vriendelijk te hulp waren geschoten en ons gastvrijheid in de vakanties hadden aangeboden.
Ik was eigenlijk blij toen ik naar mijn kamer kon gaan en voor het laatst onder mijn muskietennet kon liggen, slapeloos en vol vragen over het nieuwe Engeland en hoe het daar zijn zou.
De boot lag al in de baai. Ik had er zo dikwijls naar gekeken en me voorgesteld hoe het zou zijn als zo'n boot vertrok met mij. Maar het is moeilijk je een plaats voor te stellen zonder jezelf.
De dag kwam. We moesten afscheid nemen en toen waren we aan boord in de hut die mevrouw Fearnley en ik zouden delen. Even later stonden we te wuiven op dek. Mijn vader stond kaarsrecht toe te kijken. Ik wierp hem een handkus toe, die hij beantwoordde. En toen zag ik mijn aya. Haar ogen waren strak op mij gevestigd. Ik wuifde naar haar en ze hief haar hand op.
Ik verlangde naar het moment dat het schip zou vertrekken. Het afscheid was te verdrietig om langer te duren.

De opwinding van de reis hielp me over het verdriet van het afscheid van degenen van wie ik hield, heen. Mevrouw Fearnley was doortastend en zeer plezierig gezelschap. Ze was vast besloten de belofte aan mijn vader om goed voor me te zorgen, te houden en liet me vrijwel niet uit haar ogen.
Ik wist dat ik wanhopig heimwee zou krijgen naar mijn vader, mijn aya en India. Want een nieuw tehuis was niet het enige waar ik voor stond. Er was ook nog een school. Misschien was het wel goed dat de verandering zo groot was; door de nieuwe ervaringen had ik minder tijd om te piekeren. Iedereen was aardig maar op een min of meer afstandelijke manier.
Zoals afgesproken leverde mevrouw Fearnley me af bij de pastorie – met de houding van iemand die zich uitstekend van een zware taak gekweten had, en ik nam zonder veel emotie afscheid van haar – voor ze vertrok met de nicht die ons van de boot had gehaald. Pas toen ik alleen was in de kamer met de lage zoldering, de zware eiken balken en het glas-in-lood raam dat uitkeek over het kerkhof realiseerde ik me de enormiteit van mijn alleen zijn. Op de boot waren er te veel ervaringen: de verrassing van het varen op een zee die wild kon zijn of glad als een meer, de ontmoeting met mijn medepassagiers, de nieuwe plaatsen die ik zag – Kaapstad met zijn schitterende baai en bergen, Madeira met de kleurige bloemen, Lissabon met de mooie haven – zulke nieuwe dingen hadden geholpen om mijn angst voor de toekomst te vergeten.
Dat kamertje zou me heel vertrouwd worden. Iedereen deed zijn best om me thuis te doen voelen. Oom James, die opging in zijn werk en buitengewoon serieus was, deed zo hard zijn best om leuk te zijn dat zijn pogingen tot luchthartigheid altijd gedwongen waren en het tegenovergestelde effect hadden van wat hij bedoelde. Iedere ochtend zei hij: 'Hallo, Susanna. Voor dag en dauw op?' En als ik een beetje in de tuin aan het werk was: 'Ha, ha, de arbeider is zijn loon waardig.' Zulke opmerkingen gingen altijd vergezeld van een mallig lachje dat op de een of andere manier niet bij hem hoorde. Maar ik weet dat hij alles probeerde om me te laten wennen. Tante Grace was vrij bruusk, niet omdat ze dat wilde maar omdat ze zelden haar gevoelens toonde, en met een eenzaam kind om zich heen vond ze de situatie in feite pijnijk. Ellen was vriendelijk op een afwezige manier, maar ze was twaalf jaar ouder dan ik en ging volkomen op in de hulppredikant van haar vader, meneer Bonner, die haar zou trouwen zodra hij beroepen werd.
Gedurende de eerste weken haatte ik school en toen begon ik het prettig te vinden. Ik werd een soort beroemdheid omdat ik in India had gewoond en als het licht van de slaapzaal uit was, haalden ze me over verhalen te vertellen van dat exotische land. Ik genoot van mijn populariteit en verzon de meest gruwelijke gebeurtenissen. Dat hielp me door de eerste weken heen. Omdat ik aan de norm van mijn leeftijdsgroep voldeed – dankzij de angstvallig nauwgezette lessen – werd ik geaccepteerd. Ik was niet dom en evenmin briljant, een veel plezieriger

attibuut dan wanneer je heel goed bent of heel slecht.
Aan het eind van het eerste jaar genoot ik van de school en in de vakanties deed ik mee aan dorpsactiviteiten – feesten, bazaars, liedjes-zingen en wat dies meer zij.
De bedienden mochten me graag. 'Arm, moederloos kindje,' hoorde ik de kokkin tegen de dienstbode zeggen, 'zomaar de wereld over gestuurd naar haar oom en tante... vreemden, kun je wel zeggen. En ze woonde daar tussen heidenen. Dat is geen leven voor een kind. Goed dat ze hier is. Ik heb buitenlanders nooit kunnen uitstaan.'
Ik lachte erom. Ze begrepen het niet. Ik miste mijn lieve aya zo ontzettend.
Mijn vader schreef geregeld lange brieven over het regiment en de problemen daar.

*Soms ben ik blij dat je thuis bent (*schreef hij*). Ik wil er alles over horen. Hoe vind je de pastorie? Je moeder had het er zo dikwijls over. Ze had er heimwee naar. De Khansamah is vorige week getrouwd, een geweldige ceremonie. Hij en zijn bruid reden door de stad in een met bloemen versierde wagen. Het was een mooie processie. Je weet hoe zulke bruiloften zijn. De bruid komt hier wonen. Ik denk dat ze een soort baantje in huis krijgt. Ik hoop alleen dat het huwelijk niet even vruchtbaar zal zijn als iedereen schijnt te wensen. Aya is gelukkig. Ze is bij een heel aardig gezin. De tijd gaat snel en het zal niet lang meer duren of je maakt plannen om terug te komen. Dan ben je een jonge dame... met perfecte manieren, zoals ze voorspellen. En je zult hier dan heel wat te doen krijgen. Ik hoop dat je ervan houden zult. Je wordt de Dame van de Kolonel. Je weet wat dat betekent. Je moet mee naar officiële gelegenheden. Maar dat is toekomst en ik weet zeker dat je je plichten met de vereiste elegantie en charme zult uitvoeren. Tenslotte ben je dan een Engelse dame, met uitstekende manieren van een dure school waar je nog een laatste jaar moet volgen. Meer daarvan later.*
Intussen stuur ik je mijn liefde. Ik denk aan je, verlang ernaar om je weer te zien, heb een hekel aan onze scheiding en houd mijzelf voor dat die gauw voorbij zal zijn.

Wat schreef hij allerliefste brieven! Hij liet meer van zichzelf zien op papier dan persoonlijk. Sommige mensen zijn zo.
Ik moest gelukkig zijn dat ik zo'n vader had. Dat was ik ook. En ik bofte met die goede, aardige oom James en tante Grace en nicht Ellen die alles deden om me een deel van het gezin te laten voelen.
Een jaar ging voorbij – toen twee. Er waren problemen in India en mijn vader kon niet naar Engeland komen tijdens het beloofde verlof. Een grote teleurstelling. Toen leek het vreselijk belangrijk om wel of niet gekozen te worden voor het schooltoneel of wat voor cijfers ik had voor geschiedenis, en ik dacht niet aan India. Ik ging een keer in een zomervakantie bij een van mijn vrien-

dinnen logeren – een heel plezierig Tudor-buiten met acres land die ze bebouwden. Er was een kamer waar het spookte en die ik heel spannend vond. Mijn vriendin Marjorie en ik gingen er een nacht slapen maar het spook wilde zich – tegen onze zin – niet laten zien. Daarna kwam Marjorie tijdens een vakantie naar de pastorie. 'Vanzelfsprekend,' zei tante Grace, 'dat je die gastvrijheid moet beantwoorden.'

Ja, ik kon zien dat ze enorm hun best deden om me het gevoel te geven dat ik gewenst was. Over het algemeen waren het dan ook gelukkige herinneringen. De verlate bruiloft van nicht Ellen veroorzaakte heel wat opgewonden voorbereidingen; daarna kwam haar vertrek met meneer Bonner naar de pastorie in Somerset. Ik probeerde tante Grace iets van de hulp die ze altijd van nicht Ellen gekregen had, te geven want ik wilde laten zien dat ik dankbaar was voor alles wat ze voor me hadden gedaan. Ik kreeg meer belangstelling voor kerkelijke activiteiten, deed of ik naar oom James' preken luisterde en lachte om zijn grapjes.

De tijd ging voorbij. Er is één incident dat ik me nog duidelijk herinner. Het gebeurde vlak voor nicht Ellens huwelijk. Ik ging met haar ergens op bezoek en herinner me dat het in het begin van het najaar was omdat het fruit geplukt werd.

Toen we bij de boerderij van Jennings kwamen, zagen we een groep mensen onder een appelboom en Ellen zei: 'Er is een ongeluk gebeurd.'

We renden erheen en een van de zoons van Jennings lag kreunend van pijn op de grond.

Mevrouw Jennings maakte zich vreselijk bezorgd. 'Tom is gevallen, juffrouw Sandown,' zei ze tegen Ellen, 'ze zijn de dokter gaan halen, maar ze zijn al een hele poos weg.'

'Denkt u dat hij iets heeft gebroken?' vroeg Ellen.

'Dat weten we niet. Daarom wachten we op de dokter.'

Iemand knielde neer bij Tom Jennings en spalkte zijn been met een stuk hout. In een opwelling knielde ik aan de andere kant naast hem. Ik zag hoe de eerste hulp werd gegeven en merkte dat Tom hevige pijn had.

Met mijn zakdoek veegde ik zijn voorhoofd af en toen ik dat deed, werd ik me bewust van het gevoel dat ik in India had ervaren toen het jongetje onder de ossekar terechtgekomen was.

Tom keek me aan en werd rustiger, hij kreunde niet meer. Ik streek over zijn voorhoofd.

Ellen was verbaasd en ik dacht dat ze wilde zeggen dat ik moest opstaan, maar Tom keek me zo doordringend aan dat ik doorging met het strijken over zijn voorhoofd.

Het zal een minuut of tien geduurd hebben eer de dokter kwam. Hij complimenteerde de man die het been zo goed gespalkt had en zei dat dat het beste

was wat hij had kunnen doen. Nu moesten ze hem voorzichtig wegdragen.
Ellen vroeg: 'Is er nog iets wat we kunnen doen, mevrouw Jennings?'
'Dank u, juffrouw,' antwoordde mevrouw Jennings. 'Het komt wel weer in orde nu de dokter er is.'
Ellen liep te peinzen op de weg terug naar de pastorie.
'Het was net of je hem rustig maakte,' zei ze.
'Ja, er is nog eens zoiets gebeurd.' Ik vertelde haar van de jongen in India. Ze luisterde op haar vriendelijke, wat vage manier en ik veronderstelde dat ze in werkelijkheid aan het huis dacht dat zij en meneer Bonner net gekregen hadden. Maar ik herinnerde me het incident en vroeg me af wat mijn aya ervan gedacht zou hebben.
's Avonds tijdens de maaltijd kwam het weer ter sprake.
'Hij viel van de ladder,' zei tante Grace. 'Ik begrijp niet waarom er niet meer ongelukken gebeuren. Ze zijn dikwijls zo zorgeloos.'
'Susanna was heel goed,' zei Ellen. 'Ze streek over zijn voorhoofd, terwijl George Grieves eerste hulp toepaste. De dokter zei dat dat het beste was wat hij had kunnen doen en George is heel trots op zichzelf. Maar ik moet zeggen dat het leek of Susanna zijn pijn verminderde.'
'Dienende engel,' viel oom James in en glimlachte tegen me.
Later dacht ik aan het incident. Ik keek naar mijn handen. Het geeft je gewoon troost als iemand je over je voorhoofd strijkt als je pijn hebt. Iedereen zou het gedaan hebben.
In de kalme prozaïsche wereld waarin ik leefde, ging ik net zo denken als de mensen om me heen. Mijn lieve aya was vol hersenschimmen geweest. Natuurlijk. Zij was geen Engelse.
Toen was het eindelijk mijn zeventiende verjaardag.
Alles was geregeld. Een zekere mevrouw Emery ging haar dochter Constance wegbrengen die met een van de officieren zou trouwen en zou het heerlijk vinden mij mee te nemen. Mijn vader was opgelucht en oom James en tante Grace eveneens. Het zou niet te pas zijn gekomen dat een jong meisje van zeventien alleen reisde.
De grote dag kwam. Ik nam afscheid en ging naar Tilbury in gezelschap van de Emery's. Eindelijk vertrok de boot met mij, terug naar India.

Het was een ongestoorde reis; de Emery's waren plezierig gezelschap; Constance werd in beslag genomen door haar komende huwelijk en kon over weinig anders praten dan over de ideale eigenschappen van haar verloofde. Maar het kon me niet schelen. Ik had genoeg om over te denken.
Wat een indrukwekkende aanblik biedt de haven van Bombay met het bergachtige eiland met zijn ring van palmen en oprijzend naar de schitterende toppen van de Westelijke Ghats.

Mijn vader stond me op te wachten. We omhelsden elkaar. Toen hield hij me op een armlengte van zich af en keek me aan. 'Ik zou je niet herkend hebben.'
'Ik ben ook zo lang weggeweest. U ziet er nog net zo uit, vader.'
'Oude mannen veranderen niet. Alleen kleine meisjes die opgroeien tot mooie dames.'
'Woont u in hetzelfde huis?'
'Gek genoeg, ja. We hebben moeilijke tijden gehad sinds jij weg was en ik heb nogal rondgereisd, zoals je weet. Maar hier sta ik nu... net zoals je vertrok.'
Mijn vader bedankte de Emery's toen ik hen voorstelde. De verloofde wachtte al op hen en nam hen mee nadat we hadden beloofd elkaar binnenkort weer te zien.
'Was je gelukkig in Humberston?'
'O ja. Ze waren heel aardig voor me. Maar het is thuis niet.'
Hij knikte. 'En de Emery's. Waren die ook aardig?'
'O ja, heel aardig.'
'We moeten meer van hen zien en ik moet hen op een goede manier bedanken.'
'En hoe staat het met iedereen hier? Aya?'
'O, die is nu bij de Freelings. Er zijn twee heel jonge kinderen. Mevrouw Freeling is een vrij frivole jonge vrouw. Aantrekkelijk, zeggen ze.'
'Ik verlang ernaar mijn aya weer te zien.'
'Dat zul je ook.'
'En de Khansamah?'
'Een familievader. Hij heeft twee jongens. Hij is heel trots op zichzelf. Maar kom, we moeten naar huis.'
En toen was ik er weer, met het gevoel of ik niet weg was geweest.
Maar natuurlijk waren er veranderingen. Ik was geen kind meer. Ik had mijn plichten en in de loop van de eerste dagen ontdekte ik dat die veeleisend konden zijn. Ik was teruggekomen, met perfecte manieren, zoals ze zeiden – een jonge Engelse dame die geschikt was om aan de kolonelstafel te zitten en de taken te vervullen die van me verwacht werden.
In zeer korte tijd werd ik opgenomen in het bestaan van het leger. Het was leven in een eigen kleine wereld, omringd door het vreemde van een vreemd land. Het was niet zoals het was geweest, of misschien had ik te lang in mijn verbeelding geleefd. Ik werd meer getroffen door onsmakelijke details dan in mijn kindertijd, was me meer bewust van armoede en ziekte. Ik was minder verrukt van de dingen; en er waren tijden dat ik met verlangen dacht aan de koele bries die rond de oude kerk blies en aan de rust van de tuin met lavendel en buddleia, hoge zonnebloemen en stokrozen. Dan voelde ik de nostalgie van de zachte regen, de Paas- en oogstfeesten. Natuurlijk had ik mijn vader hier, maar ik denk dat ik, als ik hem mee had kunnen nemen, liever naar die plaats was gegaan die nu mijn Thuis voor me geworden was, zoals kennelijk voor velen om me heen.

Bij de eerste gelegenheid ging ik mijn aya opzoeken. Mevrouw Freeling was verrukt dat ik op bezoek wilde komen. Ik kwam er al snel achter dat iedereen mijn vader ter wille was vanwege zijn positie, en dat gold ook voor zijn dochter. Sommige vrouwen waren bijna kruiperig, ongetwijfeld in de hoop dat het in de gunst staan bij de Kolonel hun mannen zou helpen op de lange weg naar een hogere rang.

De Freelings hadden een alleraardigste bungalow, omringd door mooie bloeiende heesters waarvan ik de namen niet kende. Phyllis Freeling was jong, zag er leuk uit, en was nogal koket, dacht ik, en ik was er zeker van dat ik haar niet de meest interessante vrouw zou vinden. Ze dwarrelde om me heen alsof ik haar een grote eer aandeed met mijn bezoek. Ze gaf me thee.

'We proberen de Engelse gewoonten hier te bewaren,' beweerde ze. 'Dat moet je wel. Je wilt toch geen inlander worden.'

Ik luisterde naar haar gebabbel, terwijl ik me steeds afvroeg wanneer ik mijn aya kon zien. Die was immers de enige reden van mijn komst. Ze praatte over het bal dat binnenkort plaats zou hebben. 'U zit natuurlijk in het comité. Er zijn zoveel voorbereidingen te maken. Als u een naaister wilt hebben, kan ik u een heel goede aanbevelen.' Ze vouwde haar handen en zei met een Indiaas accent: 'De allerbeste *durzi* van Bombay... Dat vertelt hij tenminste en daar hoef je niet aan te twijfelen.'

Ik dronk van de thee en nam een van haar geurige koekjes.

'Khansamah is zeer vereerd om thee te maken voor de dochter van de Kolonel,' zei ze.

Ik vroeg naar haar kinderen en de aya.

'Ze is heel goed. De kinderen zijn engelen. Ze zijn dol op Aya en ze gaat goed met hen om. Ik vraag me wel eens af of het verstandig is ze bij een inlander achter te laten, maar wat kun je doen? Je hebt zoveel verantwoordelijkheden... voor je man, voor het regiment...'

Ten slotte vond ik dat het tijd was haar aan de reden voor mijn bezoek te herinneren en zei dat ik de aya graag wilde zien.

'Maar natuurlijk. Ze zal zich vereerd voelen.'

Ik werd naar de kinderkamer gebracht waar de kinderen hun middagslaapje deden. Ze zat er te wachten, want ze wist dat ik komen zou.

We keken elkaar aan – ze was wat ouder geworden, vanzelfsprekend in zeven jaar – toen rende ik naar haar toe en sloeg mijn armen om haar heen. Wat mevrouw Freeling daarvan vond, wist ik niet en het kon me niet schelen.

'Aya,' zei ik.

'Missee Su-Su.'

Ik was diep ontroerd toen ik mijn babynaampje hoorde en zei: 'Ik heb zo dikwijls aan je gedacht.'

Ze knikte. Een bediende kwam binnen en zei zacht iets tegen mevrouw Freeling.

'Ik zal jullie maar alleen laten,' zei ze. 'Jullie zullen het wel prettig vinden een beetje te babbelen.'
Ik vond het tactvol van haar.
We gingen zitten, bleven elkaar aankijken en praatten fluisterend vanwege de slapende kinderen in de kamer ernaast. Ze vertelde me hoe ze me had gemist. De *babalog* Freelings waren aardig maar waren geen Missee Su-Su. Er zou nooit een ander zijn zoals Missee.
Ik vertelde haar over het leven in Engeland, maar zag dat het moeilijk voor haar was zich dat voor te stellen. Ze zei dat er overal in India moeilijkheden waren geweest en gevaarlijk werd... en dat er nog meer zou komen. Ze schudde haar hoofd. 'Er zijn geruchten. Donkere, geheime dingen... niet goed.'
Ze zag dat ik veranderd was. Ik was niet meer het kleine meisje dat al die jaren geleden uit Bombay was vertrokken.
'Zeven jaar is een lange tijd,' herinnerde ik haar.
'Het schijnt lang als er veel gebeurt, kort als dat niet zo is. De tijd zit in het hoofd.'
Het was heerlijk haar weer te zien. Ik zei: 'Ik wilde dat ik je mee naar huis kon nemen.'
Haar gezicht lichtte op in een stralende glimlach. 'Wat zou ik dat graag willen. Maar je hebt nu geen aya nodig zoals de Freeling babalog.'
'Ben je gelukkig, mijn lieve Aya?'
Ze zweeg en ik schrok toen ik zag hoe een schaduw over haar gezicht trok. Het verbaasde me. Mevrouw Freeling had me niet de indruk gegeven dat ze zich veel bemoeide met wat er in de kinderkamer gebeurde. Ik had gedacht dat haar aya de vrije hand zou hebben, meer dan ze bij mij had gehad, want daar was mevrouw Fearnley om mee te kibbelen.
Ze was te loyaal om over haar meesteres te roddelen, wist ik, maar ik voelde me niet op mijn gemak.
Ze voelde het en zei 'Nergens kon ik zo gelukkig zijn als bij jou.'
Ik was diep ontroerd en verbaasd, want ik herinnerde me hoe moeilijk ik soms was geweest. Misschien speelde de tijd haar parten, waardoor het verleden roziger leek dan het in werkelijkheid was geweest.
'Nu ik hier ben, wil ik je vaak zien,' zei ik. 'Ik weet zeker dat mevrouw Freeling het niet erg vindt als ik kom.'
Ze schudde haar hoofd. 'Je moet hier niet komen, Missee Su-Su. Niet te veel.'
'Maar waarom niet?'
'Beter van niet. We zien elkaar wel. Misschien kom ik naar jou toe.' Ze trok haar schouders op. 'Ik ben gewoon Oude Aya... niet langer die van jou.'
'Wat een onzin! Je zult altijd van mij zijn. En waarom zou ik je niet komen opzoeken? Daar sta ik op. Ik ben nu de Dame van de Kolonel. Ik stel de regels vast.'

'Niet hier,' zei ze. 'Nee... nee... dat is niet goed.'
Ik ging niet op het onderwerp door omdat ik dacht dat ze het absurde idee had dat het niet gepast was wanneer de dochter van de Kolonel haar oude kinderjuffrouw in een andere huishouding ging bezoeken.
Haar donkere ogen waren vol gevoel en profetisch: 'Je zult vertrekken. Ik zie je hier niet... lang.'
'Je hebt het mis. Ik blijf bij mijn vader. Ik heb die grote reis naar huis niet gemaakt om bijna gelijk weer weg te gaan. Besef je wel hoe ver het is, Aya, aan de overkant van de zee? Ik blijf hier, en we zullen elkaar vaak zien. Het zal weer zijn zoals vroeger... of bijna.'
Ze glimlachte. 'Ja... geen droefheid. Laten we niet praten over afscheid. Je bent pas gekomen. Dit is een gelukkige dag.'
'Zo is het beter,' zei ik en begon een gesprek dat kracht werd bijgezet met 'Herinner je je toen...' en het was wonderbaarlijk hoeveel van het verleden dat ik vergeten dacht te hebben, bij me terugkwam.
De kinderen werden wakker en ik werd aan hen voorgesteld. Het waren mollige kindertjes met ronde gezichtjes, van vier en twee, dacht ik.
Toen ik vertrok, ging ik naar beneden om afscheid te nemen van mevrouw Freeling.
Ze zat op een sofa met naast haar een jongeman. Ze stonden op toen ik binnenkwam.
'O, daar bent u,' zei mevrouw Freeling. 'Juffrouw Pleydell heeft haar oude aya opgezocht die nu toevallig die van mij is. Was dat niet aardig van haar?'
'Dat was het niet,' zei ik.' Ik ben nu eenmaal dol op haar.'
'Dat ben je altijd op je kinderjuf. Maar ik vergeet dat u elkaar niet kent. Dit is Aubrey St Clare. Aubrey, dit is juffrouw Susanna Pleydell, de dochter van de Kolonel.'
Het was voor het eerst dat ik Aubrey zag en ik was onmiddellijk getroffen door zijn charme en knappe uiterlijk. Hij was ongeveer zo groot al ik, maar ik was dan ook lang. Hij had blond haar – bijna goud – levendige blauwe ogen en scherp gesneden gelaatstrekken.
Hij nam mijn hand en drukte die stevig. 'Wat prettig om kennis met u te maken,' zei hij.
'Ga toch zitten, juffrouw Pleydell,' zei mevrouw Freeling. 'U moet wat drinken. Het is wel een beetje vroeg maar dat geeft niet. In feite is het nooit te vroeg.'
Ik ging naast hem zitten.
'U bent juist terug in India, geloof ik,' zei hij.
Ik legde het uit.
'Pas van school!' zei Phyllis Freeling met een wat schel, trillend lachje. 'Is dat niet spannend?
'Dat moet wel,' zei hij. 'Terugkomen naar India. Vreemd, opwindend land,

vindt u niet, juffrouw Pleydell?'
Daar was ik het mee eens.
'Zijn u veranderingen opgevallen?'
'Ik was zo jong toen ik wegging – tien jaar, om precies te zijn. Ik geloof dat ik een wat al te fraai beeld meenam. Nu zie ik het meer zoals het in werkelijkheid is.'
'Ach,' zei hij, 'een van de bezwaren van het opgroeien.'
Ik merkte dat hij aandachtig naar me keek en werd plezierig gestimuleerd door zijn belangstelling. Ik had met weinig jongelui kennis gemaakt – alleen degenen die in Humberston woonden en verder vrienden van oom James en tante Grace. Ik was zeer beschermd opgevoed, besefte ik. Nu voelde ik iets van vrijheid. Ja, ik was volwassen. En het was zeer opwekkend.
Aubrey St Clare sprak met vrij veel inzicht over India; hij scheen het land goed te kennen. Ik vermoedde dat hij geen banden had met het regiment en vroeg me af wat hij hier deed. Maar ik vond het onbescheiden ernaar te vragen.
Mevrouw Freeling nam de leiding over de conversatie. Ze flirtte nogal met haar bezoeker, en ik vroeg me af of ik zo dacht omdat ik nog onder de invloed van de pastorie in Humberston was waar alles op een zeer conventionele manier toeging.
Uiteindelijk zei ik dat ik weg moest. Aubrey St Claire stond onmiddellijk op en vroeg of hij me thuis mocht brengen.
'Het is vlakbij,' hield ik hem voor.
'Maar toch...' begon hij, en mevrouw Freeling voegde eraantoe: 'O ja, u moet een begeleider hebben.'
Ik bedankte haar voor haar gastvrijheid en vertrok met Aubrey St Claire.
Toen ik de bungalow uitkwam, keek ik om en zag gordijnen bewegen. Aya stond voor het raam. Verbeeldde ik het me of keek ze echt ongerust?

Hierna zag ik Aubrey St Claire dikwijls. Ik raakte gefascineerd en ook gevleid omdat hij zoveel aandacht aan me besteedde. Hij was attent tegen Phyllis Freeling, maar dat leek anders omdat ze getrouwd was.
Mijn vader mocht hem graag en ik geloof dat hij blij was dat ik een begeleider had. Al had hij, denk ik, liever gewild dat ik op de conventionele manier met de grote wereld kennis had gemaakt. Het speet hem dat hij niet meer tijd met mij kon doorbrengen.
Aubrey was charmant. Hij was een fantastische persoonlijkheid en kon zich gemakkelijk aanpassen aan de mensen bij wie hij was. Met mijn vader was hij ernstig en sprak over de problemen van India; mij vertelde hij over zijn reizen om de wereld– hij was in Arabië geweest en had mensen van verschillend ras ontmoet. Hij vond het onderzoek van verschillende culturen fascinerend en kon zich levendig uitdrukken; toch was hij met mevrouw Freeling weer buitenge-

woon frivool, precies het soort man dat zij aantrekkelijk zou vinden, wist ik. Het was een bijzondere gave.
Hij werd mijn vaste gezelschap. Mijn vader liet me met hem naar de bazaars gaan, hoewel ik geen toestemming zou hebben gekregen die alleen te bezoeken. De dingen waren niet meer zoals toen ik een kind was, vertelde hij. Er waren onderstromen van onrust. Het regiment was op zijn hoede.
O, niets ernstigs, beweerde hij. Maar de inlanders waren onvoorspelbaar. Ze redeneerden niet op dezelfde manier als wij. Daarom vond hij het prettig dat ik kon gaan waar ik wilde, maar in gezelschap van een sterke man.
Het waren prettige dagen.
Mijn aya zag ik een enkele keer maar ze maakte zich altijd ongerust over mijn bezoeken aan de Freeling bungalow. Ik stelde haar voor naar ons toe te komen. Dat deed ze een of twee maal, maar ze kon moeilijk weg. Ik wist dat er iets was waar ze zich zorgen over maakte maar kon niet raden wat. En om de waarheid te zeggen: ik werd zo in beslag genomen door alles wat er gebeurde, vooral met mijn nieuwe vriend, dat ik niet zoveel aandacht aan haar besteedde als ik anders zou hebben gedaan.
Op een dag, toen we onder de abrikozenbomen zaten, bracht een van de jongens koele dranken en Aubrey zei tegen me: 'Ik moet eraan denken dat ik binnenkort naar huis ga.'
Ik was verslagen. Ik had nooit aan een vertrek van hem gedacht en besefte plotseling hoe ik was gaan rekenen op zijn gezelschap. Ik voelde me vaag terneergeslagen.
'Ik heb ernstig nieuws van thuis,' ging hij door.
'Het spijt me.'
'Mij ook. Het gaat om mijn broer – mijn oudste broer. Hij is ziek. Feitelijk geloof ik dat hij niet lang meer kan leven. Dat zal een groot verschil voor me maken.'
'Je houdt veel van hem.'
'We zijn nooit bijster goede vrienden geweest. We zijn met ons tweeën en zijn zo verschillend. Hij erfde alles... een heel groot landgoed. Daar hij geen kinderen heeft, krijg ik alles wanneer hij sterft en het lijkt zeker dat dat niet lang meer zal duren. Ik betwijfel het of hij het nog een jaar uithoudt.'
'Wat verdrietig voor je.'
'Dus... ik hoor er te zijn. Ik zal al gauw plannen moeten maken om te vertrekken.'
'We zullen je missen.'
Hij boog zich naar me toe, greep mijn hand en drukte die. 'Ik zal iedereen hier missen... en vooral jou.'
Ik voelde me opgewonden. Hij had altijd gedaan of hij me bewonderde en ik was me bewust van de aantrekkingskracht tussen ons, maar ik voelde me een

echte beginneling in dit soort zaken en was heel onzeker van mijzelf. Het enige wat ik wist, was dat ik heel bedroefd zou zijn als hij weg was.
Hij praatte met me over zijn thuis. Het landgoed lag in Buckinghamshire en was reeds eeuwen in zijn familie. 'Mijn broer is er heel trots op,' zei hij. 'Zelf heb ik dat gevoel voor huizen nooit gehad. Ik wilde reizen, de wereld zien. Hij ging op in zijn plichten van landheer. Als hij sterft, valt dat op mijn schouders. Dus hoop ik maar dat mijn schoonzuster, Amelia, een zoon krijgt voor hij sterft.'
'Is dat waarschijnlijk, nu hij zo ziek is?'
'Je weet het nooit.'
'Wanneer vertrek je?'
'Wees verzekerd dat ik zo lang mogelijk blijf.'
Toen ik die avond alleen met mijn vader aan tafel zat, vertelde ik dat Aubrey al gauw naar Engeland zou gaan.
'Dat spijt me. Je zult hem wel missen, denk ik.'
Hij keek me aandachtig aan en ik zei, wat aarzelend: 'O ja, heel erg.'
'Misschien is hij niet de enige die vertrekt.'
Wat bedoelt u?'
'Je weet dat het hier de laatste tijd zeer onrustig is. Niets ernstigs, maar als een soort verborgen stroom. En wat je niet weet, Susanna, is dat ik twee jaar geleden ziek was.'
'Ziek? Wat voor ziekte? U hebt het me niet verteld.'
'Ik wilde er geen drukte over maken. Het ging voorbij. Maar het bleef niet onopgemerkt bij het Hoofdkwartier.
'Vader, wat vertelt u me daar?'
'Dat Anno Domini me aan het inhalen is.'
'En u bent zo fantastisch fit. Kijk eens naar wat u doet.'
'Het feit blijft dat ik oud word. Er zijn waarschuwingen, Susanna.'
'Waarschuwingen?'
'Ik denk dat ik binnenkort op het Ministerie van Oorlog in Londen ga werken.'
'Meent u dat echt? En wat was het voor een ziekte?'
'Iets met het hart. Het ging weer over.'
'O vader, en u hebt het niet verteld.'
'Dat was niet nodig toen het voorbij was.'
'Ik had het moeten weten.'
'Absoluut overbodig. Maar, zoals ik zeg, er komen veranderingen hier.'
'Wanneer gaan we naar huis?'
'Je kent het Hoofdkwartier. Als de beslissing eenmaal genomen is, komt er geen uitstel. Het wordt een zaak van pakken en vertrekken, en de nieuwe kerel is hier dan om mijn plaats in te nemen.'
'O vader, hoe zult u het vinden?'

'In feite vind ik het niet erg.'
'Maar al die jaren dat u in India bent geweest... en u liet mij overkomen.'
'Daar had ik een reden voor. Ik besefte uit je brieven dat je je een beeld maakte van hier. Ik dacht dat je, als je niet gekomen was, er je leven lang spijt van zou hebben gehad. Ik wilde dat je terugkwam en alles hier met volwassen ogen zag. Bovendien zou je zeker teleurgesteld zijn geweest als dat niet was gebeurd.'
'U bent zo lief voor me.'
'Lieve kind, ik had het gevoel dat er veel goed te maken was. Die eenzame jeugd... toen je naar vreemden moest, wat ze natuurlijk waren, ook al waren ze familie.'
'U deed uw best en trouwens, dat gebeurt met alle kinderen in onze positie.'
'Dat is waar, maar het maakt het niet gemakkelijker. Motieven komen er trouwens niet op aan. Ik kan ieder ogenblik orders ontvangen en dan moeten we pakken en weggaan.'
Ik was niet echt verslagen en vroeg me af of ik Aubrey nog zou zien in Engeland. Die avond in bed dacht ik aan mijn aya. Ik had haar min of meer verwaarloosd. Toen ik mijn debuut in de wereld maakte, had ik met vreugde aan ons weerzien gedacht. Maar, zoals mijn vader zei, de dingen veranderen. Ik zou haar nooit vergeten en evenmin wat we in mijn kindertijd voor elkaar hadden betekend, maar ik was geen kind meer, ik maakte opwindende tochten in de volwassen wereld en de gevoelens die Aubrey in me opwekten, hadden me zo gefascineerd dat ik de neiging had andere dingen te vergeten.
Ik beloofde mijzelf de volgende dag gelijk naar haar toe te gaan.

Ik koos een tijd waarvan ik wist dat mevrouw Freeling in de Regiments-Club zou zijn. Daar was ze vaak. Ik had haar met een paar jonge officieren gezien en ze nodigde Aubrey ook uit. Hij vertelde me dat hij er dikwijls heen ging. Bovendien had ik hem daar met haar gezien. Ik voelde geen jaloersheid. Het kwam niet bij me op dat ze een serieuze verhouding hadden, omdat zij een getrouwde vrouw was. Ik was zeer naïef in die dagen.
Mijn aya was blij me te zien en ik schaamde me omdat er zoveel tijd voorbij was gegaan sinds mijn laatste bezoek.
'De kinderen slapen,' zei ze.
We zaten in de kamer ernaast met de deur op een kier, zodat ze hen kon horen als ze wakker werden.
Ze keek me met haar treurige ogen aan en ik zei: 'Je had gelijk over dat ik niet lang zou blijven. Mijn vader vertelde dat hij iedere dag orders kan ontvangen van het Ministerie van Oorlog.'
'Je gaat weg van hier... ja. Misschien is dat het beste voor je.'
'Maar, lieve Aya, ik heb het gevoel of ik hier net ben.'
'Er gebeuren hier slechte dingen. Je bent geen klein meisje meer.'

'Er zijn overal slechte dingen, denk ik.'
Ze schudde haar hoofd. Ik nam haar hand en zei: 'Je hebt iets op het hart. Waarom zeg je het niet? Je bent hier niet gelukkig. Ik zou vader kunnen vragen een andere plaats voor je te zoeken.'
Ze zei: 'Ik houd van de kleintjes.'
'En mevrouw Freeling en de Kapitein... zijn die niet aardig voor je? Je kunt het me best zeggen, hoor.'
'Ik ben altijd bij de kinderen. De Kapitein is dol op ze.'
'Is het soms mevrouw Freeling? Komt ze tussenbeide? Klaagt ze?'
Ze schudde haar hoofd, aarzelde even en barstte toen uit: 'Er zijn feesten... bijeenkomsten... ze doen rare dingen. Ik weet wat het is. Ze kweken het in de dorpen. Ik het het gezien... zoveel... toen ik klein was. Het groeit goed in India... en ziet er zo schattig uit, met die papavers en hun wuivende hoofdjes... zo onschuldig. Je zou het niet geloven. Het groeit het best als de aarde fijn en los is en mest en veel water krijgt. Ik heb gezien dat ze het in november zaaiden en in januari is het al klaar als de bloemzaden de grootte van kippeneieren hebben.'
'Waar heb je het over?'
'Ze noemen het opium,' vertelde ze me. 'Het is hier... overal. Sommigen verkopen het voor geld. Sommigen kweken het voor zichzelf. Ze roken het in een pijp en worden heel vreemd... heel vreemd.'
'Bedoel je dat ze bedwelmd raken? Vertel er iets over.'
'Dat moet ik niet doen. Het is mijn zaak niet. Ik zou niet willen dat mijn kleintje met zulke mensen omgaat.'
'Je bedoelt mevrouw Freeling...'
'Vergeet alsjeblieft wat ik zeg.'
'Je bedoelt dat er hie feesten zijn... orgieën. Da moet ik mijn vader vertellen.'
'O nee, nee. Alsjeblieft niet. Ik had niets moeten zeggen. Ik heb het mis. Vergeet het. Vergeet het alsjeblieft.'
'Hoe kan ik dat? Ze roken opium, zeg je. Dat moet ophouden.'
Ze schudde haar hoofd. 'Nee, nee. Het is altijd zo geweest. Hier in de dorpen... Het is zo gemakkelijk te kweken. Praat er alsjeblieft niet over. Maar ga niet naar die plaatsen toe. Laten ze je niet verleiden het te proberen.'
'Verleiden? Mij? Natuurlijk zouden ze dat nooit doen, Aya. Weet je het zeker?'
Ze schudde haar hoofd. 'Niet zeker. Niet helemaal...'
'Maar je zei...'
Ze sloot haar ogen en schudde haar hoofd. Ik geloofde dat ze bang was en probeerde haar tot rust te brengen.
'Ik heb ze hier gezien. Ze zien er vreemd uit. Ze lijken vreemd. Er is een man. Hij komt hier dikwijls. Het is de Demon Dokter. Hij wil opium. Hij koopt het en neemt het mee. Hij wil de mensen waarnemen en hen verleiden. Ik geloof dat hij een duivel is.'

O, dacht ik opgelucht, ze verzint het.
'Vertel me eens over die Demon Dokter,' zei ik.
'Hij is lang. Zijn haar is zwart als de nacht. Ik heb hem een keer gezien. Hij droeg een zwarte mantel en een zwarte hoed.'
'Dat klinkt satanisch. Zeg, had hij ook een gespleten hoef?'
'Ik geloof van wel,' zei ze.
Ik haalde eens diep adem. Ik herinnerde me een paar verhalen waarmee ze me betoverde toen ik klein was; de heldendaden van de goden Shiva, Vishnu en Brahma in wie ze heilig geloofde. Ik nam haar verhalen niet serieus. Waarschijnlijk had ze iets van het frivole gedrag van mevrouw Freelings gasten gezien en had gedacht dat mensen die opium rookten, zich zo gedroegen; en vanwege haar bezorgdheid om mij overdreef ze dat wat ze gezien had. Ik vroeg me af of ik er met mijn vader over moest praten, maar omdat ze me had gesmeekt dat niet te doen, zette ik de zaak van me af. Er was zoveel om aan te denken, want twee weken nadat mijn vader met me gesproken had, kwamen er telegrammen uit Londen.
Kolonel Bronsen-Grey was onderweg om de plichten van mijn vader over te nemen en we moesten ons onmiddellijk voorbereiden op ons vertrek.
Het scheen ons lot te zijn. Ik was erg opgewonden. Ditmaal zou ik India niet met dezelfde tegenzin verlaten.
Aubrey St Clare was opgetogen en toen hij hoorde dat we op de *Aurora Star* hadden geboekt, besloot hij met dezelfde boot naar huis te gaan. Het feit dat ik het niet jammer vond te vertrekken nu we met hem zouden reizen, was een bewijs van mijn gevoelens.
We hadden geen huis in Engeland en mijn vader besloot in een hotel te blijven terwijl we naar iets tijdelijks zochten tot hij van het Ministerie te horen kreeg wat zijn plichten zouden zijn. Zodra hij het wist, konden we naar een permanente behuizing zoeken. Hij verwachtte dat dat wel in Londen zou zijn.
Mijn aya nam onder tranen afscheid van me. Maar ze was fatalistisch en dat hielp haar om haar verdriet bij het afscheid te boven te komen. Zo was het bepaald, zei ze, ze had geweten dat ik, toen ik terugkeerde naar India er niet lang zou blijven.
'Het is goed dat je gaat,' zei ze, 'ook al lijden degenen die van je houden, onder het afscheid. Er komen opstootjes hier en ik ben blij te weten dat jij veilig bent. De moessons hebben geen regen gebracht en de oogsten zijn slecht. Als er hongersnood is, zoeken de mensen altijd naar degenen die ze de schuld kunnen geven en ze geven de schuld aan hen op wie ze jaloers zijn... die bezitten wat zij graag zouden willen hebben. Ja, ik zou blij moeten zijn. Dit is het beste voor je, kleine Su-Su. Wees niet zo impulsief als je altijd geweest bent. Denk eerst. En zie niet per vergissing de droesem voor goud aan.'
'Ik beloof je, lieve aya, dat ik mijn impulsiviteit in toom zal houden. Ik zal altijd

aan je denken en proberen verstandig te zijn.'
Daarna omhelsde ze me en kuste me plechtig.
Toen ik op dek stond, was de laatste die ik zag toen we wegvoeren, mijn aya die daar eenzaam en ontroostbaar stond, terwijl haar lichtblauwe sari zacht bewoog in de bries.

Het was een magische reis. Ik was zo gelukkig. Wat een verschil met de tijd toen ik, een eenzaam klein meisje onder de hoede van mevouw Fearnley, mijn uiterste best had gedaan om niet in luidruchtig protest uit te barsten toen ik weggerukt werd van mijn vader en mijn geliefd India. Dit was volkomen anders. Mijn vader scheen jonger. Nu pas realiseerde ik me de spanning waaronder hij geleefd had. Hij had nooit met mij over de angst voor rellen gesproken, maar die moet er altijd zijn geweest – een onderstroom van vrees.
Ik herinner me de maanverlichte nachten als ik over de railing leunde, en opkeek naar de fluwelige hemel en de gouden sterren en luisterde naar het zachte klotsen van de zee daar beneden. Aubrey hield mij constant gezelschap. 's Morgens wandelden we samen over de dekken; we deden spelletjes, gaven ons gedurende de maaltijden over aan eindeloze discussies met onze tafelgenoten en dansten naderhand. Ik wilde dat die dagen altijd door zouden gaan. Ik probeerde niet te ver vooruit te kijken naar het moment dat we Tilbury zouden bereiken en afscheid moesten nemen – mijn vader en ik naar Londen en Aubrey naar zijn buitengoed in Buckinghamshire.
Het leven op de boot had iets onwerkelijks. Je had het gevoel dat je in een kleine wereld dreef, apart van de echte. Hier waren geen zorgen – niets dan lange, zonnige dagen, op dek liggen, zien hoe de bruinvissen en dolfijnen speelden, terwijl vliegende vissen over het water scheerden en je hier en daar de bult van een walvis kon zien.
Op een dag werd de boot drie dagen lang gevolgd door een albatros en waarschijnlijk zijn wijfje. We bewonderden de prachtige vogels met hun vleugelspanwijdte van drie meter; ze cirkelden boven ons en soms leek het of ze op dek gingen landen. Ze wachtten op het voedsel dat van de maaltijden overbleef en in zee werd gegooid.
Het waren magische dagen met een kalme zee en blauwe luchten en een boot die vredig naar huis voer.
Desondanks werd je herinnerd aan een verandering. Er was een dag waarop we langs een orkaan scheerden en de stoelen over het dek gleden. Het was onmogelijk om rechtop te staan. Dit was symbolisch, vond ik. Niets blijft altijd bestaan en de meest ideale vrede kan plotseling ondermijnd worden.
We bereikten Kaap de Goede Hoop, die ik me herinnerde van de vorige reis. Nu was het anders. Mijn vader, Aubrey en ik gingen uit in een met bloemen versierd rijtuigje dat door twee paarden met strohoedjes op getrokken werd. Het

scheen veel opwindender dan de vorige keer, maar misschien was dat aan het gezelschap te danken.
Het gebeurde de avond na ons vertrek uit Kaapstad. De zee rond de Kaap was ruw geweest en nu voeren we noordwaarts naar de Canarische Eilanden. We hadden de tropische hitte achter ons gelaten en het weer was zacht met nauwelijks enige wind.
Mijn vader was naar bed gegaan, zoals hij dikwijls deed na het diner, en ik was alleen met Aubrey. We vonden ons geliefde plekje aan dek en zaten naast elkaar te luisteren naar het zachte gekabbel van het water langs de zijkant van de boot.
'Het duurt niet lang meer,' zei Aubrey, 'en dan zijn we thuis.'
Ik stemde er wat somber mee in. 'Het is een heerlijke reis geweest.'
'Om een speciale reden,' antwoordde hij.
Ik wachtte en hij keerde zich naar me toe, nam mijn hand en kuste die.
'Jij,' zei hij.
Ik lachte. 'Je hebt wel bijgedragen aan de prettige tijd. Mijn vader is verrukt dat je hier bent en hij kan met een goed geweten naar bed gaan omdat hij weet dat hij mij in degelijke handen achterlaat.'
'Dus dat vindt hij van me?'
'Dat weet je wel.'
'Susanna, ik heb zitten denken. Als we in Engeland zijn... wat dan?'
'Wat dan? De plannen liggen klaar. Vader en ik gaan naar een hotel en zoeken onmiddellijk naar een huis. En jij... jij hebt je eigen besognes.'
'We zeggen toch niet "Dag, leuk kennis gemaakt te hebben" als we in Engeland aankomen?'
'Ik weet niet wat er zal gebeuren als we aankomen.'
'Hangt dat eigenlijk niet van ons af?'
'Er is een theorie die zegt dat alles wat er gebeurt van onszelf afhankelijk is, terwijl een andere gelooft in het noodlot. Wat er moet gebeuren, zal gebeuren.'
'Ik denk dat we de meester zijn van ons lot. Wil je met me trouwen?'
'Meen je... meen je dat werkelijk?'
'Ik ben doodernstig.'
'Aubrey...' mompelde ik.
'Je gaat nu toch niet zeggen, "Dit is zo onverwacht"?'
'Nee.'
'Dus je wilt?'
'Ik... denk van wel.'
'Denk je dat alleen?'
'Nou ja, ik heb nooit eerder een huwelijksaanzoek gehad en ik weet niet precies hoe ik er mee om moet gaan.'
Hij barstte in lachen uit, draaide zich naar me toe, nam me in zijn armen en kuste me.

'Dit wilde ik al zo lang doen,' zei hij. 'Wilde jij het ook?'
'Ja, ik geloof van wel.'
'Je gelooft? Weet je het niet? Je bent altijd zo zeker in je kijk op andere dingen.'
'Ik voel me zo'n nieuweling... in de liefde.'
'Daarom houd ik juist zoveel van je. Zo jong... zo fris... zo onschuldig... zo eerlijk.'
'Ik zou liever wat wereldser willen zijn zoals sommige vrouwen... mevrouw Freeling bijvoorbeeld.'
Even zweeg hij. Ik dacht dat hij onzeker keek en op het punt stond iets te zeggen. Hij scheen van gedachten te veranderen en ik vroeg me af of ik het me verbeeld had.
'Die mensen zijn niet echt wereld, weet je,' zei hij ten slotte. 'Ze zijn ouder dan jij en gedragen zich alsof ze hoog op de sociale ladder staan. Wees in hemelsnaam alsjeblieft niet als zij. Wees gewoon jezelf, Susanna. Dat wil ik juist.'
Hij hield mijn hand stevig vast, terwijl we samen over de zee uitkeken.
'Wat een ideale avond,' zei hij. 'Een kalme zee, een zachte bries en Susanna heeft beloofd met me te trouwen.'

Toen ik het mijn vader vertelde, was hij toch wel geschokt.
'Je bent heel jong,' zei hij.
'Ik ben achttien. Een huwbare leeftijd.'
'In sommige gevallen, ja. Maar jij komt net van school. Je hebt nog niet echt veel mensen ontmoet.'
'Dat hoeft ook niet. Ik weet dat ik van Aubrey houd.'
'Vooruit... ik vermoed dat het goed is. Er is dat buiten in Buckinghamshire, ik veronderstel dat dat op een dag van hem zal zijn. Hij lijkt nogal solide.'
'Het heeft geen zin om voor baatzuchtige papa te spelen, want het gaat u niet goed af. U weet dat ik het graag wil en gelukkig ben en dan is het voor u ook goed.'
'Zo is het zo'n beetje,' gaf hij toe. 'Jij kunt een situatie altijd met een paar woorden samenvatten. Dus nu ben je verloofd. Verbazingwekkend hoeveel mensen zich verloven op een zeereis. Het zal wel in de lucht zitten.'
'Tropische zeeën... vliegende vissen... dolfijnen...'
'Orkanen, woeste golven en misselijkheid.'
'Doe niet zo onromantisch, vader. Het past niet bij u. Zeg dat u blij bent en trots op uw dochter die erin geslaagd is een man te vinden om haar de grote wereld binnen te loodsen zonder behulp van een duur Londens seizoen, zoals u van plan was.'
'Mijn lieve kind, het enige wat ik wens, is jouw geluk. Jij hebt deze man gekozen en ik wil niet anders dan dat hij jou gelukkig maakt.'
Hij kuste me.

'Je zult me moeten helpen om iets in Londen te vinden,' zei hij. 'Ook al zul je ongetwijfeld opgaan in je eigen zaken.'
'Dat doe ik natuurlijk. O, vader, ik was nog wel van plan geweest voor u te zorgen!'
'En nu krijg je in plaats daarvan een echtgenoot om je aandacht aan te geven. Ik voel me zeer gekwetst.'
Ik omhelsde hem en voelde plotseling een steek van ongerustheid. Hoe ziek was hij geweest? En waarom had het Hoofdkwartier besloten dat hij India verlaten moest?
Ik was zo gelukkig. De toekomst lag voor me, zo opwindend dat ik mijzelf moest waarschuwen dat het leven maar zelden echt volmaakt is. Ik moest letten op de worm in het hout, de breuk in de diamant. Niets kon zo ideaal zijn als het scheen op die avond toen Aubrey me vroeg met hem te trouwen.

Er was oneindig veel om over te praten, zoveel om te organiseren. Aubrey zou meegaan naar Londen om ons naar ons hotel te brengen voordat hij naar huis ging. Vervolgens besloten we dat mijn vader en ik zo gauw mogelijk een bezoek aan de heer St Clare in Buckinghamshire zouden brengen.
Ik verheugde me op onze aankomst in Tilbury – nu niet langer bang zoals ik had verwacht toen ik meende dat het kon betekenen dat ik voor altijd afscheid van Aubrey zou moeten nemen.
Wat Aubrey betreft, hij was een en al blijdschap, en ik was intens dankbaar te weten dat ik daar de oorzaak van was.
Dus zeiden we 'au revoir' met de belofte over twee weken Aubrey thuis op te zoeken. Amelia, zijn schoonzuster, zou blij zijn ons te ontvangen, daar was hij zeker van. Wat zijn broer betreft, hij wist niet hoe hij hem zou aantreffen.
Ik vroeg me af of gasten welkom waren nu zijn broer zo ziek was, maar hij verzekerde me dat het een groot huis was en dat er voldoende mensen waren om voor alles te zorgen, en zowel zijn broer als diens vrouw zouden zeker kennis met me willen maken.
We vonden prettige kamers in een wat ouderwets hotel, dicht bij Piccadilly en aanbevolen door oom Jack die het gebruikte op zijn korte bezoeken aan Londen. De volgende dag ging ik op zoek naar een huis, terwijl mijn vader zich meldde bij het Ministerie van Oorlog.
Ik vond een klein huis in de Albemarle Street dat gemeubileerd verhuurd werd en ik was van plan mijn vader er bij de eerste gelegenheid mee naar toe te nemen.
Toen hij thuiskwam, leek hij heel opgewonden. Hij zou een vrij verantwoordelijke baan bij het Ministerie van Oorlog krijgen, die, naar hij dacht, zeer veeleisend zou zijn. Hij bekeek het huis, besloot het te nemen en in het begin van de volgende week te gaan verhuizen.

Ik kreeg een paar drukke dagen, in de eerste plaats met het aannemen van bedienden en verder met het regelen van de verhuizing naar onze nieuwe woning die we voor drie maanden hadden gehuurd.
'Dan krijgen we tijd om rond te kijken naar een echt huis,' zei ik, 'en als we dan nog niets gevonden hebben, kunnen we hier vast wel langer blijven.'
Mijn vader zei wat treurig: 'Dat zal dan wel het appartement voor een vrijgezel worden, want jij gaat een thuis voor iemand anders maken.'
'Het duurt lang voor een bruiloft geregeld is en ik blijf nog een tijd bij u. En in ieder geval kom ik dikwijls naar u toe. Buckinghamshire is niet zo erg ver weg.'
Ik had het zoeken heel spannend gevonden, huizen hadden me altijd geïnteresseerd. Ze schenen een eigen persoonlijkheid te hebben. Sommige leken gelukkige huizen, andere geheimzinnig, weer andere zelfs min of meer dreigend. Mijn vader lachte om mijn fantasieën, maar ik voelde die individuele sfeer heel duidelijk.
Ook was ik blij dat mijn vader het prettig vond op het Ministerie van Oorlog. Ik was bang geweest dat hij na zijn actieve diensttijd het werk op een bureau saai zou vinden. Dat was niet het geval. Hij ging erin op en ik besefte dat het een goede zet was geweest hem naar Engeland terug te halen.
Soms zag hij er wat vermoeid uit, maar hij was natuurlijk geen jonge man meer. Ik dacht nu en dan aan de ziekte die hij had gehad, maar hij was er nogal zwijgzaam over en ik veronderstelde dat het hem stoorde erover te praten, dus hield ik mijn mond. Hij was nu gezond en het leven was veel te opwindend voor me om een schaduw op mijn vreugde te laten werpen, dus verzekerde ik mijzelf dat er niets was om me bezorgd over te maken en dat we allemaal voor altijd gelukkig zouden zijn.
We installeerden ons in het nieuwe huis, dat we ideaal vonden. De twee bedienden die ik aangenomen had, Jane en Polly, waren aardige, goedwillende meisjes. Het waren zusters die dolblij waren samen een baantje gevonden te hebben.
Mijn vader vond dat hij een rijtuig moest hebben om hem naar en van het Ministerie te brengen. Hij kocht er een en nam een koetsier in dienst. Joe Tugg, een weduwnaar van achter in de veertig, was blij om bij ons te komen, want, zoals hij dikwijls pochte, hij had twintig jaar lang de postkoets van Londen naar Bath gereden tot zoals hij zei: 'Stoom me mijn werk afpakte,' waarmee hij bedoelde dat de komst van de treinen veel koetsiers geruïneerd had. Er waren twee kamers boven de stallen op het erf aan de achterkant van het huis, waar Joe kon wonen. We vormden een heel tevreden huishouden.
Ik zei: 'We moeten hen allemaal houden als we definitief een huis vinden.' Mijn vader was het met me eens.
Ik kreeg een brief van Aubrey's schoonzuster, getekend Amelia St Clare. Ze schreef dat ze blij zou zijn me te zien en feliciteerde me met mijn verloving. Haar echtgenoot was inderdaad ernstig ziek, maar hij wilde toch graag kennis met me

maken. Over het algemeen ontvingen ze geen gasten vanwege de ziekte van haar man, maar ze zouden mij beschouwen als een lid van de familie.
Het was een warme, verwelkomende brief.
Aubrey schreef dat hij ernaar verlangde me te zien en hij zou ons van het station halen.
Twee dagen voor het bezoek kwam mijn vader 's avonds thuis met een bezorgde blik. 'Ik ben bang dat ik onmogelijk kan gaan,' zei hij. 'Ik kan het bureau niet in de steek laten. Ik moet er zijn... Misschien tijdens het weekeinde. Er heeft zich iets van vitaal belang voorgedaan. Het is India, en mijn speciale kennis van het land maakt mijn aanwezigheid noodzakelijk.'
Ik voelde me ontzettend teleurgesteld. Toen zei ik: 'Ik kan zonder u gaan, vader. Jane en Polly zorgen wel voor u.'
Hij fronste zijn voorhoofd.
'Och kom,' zei ik. 'Ik ben geen kind meer. Ik ben een bereisde vrouw. En als u aan chaperonnes denkt... Mevrouw Amelia St Clare is er.'
Hij aarzelde.
'Ik ga, vader,' zei ik resoluut. 'U moet natuurlijk hier blijven. U kunt uw post niet alleen laten – zeker niet nu u pas begonnen bent. Ik ga vooruit en misschien kunt u naderhad komen. Ik moet gaan. Tenslotte ben ik verloofd en ga trouwen.'
'Nou ja...' zei hij. Hij aarzelde nog. 'Ik denk dat ik je op de trein zou kunnen zetten. En Aubrey kan je afhalen.'
'In hemelsnaam! U maakt dat ik klink als een postpakketje.'
En zo gebeurde het dat ik op een hete, drukkende dag op weg ging naar de Munster St Claire.

Mijn vader had, zoals hij zei, mij in een eerste-klas coupé gezet en toen ik hem vaarwel wuifde, probeerde ik mijn zorgen opzij te zetten. Ik maakte me echt ongerust over zijn gezondheid en die geheimzinnige ziekte die hij een tijd geleden had gehad, en vond dat hij me er alles van moest vertellen zodra ik weer bij hem was.
Maar toen ik dichter bij mijn einddoel kwam, gaf ik me over aan opwindende vooruitzichten.
Aubrey stond op het perron me op te wachten.
Hij lachte toen hij naar me toe rende en mijn handen pakte. 'Welkom, Susanna. Wat fijn je te zien.' Hij sloeg een arm om me heen en riep de bediende die belangstellend naar ons stond te kijken. 'Hier Bates, zet de bagage in het rijtuig, wil je.'
'Ja, meneer,' zei Bates, en Aubrey nam me mee het station uit.
Hij bracht me naar het rijtuig en mijn ogen gingen van verbazing wijd open. Het was zo prachtig, moerbeikleurig en getrokken door twee schitterende

schimmels. Ik wist niet veel van paarden maar kon wel zien dat deze twee heel mooi waren.
Hij zag mijn bewondering voor het rijtuig.
'Wat indrukwekkend,' zei ik.
'Ik heb het van mijn broer overgenomen. Hij kan het nu niet meer rijden.'
'Hoe gaat het met hem?'
'Ziek, heel ziek.'
'Misschien had ik niet moeten komen.'
'Onzin. Daar, Bates. Zo is het goed. Kom, Susanna, omhoog, naast de koetsier.'
Hij hielp me in het rijtuig, klom naast mij en pakte de leidsels.
'Vertel me over je broer,' zei ik.
'Arme Stephen. Hij ligt de laatste weken langzaam te sterven. De dokters denken dat het niet meer dan drie maanden kan duren... maar hij kan ook ieder moment gaan.'
'Wat ontzettend triest.'
'Je ziet waarom ik thuis moest komen. Amelia wil heel graag kennis met je maken.'
'Ze schreef me een alleraardigste brief.'
'O ja? Het is moeilijk voor haar, arm kind.'
'Het spijt me dat vader niet kon komen. Begrijp je het?'
'Natuurlijk, maar eigenlijk wilde ik jou nu juist zo graag zien. Ik hoop dat je van het huis houdt. Dat moet je wel, want het wordt je eigen huis.'
'Ik ben zo opgewonden.'
'Je moet aan die oude huizen gewend raken. Voor ons, die er geboren en getogen zijn, zijn ze net een deel van de familie.'
'Toch ben je heel lang weg geweest. Ik weet hoeveel je gereisd hebt. Daar moet je me nog eens alles over vertellen.'
'Ja. Het huis wordt nu van mij. Dingen lijken anders wanneer ze van iemand anders zijn. O, het is altijd mijn thuis geweest, maar mijn broer was er de baas over. Ik was bang dat ik me een gast zou voelen.'
'Dat begrijp ik.'
'Ik denk dat je het interessant zult vinden. Er is weinig van de Munster-kerk over. Het huis is gebouwd door een voorvader uit de zestiende eeuw toen er veel gebouwd werd en er reconstructies plaatsvonden op de plaats van oude kloosters en abdijen. Het is een echt Tudor-gebouw – uit de late tijd van Elizabeth – en er zijn alleen nog maar stukken muur en een enkele steunbeer over om je te herinneren aan wat er was voor de opheffing van de kloosters.'
'Ik had er geen idee van dat het zo'n geschiedenis had. Ik dacht dat het een oud buitengoed was.'
'En nu kun je het zelf zien.'
We waren bij een recht stuk van de weg gekomen en de paarden gingen over in

galop. Ik viel daardoor tegen Audrey aan en hij lachte. 'Ze kunnen er best vaart in zetten, die schimmels. Ik zal je nog wel eens laten zien wat ze kunnen.'
Ik lachte. Het was fantastisch om naast hem te zitten en aan te komen bij het oude huis dat mijn thuis zou worden. En ik was getroffen door de meesterlijke manier waarop hij de paarden mende. Hij genoot er kennelijk van.
We kwamen bij een stenen muur. Een massief ijzeren hek stond open en we reden de oprijlaan op. De paarden draafden nu.
Toen zag ik het huis en hield mijn adem in. Ik had niet verwacht dat het zo indrukwekkend zou zijn. De centrale toren met de ingangspoort en het valhek had aan weerszijden een toren met een borstwering en kantelen.
Aubrey keek naar me, blij met mijn duidelijke bewondering.
'Schitterend,' stamelde ik. 'Hoe heb je het zo lang in de steek kunnen laten?'
'Dat heb ik je al verteld. Ik wist niet dat het ooit van mij zou zijn.'
We reden door de poort een binnenplaats op, waar twee stalknechten te voorschijn kwamen. Audrey gooide een van hen de leidsels toe en hielp mij toen uitstappen.
'Dit is juffrouw Pleydell, Jim,' zei hij.
Ik glimlachte en de man tikte aan zijn pet.
'Laat de bagage direct boven brengen,' beval Aubrey. Toen wendde hij zich tot mij, pakte mijn arm en zei: 'Kom mee.'
Hij bracht me vanuit de binnenplaats naar een andere, vierkante, binnenplaats. De muren waren bedekt met klimplanten en de glas-in-lood ramen zagen eruit als ogen die van onder borstelige wenkbrauwen naar buiten keken. Er stonden een tafel en wat stoelen met gevlamde kussens; een stel potten met bloeiende struiken gaven kleur aan het geheel. Het zag er plezierig uit en toch kreeg ik iets van claustrofobie, alsof de muren me insloten.
Er was een gang met een fries en een gewelfde zoldering, waar we doorheen liepen naar een grotere binnenplaats. Voor ons was een deur – zwaar, met ijzer beslagen en met een paneel dat, naar ik aannam, geopend kon worden, zodat degenen binnen konden zien wie er buiten stonden voordat die toegelaten werden.
Aubrey duwde de deur open die luid kraakte. We stonden in een hoge hal. Ik keek omhoog naar het balken dak en mijn ogen dwaalden naar de gewitte muren met wapens en trofeeën; twee wapenrustingen stonden aan weerszijden van de hal, als schildwachten die de plaats beschermden. Ik keek vol verbazing naar de heraldische panelen op de ramen en zag dat de fleur-de-lys er duidelijk zichtbaar op was aangebracht.
Aubrey stond bijna kinderlijk blij naar me te kijken, wat ik schattig van hem vond.
'Het is zo... wonderbaarlijk,' zei ik.
'Ik zie dat je onder de indruk bent. Dat zijn de meeste mensen. Maar je bent

ook wat geschrokken. Dat hoeft niet. Dit is het oudste deel van het huis, maar we laten het zoals het is. We hebben heel wat comfortabele kamers om in te wonen. Ik weet zeker dat je het ermee eens zult zijn dat het, ook al willen we de oudheid bewaren, veel prettiger is wat moderne gemakken naar binnen te smokkelen. O, hier is Amelia. Amelia, maak kennis met Susanna. Susanna, dit is Amelia, mevrouw St Clare.
Ze was een trap aan de ene kant van de hal afgekomen. Ze was meer elegant dan mooi en scheen begin dertig te zijn. Het blonde haar was hoog opgestoken om haar langer te doen lijken, dacht ik, want ze was niet erg groot – of misschien dacht ik dat omdat ikzelf langer dan gemiddeld was. Haar blauwe ogen namen me onderzoekend op. Dat was vanzelfsprekend. Ze leek aardig.
Ze drukte mijn hand. 'Welkom in de Munster,' zei ze. 'Ik ben blij dat je gekomen bent, ook al is je vader verhinderd. Wilt je gelijk naar je kamer? Je zult wel willen rusten na de reis.'
'Het is niet ver van Londen en ik ben absoluut niet moe. Ik ben diep onder de indruk van dit prachtige huis. Ik had geen idee dat het zo groots was.'
'Ja, het is fascinerend. Voor mijn man was de zorg voor dit huis en de landerijen die erbij horen zijn leven.'
Er klonk oneindige droefheid in haar stem en ik voelde met haar mee.
'Deze kant op,' zei ze. 'Ik zal heet water boven laten brengen, want je wilt je natuurlijk opfrissen. Ze brengen je bagage al.'
Ik volgde haar de trappen op. Boven draaide ik me om en zag Aubrey die naar ons omhoog keek met een uitdrukking die ik niet kon verklaren.
We kwamen bij een portrettengalerij met aan het eind een verhoging waar een piano stond.
'We noemen dit de lange galerij. Vlak hierboven is het solarium. Allebei de kamers krijgen de zon, maar vooral het solarium.' We liepen de galerij door en beklommen een korte wenteltrap. Nu waren we in een corridor. 'Hier zijn de belangrijkste slaapkamers. Ik heb jou de groene kamer gegeven. Die heeft een mooi uitzicht... dat hebben de meeste kamers trouwens.'
De groene kamer was groot, met een hoge, gewelfde zoldering en ramen die uitzagen op de oprijlaan. Er stonden een walnoten hemelbed met een gewatteerde sprei van groene zijde en een bureautje van notenhout. De stoelzittingen waren geborduurd in petit-point, en ook hier was groen de belangrijkste kleur.
Ik zei: 'Wat mooi.'
'Hier is een alkoof. O ja, daar is de kan met heet water. En hier is je bagage. Een van de dienstmeisjes kan je helpen uitpakken.'
'Dat doe ik zelf wel,' zei ik. 'Ik heb niet veel bij me.'
'Ik hoop dat je je op je gemak zult voelen.' Ze aarzelde. 'Mijn man wil graag kennis met je maken.'
'Ik ook met hem.'

'Hij is heel ziek.'
'Ja, dat weet ik.'
Haar lippen trilden. 'Kom,' ging ze verder in een poging tot opgewektheid. 'Ik laat je nu alleen. Bel maar als je zover bent. Dan kom ik je halen... of anders een van de meisjes.'
'Heel aardig van je,' zei ik.
Ze ging de kamer uit. Ik was een en al enthousiasme en stelde me voor in dit huis te wonen... als meesteres ervan. Toen dacht ik aan Amelia, die die plaats had gehad en nog had en vroeg me af of ze me als een indringer beschouwde. Ik vond haar aardig. Ze had me verwelkomd op een manier die me echt leek en ze gaf de indruk dat ze heel veel om haar man gaf.
Ik friste me op, pakte mijn koffers uit en trok een lichte middagjurk aan. Toen belde ik.
Er verscheen een dienstmeisje. Ze was jong en ik zag aan haar uitdrukking dat ze buitengewoon nieuwsgierig was, ze kon haar ogen niet van me afwenden. Ik vroeg hoe ze heette en ze zei dat ze Emily was. Ik zei dat ik naar mijn gastheer en gastvrouw wilde gaan.
'O ja, juffrouw,' zei ze. 'Maar wilt u niet dat ik de koffers eerst uitpak?'
Ik zei dat ik dat al gedaan had en ze keek teleurgesteld. Ik vermoedde dat ze de bedienden een beschrijving van mijn kleren had willen geven.
'Wil je me even de weg wijzen, Emily,' zei ik.
'O ja. Er is thee in de winterkamer. Als u me wilt volgen...'
We liepen de wenteltrap af en toen nog een. Emily klopte aan een deur en opende die. Amelia zat achter een theeblad. Aubrey stond op toen ik binnenkwam. Het was een plezierige kamer met een hoge zoldering, zoals alle kamers hadden, en de wanden waren behangen met tapijten. De stoelzittingen waren in petitpoint. Het zag er gezellig uit.
'Jij bent snel,' zei Amelia. 'Ik hoop dat je tevreden bent met je kamer.'
'Meer dan tevreden. Hij is prachtig. Ik ben bang dat ik nooit zal wennen aan zo'n huis.'
'Dat is toch iets wat je zult moeten doen,' zei Aubrey.
'Hoe wil je je thee?' vroeg Amelia. 'Sterk? Slap? Melk? Suiker?'
Ik vertelde het en kreeg een kop. Toen zei ze: 'Na de thee moet je kennis maken met Stephen. Hij heeft gehoord dat je aangekomen bent en wil je dolgraag leren kennen.'
'Ik zal het heel prettig vinden. Ligt hij in bed?'
'Op het ogenblik, ja. Soms staat hij op en zit dan in zijn stoel voor het raam. Dat is een van zijn goede dgen.'
'Ik ga met je mee, zodra het je schikt.'
'De kokkin heeft die cakes voor je gemaakt. Je moet ze proberen. Ze wordt kwaad als haar baksel niet geapprecieerd wordt.'

'Dank je. Ze zien er heerlijk uit.'
'Ik wil je het huis laten zien,' zei Aubrey.
'Daar verheug ik me op.'
Ik wierp een blik door de ramen.
'Daar zijn de stallen,' zei Aubrey.
'Wat zijn ze groot.'
'Mijn vader had een mooie stal en Stephen ook. We zijn een paarden-familie.'
'Houd je van paardrijden?' vroeg Amelia.
'Ik heb niet veel gereden. In India een beetje op een pony en op school reden we niet veel. Ik was bij mijn oom en tante die buiten wonen en daar reed ik nog wel eens. Ik houd ervan maar zal mijzelf geen paarden-vrouw noemen.'
'Daar zullen we gauw iets aan doen,' zei Aubrey. 'Je hebt hier een paard nodig. We wonen vrij geïsoleerd.'
'De stad is zo'n drie kilometer hier vandaan,' voegde Amelia eraantoe. 'En dat is maar een klein stadje.'
Ze vroeg me over India en ik vertelde van mijn kindertijd en hoe ik tijdens de dagen in de pastorie van mijn oom ernaar verlangd had om terug te gaan. 'Al die jaren op school zag ik het door een roze bril en toen ik terugging...'
'Had je je bril afgezet,' zei Amelia, 'en zag je het in het koude licht van de dag.'
'Ze zette hem weer op toen ze mij zag,' zei Aubrey.
Amelia keek wat geschrokken, maar Aubrey lachte.
Na de thee zei Amelia dat ze wilde kijken hoe het met Stephen ging. Als hij wakker was, zou dat een goed moment zijn om naar hem toe te gaan, dacht ze.
Ze liet me met Aubrey alleen. Hij zat stil en gespannen naar me te kijken.
'Wat triest voor Amelia,' zei ik. 'Ze moet zich wel veel zorgen over haar man maken.'
'Hij is al heel lang ziek. En ze weet dat hij niet lang meer zal leven.'
'Ze is heel dapper.'
Hij zweeg. Toen vroeg hij: 'Denk je dat je van dit huis zult houden?'
'Ja... ik denk van wel.'
'Je aarzelt.'
'Op het ogenblik lijkt alle zo vreemd. Zo anders, misschien.'
'Zo anders? Wat bedoel je daarmee?'
'Je zei dat huizen een deel van het gezin vormen. Gezinnen hebben vaak iets op nieuwelingen tegen. En ik ben een nieuweling.'
'Onzin. Had je het gevoel dat Amelia iets op je tegen heeft?'
'Nee, zeker niet.'
'De centrale toren? De ingangspoort? Het valhek? De winterkamer? Hebben die iets op je tegen?'
'Nou ja, het heeft me verrast. Ik had me niet zo'n oeroude plaats voorgesteld. Je hebt me niet genoeg gewaarschuwd.'

'Ik wilde niet al te lovend zijn, dan was je misschien teleurgesteld geweest.'
'Alsof dat mogelijk was.'
De deur ging open.
'Hij is wakker,' zei Amelia. 'Hij wil heel graag dat je komt.'
'Vooruit dan,' zei Aubrey.
Stephen St Clare zat in de kussens in het grote hemelbed met op een witte achtergrond geborduurde gordijnen. Hij was duidelijk ernstig ziek. Zijn gezicht was gelig-wit, de donkere ogen weggezonken, de klauwachtige handen lagen op de sprei.
'Dit is Susanna, Stephen,' zei Aubrey.
De donkere ogen bekeken me met belangstelling. 'Heel blij kennis met je te maken,' zei hij.
'En ik met jou,' antwoordde ik.
Amelia zette een stoel naast het bed en ik ging zitten. Zij en Aubrey zochten iets verderop een plaats.
Amelia zei dat ik een week zou blijven logeren en dan naar huis terug zou gaan om alles te regelen voor de bruiloft. 'Ik geloof dat je dat van plan was, ja toch?'
Ik zei dat dat zo was.
De bruiloft heeft plaats bij jou thuis, stel ik me voor,' zei Stephen.
'Mijn vader en ik hebben erover gesproken. We dachten aan de pastorie van mijn oom. Mijn oom zou ons graag willen trouwen en ik heb een groot deel van mijn jeugd bij hen gewoond.' Ik lachte tegen Aubrey 'We hebben nog niet veel gepraat over wat er geregeld moet worden.'
'Ik hoop dat jullie het niet te lang uitstellen,' zei Stephen.
'Daar is geen reden voor,' zei Aubrey. Hij lachte tegen me en voegde eraantoe: 'Hoop ik.'
Stephen knikte. 'Ik heb een tijd lang niet veel kunnen doen, dat is toch zo, Amelia?'
'Nee, maar we hebben een goede manager. Alles loopt uitstekend. En nu Aubrey thuis is...'
Amelia is een grote steun voor me,' zei Stephen, 'zoals jij voor Aubrey zult zijn.'
'Ik zal mijn best doen,' zei ik.
Hij knikte.
Amelia keek bezorgd naar haar man. 'Ik denk dat je moet gaan slapen, Stephen,' zei ze. 'Er is meer dan voldoende tijd om met Susanna te praten voor ze weer vertrekt. Ik mag je toch wel Susanna noemen?'
'Natuurlijk.'
'En wij zijn Amelia en Stephen. Tenslotte word je een lid van de familie. Stephen, Susanna komt morgen weer bij je.'
Stephen knikte, zijn ogen waren half gesloten.
Amelia stond op en ik volgde haar.

Even leunde ik over het bed en zei: 'Ik kom je gauw weer opzoeken.'
De diepliggende ogen gingen open en hij glimlachte tegen me.
Toen gingen we de kamer uit en Amelia sloot de deur.
'Hij is zwak vandaag,' zei Aubrey.
'Dat weet ik. Maar hij wilde graag met Susanna kennis maken.'
Aubrey wilde me meenemen voor een wandeling door de tuinen en me de stallen laten zien.
Amelia liet ons alleen en we gingen naar buiten.

De volgende dagen werd ik meer vertrouwd met de Munster St Clare en de bewoners. Ik had het gevoel dat ik Aubrey nu beter kende dan eerst. Mensen zijn dikwijls anders tegen de achtergrond van hun huis. Ik was verbaasd over zijn enthousiasme voor de Munster. In India had hij een soort nomade geleken, een man van de wereld, wat cynisch. Nu was hij bijna een andere persoon. Ik zag bepaalde trekken die ik niet eerder had gezien. Zijn hartstochtelijke liefde voor het huis dat hij ontwikkeld scheen te hebben omdat het binnenkort van hem zou zijn – en heel binnenkort, dacht ik, want zijn broer was ongetwijfeld doodziek. En dan zijn liefde voor paarden. Hij genoot van de stallen en vestigde vol trots mijn aandacht op de fijne raskenmerken van de paarden. Maar hij was roekeloos, dat bleek pas wanneer hij zijn rijtuig mende. Hij vond het heerlijk de prachtige schimmels te mennen en liet hen met volle vaart galopperen zodat ik, als ik bij hem in het rijtuig zat, bijna naar buiten werd geslingerd. Hoe sneller hij ging, hoe meer hij genoot.
Ik vond het toch wat gevaarlijk en zei dat tegen hem. 'Niet met mij,' antwoordde hij trots. 'Ik heb ze volkomen onder controle.'
Het leek wel of hij van gevaar hield ter wille van het gevaar en als hij niet zo fantastisch had kunnen rijden, zou ik me ongerust over hem hebben gemaakt. Hij was nogal naïef, ingenomen met de manier waarop hij met de paarden omging en dat maakte hem kwetsbaarder dan vroeger. Ik vond het allerliefst.
Iedere dag als ik wakker werd, liep ik naar het raam om uit te kijken over de oprijlaan en zei dan tegen mijzelf: 'Dit grote huis wordt eens mijn thuis. Zal ik er gelukkig zijn?'
Het was een opwindende plaats. Ik ontdekte steeds nieuwe dingen, maar toch was er iets dat me een beetje afstootte. Ik vermoed dat dat het geval is bij de meeste oude huizen. Het verleden is te dichtbij; alsof het gevangen is binnen die muren en aanhoudend inbreuk maakt op het heden. Maar ik verbeeldde me maar wat. Was mijn vader maar meegekomen; die zou gelachen hebben om mijn hersenspinsels.
Amelia – het was gemakkelijk aan haar te denken als Amelia omdat ze zo warm en vriendelijk was – had me het huis laten zien, de diverse slaapkamers, het solarium met zijn canapé's, stoelen en lange spiegels, zijn ramen en alkoven, met in

een ervan een oud spinnewiel. Ze nam me mee naar de lange galerij met zijn portretten en zelfs naar de keukens waar ik werd voorgesteld aan de kokkin – ik vergat niet haar te feliciteren met haar culinaire heerlijkheden. Toen gingen we naar de binnenplaats bij de keuken, waar potten en stenen handmolens stonden die nog steeds werden gebruikt voor het malen van graan en erwten.
Iedere dag scheen ik meer bevriend te raken met Amelia. Ze had iets droevigs, wat maakte dat ik haar zou willen troosten. Ze hield van haar man; hun leven samen was kennelijk gelukkig geweest en nu stond ze op het punt hem te verliezen. Ze had grote belangstelling voor het huis, toonde me bepaalde verbeteringen die ze had aangebracht, vertelde hoe het dak gerenoveerd had moeten worden en hoe moeilijk het was weerbestendige middeleeuwse dakpannen te vinden; ze toonde me de meubels die ze voor bepaalde slaapkamers had uitgekozen omdat de oorspronkelijke te versleten waren. Ze hield van het huis en zou niet alleen haar man maar ook haar thuis kwijtraken. Maar, dacht ik, misschien blijft ze wel hier. Grote families bleven toch dikwijls in hun voorvaderlijke huis wonen en ze was hier de meesteres geweest, dus zou het altijd haar huis zijn. Maar ik wist het niet. Het was te pijnlijk om erover te praten. Met Aubrey bracht ik het evenmin ter sprake. Het was een van die situaties die zich vanzelf zouden regelen.
Aubrey en ik reden over het landgoed. Ik was eerst nogal bang dat paardrijden me niet goed af zou gaan, maar hij was buitengewoon attent wat zijn zorg voor me betreft. Hij hield zich steeds in en als we galoppeerden, bleef hij op me letten, zodat ik voelde dat er voor me gezorgd werd. Maar als we samen in zijn rijtuig reden, was hij echt roekeloos, omdat hij mij wilde laten zien hoe goed hij was en dat was hij ook. De paarden reageerden op zijn lichtste aanraking. Ik werd steeds meer verliefd op hem, ook al vawege zijn ijdelheid en zijn enorme liefde voor het huis. Ik voelde, zoals ik niet eerder had gedaan, dat hij me nodig had om voor hem te zorgen, en dat gaf veel voldoening.
Er waren een of twee diners – niet belangrijk, omdat, zoals Aubrey zei, er weinig ontvangsten waren nu Stephen zo ziek was, alleen een paar buren om kennis met me te maken en wat goede vrienden van de familie.
Ik leerde ook Amelia's ouders kennen, Sir Henry en Lady Carberry, die teruggingen naar hun huis in Londen na bij vrienden buiten te hebben gelogeerd. Zij kwamen alleen voor de lunch. Ik vond ze zeer charmant en ze hadden een jonge vrouw bij zich die werd voorgesteld als de Honourable Henrietta Marlington. Ze was de dochter van oude vrienden van hen en had bij mensen die ze hadden bezocht gelogeerd. Nu ging Henrietta een paar dagen met hen mee naar Londen. Ze trof me als bijzonder aantrekkelijk, wat meer te danken was aan haar vitaliteit dan aan haar knappe uiterlijk. Ze vertelde over het Engelse Seizoen en maakte ons aan het lachen met haar beschrijvingen van het wachten tot ze werd voorgesteld aan de Koningin in de Koninklijke Salon.

Iedereen deed plechtig omdat ze in die queue stonden. Ze had de sleep over haar linkerarm tot het magische ogenblik dat ze naar binnen ging, toen was de sleep glorieus uitgespreid achter haar. De Koningin had haar een doordringende blik toegeworpen, zei ze, alsof ze haar taxeerde en vond dat er iets aan haar ontbrak, en haar hand uitgestoken om gekust te worden. 'Ze heeft een groot waarnemingsvermogen, zeggen ze,' voegde ze eraantoe.
Amelia's ouders waren kennelijk erg op Henrietta gesteld en dat kon ik begrijpen. Jammer dat hun bezoek zo kort was.

Ik genoot van mijn ogenblikken alleen met Amelia, iets wat dikwijls voorkwam, omdat Aubrey heel wat te leren had over het landgoed. Hij was zo lang in het buitenland geweest dat hij nu dikwijls het grootste gedeelte van de ochtend met de manager van het landgoed doorbracht.
Op een dag sprak Amelia persoonlijker met me dan ooit tevoren.
'Ik weet niet hoe ik moet leven zonder Stephen.' zei ze.
'Misschien,' zei ik nogal huichelachtig, want ik wist dat dat onmogelijk was, 'wordt hij weer beter.'
'Nee, dat zal nooit gebeuren' zei ze bedroefd. 'Tot een maand geleden bleef ik hopen dat hij weer beter kon worden. Er waren tijden dat hij weer bijna net als vroeger was. Maar in feite ging hij langzaam achteruit. Hij sprak veel met me over het landgoed en pas sinds kort realiseerde hij zich dat het aan Aubrey zou toevallen, die er tot nu toe nooit veel belangstelling voor had gehad.'
'Maar dat heeft hij nu zeer zeker.'
'Ja, hij is veranderd. Ik denk dat dat komt omdat hij weet dat het niet lang zal duren voordat het van hem is. Wij – Stephen en ik – hadden altijd gedacht dat er kinderen zouden komen.'
We zwegen even en toen barstte ze uit: 'O, Susanna, ik kan je niet zeggen hoe ik naar kinderen heb verlangd. Stephen ook. Het is het enige waarin ik hem teleurgesteld heb.'
'Je kunt jezelf toch niet de schuld geven van het noodlot.'
'Ik had alles willen doen. Ik heb drie maal een miskraam gehad.'
'O, wat naar voor je.'
'De eerste... Ik denk dat dat mijn eigen schuld was. Ik zou vier maanden later mijn kind hebben gehad. Ik ging paardrijden en verloor het kind. Ik was zo dol op rijden. Dat waren we allemaal... Stephen, Aubrey en ikzelf. We reden overal. Het was dwaasheid. Dat was de eerste. En soms, als zoiets begint, blijft het doorgaan.'
'Wat vreselijk voor je.'
'De keer daarop was ik zo voorzichtig. Maar na twee maanden verloor ik het kind. De keer daarna verloor ik bij het drie maanden.'
'Wat moet dat erg zijn geweest.'

'Een grote teleurstelling voor ons beiden en ik denk vooral voor mij. Ik had sterk het gevoel dat ik Stephen in de steek had gelaten. Hij wilde zo wanhopig graag een kind... een jongen die hij kon leren om voor alles hier te zorgen.'
'Ik begrijp het.'
'Nou ja... zo is het leven, vermoed ik.'
'Dat denk ik ook.'
'Neem me die uitbarsting niet kwalijk. Maar je toont zoveel meegevoel. Ik weet zeker dat je heel goed zult zijn voor Aubrey. Hij heeft iemand nodig zoals jij.'
'O, ik geloof dat hij heel goed in staat is om op eigen benen te staan.'
Ze antwoordde niet. Ze zag er alleen zielsbedroefd uit - dacht zeker aan die verloren kinderen, veronderstelde ik.

Op een dag was ik alleen met Stephen. Aubrey was naar een van de boerderijen op het landgoed. Ik zat op mijn kamer, toen Amelia naar me toekwam en zei dat Stephen me graag zou willen spreken.
Ik ging naar de ziekenkamer. Hij zat, in dekens gewikkeld, in een stoel. Ik vond hem er nog zieker uitzien dan in bed.
Ik kwam naast hem zitten en nadat we wat gebabbeld hadden, liet Amelia ons alleen.
Stephen zei tegen me: 'Ik ben blij dat je met Aubrey trouwt.'
'Wat fijn dat je er zo over denkt. Veel families houden niet van nieuwelingen in hun kring. Toen ik Aubrey leerde kennen, had ik geen idee dat hij in zoiets als dit woonde.'
Hij knikte. 'Het is een grote verantwoordelijkheid. En hij is degene die het moet voortzetten. Het is als een keten die in de loop der eeuwen is gesmeed. Je wilt er niet aan denken dat die nog eens breekt. Als ik een zoon had gehad...'
Hij schudde treurig zijn hoofd en ik dacht aan wat Amelia me verteld had.
'Maar nu ben ik blij dat jij hier bent. Hij heeft iemand nodig... een evenwichtig iemand die voor hem zorgt en voorkomt dat hij...' Hij zweeg. Ik geloof dat hij op het punt stond iets belangrijks te zeggen, maar hij veranderde van gedachten. Hij streelde mijn hand en vervolgde: 'Ik weet zeker, nu ik jou heb ontmoet, dat jij de juiste vrouw voor hem bent.'
'Dank je.'
'Je moet sterk zijn. Kracht is wat hij nodig heeft. Zie je...'
Ik keek hem aandachtig aan maar hij zweeg. 'Je zei...' begon ik.
De diepliggende ogen schenen mijn gedachten te willen peilen. Misschien aarzelde hij of hij me zou vertellen wat hij wilde vertellen. Ik werd geweldig nieuwsgierig en was er zeker van dat het iets was dat ik hoorde te weten. En het betrof Aubrey. Toen zakte hij weg in zijn stoel en sloot zijn ogen.
Amelia kwam binnen en we dronken samen thee.
Maar ik bleef me afvragen wat hij me verteld had kunnen hebben.

Het was laat in de middag. De lucht was vol donkere wolken en het zag ernaar uit dat het zou gaan gaan regenen voor de dag om was. Ik stond in de lange galerij naar de portretten te kijken en zag hoeveel Aubrey op bepaalde voorouders leek. Ik bestudeerde de gezichten, sommige peinzend, andere glimlachend, sommige vrolijk, andere ernstig, maar ze schenen me allemaal vanaf hun doek taxerend aan te kijken.
Het was een griezelig gevoel daar te staan, terwijl het steeds donkerder werd. Er waren ogenblikken in dit huis dat ik me verbeeldde dat ik bespied werd. Dat ongeziene figuren uit het verleden dicht bij me stonden, vol belangstelling voor het meisje dat de euvele moed had in de familiekring binnen te willen dringen. Er was één portret dat me speciaal interesseerde, misschien omdat het gezicht van de man me aan Aubrey deed denken. Zijn ogen volgden me waar ik ook stond en de uitdrukking scheen te veranderen als ik naar hem keek. Ik verbeeldde me dat ik zijn lippen geamuseerd zag bewegen omdat de persoon op het schilderij wist dat hij me zowel fascineerde als tegenstond. De witte krullen van zijn pruik hingen bijna tot zijn schouders en werden gekroond door een breedgerande hoed die aan iets militairs deed denken. Zijn getailleerde jas was van moerbijkleurig fluweel; daaronder droeg hij een vest met ingewikkeld borduurwerk dat bijna even lang was als de jas. Het sloot strak om zijn middel en stond dan uit. De knopen waren als juwelen. Zijn kuitbroek was vlak onder de knie vastgemaakt met versierde gespen. Zijn benen waren goed gevormd en de gespen op zijn schoenen pasten bij die aan zijn knieën. Een buitengewoon elegante heer.
'Hallo!'
Ik schrok. Door mijn vreemde stemming dacht ik dat de dandy van het schilderij gesproken had. Ik draaide me met een ruk om. Aubrey moest stilletjes binnengekomen zijn en ik was zo geabsorbeerd geweest in het portret dat ik hem niet gehoord had. Hij stak zijn arm door de mijne.
'Ik geloof dat je nogal gefascineerd bent door Harry St Clare,' zei hij. 'Je bent niet de eerste.'
'Dus hij is Harry St Clare? Dan is hij wel een ver familielid. Dit moet ongeveer honderd jaar geleden geschilderd zijn.'
'Ja. De hoed verraadt hem. Het is een Dettingen... Zo werd de slag genoemd. Jij moet de datum weten. Ongeveer 1740, geloof ik.'
'Ja.'
'Die hoeden werden na de slag een rage. En je kunt je wel voorstellen dat Harry zich altijd aan de laatste mode hield.'
'Ken je de geschiedenis van je voorouders?'
'Alleen van degenen die zich op de een of andere manier hebben onderscheiden, zoals Harry.'
'Hoe onderscheidde hij zich? Bij Dettingen?'

'Geen sprake van. Daar was hij veel te slim voor. Harry was een losbol. Harry was de baarlijke duivel. Hij was betrokken bij een paar prachtige schandalen en haalde zich de woede van zijn vader, grootvader en feitelijk van zijn hele familie op de hals.
'Wat deed hij dan?'
'Nooit iets goeds. Als er onrust was, streken werden uitgehaald, was Harry erbij. Hij is jong gestorven. Ze zeiden dat de duivel Harry heeft opgeeist. Ik neem aan dat hij nu een wilde tijd in de hel heeft. Het zou echt iets voor hem zijn om daar ook van braspartijen te genieten.'
'Ik geloof dat jij hem nogal aardig vindt.'
'Booswichten zijn toch altijd veel opwindender dan heiligen? Niet dat we veel van die laatste soort in onze familie hebben gehad. Harry was lid van een van de Hellevuur Clubs, die in die dagen in de mode waren onder de luie deugnieten van jongelui die met een bepaald bedrag aan geld konden toegeven aan hun losbandigheid.
'Wat deed hij?'
'Kwaad. Hij bemoeide zich met zwarte kunst. Aanbad de duivel. Gaf zich over aan verloedering. Hij was lid van de club van Sir Francis Dashwood in Medmenham bij West Wycombe. Dashwood bouwde een huis in de vorm van een klooster en de leden aanbaden er de duivel. Zwarte Missen... boosaardigheid... orgieën. Je kunt je niet voorstellen waar ze zich allemaal mee bezighielden.' Aubrey's ogen schitterden van opwinding. 'Harry was daar zelfs niet tevreden mee. Men zegt dat hij een eigen club vormde en het nog beter deed dan Dashwood.'
'Het portret is door een knappe schilder gemaakt,' zei ik. 'Als je ernaar kijkt, schijnt het tot leven te komen.'
'Dat doet Harry's karakter. Je ziet toch dat hij geen gewone man was. En kijk nu eens naar Joseph St Clare met zijn dochter Charity. Ze leefden honderd jaar voor Harry. Dat zijn de deugdzame St Clare's. Maar vind je Harry niet veel interessanter?'
'Ik vind zijn portret beter.'
'Houd jezelf niet voor de gek. Dat is Harry die naar je kijkt. Hij vraagt zich af hoe hij je kan verleiden tot wilde dingen. Hij zou je graag lid willen maken van zijn Hellevuur Club.'
'Wat is het donker. Het lijkt wel of het plotseling nacht is geworden.'
Aubrey stak een lamp op een consoletafeltje aan en hield hem omhoog. Harry St Clare zag er boosaardig uit in het lamplicht.
Aubrey lachte en toen ik me omdraaide en hem aankeek, dacht ik dat hij, met die glans in zijn ogen, heel veel op zijn voorvader leek.
Ik huiverde en op dat ogenblik hoorde ik de donder rollen in de verte. Aubrey sloeg zijn arm om me heen en zo bleven we nog even naar het portret staan kij-

ken. Toen zette hij de lamp op het tafeltje, draaide zich naar me om, nam me in zijn armen en kuste me hartstochtelijk. Hij had me nooit zo in zijn armen gehouden. Ik voelde me niet op mijn gemak en keek over mijn schouder. Het was of Harry St Clare me uitlachte.

Die avond na het diner kwam Amelia met haar verbazingwekkende nieuws. We hadden in de winterkamer gegeten, iets wat we deden als we met ons drieën waren. Ik nam aan dat de grote eetkamer alleen gebruikt werd wanneer er veel gasten waren. Er was een kleine antichambre naast de winterkamer, waar we heen gingen om koffie te drinken.
Amelia was tijdens de maaltijd nogal afwezig en ik vond haar nerveus. Toen, alsof ze zich vermande, zei ze: 'Ik moet jullie iets vertellen. Ik wilde er niet over beginnen voordat ik er absoluut zeker van was. Ik ben in verwachting.'
De stilte was intens. Ik keek Aubrey niet aan maar wist hem vlak bij me.
Amelia haperde. 'Natuurlijk maakt het een groot verschil. Stephen zal zo gelukkig zijn. Ik denk dat het hem veel goed zal doen.'
Ik riep: 'Gefeliciteerd. Wat zul je blij zijn. Dat heb je altijd gewild.'
Ze wendde zich bijna dankbaar tot mij. 'Ik kon het eerst niet geloven. Ik dacht dat ik het me verbeeldde, en ik wilde er pas over praten als ik er absoluut zeker van was. Maar nu heeft de dokter het bevestigd.'
Ik stond op, ging naar haar toe en omhelsde haar. Ik was blij voor Amelia. Ze had me diep ontroerd toen ze me vertelde over haar verlangen naar kinderen en haar teleurstellingen. Tegelijkertijd wist ik hoe Aubrey zich moest voelen. Hij scheen een obsessie ontwikkeld te hebben voor de Munster sinds hij wist dat die voor hem was. Ik vroeg me af wat er in hem omging.
Een paar momenten leek hij verdoofd en zei niets. Ik keek hem vol verwachting aan en met moeite zei hij: 'Ik moet mijn gelukwensen bij die van Susanna voegen. Wanneer...?'
'Het is pas twee maanden... Ik wilde er absoluut zeker van zijn voordat ik er iets over zei. Het duurt natuurlijk nog heel lang en ik ben van plan om ditmaal buitengewoon voorzichtig te zijn. Het is een wonder. Na al mijn teleurstellingen... en Stephen... Het zal me iets geven om voor te leven. Ik kan jullie niet zeggen hoe ik me voel... Maar het brengt natuurlijk veranderingen voor jullie mee.'
'Inderdaad,' zei Aubrey wrang.
'Ik begrijp het,' zei Amelia. 'Het spijt me... tot op zekere hoogte... al vind ik dat moeilijk omdat het nu meer dan wat dan ook mogelijk is. Ik wil dit zo graag...'
Ik zag dat Aubrey vocht met zijn gevoelens.
'We moeten drinken op een gelukkige toekomst,' stelde ik voor.
'Ik drink geen alcohol,' zei Amelia. 'Ik moet heel voorzichtig zijn.'
'Dan drinken wij, Susanna en ik,' zei Aubrey, 'op een gelukkige toekomst.'

Amelia kon nergens anders over praten. 'Het is een wonder,' hield ze me voor. 'Het is alsof ik compensatie heb gekregen.'
'Er zijn dikwijls compensaties in het leven, geloof je niet?' gaf ik toe.
'Het moet gebeurd zijn voordat Stephen zo vreselijk ziek werd.'
'Ik ben zo blij voor je, Amelia.'
'Ik wist dat je dat zou zijn. Voor Aubrey is het anders. Zie je, dit is zijn huis. Ik weet wat hij nu voelt... Maar Stephen is zo blij omdat zijn zoon de volgende meester van de Munster St Clare zal zijn, of zijn dochter de meesteres.' Ze zei dat ze zou letten op iedere stap die ze deed. Ze zou de dokter raadplegen en in alle opzichten zijn advies opvolgen. Er mocht geen nieuwe ramp gebeuren.
Aubrey uitte zijn teleurstelling toen we alleen waren. Hij was bitter. 'Wie kon denken dat dit zou gebeuren! Geloof jij dat Stephen een kind kon verwekken?'
'Kennelijk. Amelia zegt dat er perioden zijn geweest waarin hij heel goed was. Pas de laatste maand is hij zo ziek.'
'Dat zegt ze natuurlijk.'
'Wat suggereer je nu... dat dit kind niet van Stephen is? O, Aubrey!'
'Waarom niet? Het is een wanhopige situatie. En een manier voor haar om een greep op alles te houden.'
Ik keek hem vol afgrijzen aan. 'Hoe kun je zoiets zeggen van Amelia!'
'Omdat dat heel goed zou kunnen.'
'Ik geloof het niet.'
'Besef je wat voor verschil dat voor ons zal maken?'
'Daar heb ik nog niet veel over nagedacht.'
Hij was duidelijk geërgerd. 'Mijn broer zal willen dat ik hier blijf. Dan ben ik een soort regent tot het kind volwassen is. Een voogd voor een baby die op een dag de kroon zal dragen.'
'Nou, waarom niet?'
Hij keek me aan alsof hij bijna een hekel aan me had. 'Begrijp je het niet?'
'Natuurlijk begrijp ik het.'
'Je bent dan geen baas in je eigen huis. Dat is Amelia. Zie je dat niet?'
'Als we hier blijven, ben ik heel tevreden. Ik ben echt dol op Amelia. We zijn vriendinnen geworden.'
Hij wendde zich ongeduldig af en keek gemelijk rond, als een kind van wie een stuk speelgoed is afgepakt. Ik voelde me heel teder tegenover hem en vond dat ik iets moest doen om hem tot rust te brengen.
'Het komt wel in orde, Aubrey. We zullen samen zijn. Dat is het belangrijkste. Het gaat om de onderlinge verhoudingen... niet om huizen.'
Hij glimlachte flauwtjes. 'Je bent een lief meisje, Susanna. Ik veronderstel dat ik geboft heb, ja toch?'
Ik zei dat ik hoopte dat hij dat vond – ik hoopte het voor ons allebei.

Aubrey scheen de teleurstelling van zich afgezet te hebben. Hij praatte er niet meer over. In plaats daarvan maakten we plannen voor de bruiloft.
'Het moet zo gauw mogelijk gebeuren,' zei Aubrey, en ik was verrukt over zijn ongeduld.
Ik was oorspronkelijk verliefd op hem geworden omdat hij knap was om te zien, charmant was en de wereld zo goed scheen te kennen. Verder wist ik eigenlijk niets van hem. Ik veronderstel dat dat eigenschappen waren die een jong meisje dat weinig ervaring had met het leven en met mannen, buitengewoon aantrekkelijk vond. Nu zag ik hem anders. Ik kon me hem voorstellen als een kleine jongen, die opgroeide in dit prachtige oude huis. Ik zag hem als vrij lui, zonder belast te willen worden met verantwoordelijkheden en toch niet tevreden met de tweede plaats. Was hij enigszins jaloers geweest op zijn oudere broer? Misschien. Dat zou natuurlijk zijn. Toen was hij weggegaan, maakte lange reizen en probeerde een leven voor zichzelf op te bouwen. Tot hij werd terug geroepen en zich realiseerde dat hij op een dag het familie-landgoed zou erven. Het veranderde hem en deed hem beseffen hoeveel hij van zijn oude huis hield. Toen, plotseling, juist toen hij dacht dat het van hem zou zijn, stond een andere pretendent op het punt te verschijnen. Ik wist hoe zeldzaam teleurgesteld hij was en dat maakte hem kwetsbaar en mij buitengewoon teder tegen hem.
Ik was het ermee eens dat we zo gauw mogelijk moesten trouwen.
'Dit is eigenlijk geen plaats voor een bruiloft,' zei hij. 'Naar het uiterlijk van Stephen te oordelen, is het waarschijnlijker dat we een begrafenis krijgen.'
'Arme Stephen. Ik denk dat hij zich nu aan het leven vastklampt. Hij zal zijn kind willen zien.'
'Misschien.'
'Mijn vader zegt dat we zouden moeten trouwen vanuit de pastorie. Mijn oom en tante zouden het prettig vinden en mijn oom kan de dienst leiden. Tenslotte is het jaren lang mijn huis geweest. Ik weet dat mijn vader me niet wil laten trouwen vanuit een huurhuis.'
'Hoe gauw?' vroeg Aubrey.
'Vijf weken... zes... twee maanden.'
'Hoe sneller, hoe beter.'
'Zodra ik thuiskom, zal ik het gaan regelen. Ik denk dat ik een paar weken bij oom James en tante Grace zal moeten logeren. Zij moeten het huwelijk afkondigen en zo. Er is veel te doen en de tijd vliegt voorbij.'
'Doe dat dan alsjeblieft zo gauw mogelijk.'
En zo maakten we onze plannen.
Toen ik weer bij Stephen kwam, vond ik hem een stuk beter. Ongetwijfeld had het nieuws van de komende baby als een tonicum gewerkt.
Zijn stem klonk helderder en zijn ogen glansden. 'Ik ben blij dat jullie gauw zullen trouwen,' zei hij. 'Aubrey heeft je nodig. Pas goed op hem.'

Lachend zei ik dat ik dat zou doen; ik veronderstelde dat Stephen Aubrey nog steeds als een jong broertje beschouwde dat nooit voor zichzelf had kunnen zorgen.

Het was de dag voor mijn vertrek. Na de lunch was ik gaan wandelen. Ik werd geboeid door het terrein om de Munster. Je kon er volkomen onverwacht op herinneringen van het oude klooster stoten – een afbrokkelende muur waar klimop overheen groeide, plaveisel tussen het gras, een stomp van iets wat een pilaar had kunnen zijn.
Ik vond het fascinerend.
De Munster oefende nu al zijn betovering over me uit. Ik vroeg me af of we hier zouden gaan wonen. Als Stephen beter werd, zouden wij dat natuurlijk niet doen en evenmin kon ik me voorstellen dat Aubrey zou genieten van zijn rol als regent, zoals hij het noemde.
Maar Stephen kon niet beter worden. De verandering in hem was alleen oppervlakkig. Hij zag er beter uit omdat hij gelukkiger was, maar geluk kon zijn ziekte niet genezen.
Het was moeilijk je de toekomst voor te stellen, hoewel ik een paar dagen geleden nog had gedacht dat dat mogelijk was. Ik had gedacht aan ons leven hier, met kinderen – want mijn verlangen naar kinderen was even groot als dat van Amelia – en aan mijn liefde voor het oude huis en de portretten van mijn kinderen in de lange galerij.
Ik kwam bij een bosje. Tot daar had ik wel gewandeld, maar verder niet. De dennenbomen groeiden hier dicht op elkaar en gaven er een sfeer van duisternis en geheimzinnigheid aan. Zoals zo vaak hier in de Munster St Clare voelde ik dat ik een ontdekking deed. Het bosje was niet groot en toen ik aan de andere kant kwam, zag ik dat de grond opliep en een heuveltje vormde.
Ik beklom het en keek omlaag. De helling ging ruim twee meter steil naar beneden. Ik klauterde door een massa kruipend gewas dat de helling bedekte en vertrapte zo de planten. Tot mijn verbazing zag ik dat er geen aarde achter was, maar iets wat op een deur leek.
Ik schoof de bladeren opzij. Inderdaad, er was echt een deur.
Opgewonden bekeek ik die en vroeg me af waar hij naartoe ging. Het leek een vreemde plaats voor een deur die leidde naar wat een grot onder het heuveltje scheen te zijn.
Er was een sleutelgat maar toen ik tegen de deur duwde, bewoog die niet.
Ik keek om me heen. Overal was het even stil en weer had ik het gevoel dat iemand me gadesloeg en dat er iets boosaardigs in de lucht hing.
Ik liep weg van de deur en bleef er van een afstand naar staan kijken. De klimplanten waren weer op hun plaats gevallen en nu de deur niet langer zichtbaar was, zag het heuveltje eruit als een onderdeel van het landschap – nogal vreemd

maar niet bijzonder. Het kwam bij me op dat het niet natuurlijk was en ik vroeg me af wat er achter die deur zat. Ik liep om de heuvel heen en ging terug naar het bosje. Zodra ik er binnenkwam, voelde ik dat ik gevolgd werd. Het was een akelig gevoel. Een steen liet plotseling los en er klonk gekraak in het kreupelhout. Gek, het was een heldere dag, maar mijn hart begon onplezierig te bonzen. Ik rende verder. Plotseling werd ik bij mijn arm gegrepen en stevig beetgepakt. Ik hijgde en draaide me om... Aubrey.
'Susanna, wat is er?' vroeg hij.
'O... je maakte me aan het schrikken. Ik dacht dat ik gevolgd werd.'
'Dat werd je ook. Amelia zei dat je een wandeling was gaan maken en ik ging je zoeken.'
'Waarom riep je me niet of liet je me weten dat jij het was?'
'Ik vind het leuk je te verrassen. Er is iets, hè?'
'Niet nu jij hier bent. Het was dom van me. Ik heb zojuist een deur gezien.'
'Een deur!'
'Ja. Die leidde naar iets onder het heuvelje.'
'Wat is daar zo eigenaardig aan? Je zult hier alle soorten rare dingen vinden. Het zijn resten van de oude Munster. Mensen zouden een keel opzetten als we probeerden iets te veranderen. Aandenken aan het verleden en zo.'
'Ja, dat weet ik. Maar dit was een deur. Die moet toch ergens heen gaan.'
Zijn ogen glinsterden. Hij vond mijn eigenaardige gevoelens wel leuk. Ik vermoed omdat hij me wilde verzekeren dat hij er was om me te beschermen.
Hij stak zijn arm door de mijne. 'Ging je terug naar huis?'
'Ja.'
'Waarom zou een deur je aan het schrikken maken?'
'Ik weet het niet. Het was vreemd... om daar te staan...'
'Verwachtte je dat hij open zou gaan en de duivel naar buiten zou wandelen?'
Ik lachte. 'Het leek zo raar, en toen ik door het bos liep en voelde dat ik werd gevolgd...'
'Het spijt me dat ik je bang heb gemaakt, Susanna, mijn liefste. Ik had altijd gedacht dat je zo praktisch was.'
'Niet echt, geloof ik. Ik verbeeld me wel eens wat.'
'En nu verbeeld je je dingen in verband met die deur? Maar dit soort huizen zijn plaatsen waar je de meest nuchtere mens vergeven kunt als hij zich dingen inbeeldt. Ik moet zeggen dat jij niet de eerste bent die die deur heeft ontdekt. We hebben hem eens laten openen... O, lang geleden, toen ik nog een jongen was.Er is niets achter. Gewoon een grot. Misschien is het een voorraadkelder van de monniken geweest. De deur werd weer gesloten en sindsdien met rust gelaten.'
'Ja, ik begrijp het. Ik dacht dat er iets moest zijn... nogal belangrijk... achter zo'n stevig uitziende deur.'

'Susanna, het spijt me dat ik je aan het schrikken heb gemaakt.'
'O, het was dom van me te schrikken.'
Tijdens de wandeling naar huis praatte hij enthousiast over de bruiloft.

De volgende dag verliet ik de Munster. Aubrey had erop gestaan me thuis te brengen. Op de weg terug naar Londen leek hij anders. Hij was nu weer de man die ik in India en op de boot had leren kennen – vriendelijk, zorgeloos, vol zelfvertrouwen – en hij praatte niet over de komst van de baby die zijn hoop op de erfenis de bodem had ingeslagen.
Mijn vader was zielsgelukkig dat hij me weer zag. Hij vertelde dat Jane en Polly uitstekend voor hem hadden gezorgd en dat hij, wat zijn materiële comfort betrof, geen ogenblik tekort was gekomen.
Audrey keerde diezelfde dag terug naar Buckinghamshire en toen hij weg was, eiste mijn vader een gedetailleerd verslag van mijn bezoek en luisterde gespannen terwijl ik sprak. Ik vertelde hem alles. 'En je wilt nog steeds even graag met Aubrey trouwen als eerst?' vroeg hij.
Ik zei hem van ja.
'Dan moeten we praktisch zijn. Ik denk dat je zo snel mogelijk je oom James moet schrijven om de zaak op gang te brengen. Je moet van alles kopen en dat doe je het beste in Londen. Je moet een maand voor de bruiloft bij je oom en tante zijn. Je zult het druk genoeg hebben. De tijd vliegt. Ik heb besloten dat ik dit een prettig huis vind en Jane en Polly zorgen goed voor mij en voor alles. Ik heb al om verlenging van de huur gevraagd. Het heeft geen zin een huis te kopen als jij bijna onmiddellijk daarna vertrekt. Ik kan me hier heel goed redden en het is jouw huis wanneer je maar wilt.'
'Ik zie dat u alles geregeld hebt. Militaire precisie, zo noemen ze het toch?'
'Dat zou je kunnen zeggen. Mijn lieve dochter, ik zal zo blij zijn als je gelukkig getrouwd bent.'
'Arme vader. Ik moet een grote verantwoordelijkkeid voor u zijn geweest.'
'Nou ja... veel weg van huis... een klein meisje om op te voeden. Ik heb me wel eens bezorgd gemaakt. Maar het is goed afgelopen en ik heb altijd geweten dat mijn dochter uitstekend op zichzelf zou kunnen passen.'
'Ik hoop dat uw vertrouwen niet misplaatst is.'
Hij keek me even bezorgd aan. 'Waarom zeg je dat? Is er iets gebeurd?'
'Nee,' zei ik fel. 'Nee.' Maar ook ik vroeg me af waarom ik dat gezegd had. Begon er een zekere ongerustheid ergens bij me binnen te dringen?

De weken vlogen voorbij. Mijn bruidsjapon moest gepast worden. Ik kocht wat kleren die ik dacht nodig te hebben. We zouden naar Venetië gaan voor de huwelijksreis. Die zou een maand duren en vrienden van de familie St Clare hadden ons hun palazzo geleend.

Oom James en tante Grace waren even behulpzaam als ik wist dat ze zouden zijn. Het gaf hun veel voldoening dat de bruiloft zou plaatsvinden in de oude Normandische kerk en dat oom James de dienst leidde. Ik ging een maand voor de bruiloft naar hen toe.
Mijn vader zou de weekeinden komen of wanneer hij tijd had. Het zou een rustige bruiloft zijn vanwege de ziekte van de broer van de bruidegom.
Aubrey zou een paar dagen voor de ceremonie naar Humberston komen en er was een kamer voor hem gereserveerd in de Zwarte Beer.
Alles scheen gladjes te lopen in de richting van het verlangde doel.
Op de afgesproken tijd kwam ik in Humberston aan. Ik was erg emotioneel toen ik in die slaapkamer zat en door het raam naar het kerkhof keek. Herinneringen kwamen terug, de vreselijke eenzaamheid, het heimwee, het verlangen naar India, mijn vader, mijn aya.
Ik vroeg me af wat ze nu deed. Ze was niet echt gelukkig geweest bij de Freelings en had nogal mystiekerig gedaan, alsof ze ergens op zinspeelde. Ik wist niet zeker waarop.
Nu was alles anders. Al gauw zou ik Humberston achter me laten, mijn thuis zou in de Munster zijn; maar eerst kregen we een magische huwelijksreis naar Venetië.
Ik was gelukkig, hield ik mijzelf steeds voor. Ik was tevreden.
De meeste jonge vrouwen zouden zich heel gelukkig prijzen als ze in mijn positie waren. Tenslotte was ik niet direct een schoonheid. Mijn rode haar had een uitgesproken kleur, maar het was dik en glad en hoewel er een enkele slag in zat, krulde het niet op een aantrekkelijke manier en het was dikwijls moeilijk in toom te houden. En dan die groene ogen. Die hoorden bij mijn haar, natuurlijk, maar mijn wimpers waren blond, net als mijn wenkbrauwen, en mijn huid was heel blank. Mijn arme aya had zich daar dikwijls zorgen over gemaakt. Ze klaagde erover dat hij zo gevoelig was en was bang dat de felle Indiase zon er kwaad aan kon doen. Ik mocht nooit uitgaan zonder een breedgerande hoed, zelfs op bewolkte dagen. Maar het was mijn lengte die maakte dat ik vrouwelijke charme miste. Ik was te lang. Ik had op heel wat jongemannen onder mijn kennissen neergekeken en geloofde dat het weinig aantrekkelijk was.
Mannen kijken graag neer op hun vrouw – figuurlijk gezien misschien, en fysiek zeker. Ik was niet direct lelijk, maar zeker niet knap in aller ogen, en had toch bereikt waar veel mooie jonge meisjes heel wat voor gegeven zouden hebben. Ik bofte.
Nicht Ellen kwam met haar twee dochtertjes de dag voor de bruiloft. Ze was blij dat ik trouwde. Ze was niet meer zo terughoudend als vroeger, dacht ik, en ze haalde herinneringen aan het verleden op. Zo ook één incident waar ik lange tijd niet meer aan had gedacht.
'Herinner je je Tom Jennings... die jongeman die van de ladder was gevallen?'

'O ja. Hij brak zijn been.'
'Ik zal nooit vergeten hoe je daar bij hem neerknielde. Het enige wat je deed was over zijn voorhoofd strijken en troostend tegen hem praten en je scheen hem tot rust te brengen.'
Ik spreidde mijn handen uit en keek ernaar. 'Mijn aya zei dat ik genezende handen had.'
'Ze hebben daar van dat soort ideeën, denk ik.'
'Er was een jongen in Bombay. Bij hem deed ik hetzelfde. Toen merkte ze het.'
'Misschien zou je verpleegster moeten worden.'
Ik dacht even na. 'Weet je... ik geloof dat ik dat best prettig zou vinden.'
Ellen lachte. 'Gelukkig is daar geen kwestie van. Jij gaat trouwen... mooi! We zijn zo blij. Verpleging is eigenlijk niet geschikt voor een dame. Het is een van de laagste baantjes... zoiets als soldaat zijn.'
'Je spreekt als de dochter van een soldaat.'
'O, natuurlijk bedoel ik niet mannen als je vader. Ik bedoel de gewone soldaat. Waarom beginnen ze eraan? Omdat ze nergens anders terecht kunnen... of ze zitten in moeilijkheden. En ze zeggen dat het met verpleegsters net zoiets is.'
'Dat lijkt me vreselijk,' zei ik. 'Het beschermen van je land is toch iets nobels, net als het verplegen van zieken?'
'Zo zou het moeten. Er is zoveel dat zo zou moeten zijn en het niet is. Maar waarom verspillen we tijd met het praten over zulke dingen terwijl er zoveel te doen is, zoveel te regelen. Je moet er duizelig van worden.'
Er was zeker veel te doen, maar het gesprek had veel herinneringen wakker gemaakt. Ik keek naar mijn handen, goed gevormd, heel blank; de lange, spits toelopende vingers hadden iets verfijnds en toch waren ze krachtig. Ik lachte tegen ze. Ze vormden mijn enige echte schoonheid.
Zo ging de tijd voorbij.
Het was de nacht voor mijn bruiloft. Alles was in orde. Mijn vader was naar Humberston gekomen en sliep in een van de slaapkamertjes. Ellen en haar kinderen waren in twee andere. De pastorie was overvol. En achter het kerkhof sliep Aubrey in de Zwarte Beer.
Ik ging naar bed en toen kreeg ik de droom... de droom die me deed piekeren over wat hem in mijn verbeelding had kunnen oproepen.

Huwelijksreis in Venetië

Toen waren Aubrey en ik getrouwd. Zodra de ceremonie voorbij was, verkleedde ik me in mijn groen gabardine reistenue en begonnen we aan onze huwelijksreis.
Wat een verrukkelijke ervaring was dat!
Mijn twijfels en angsten, al mijn bange vermoedens verdwenen. Aubrey was geweldig. Hij was een man van de wereld en begreep dat ik volslagen onschuldig was – wat natuurlijk betekent dat ik absoluut niets wist.
Hij was zich bewust van mijn gebrek aan ervaring en behandelde me met zoveel zachtheid en liefdevolle tederheid dat ik dit, wat er later ook gebeurde, altijd zou onthouden.
Voorzichtig leidde hij me in in de liefdeskunst en ik moet toegeven dat ik ervan genoot en in mijn aard trekken ontdekte, waarvan ik nooit had geweten dat ze bestonden.
Dit was liefde en het was verrukkelijk. Ik zag een nieuwe Aubrey. Hij was een man die vrouwen begreep – hun gevoelens en behoeften. Hij scheen de teleurstelling over het verloren erfgoed vergeten te hebben en gaf me het gevoel dat het enige wat eropaan kwam onze liefde voor elkaar was en dat alles om ons heen volmaakt moest zijn. En daar was ik, me overgevend aan de verrukking van gehuwde liefde in wat zeker de meest romantische plek ter wereld was.
Het Palazzo Tonaletti keek uit op het kanaal en we konden op de veranda zitten om de gondels voorbij te zien varen. Wat waren ze mooi en vooral in de avond als de gondeliers zongen voor hun inzittenden, wanneer het bootje onder de bruggen door schoot.
Het Palazzo zelf was prachtig, met een toren aan weerskanten en met bogen en een lange veranda. Ik was onder de indruk van de patronen van mozaïek op de marmeren vloeren. De bedienden waren bij het huis inbegrepen en we werden in grootse stijl vezorgd. Er was een plechtige majordomus die het beheer voerde over het huishouden en ons zei dat we hem Benedetto mochten noemen; er waren talloze dienstmeisjes die aanhoudend giechelden omdat ze, dacht ik, wisten dat we op de huwelijksreis waren. Onze slaapkamer was beeldschoon met muren en vloer van geaderd marmer in een mooie paarse tint. Er waren lampen van albast
en er was een groot bed met een hemel van lavendelkleurige en groene zijde.
's Morgens kwam een van de dienstmeisjes ons ons ontbijt brengen en mompelde dan: '*Colazione, Signore, Signora,*' waarna ze wegrende alsof ze haar vrolijkheid niet langer voor zich kon houden, vermoedde ik, bij de aanblik van ons samen in bed.
We liepen door de straten waar het water van de kanalen tegenaan kabbelde; we

dronken koffie en een enkele aperitief op het San Marco Plein. We stonden op de Rialto Brug en keken naar de gondeliers op het Gran Canal. Ik had nooit zo'n mooie stad gezien en was er volkomen door gefascineerd. Aubrey kende Venetië goed en vond het heerlijk alles aan me uit te leggen. Het komt in flitsen terug – Aubrey die naast me staat en op de wonderen van de Campanile wijst die het volk van Venetië al in het jaar 902 was begonnen te bouwen, hoewel hij pas veel later klaar was. Ik bewonderde de Klokkentoren en de twee bronzen figuren op de wijzerplaat van de klok die de uren sloegen. Er was zoveel dat mooi was en toch was ik me, zelfs op die wolkenloze dagen, bewust van de contrasten. De prachtige paleizen met rood porfier, albast en gekleurd marmer die eruitzagen als kokos-ijs of dergelijk lekkers; het Dogen Paleis dat zo groots was en er vlakbij de Brug der Zuchten die de wanhoop en hopeloosheid inhield van degenen die erover kwamen en wisten dat ze Venetië nooit meer zouden zien.

Er was veel vrolijkheid in de straten bij de kanalen, maar er waren ook nauwe stegen die er donker en griezelig uitzagen. Toen ik daarop wees, zei Aubrey: 'Zo is het leven. Zou het niet saai zijn als alles mooi en goed was?'

'Maar waarom zou het zo zijn?'

'Omdat je nooit zou weten hoe het goede was, als je het kwade niet had om het mee te vergelijken.'

'Ik denk dat ik het wel weten zou.'

'Maar de rest van de wereld is niet zo wijs als mijn Susanna.'

Samen zagen we prachtige schilderijen – Titiaan, Tintoretto en de Bellini's. Hij wist veel van kunst en bracht me heel wat bij. Ik leerde niet alleen de liefde, maar ook de wereld kennen.

Het waren vreemde, dromerige dagen; ze wierpen een toversluier over me heen en ik geloofde toen dat het leven, nu ik met Aubrey getrouwd was, altijd zo zou doorgaan.

Ik was jong, ik was onschuldig, en overal om me heen waren blijken van leven. Op een ochtend, toen we wat rondslenterden, zagen we een menigte aan de kant van een kanaal, en toen we gingen kijken, ontdekten we dat het lichaam van een man diezelfde ochtend uit het water was gehaald. Ik zag hem daar liggen, de open ogen starend in afschuw, het gezicht de kleur van een vuil laken. Er was bloed op zijn kleren door een messteek in zijn rug.

Aubrey trok me er snel vandaan.

Die gebeurtenis kleurde mijn hele morgen. Aubrey zei: 'Dat gebeurt zo nu en dan. Het zijn nu eenmaal heethoofden.'

Maar ik wist dat ik die plek nooit meer zou kunnen passeren zonder aan die man te denken.

Dat was Venetië. Donkere, sinistere stegen waar mensen een vijand ontmoetten en messen flitsten... dan de plons van een lichaam dat in het water viel; de

prachtige, zonnige stad met de suikertaarten van paleizen en met zingende gondeliers; het Dogen Paleis en de Brug der Zuchten en de onbeschrijfelijke martelingen in de gevangenis ernaast.
Maar dit was mijn huwelijksreis. Ik wilde niet aan sombere dingen denken. Het was een huwelijk met de man van wie ik hield. Dit was geluk.
Ik werd geboeid door de winkeltjes en kon er uren in rondkijken. Soms liet ik Aubrey achter op het plein waar hij aan een aperitief kon nippen, terwijl ik in de winkels rondhing. Hij lachte om de aantrekkingskracht die ze op me hadden. Voor hem was dat moois op die manier niet belangrijk.
Ik hield van de bijzonder bewerkte armbanden en kettingen van halfedelstenen, de geborduurde zakdoeken en pantoffeltjes, de zijden sjaals en fichu's.
Ik wilde een paar cadeaus mee naar huis nemen – voor mijn vader, voor Amelia en voor Stephen.
'Dat laat ik aan jou over,' zei Aubrey. 'Jij houdt van winkelen.'
En ik genoot van het zoeken naar wat ik dacht dat ze mooi zouden vinden.

De dagen vlogen voorbij. We hadden nog maar één week, besefte ik tot mijn teleurstelling.
Na onze ochtendwandeling kwamen we terug op het plein waar we in de zon wilden gaan koffie drinken. We hadden er een gewoonte van gemaakt dat halverwege de ochtend te doen. We gingen op weg naar een tafeltje onder een blauw gestreepte parasol waar we naar de voorbijgangers konden kijken en naar de duiven die rondfladderden, terwijl ze wachtten op mensen die kruimels voor ze zouden strooien.
Terwijl we onze koffie dronken, kwamen er een man en een vrouw langs. Ze waren me vaag bekend en toen herkende ik hen.
De vrouw was blijven staan. 'Nee maar, het is Aubrey,' zei ze. 'En... juffrouw Pleydell.'
Aubrey stond op. 'Phyllis, Willie...'
Phyllis en Willie! Voor zover ik het me herinnerde, had ik hun voornamen nooit gehoord, maar ik kende hen als Kapitein en mevrouw Freeling.'
Mevrouw Freeling praatte ademloos. 'Wat in vredesnaam... Stel je voor... en dan nog wel hier... Wat doen jullie in Venetië?
'We zijn op de huwelijksreis.'
'O Willie, is dat niet schattig! En juffrouw Pleydell... o, sorry. U bent nu natuurlijk mevrouw St Clare. Wat een enige verrassing.'
'Willen jullie koffie?' zei Aubrey.
'Ik wel...'
Er waren nog twee plaatsen aan het tafeltje, waar ze gingen zitten.
Mevrouw Freeling was veranderd; ze zag er veel ouder uit dan ik het me herinnerde; haar ogen waren diep en ze leek heel mager. Ik had haar man niet vaak

ontmoet en kon me nauwelijks herinneren hoe hij er vroeger had uitgezien.
'Wat doen jullie?' vroeg Aubrey. 'Hebben jullie vakantie?'
'Maar schat, het leven is een eeuwige vakantie.'
'Ik veronderstel dat u met verlof bent, Kapitein Freeling,' zei ik.
Mevrouw Freeling boog zich naar me toe en legde een hand op mijn arm. 'Geen verlof meer. Geen verplichtingen meer. Geen regimenten meer. We zijn overal vrij van, hè Willie?'
Kapitein Freeling keek wat spijtig. 'Ik heb mijn aanstelling opgegeven,' zei hij tegen me.
'O...'
Hij kwam niet met een verklaring en ik voelde dat het tactloos zou zijn op de zaak door te gaan.
'We zijn nu thuis,' ging mevrouw Freeling verder, 'bij Willie's familie tot we beslissen hoe alles gaat. Het is goed voor de kinderen. Nu hebben we vakantie; daarna moeten we gaan wennen aan het leven thuis, hè Willie?'
'Een heel prettige vakantie, stel ik me voor,' zei Aubrey. Hoe lang zijn jullie al in Venetië?'
'Drie dagen.'
'Niet lang, daarom zijn we jullie nog niet tegengekomen. Maar Venetië is feitelijk niet groot genoeg om elkaar te missen.'
'Gelukkig maar. Zou het geen tragedie zijn geweest, Willie, als we elkaar niet gevonden hadden? Maar nu is het zo... Net op het nippertje, want over drie dagen vertrekken we.'
'Wij gaan aan het eind van de week.'
'Ik zou hier maanden kunnen blijven,' zei mevrouw Freeling. Ze lachte tegen me. 'En ik wil wedden dat u dat ook zou kunnen. En hoe vindt u het leven thuis? Dat hoef ik niet te vragen. U geniet.'
'U zult India wel missen,' zei ik.
'Geen ogenblik. Blij om weg te zijn. Soms kreeg ik 's nachts rillingen. Die inlanders... Ze zagen er soms zo eng uit. Je kon nooit zeker zijn van wat ze dachten... Of wat ze zouden gaan doen.'
'Wat is er met de aya van de kinderen gebeurd?'
'O... ze was toch van u? Ze is naar een van de andere families gegaan. De Laymon-Joneses, geloof ik. De kinderen waren erg op haar gesteld. Ze maakten een vreselijke scène toen ze afscheid van haar moesten nemen.'
'Ze was een goede aya.'
'We zijn ook in Florence en Rome geweest, hè Willie?'
Willie zei dat ze er geweest waren.
'Schitterend! Die paleizen! Die schilderijen! Die beeldige, beeldige brug... Hoe heette hij ook alweer, Willie? Ponte Vecchio? De winkels. Fascinerend!'
Kaptein Freeling praatte met mij en Aubrey hield zich met mevrouw Freeling

bezig. Ik hoorde flitsen van hun conversatie, terwijl de Kapitein vroeg naar mijn vader en hoe hij het Ministerie van Oorlog vond na India. Hij zei dat hij het leger miste maar dacht dat het thuis gezellig zou zijn en er was daar altijd de zorg om de kinderen geweest. Ze hadden vroeger of later naar school moeten gaan en dat was een angstige, verwarrende ervaring voor de kinderen... zoals ik me waarschijnlijk herinnerde.
Terwijl de Kapitein aan het praten was, hoorde ik mevrouw Freeling tegen Aubrey zeggen: 'Damien is in Venetië.'
'Mijn familie woont in Worcestershire,' zei de Kapitein. 'Op het ogenblik zijn we in het familie-huis. Het is echt een mooi gedeelte van het land.'
Ik zei dat ik het niet kende en hij vroeg naar het Palazzo Tonaletti. Terwijl ik het beschreef, keek mevrouw Freeling op haar horloge en zei dat ze moesten gaan. We schudden handen en gingen uit elkaar.
Toen we terugliepen naar het palazzo, zei Aubrey: 'Het is een kleine wereld. Stel je voor hen hier te ontmoeten.'
'Ik vraag me af waarom hij voor het leger bedankte.'
'Had ongetwijfeld zin in een ander soort leven.'
'Dat doen mensen meestal niet.'
'Zo spreekt de soldaten-dochter. Sommigen vinden het misschien niet zo'n fantastische manier van leven.'
'Ik bedoel dat het niet eenvoudig is om ontslag te nemen. Ik zal het mijn vader eens vragen. Waarschijnlijk zien we hen nog wel.'
'Moeten, verwacht ik. Maar ze gaan over een dag of twee weg.'
Hij klonk weinig enthousiast en dat deed me plezier.
'En wij gaan ook heel gauw,' zei ik. 'O, Aubrey, het is zo heerlijk geweest. Denk je dat iemand ooit zo'n huwelijksreis heeft gehad?'
'Natuurlijk niet,' antwoordde hij.
We lachten toen we de marmeren hal van ons palazzo binnenwandelden.

Hierna spraken we niet meer over de Freelings. Ik verbeeldde me dat Aubrey er net zo over dacht als ik, wat betekende dat we het zonder die storing hadden kunnen stellen. De opmerking dat we elkaar nog moesten zien voordat we uit Venetië vertrokken, was, dacht ik, een van die vage opmerkingen die mensen uit beleefdheid maken en niet van plan zijn.
Twee dagen na de ontmoeting vroeg Aubrey me wanneer ik ging kijken naar de cadeaus die ik wilde kopen en waarom ik die middag niet zou gaan.
'Ik weet dat je het niet echt prettig vindt mij om je heen te hebben als je zo bezig bent,' zei hij. 'Waarom ga je nu niet, dan kun je net zoveel tijd in die winkeltjes besteden als je wilt. Ik wacht wel op je. O... ik weet wat ik zou kunnen doen. Ik kan de Freelings opzoeken en een uur of zo met hen doorbrengen. Ik weet dat jij er niet op gebrand bent hen weer te zien. Het is eigenlijk niet meer dan

gewone beleefdheid... nu we hen hier weer hebben ontmoet.'
Ik vond het een goed idee.
Ik bracht een paar uur door met het maken van beslissingen. Er was zoveel om uit te kiezen. Ik kocht een armband voor Amelia. Hij was van goud, bezet met lapis lazuli; en net toen ik op het punt stond een marmeren presse-papier voor mijn vader te nemen, zag ik een paar prachtige wandborden, die me het gevoel gaven dat ik ze moest kopen. Dus kocht ik er een met een afbeelding van Raphael voor Stephen en een van Dante voor mijn vader. Ik was er zeker van dat ze die mooi zouden vinden en ze zouden mij voor altijd aan die magische dagen in Venetië doen denken.
Toen ik terugkwam in het palazzo was het een uur of zes. Benedetto vertelde dat Aubrey er nog niet was. Ik zat langdurig in het bad en ging op bed een half uur liggen lezen. Aubrey kon ieder moment thuiskomen.
Toen de tijd voorbijging en hij nog niet was gearriveerd, begon ik me ongerust te maken.
Benedetto kwam vragen of ik het diner al geserveerd wilde hebben, maar ik wilde liever wachten. Hij glimlachte vol begrip. Ik wist dat hij dacht dat we zo'n ruzie tussen minnaars hadden gehad.
Toen begon ik bang te worden. Ik dacht aan al die donkere stegen; de herinnering kwam boven aan die man die ik had zien liggen met bloed op zijn kleren... uit het kanaal gevist. Het eind van het verhaal had ik niet gehoord. Wie was het geweest? Een toerist die door rovers was aangevallen? Of was zijn dood het gevolg van een lang bestaande vendetta?
Ik zat op de veranda maar ging terug naar mijn kamer waar ik bleef ijsberen.
Aubrey was naar de Freelings gegaan. Ik had de naam van hun hotel niet gehoord. Mevrouw Freeling moest het tegen hem gezegd hebben, maar hij had het er niet over gehad.
Ik wist niet wat ik moest doen. Hier zat ik in een vreemd land waarvan ik de taal niet sprak, en kon niet bedenken hoe ik handelen moest. Aubrey zou toch niet zo lang wegblijven als er niet iets vreselijks was gebeurd? Stel dat de Freelings hem hadden uitgenodigd om bij hen te eten? Maar dan hadden ze mij toch wel gevraagd te komen, of anders een berichtje gestuurd dat hij bij hen was? Nee. Dat kon het niet zijn. Er moest iets met hem zijn gebeurd.
Wat moest ik doen? De hotels langs gaan? Naar het Britse Consulaat? Waar was dat? Een gondel roepen en vragen of ik naar de Ambassade kon worden gebracht? Maakte ik alleen maar drukte? Er waren momenten waarin Aubrey me het gevoel gaf dat ik nogal naïef was. Was ik dat? Zou hij gewoon zeggen: 'De Freelings vroegen me om te blijven. Ik wist dat je hier veilig was.' Was dat de manier waarop wereldse mannen en vrouwen zich gedroegen?
Hij moest weten hoe ik me voelde. Hij zou nooit voor zorgen dat ik zo ongerust was.

Ik moest iets doen.
Ik ging naar beneden naar de bedienden-vleugel en hoorde hun stemmen. Ze babbelden zoals altijd. Kennelijk vonden ze Aubrey's afwezigheid niets bijzonders. Ik ging terug naar de slaapkamer en bleef op de veranda staan kijken naar het donker wordende water.
Hij moest terugkomen. Er moest nieuws van hem zijn. Hoe kon ik op deze manier de nacht doorkomen? De bronzen figuren sloegen op de bel van de Klokkentoren. Ik moest hulp gaan halen, Benedetto zoeken en hem vragen met me mee te gaan. We moesten naar de Ambassade en Aubrey's verdwijning aangeven. Maar ik bleef op de veranda staan. Gondels gleden langs. Ik bad dat een ervan zou stoppen, dat Aubrey uitstapte en aan kwam rennen om me te vertellen wat er gebeurd was.
Net toen ik voelde dat ik het niet langer uithield en dat ik hem op dit moment moest gaan zoeken, stopte er een gondel bij het palazzo. Een man stapte uit. Hij was heel lang, stond met zijn rug naar me toe en droeg een zwarte cape en een zwarte hoed.
Hij en de gondelier hielpen iemand uitstappen.
Ik tuurde. Het was Aubrey.
Ik greep de leuning van de veranda beet. Het gezicht van de vreemde zag ik niet, omdat dat verborgen was door zijn hoed. En toen ik daar als versteend bleef staan, vlogen stromen van opluchting door me heen. Aubrey was veilig!
Ik draaide me om en rende de kamer uit naar de trap. Hij kwam naar boven en was alleen. De man in het zwart was er niet meer. 'Aubrey!' riep ik.
'Susanna... O, mijn liefste Susanna.'
Ik rende naar hem toe en werd gevangen in zijn armen. Hij zag er vreemd uit, zijn das zat scheef en er was een bijna wilde blik in zijn ogen. Zijn handen trilden.
'Wat is er gebeurd?' vroeg ik.
'Laten we naar onze kamer gaan... Ik zal het je uitleggen.'
Ik stak mijn arm door de zijne en wankelend gingen we naar boven.
'Heeft iemand je aangevallen?' vroeg ik.
Hij knikte, maar was blijkbaar nog te zwak om te praten. Hij wilde naar onze kamer, waar hij in een stoel zakte.
'Ik zal een glas cognac voor je halen,' zei ik. 'Of iets anders... wat je wilt.'
Hij schudde zijn hoofd. 'O, Susanna, het spijt me... het spijt me zo dat dit gebeurd is. Maakte je je bezorgd?'
'Wanhopig. Ik wist niet wat ik doen moest.'
'O, mijn liefje. Daar maakte ik me zo ongerust over. Wat moest je wel denken... Wat zou je doen?'
'Ben je gewond?' vroeg ik.
'Duizelig en een beetje geschokt. Geen gebroken botten.'

'Kun je me vertellen wat er is gebeurd?'
Hij knikte.
'Ik ging naar de Freelings en vertrok om een uur of zes. Ik wilde thuis zijn voordat jij terugkwam. En ik nam een kortere weg door een van die stegen. Stom van me.'
'O nee! Ik kon de gedachte aan die man die daar bij het kanaal lag, niet uit mijn hoofd zetten... het bloed op zijn kleren...
'Twee mannen kwamen naar me toe. Ik vond hen er niet plezierig uitzien, draaide me om om terug te gaan, maar er waren er nog twee achter me. Ik kreeg een klap op mijn hoofd en raakte bewusteloos.'
'O, mijn lieve Aubrey, wat vreselijk! Ik had moeten informeren. Ik had naar de Ambassade moeten gaan.'
'Je had niets bereikt. Toen ik bijkwam – ik weet niet hoe lang daarna – was ik alleen... in een soort hut. Het was donker en ik zag bijna niets. Maar toen mijn ogen aan de duisternis waren gewend, onderzocht ik de boel een beetje. Ik vond een deur, maar die was van buiten op slot. En ik voelde me zwak. Ik kon nauwelijks staan. Ik riep, maar het scheen of niemand deze kant uit kwam.'
'Ze zullen je wel beroofd hebben.'
'Ze hebben mijn beurs meegenomen, die wilden ze natuurlijk.'
'Maar waarom hebben ze je opgesloten?'
'Misschien omdat ze niet wilden dat ik te gauw alarm zou slaan.'
'O... wat gemeen!'
Hij knikte, pakte mijn hand en kuste die.
'Er zat een man bij je in de gondel,' zei ik.
'Ja. Hij heeft me thuisgebracht. Wat ik zonder hem had moeten doen, kan ik me niet voorstellen. Dan zou ik nog in die hut zijn.'
'Ik wist niet wat ik moest doen. Ik voelde me zo dwaas... niet wetend wat ik moest beginnen. Zo hulpeloos. Ik had Benedetto moeten vragen mee te gaan om hulp te zoeken.'
'Wachten was het beste wat je kon doen. Ik weet niet hoe ik me gevoeld zou hebben als ik thuis was gekomen en jij was er niet geweest.'
'En die man?'
'Terwijl ik een middel probeerde te vinden om te ontsnappen, hoorde ik voetstappen. Ik riep. Iemand gaf antwoord. Gelukkig was het een Engelsman en kon ik het uitleggen. Hij zei dat hij hulp zou gaan halen. Maar hij brak een raampje en kwam zo binnen. Toen hielp hij me naar buiten.'
'En heeft je teruggebracht. Hij had moeten blijven zodat ik hem bedanken kon.'
'Hij wilde geen bedankjes. Hij was blij een landgenoot in moeilijkheden te helpen.'
'Ik was zo bang dat er iets als dit zou gebeuren sinds ik die man zag die ze uit het kanaal hadden gehaald.'

'Sommige mensen hier zijn zo arm dat ze je vermoorden om een paar lires.'
'O, Aubrey. Ik wil naar huis. Ik wil hier niet langer blijven.'
'Je vergeet wat een heerlijke tijd we hebben gehad.'
'Maar dit... Dit verknoeit alles.'
'Nee, mijn liefste, niets kan verknoeien wat we al hadden.'
Hij sloeg zijn arm om me heen en ik zei: 'Ik ga wat cognac voor je halen. Ik weet zeker dat je het nodig hebt.'
'Goed. Dan drinken we samen.'
We bleven praten over de gebeurtenissen van die avond en de beproeving die wij beiden hadden moeten doorstaan. Ik had me nog nooit zo gefrustreerd gevoeld, zo beschaamd over mijzelf wegens mijn onwetendheid en onvermogen om een situatie goed aan te pakken. Ik bleef maar zeggen: 'Ik wist niet wat ik moest doen.'
Hij troostte me. Ik kon zien dat hij doodmoe was.
'Ik zou het prettig vinden als je morgenochtend naar een dokter ging. Je weet nooit wat er voor naars met je is gebeurd.'
Hij schudde zijn hoofd. 'Nee, nee. Ik ben gewoon wat geschokt. Na een nacht lekker slapen ben ik weer in orde.'
'Dan ga je nu gelijk,' zei ik.
Ik hielp hem met uitkleden en stopte hem in alsof hij een kind was. Hij sloot zijn ogen en sliep bijna onmiddellijk.
Ik lag naast hem en liet de gebeurtenissen van de avond de revue passeren, maar uiteindelijk viel ik in slaap.
Plotseling werd ik wakker. Het was nog donker. Een van de lampen was aangestoken en wierp een vaag licht in de kamer. Er stond een man naast het bed. Ik ging geschrokken rechtop zitten.
Het was Aubrey. Maar niet de Aubrey die ik kende. Hij was anders, kwam naar me toe.
'Aubrey... wat is er gebeurd?' riep ik.
'Word wakker, Susanna. Het is tijd dat je wakker wordt.'
'Maar...'
Hij trok de dekens weg en legde zijn handen om mijn keel en greep mijn nachtjapon. Het was dunne zijde en ik hoorde het geluid van stof die scheurde.
'Wat...' riep ik. 'Wat doe je...?'
Hij lachte, een afschuwelijk, honend soort lach die ik nog nooit van hem gehoord had. Zijn handen deden me pijn. Ik dacht dat ik droomde maar wist dat het niet zo was. De nachtmerie van de avond voor mijn bruiloft was werkelijkheid geworden.
Ik pakte de resten van mijn nachtjapon en probeerde me te bedekken.
'Nee,' zei hij. 'Nee, Susanna.' Zijn handen beefden toen hij me weer vastgreep. 'Vannacht word je volwassen. Je moet leren... je moet alle soorten dingen leren.

Je bent nu een grote meid. Dat was je natuurlijk al, maar vanaf nu zul je heel speciaal groot zijn... Het is vaarwel aan de onschuldige Susanna.' Zijn woorden klonken zo vreemd en hij had zo'n eigenaardig glazige blik in zijn ogen. Ik worstelde, maar hij hield me vast. Zou hij dronken of krankzinnig zijn? Er was iets met hem gebeurd.
Ik voelde me misselijk. Ik kende de man niet die hij geworden was. Hij was een vreemde voor me. Ik wilde weglopen. Maar waarheen? Kon ik mij in een van de kamers opsluiten? Naar de bedienden rennen voor bescherming?
Ik was hulpeloos... zoals eerder op de avond. Het was alsof ik werd meegesleept in een andere wereld, een vreemde, krankzinnige wereld waar alles anders was dan wat ik ooit had geloofd.
Maar dit was Aubrey, mijn echtgenoot, de man aan wie ik had gezworen dat ik hem zou liefhebben en koesteren – in vreugde en verdriet, in ziekte en gezondheid. Hij was ziek. Daar moest ik aan denken.
Hij lachte me uit. Hij lachte om mijn onschuld – en ik wist dat hij die wilde vernietigen.
Dat deed hij die nacht. Ik was kapot, slap van uitputting, van angst en walging. De beproevng duurde bijna twee uur. Ik zou het nooit vergeten. Ik zou nooit meer dezelfde zijn. Mijn lichaam leek onrein en ik zou nooit meer die blijde onschuld, dat geloof in de wereld hebben. Ik, die van nature hartstochtelijk was, die genoot van de liefde, had de verdorvenheid van die liefde ervaren.
Plotseling leek hij uitgeput.
Ik dankte er God voor. Hij ging op het bed liggen en viel bijna onmiddellijk in slaap, terwijl ik voor het raam zat en naar de veranda en het kanaal staarde. Ik voelde me verward, verloren. Ik wist niet wat ik moest doen.
Kon ik hem verlaten? Hoe kon ik uitleggen – zelfs aan mijn vader – wat er gebeurd was? En waarom was het gebeurd? Wat had de zachtmoedige, tedere minnaar veranderd in een laaghartig monster? Hij had ervoor gezorgd dat ik hem haatte en mijzelf ook. Ik voelde me zo jong, zo gefrustreerd, zo onervaren. Deze dag was een openbaring voor me geweest. Ik had altijd gedacht dat ik mezelf goed in de hand had, bekwaam was, maar kennelijk was dat niet zo, want toen ik het hoofd moest bieden aan een situatie die ik niet begreep, was ik hulpeloos, zonder fantasie, zonder enig nut.
Die nacht was er iets met Aubrey gebeurd. Wat? Hoe had hij zich zo kunnen gedragen? Nooit eerder had ik ook maar een idee gehad van die kant van zijn karakter: wellustig, vastbesloten dat ik slachtoffer zou zijn – en een geminacht slachtoffer. Ik was er nu zeker van dat hij niet van me hield. Hoe kon iemand zich gedragen zoals hij had gedaan tegen een geliefd persoon? En toch, wat was hij teder geweest, attent, tijdens alle weken van onze huwelijksreis. Wat had hij me gelukkig gemaakt! En nu die afschuwelijke nacht. Het was griezelig, onnatuurlijk, bijna alsof er een gemene duivel was binnengedrongen en hem die nacht

veranderd had. Ik wilde weg. Ik wilde me verbergen. Toen het licht werd, nam ik een bad. Ik wilde alle onreinheid van die vreselijke ervaring wegwassen – alsof zeep en water dat ooit konden doen. Deze nacht stond onuitwisbaar in mijn geest. Ik kleedde me aan en verliet het palazzo. Ik liep langs het kanaal. De stad kwam juist tot leven en opnieuw werd ik met het dilemma geconfronteerd. Wat moest ik doen?

Ik keerde naar het palazzo terug.

Aubrey was op. Hij lachte tegen me; hij was weer de man die ik de eerste weken van onze huwelijksreis had leren kennen.

'Had je zin in een ochtendwandeling?'

Ik knikte, kon hem niet aankijken.

Hij zei: 'Ik voel me weer goed vanochtend. Wat zullen we vandaag doen? Ik vergat te vragen of je de cadeaus had gekocht.'

Ik was stomverbaasd en dacht bij mijzelf: Hij is het vergeten. Wat betekent dat?

'Aubrey,' zei ik, 'ik geloof dat je naar een dokter moet.'

'Geen sprake van,' antwoordde hij. 'Ik voel me uitstekend.' Hij lachte, de open, charmante glimlach die ik zo goed kende. 'Zeur nu niet, maar wees lief. Bederf de laatste dagen niet.'

Ik zei: 'Aubrey, weet je het niet meer? Vannacht heb je je nogal vreemd gedragen.'

Hij keek verward en raakte de achterkant van zijn hoofd aan. 'O ja? Wat heb ik gezegd?'

'Ik begreep je niet. Je was... anders.'

'Had ik een nachtmerrie?'

'Misschien ik wel.'

'Arme Susanna. Wat vreselijk dat je je zo ongerust moest maken. Daar was ik al bang voor. Mijn avontuurtje was niets vergeleken met wat jij hebt moeten doormaken. Alleen mijn beurs. Wie mijn beurs steelt, steelt rommel. "Hij was van mij, hij is van hem, en hij is de slaaf van duizenden geweest..." Weet je wat, laten we voor het laatst nog eens gaan kijken naar onze lievelingsplekjes.'

Ik dacht: Hij herinnert het zich niet. Wat was er met hem gebeurd? Een hersenletsel? Hij was nu precies de Aubrey die ik zo goed kende... tot de afgelopen nacht.

Had ik het me verbeeld? Maar hoe kon ik me dingen verbeelden waar ik zelfs nooit van had gedroomd? Bovendien waren de bewijzen in mijn beschaamde en bont en blauwe lichaam. Was hem op de een of andere manier iets ergs overkomen? De klap op zijn hoofd? Die kon mensen rare dingen bezorgen.

In ziekte en gezondheid...

Er werd op de deur geklopt. Het was een van de dienstmeisjes. '*Signore, Signora, colazione.*'

Ik weet niet hoe ik die dag doorkwam zonder mijn gevoelens te verraden, maar ik probeerde me te gedragen alsof er niets ongewoons was gebeurd. Aubrey was precies als hij tijdens onze huwelijksreis was geweest tot de afgelopen nacht. Maar ik kon het niet vergeten. Herinneringen doken telkens in mijn hoofd op, al wilde ik er nooit meer aan denken. Hij scheen mijn verstrooidheid niet te merken. Ik was bang voor de nacht. Maar toen die kwam, was Aubrey even teder en voorkomend als altijd. Het was alsof de nachtmerrie-achtige ervaring er nooit was geweest.
Ik ging me wat beter voelen en vroeg me zelfs af of ik me de hele zaak niet had verbeeld. Ik had gehoord van de vreselijke martelingen die degenen die de Brug der Zuchten waren overgegaan, hadden moeten doormaken. Niemand had ooit meer van hen gehoord. En ik was vol geweest van de herinnering aan de dode man die ze uit het kanaal hadden gehaald. Was het mogelijk dat ik had overdreven wat er gebeurd was? Ik was in de war en had tijdelijk een vreselijke angst doorgemaakt. Maar hoe kon ik feiten verzinnen waarvan ik niet wist dat ze bestonden? Venetië had een vreemde invloed op me gehad. Zoveel schoonheid en zoveel boosaardigheid die zich erachter verschool.
Als ik thuis was, zou ik dit gemakkelijker kunnen verwerken. Ik zou een poosje bij mijn vader gaan logeren, al wist ik dat ik er nooit toe zou kunnen komen hem de vreselijke ervaringen van die nacht te vertellen. Wel kon ik leren van zijn praktische kijk op het leven, zijn gezond verstand.
Intussen scheen ik niets te kunnen doen en moest ik me gedragen alsof het nooit was gebeurd.
Aubrey weigerde naar een dokter te gaan, maar beloofde me dat als we terug waren in de Munster hij er een zou bezoeken. Hij was er echter zeker van dat hij niets had.
Ik was blij toen de laatste dag aanbrak en wimpelde Benedetto's aanbieding een van de meisjes te sturen om met pakken te helpen, af. Er was niet zoveel en ik kon dat zelf doen.
Ik nam Aubrey's jas, die hij had gedragen toen hij aangevallen werd. Hij was vuil en sindsdien niet meer gedragen. Toen ik hem opvouwde, voelde ik iets in een zak en haalde het eruit.
Ik kon het niet geloven. Het was de beurs waarvoor hij was aangevallen. Hij was van leer en leek op zo'n geldbeurs die dichtgeknepen werd door een gouden ring. Hij rinkelde toen ik hem te voorschijn haalde. Er zat geld in.
Ik telde het. Een behoorlijke som – ongeveer wat je gebruikt op een dag.
Ik begreep het niet en ging naar de veranda waar Aubrey zat te wachten tot ik klaar was met pakken. Ik hield de beurs omhoog.
'Wat is dat?' vroeg hij.
'Je beurs. Die kerels hebben hem dus niet gestolen.'
'Waar heb je hem gevonden?'

'In de zak van de jas die je droeg.'
'Dat kan niet.'
'Toch wel. Waarom zouden ze je bewusteloos slaan en je beurs niet meenemen?'
'Ik begrijp het niet.'
'Ik ook niet. Heb je dan niet gezien of ze je beurs hadden?'
Hij fronste zijn voorhoofd. 'Toen ik weer bijkwam... ik weet niet wat ik toen deed. Misschien nam ik gewoon aan dat ze hem hadden meegenomen. Ik voelde me heel raar, Susanna, en ik voel me sindsdien nog een beetje... vreemd.'
'Dan moet je naar een dokter.'
'Zodra we thuis zijn.'
Ik gaf hem de beurs. 'Waarom denk je dat ze je aanvielen, als het geen beroving was?'
'Het moet een beroving zijn geweest.'
'Waarom namen ze dan niets mee?'
'Misschien werden ze ergens door verrast.'
'Waarom brengen ze je dan naar een hut en sluiten je op?'
'Wie kent de motieven van zulke schurken? In ieder geval ben ik blij dat ik mijn beurs terug heb. Ik ben er nogal op gesteld.'
Hij nam hem van me aan en gooide hem in een stoel. De geldstukken erin rinkelden en hij lachte. 'Ik ben dus rijker dan ik dacht.'
'Ik ga verder pakken,' zei ik tegen hem.
Terwijl ik daarmee bezig was, dacht ik: Het is allemaal erg geheimzinnig. Wat zal ik blij zijn om thuis te zijn.'

De Tempel van Satan

Toen we het Kanaal overstaken en ik een glimp opving van de witte rotsen, scheen de werkelijkheid weer terug te keren.
Wat er die nacht was gebeurd, was te wijten geweest aan een klap die Aubrey op zijn hoofd had gekregen. Die had zijn karakter tijdelijk veranderd. Ik geloofde dat zulke dingen konden bestaan. En de beurs? De beurs had me wel wat in de war gebracht. De rovers moeten verrast zijn geweest en hadden Aubrey uit angst dat ze hem gedood hadden, naar die hut gesleept, hem opgesloten en gemaakt dat ze wegkwamen. Wilde veronderstellingen natuurlijk. Maar ik moest een oplossing zien te vinden om me normaal te kunnen gedragen, en mijzelf wijsmaken dat er niets tussen ons veranderd was. Dat was natuurlijk wel zo. Maar ik moest kalm over mijn positie nadenken. Ik was met Aubrey getrouwd, aan hem gebonden; wat hij ook had gedaan, toch moest ik proberen mijn plicht te doen. Ik mocht hem niet minachten vanwege één incident dat een afwijking van zijn kant kon zijn geweest. Er gebeurden zulke vreemde dingen in het hoofd van mensen in buitenissige omstandigheden.
Ik moest heel voorzichtig te werk gaan.
We bleven die nacht bij mijn vader voordat we naar de Munster gingen. Hij was heel blij ons te zien en ik wilde hem niet bezorgd maken door hem te vertellen dat de dingen minder dan volmaakt waren.
Hij was tevreden. Polly en Jane bleken schatten te zijn, en het huis was prettig dicht bij het Ministerie van Oorlog, waar alles goed liep. Het was duidelijk dat hij in Londen gelukkiger was dan hij in India was geweest – zelfs al werkte hij nu op een bureau in plaats van in actieve dienst.
Hij was verrukt van het bord van Dante en we hingen het op aan de wand van zijn studeerkamer waar hij het iedere dag kon zien.
Daarna gingen Aubrey en ik verder naar de Munster. Amelia was heel gelukkig met haar armband en zag er goed uit. Ze was er zeker van dat haar zwangerschap uitstekend zou verlopen, en tot overmaat van vreugde was Stephen ook wat beter. Het nieuws van het kind had wonderen verricht, zeiden de dokters.
Ik vroeg Amelia of ze dachten dat hij misschien genezen zou.
Ze werd ernstig en schudde haar hoofd. 'Het is er nog steeds. Het zal groeien en dan zal het plotseling afgelopen zijn. Maar hij heeft tenminste geen pijn en ik wil zijn laatste maanden zo gelukkig maken als ik kan. Ik bid dat hij lang genoeg zal blijven leven om het kind te zien.'
'Daar bid ik ook voor,' zei ik.
Stephen was blij dat we aan hem hadden gedacht op onze huwelijksreis en vond de Raphael prachtig. 'Hoe wist je dat ik zijn werk altijd heb bewonderd?' vroeg hij.

'Inspiratie,' vertelde ik hem.
Ik was erg op hem gesteld geraakt en hij op mij ook, geloofde ik. Iedere dag kwam ik even bij hem op bezoek, en Amelia zei dat het hem goed deed mij te zien. Ik ontdekte dat hij veel van muziek, kunst en literatuur hield. Hij was ernstiger dan Aubrey en het bleek heel duidelijk dat hij zijn jongere broer altijd als onberekenbaar had beschouwd en dat hij een oogje op hem moest houden. Hij liet het doorschemeren dat hij dat in het verleden had gedaan en dat hij die plicht nu overdroeg aan mij, in wie hij groot vertrouwen had.
'Ik ben blij dat jullie hier gaan wonen,' zei hij. 'Zorg goed voor Amelia.'
'Ik denk dat Amelia heel goed voor zichzelf kan zorgen.'
'Toch ben ik blij dat jullie hier komen wonen. Je hebt een sterk karakter.'
Sterk! Ik dacht aan mijzelf toen ik hulpeloos probeerde te besluiten wat ik zou moeten doen als Aubrey niet terugkwam, aan die vreselijke beproeving toen hij me had overweldigd en waar ik niet tegenop kon. Ik was zwak... om het leven zo te accepteren... dingen weg te stoppen waarvan ik wist dat ik ze goed onder ogen moest zien – en ik durfde het niet uit angst voor wat ik vinden zou.
En hij noemde me sterk! Wist hij het maar. Maar hoe kon ik het hem vertellen? Hoe kon ik het aan wie dan ook vertellen?
'En als het kind komt,' zei hij, 'moet je van hem houden. Misschien krijg je zelf kinderen. Ik wil dat je dat van ons – van mij en Amelia – als een van hen beschouwt.'
'Natuurlijk doe ik dat.'
We spraken over de aanval op Aubrey. Het was nauwelijks waarschijnlijk dat zoiets niet uitgebreid besproken zou worden. Aubrey was bij de dokter geweest, waar ik op gestaan had, en de uitspraak was dat de klap op zijn hoofd geen kwaad had gedaan.
Op een dag vertelde Stephen hoe hij in zijn jeugd had verlangd om te reizen.
'Ik heb nooit tijd gehad,' zei hij. 'De Munster slokte alles op. Ik reisde uit de tweede hand. Ik las altijd 's nachts als ik niet slapen kon. Boeken waren mijn vliegende tapijt. India... Arabië... daar was ik. Ik heb prachtige boeken. Een vriend van me heeft er een paar geschreven. Die moet je lezen. Jij weet iets van India.'
'Nou ja, ik heb er mijn jonge jaren doorgebracht... tot ik tien was. Toen ik terugging, leek het anders.'
'Natuurlijk. Heb je van de grote Richard Burton gehoord?'
'De ontdekkingsreiziger?'
'Ja. Hij heeft een aantal boeken geschreven over zijn avonturen in India en Arabië. Ze zijn fascinerend. Hij woonde onder de mensen als een van hen. Ik veronderstel dat dat de enige manier is om ze te leren kennen. Stel je mij voor, in mijn leunstoel, en dan meedoen aan zulke avonturen. Hij schrijft zo levendig dat je je kunt voorstellen erbij te zijn. Hij vermomde zich op verschillende manieren en leefde tussen de diverse stammen. Zijn studies zijn briljant. Je moet

ze lezen. Ga maar naar de planken, dan kun je de boeken zien.'
Ik liep de kamer door.
'Mijn lievelingen zijn hier,' ging hij verder, 'nu ik mijn bed niet meer uitkom.'
Ik zag een paar boeken van Richard Burton, maar er was er een waar mijn aandacht op viel.
'Dokter Damien,' zei ik en pakte het boek op.
'O ja. Een oude vriend van me. Hij is een groot bewonderaar en vriend van Burton. Ze hebben samen gereisd. Burton was diplomaat, Damien dokter. Hij is met name geïnteresseerd in diverse methodes van genezing. Hij is een expert op het gebied van verdovende middelen. Ze hebben heel wat avonturen beleefd, die twee. Je kunt niet ophouden met lezen als je een boek van hen in handen hebt. Natuurlijk moet je bepaalde normen vergeten die hier in het Victoriaanse Engeland geaccepteerd zijn. Burton leefde als een Arabier. Hij werd zelfs moslim. Hij is donker – dat zijn beide mannen trouwens – waardoor hij zich gemakkelijker kon vermommen. Het zou niet zo eenvoudig zijn geweest voor goudblonde, blauwogige kerels om door India of de woestijnen van Arabië te trekken. In India nam hij een inlandse vrouw... Een bubu werd ze genoemd, in vergelijking tot een bibi, een blanke echtgenote. Natuurlijk vond niet iedere vrouw het gemakkelijk om met haar echtgenoot mee te trekken en dus was een bubu toegestaan. Burton leefde helemaal als een inlander. Je moet het maar lezen.'
'En deze... Damien?'
'Lees hem ook. Hij heeft veel gereisd... Vermomde zich als bedelaar, onder voorwendsel dat hij dan ongestoord kon reizen, of als een straatverkoper zodat hij op de markten kon gaan zitten luisteren. Zijn grote doel was nieuwe verdovende middelen te ontdekken – van sommige heeft niemand hier zelfs gehoord – zodat hij die kan gebruiken bij de behandeling van zieken.'
'Dat lijkt een heel waardevol doel.'
'Hij is een doelbewuste man, maar ik zie hem nog maar zelden. Hij is bijna nooit in het land. Al zijn we, als we elkaar weer ontmoeten, dezelfde oude vrienden.'
'Ik schijn zijn naam ergens gehord te hebben, ik weet niet precies waar. Mag ik je Burton en je dokter Damien meenemen?'
'Doe dat. En als je ze gelezen hebt, kunnen we erover praten. Daar verheug ik me op.'
Ik ging weg met de boeken en was er volslagen door gefascineerd. Beide mannen schenen nergens voor te stoppen. Ze leefden als inlanders, hielden er dezelfde gewoonten op na als de nomadische stammen, en waren op bepaalde ogenblikken weinig kieskeurig in hun openhartigheid. Ik las over de effecten van sommige verdovende middelen, over de zinnelijke verlangens die ze opriepen, en door mijn ervaringen met Aubrey die nacht, kon ik het me veel beter voorstellen dan ik anders had gedaan.

Ik was volwassen. Ik was uit een zekere zelfgenoegzaamheid gerukt en had ontdekt dat er dingen op de wereld bestonden waar ik absoluut geen idee van had gehad. Ik kon tussen de regels van deze boeken lezen. De mannen hadden wel buitengewone avonturen beleefd.
Maar ik kon de boeken nooit met Stephen bespreken, want kort na de dag waarop hij ze mij gegeven had, verergerde zijn ziekte.
Het was zoals de dokter had gezegd. Er bestond geen mogelijkheid tot beterschap, op zijn best konden we hopen dat zijn einde, als het kwam, snel en pijnloos zou zijn.
Op een dag was hij zieker dan gewoonlijk geweest en die nacht stierf hij.

Amelia was diep bedroefd maar berustte erin. Ik denk dat het vooruitzicht van een kind haar op de been hield en moed gaf om de toekomst onder ogen te zien. Er logeerden verscheidene mensen in het huis – onder wie Jack St Clare en zijn zuster Dorothy. Het waren een nicht en neef van Stephen, vertelde Amelia. Jack was al een paar jaar weduwnaar en zijn zuster Dorothy, die niet getrouwd was, deed zijn huishouden. Ze waren kennelijk dol op Amelia en zij op hen. Ik vond hen direct al aardige mensen, maar dacht dat ze vrij kritisch tegenover Aubrey stonden.
Begrafenissen zijn neerslachtige gebeurtenissen. Het luiden van de klokken is naargeestig. De bijeenkomst van de rouwenden, naderhand in de grote hal, leek veel te lang door te gaan en ik was blij toen ze vertrokken.
Ik stond met Amelia aan de deur om afscheid van hen te nemen. De meeste gasten ontmoetten mij voor het eerst en ik weet zeker dat Amelia's kennelijke genegenheid voor mij maakte dat ze positief tegenover me stonden.
Jack St Clare en zijn zuster omhelsden Amelia hartelijk en zeiden dat ze later een tijdje bij hen moest komen logeren. Ze antwoordde dat ze dat zou doen.
Later praatte Aubrey over hen met mij.
'Zowel Jack als Dorothy hebben een groot deel van hun jeugd op de Munster doorgebracht. Ze hebben het gevoel dat de Munster een beetje van hen is en ze voelen ook iets van teleurstelling, denk ik. Jack had hem graag willen hebben. En het feit dat hij de kans had hem te krijgen, doet pijn.'
'Ik dacht dat hij erg gesteld was op Amelia.'
Dat was hij altijd al. Ze is nu weduwe... en hij is weduwnaar.'
'Dat is wel wat vroeg voor een nieuw huwelijk.'
'Natuurlijk, jij bent altijd zo fatsoenlijk.'
Ik schrok. Het was als een echo van die nacht.
Maar hij glimlachte teder naar me, sloeg een arm om me heen en kuste me op mijn voorhoofd.
Ik moest vergeten. Het was een tijdelijke afwijking geweest door een klap op zijn hoofd.

Niet lang daarna ontdekte ik dat ik zwanger was. Het moest gebeurd zijn op onze huwelijksreis in Venetië. Ik was opgetogen. Meer dan wat dan ook, kon dit het afschuwelijke wat er die nacht gebeurd was, uit mijn geheugen bannen. Ik zou er zo in opgaan dat ik geen tijd had om te piekeren over angstwekkende mogelijkheden. Een kind van mijzelf. Ik vond het spannend en verrukkelijk. Kort daarna werden mijn verwachtingen bevestigd.
Aubrey vond het prachtig. Maar bijna onmiddellijk zei hij: 'Ons kind zal geen erfgenaam van de Munster zijn door het kind dat Amelia verwacht.'
'Twee baby's in het gezin. Is dat niet heerlijk!'
Amelia was het met me eens en we werden steeds meer bevriend. Urenlang praatten we nergens anders over dan over baby's. Ze was heel voorzichtig met zichzelf, vastbesloten dat deze zwangerschap niet mocht eindigen in een miskraam. De dokter had gezegd dat ze wel lichaamsbeweging moest nemen, maar niet te veel, en iedere middag moest rusten.
Dan lag ze op bed en ik zat bij haar, pratende over de tijd dat onze baby's zouden komen.
De kinderkamers werden opnieuw gemeubileerd. We bespraken de luiermand en aankleding van de wiegen – er stonden er nu twee.
Het was precies wat Amelia nodig had om over het verlies van Stephen te komen. Ik was zo gelukkig voor haar – en voor mijzelf. Ze vond het prettiger dan ooit met mij samen te zijn, want natuurlijk kon ik haar vreugde begrijpen en delen.
's Morgens ontbeten Aubrey, Amelia en ik samen. Ik voelde me dan wat misselijk en Amelia leefde met me mee. Ze zei dat zij al over dat stadium heen was. De dokter moest haar nog eens nakijken en ze wilde die ochtend naar zijn spreekuur gaan. Ze ging lopen en zou in de stallen zeggen dat ze een rijtuig moesten sturen om haar op te halen.
'Ik breng je,' zei Aubrey.
'Dank je,' zei Amelia, 'maar ik heb behoefte aan beweging. Het is net een goede wandeling, als ze me maar komen halen. Voel jij je goed, Susanna?'
'Een beetje misselijk.'
'Ga liggen, dan zakt het vanzelf.'
Aubrey ging mee naar onze kamer. Hij keek bezorgd.
'Overdrijf niet zo,' zei ik. 'Het is normaal.'
Ik ging liggen en voelde me onmiddellijk beter. Intussen las ik een van de spannende boeken die Stephen me gegeven had en de ochtend vloog om.
Het moet ongeveer een uur of twaalf zijn geweest toen ze Amelia thuisbrachten.
Ik hoorde de drukte, ging naar het raam en zag het rijtuig van de dokter. Amelia werd op een brancard binnengebracht. Ik vloog naar beneden.
'Een ongeluk,' zei de dokter. 'Breng mevrouw St Clare snel naar binnen.'

'Een ongeluk?'
'Uw man heeft niets. Hij brengt het rijtuig terug, dus u ziet dat daarmee niet veel aan de hand was.'
Ik was geschokt. Ik wilde vragen wat er gebeurd was, maar allereerst moest ik voor Amelia zorgen.
Ze lachte vaag tegen me en ik was dankbaar dat ze nog leefde.
Toen wendde ik me ongerust tot de dokter.
'Ze is niet ernstig gewond, zei hij.
Amelia keek angstig en ik wist waarom. Ze dacht aan haar baby.
'Ze moet nu rusten,' zei de dokter. 'Ik zal op uw man wachten. Hij stond erop zelf het rijtuig terug te brengen.'
'Ik begrijp het niet...' begon ik.
Aubrey kwam met zijn rijtuig de oprijlaan op. Ik rende naar hem toe.
'Ik heb niets,' zei hij. 'Niets om je zorgen over te maken. We zijn gevallen, dat is alles. De schimmels schrokken plotseling en sloegen op hol. Maar ik kon ze gelukkig aan.'
'Amelia...'
'Met haar zal alles in orde komen. Het betekende echt niets...'
'Maar... in haar toestand.'
'Zoiets is al eerder gebeurd. Het had een ernstig ongeluk kunnen zijn, maar dat heb ik kunnen voorkomen. Ze moeten iets aan het rijtuig doen. We sloegen gewoon om. De zijkant heeft lelijke krassen en de verf is eraf.'
'Het rijtuig is niet belangrijk,' zei ik scherp. 'Amelia wel.' Weer werd ik herinnerd aan die nacht. Het was de uitdrukking in zijn ogen.
'Ik dacht dat een van de stalknechten haar met het ponywagentje bij de dokter zou afhalen.'
'Ja, zo was het geregeld. Toen zei ik dat ik het rijtuig wilde nemen om haar op te halen.'
'O,' zei ik toonloos.
'Kijk niet zo bezorgd. Het is in orde. Het was echt niets. Een ongelukje. Het rijtuig stond alweer gauw overeind en ik heb de schimmels gekalmeerd.'
Hij had ongelijk.
Amelia verloor haar baby.

Ik zat naast haar. Er was niet veel wat ik kon doen om haar te troosten. Ze lag daar maar zonder er zich om te bekommeren of ze leefde of dood was.
'Ik verwachtte dat iemand zou komen met het ponywagentje. Ik had nooit in het rijtuig moeten stappen.'
'Aubrey kan uitstekend mennen. Ik denk dat hij een erger ongeluk voorkomen heeft.'
'Er kon geen erger ongeluk zijn. Ik heb mijn baby verloren.'

'O Amelia... mijn lieve Amelia... hoe kan ik je troosten?'
'Er is geen troost.'
'Behalve dat ik met je meevoel, dat ik het volkomen begrijp. Niemand zou het beter kunnen begrijpen.'
'Dat weet ik. Maar niets kan helpen. Dit is het einde van al mijn hoop. Ik heb Stephen verloren. Ik heb mijn baby verloren. Er is niets meer voor me over.'
Zwijgend bleef ik bij haar zitten.
Toen ik alleen was met Aubrey kon ik mijn gevoelens niet meer verbergen.
'Denk eens wat dit voor ons betekent.'
Ik keek hem vol afschuw aan. 'Hoe kun je zo praten? Realiseer je je hoe Amelia lijdt?'
'Daar komt ze wel overheen.'
'Aubrey, ze heeft haar kind verloren. Het kind betekende alles voor haar.'
'Ze verloor haar kinderen altijd. Dit kon je verwachten.'
'Als dat ongeluk...'
'Dan was er iets anders geweest. Het kind is dood. Het is niet langer een bedreiging.'
'Een bedreiging?'
'Liefste, doe niet zo onnozel. Het kind stond tussen de erfenis van mijn en jouw kind. Nou, die hindernis is weg.'
'Zo wil ik er niet aan denken.'
'Er zijn ogenblikken dat je heel onwerelds kunt zijn, schat.'
'Dat zal wel en als dit een van die ogenblikken is, ben ik blij. Ik wilde met mijn hele hart dat dit niet gebeurd was.'
Hij pakte me bij mijn schouders en schudde me, half speels, heen en weer, maar ik zag iets anders in zijn ogen. 'Natuurlijk vind ik het jammer voor Amelia. Het is een slag voor het arme kind. Maar dat verandert niets aan het feit dat het nu eenvoudiger voor ons is. Dat moet je toch zien. Nu kan ik plannen maken. Ik geloof niet dat jij je realiseert wat deze plaats tot een onvervreemdbaar goed maakt. Ik kan niet langer worden vervangen door iemand die nog niet geboren is. Dat is wat ik van plan was, waarvoor ik thuis ben gekomen.'
'Toch, als je denkt aan wat het betekent voor die arme Amelia...'
'Daar komt ze weer overheen. Ze zal wel hertrouwen en een stel kinderen krijgen, dan is het verlies van deze niet meer zo belangrijk voor haar. Ik weet dat het haar niet gemakkelijk zal vallen. Zij wilde deze plaats hebben. Natuurlijk wilde ze dat. Maar het lijkt verkeerd dat iets, wat zo lang in handen van de St Clare's is geweest, naar iemand buiten de familie zou gaan. Tenslotte is zij geen St Clare... behalve door haar huwelijk. En het kind... Het is moeilijk om verdriet te hebben omdat een ongeboren kind zijn erfenis is kwijtgeraakt alleen omdat het nooit in een positie zal zijn om er recht op te laten gelden.'
'Het lijkt wel of je ontzettend blij bent.'

Weer schudde hij me door elkaar met een soort liefhebbende ergernis, en weer voelde ik een huivering van angst. Zou dit zo doorgaan? Zou ik altijd op mijn qui-vive moeten zijn, wachten op de man die ik die nacht te voorschijn had zien komen?
'Ik jubel niet, maar ik ben niet schijnheilig en dat zou ik zijn als ik je vertelde dat ik het niet erg vond om mijn erfdeel van onder mijn neus weggekaapt te zien. Ik zou de waarheid niet vertellen als ik zei dat ik niet blij was dat het bij me terugkomt. Het spijt me dat het op deze manier moest gebeuren, dat is alles.'
Hij glimlachte teder, maar de glans in zijn ogen bleef me angstig maken. En ik kreeg plotseling achterdocht. Hij was haar gaan halen in de stad. Waarom had hij niet een van de mannen met het ponywagentje laten gaan? Zo dol was hij niet op het gezelschap van Amelia. Maar hij was zelf gegaan en ze hadden een ongeluk gehad. Ik herinnerde me hoe trots hij was op de behendige manier waarop hij de paarden mende, en toch was er een ongeluk geweest toen Amelia met hem meereed. En hij wist, zoals wij allemaal, dat Amelia voorzichtig moest zijn als ze een kind verwachtte en dat de dokter haar gewaarschuwd had dat ze zich absoluut niet mocht inspannen.
Nee, dacht ik, ik moet mijn gedachten niet toestaan die lijn te volgen... alleen omdat ik die nacht een andere kant van hem heb gezien. Hij heeft een klap op zijn hoofd gehad en was toen zichzelf niet. Ik moest niet het ergste denken... alleen terwille van mijzelf. Maar hoe kun je voorkomen dat de gedachten je hoofd binnendringen?
In minder dan twee weken besloot Amelia Jack en Dorothy St Clare in Somerset op te gaan zoeken. Ze vertelde me dat ze er behoefte aan had om weg te gaan en ik zei dat ik haar begreep.
Soms zag ik haar met een eigenaardige blik naar Aubrey kijken en ik vroeg me af of dezelfde gedachten die ik had, ook bij haar waren opgekomen.
Ze was blij te vertrekken en ik geloof dat Aubrey opgelucht was haar te zien gaan. Ik misschien ook. Haar aanwezigheid was een constante herinnering aan mijn achterdocht en ik probeerde die zoveel mogelijk van me af te zetten, normaal te leven, mezelf te overtuigen dat ik me veel van wat er die nacht gebeurd was, had verbeeld.
Ik wilde dat niets inbreuk zou maken op mijn gedachten aan het kind dat ik droeg.
Ik ging naar Londen om een week bij mijn vader te logeren. Hij was dolblij me te zien en geestdriftig bij het vooruitzicht grootvader te worden.
Ik vond hem er nogal vermoeid uitzien. Polly vertelde dat hij te hard werkte. Hij nam papieren mee naar huis en lang nadat Jane en zij naar bed waren gegaan, zat hij nog opgesloten in zijn studeerkamer.
Ik protesteerde er bij hem over en hij antwoordde dat de rapporten en zijn werk zeer belangrijk voor hem waren geworden sinds hij niet langer actief te velde

was, en overdaad was nooit slecht voor degene die ervan genoot.
Hij wilde gedetailleerde verslagen van alles wat er gebeurde. Ik vertelde hem de prettige dingen, maar natuurlijk moest ik het ook over het verlies van Amelia's baby hebben. Hij sprak weer over de aanval op Aubrey in Venetië.
'Het is een moeilijke stad,' zei hij. 'Ik denk niet dat de Oostenrijkers de stad nog veel langer zullen houden. In zulke omstandigheden smeult geweld altijd onder de oppervlakte. Je had een andere plek voor je huwelijksreis moeten kiezen – hoewel ik toegeef dat het moeilijk zou zijn een meer romantisch oord te vinden.'
'Tussen twee haakjes,' zei ik, 'toen ik boodschappen ging doen...'
'Met uitstekend resultaat,' en hij keek naar het bord aan de wand, want we zaten in zijn studeerkamer.
'Aubrey was op bezoek gegaan bij de Freelings – ik had er niet zoveel zin in – en toen hij daarvandaan ging, werd hij aangevallen.'
'De Freelings...' zei mijn vader langzaam.
'Ja. Ze waren toevallig met vakantie in Venetië. Blijbaar heeft Kapitein Freeling ontslag genomen uit het leger. Ik vond dat nogal vreemd.'
Mijn vader zweeg even en zei toen: 'Ja, ik heb iets gehoord. Er waren moeilijkheden...'
Toen hij aarzelde, vroeg ik ongeduldig: 'Ja? Wat?'
'Het schijnt nogal geheim te zijn geweest. Ze wilden geen herrie, geen schandaal. Slecht voor het regiment en zo. Hij werd gedwongen te vertrekken.'
'Wat had hij gedaan?'
'Er was iets over wilde feesten... het innemen van inlandse drugs en zo. Kennelijk was er een groepje dat er zich mee bezighield. Er was nog een officier bij betrokken en enkele Engelse burgers... geen legerpersoneel. Dus konden ze niet gepakt worden. In ieder geval besloot men er geen publiciteit aan te geven... vanwege het leger, zie je. Je weet hoe zulke dingen worden opgeblazen in de pers. We zouden gehoord hebben dat het hele Britse leger drugs nam en zich overgaf aan orgieën.'
'Wat verschrikkelijk voor Kapitein Freeling.'
'Eigenlijk denk ik dat hij onder invloed stond van zijn vrouw, die ik altijd een frivole en vrij onnozele hals heb gevonden. Maar praat er met niemand over. Houd het in de familie. Zulke dingen hebben altijd de neiging om verder verteld te worden. Ik had het zelfs niet tegen jou moeten zeggen. Maar ik weet dat ik erop kan vertrouwen dat je je mond houdt.'
'Natuurlijk. Wat waren het voor drugs? U zegt dat er een paar mensen bij betrokken waren... niet van het leger.'
'O ja. Er was een kleine bende. Hoofdzakelijk opium, dacht ik. En er was een geheimzinnge kerel die een boek over verdovende middelen of iets dergelijks aan het schrijven was. Was er wetenschappelijk in geïnteresseerd. Hij was er toen

niet bij, maar zijn naam werd wel genoemd.'
'Hoe heette hij?'
'O, dat ben ik vergeten.'
Mijn gedachten gingen terug naar het gesprek met mijn aya. Wat had ze gezegd over een man? Een duivel, had ze hem genoemd.
'Het is gevaarlijk in zulke dingen te grasduinen,' zei mijn vader. 'We konden het niet hebben dat een van onze mannen... en dan nog wel iemand in een verantwoordelijke positie... Niet dat ze niet allemaal een verantwoordelijke positie hebben... maar het schijnt dat deze drugs mensen raar laten reageren en als ze onder de invloed ervan zijn, kunnen ze van alles doen.'
Ik voelde me niet op mijn gemak en stond bijna op het punt mijn vader van mijn nachtmerrieachtige ervaring te vertellen nadat Aubrey thuis was gekomen na de aanval. Hij was bij de Freelings geweest. Ik had de beurs in zijn zak gevonden – de beurs waarvoor de rovers hem aangevallen zouden hebben.
Vreemde gedachten kwamen in mijn hoofd op – vaag, verwarrend. Misschien dat ik, als ik niet zwanger was geweest, de zaak nader overdacht zou hebben; maar een zwangere vrouw kan maar door één ding worden beheerst: haar komende baby. Ik was erdoor geobsedeerd.
Ik kocht veel. Mijn vader stond erop dat ik Jane of Polly meenam als ik boodschappen ging doen. Zij waren Londenaren, herinnerde hij me, ze hadden de Londense slimheid en kenden de gevaren die nieuwelingen in de grote stad konden overkomen.
Ik genoot van het gezelschap van de twee meisjes en had een prettige tijd met het bij elkaar zoeken van mijn luiermand.
Opgefrist kwam ik in Munster St Clare terug. Slechts een enkele maal dacht ik aan wat ik over de Freelings had gehoord en dan herinnerde ik me die vreselijke nacht. Ik veronderstel dat ik er niet op in wilde gaan, wat niets voor mij was. Normaliter zou ik niet hebben gerust tot ik de vreemde samenloop van omstandigheden in verband met het rare gedrag van Aubrey had ontrafeld, nadat hij de Freelings had gezien, die gedwongen waren geweest India te verlaten. Maar mijn gedachten waren aanhoudend bij de komende baby. En aangezien Aubrey zich onberispelijk gedroeg als de toegewijde echtgenoot en verrukte toekomstige vader, was het gemakkelijk alle onplezierige gedachten te verbannen.
Aubrey was het grootste deel van de dag weg en ik zag feitelijk weinig van hem. Ik had er een gewoonte van gemaakt vroeg naar bed te gaan, want ik was erg moe aan het eind van de dag en sliep dikwijls al tegen de tijd dat hij naar bed ging.
Amelia kwam terug van het bezoek aan haar neef en nicht St Clare, en zag er een stuk beter uit.
'Ze waren zo aardig voor me,' zei ze. 'Ik mocht hen altijd al. Vroeger kwamen ze dikwijls logeren. Stephen was erg op hen gesteld.'

Later zei ze: 'Susanna, ik denk dat ik hier wegga. Tenslotte heb ik nu geen echte plaats meer in de Munster.'
'Mijn lieve Amelia, dit is je thuis. Wat bedoel je?'
'Pas toen ik met Stephen trouwde, werd het mijn huis. Nu is hij dood en zijn er een nieuwe meester en meesteres van het huis. Je begrijpt wat ik bedoel.'
'Nee,' zei ik resoluut. 'Dit is je huis en het zal het altijd zijn zolang je wilt.'
'Ik weet dat je het meent en als ik wegga, zal ik je missen. We konden vanaf het begin goed met elkaar opschieten, hè? Het is alleen dat ik het gevoel heb dat ik gelukkiger kan zijn... nu gelijk. Er zijn hier te veel herinneringen. Stephen... al de kinderen die ik verloren heb. Ik voel dat het verstandig is om opnieuw te beginnen.'
'Maar waar moet je naartoe?'
'Dat zal ik je vertellen. Er is een huisje in Somerset, dicht bij Jack en Dorothy. Ik ben er gaan kijken. De eigenares gaat over een paar maanden naar haar zoon en zijn vrouw. Ze gaat ergens in het noorden wonen en wil dit verkopen. En, Susanna, ik heb aangeboden het te kopen.'
'O, Amelia, wat zal ik je missen!'
'Je kunt komen logeren. Jij en het kind...'
Geleidelijk aan nam ik het in me op. Ik had me tot dat moment niet gerealiseerd hoe ik haar gemist had en me op haar thuiskomst had verheugd.
'Maar Susanna... ik dacht niet dat je je het zo zou aantrekken!'
'Ik beschouw je als mijn vriendin.'
'Dat ben ik en dat blijf ik. Het is niet zo ver. We zullen elkaar schrijven en bezoeken. Iedereen zou denken dat ik naar het eind van de wereld ging.'
Ik wilde graag aan je denken... hier in huis.'
Ze lachte tegen me. 'Ik blijf hier tot de baby geboren is. Dat heb ik mijzelf beloofd.'
'Jij zult peettante zijn.'
Ze knikte. Ik denk dat ze te ontroerd was om iets te zeggen.

De maanden gingen vredig voorbij. De eerste drie waren het onplezierigst. Ik was dikwijls misselijk en bracht in die dagen veel tijd op mijn slaapkamer door. Aubrey cijferde zich weg en ik zag weinig van hem, wat ik prettig vond. Ik verbeeldde me dat hij ziekte vrij smakeloos vond en was blij om alleen te zijn. Ik wilde niet aan die vage band tussen hem en de Freelings denken. Onaangename gedachten konden de baby misschien kwaad doen.
Amelia zat dikwijls bij me. We naaiden samen als we zaten te praten, maakten wandelingetjes in de tuinen en ze zorgde er steeds voor dat ik me niet te veel vermoeide. Ze was fantastisch en genoot van mijn toestand, wat heel nobel van haar was, gezien haar eigen bittere teleurstelling.
Tegen Kerstmis was ik aardig dik en was heel gauw vermoeid.

Amelia nam de rol van gastvrouw waar tijdens de weinige feestjes die we gaven. Er waren er niet veel daar we nog in de rouw waren over Stephen; maar met een huis als de Munster kon je je niet aan bepaalde verplichtingen tegenover de buren onttrekken. Het was een nuttige ervaring voor me om te zien wat ik moest doen, terwijl ik tevens het excuus had dat ik er niet actief aan deel kon nemen.

Amelia maakte nog een tocht naar Somerset – en wat miste ik haar.

Ik hoopte dat ze, als ze terugkwam, zou zeggen dat er iets was gebeurd waardoor ze het huisje niet kon krijgen; wat verkeerd van me was, want ik wist dat ze wilde vertrekken om een nieuw leven voor zichzelf op te bouwen.

Alles verliep echter volgens plan, de eigenares van het huis regelde haar vertrek en in mei van het volgende jaar dacht Amelia dat ze weg zou zijn.

Toen we alleen waren, zei Aubrey dat dat het beste was. Hij wist dat Amelia en ik goede vriendinnen waren, maar het was niet verstandig twee meesteressen in hetzelfde huis te hebben. Ik accepteerde het nu omdat ik *hors de combat* was. 'Maar wacht tot je weer helemaal fit bent,' zei hij, 'dan komen de kleine strubbelingen. "Ik ben de baas hier," dat soort dingen. Ik ken jullie vrouwen.'

'Zo zou het helemaal niet zijn. Als je dat denkt, ken je mij niet en ken je Amelia niet.

'Ik ken je heel goed, mijn lief,' lachte hij.

De gedachte: Maar hoe goed ken ik jou, Aubrey? kwam toen bij me op.

De lang verwachte tijd kwam dichterbij.

Maart stormde zijn weg door de dagen op de traditionele manier, kwam binnen als een leeuw en ging weg als een lam. April was de maand van buien en bloemen, zeiden ze. Het was de maand waar ik op had gewacht sinds het moment dat ik wist hoe gezegend ik zou worden.

Aubrey zei: 'Ik zal Nanny Benson laten halen.'

'Is dat je oude kinderjuffrouw?'

'Ja.'

'Ze moet wel heel oud zijn.'

'Oud... maar niet te oud.'

'Ik geloof dat we een jonger iemand moeten nemen.'

'Goede God, nee! De hemelen zouden vallen als er een baby op de Munster was en Nanny Benson er niet voor zorgde.'

'Dan wil ik haar zien.'

Hij lachte. 'Niet alleen zien, schat, je zult haar aannemen. Ze heeft voor Stephen en mij gezorgd en zei altijd dat ze terug zou komen om voor onze kinderen te zorgen.'

'Hoe oud was ze toen?'

'Heel jong... zoals het hoort voor nanny's. Vijfendertig misschien toen ze bij ons wegging.'

'Maar dan moet ze nu minstens zestig zijn.'
'Ze is eeuwig jong.'
'Wanneer heb je haar voor het laatst gezien?'
'Een jaar of zo geleden. Ze komt zo nu en dan op bezoek. En ze was diep onder de indruk van Stephen, al geloof ik dat ik altijd haar lievelingetje was.'
Ik was niet bijster gelukkig bij het idee, maar dacht dat, daar Aubrey zo gesteld was op zijn oude nanny, het goed was haar te nemen. Ze was kennelijk verknocht aan de familie.
Ik praatte over haar met Amelia. 'O ja, Nanny Benson,' zei ze. 'Ze kwam zo nu en dan op bezoek. Stephen dacht dat we haar moesten hebben als...'
Ik zei snel: 'Ze is dus een soort oude vazal. Ik weet hoe belangrijk die zijn in dit soort families.'
Daar liet ik het bij.
Nanny Benson kwam een week voor de geboorte. Mijn angst werd minder, want ze was een typische nanny. Als ze al zestig was, zag ze er naar uit.
Ze was een babbelkous en beschouwde mij ogenblikkelijk als een van haar opdrachten. Ze vertelde me in detail anekdoten uit de jeugd van haar jongens, Aubrey en Stephen.
Ik vond haar methodes eigenlijk wat ouderwets, maar aangezien Aubrey erop stond dat zij in de kinderkamer hoorde, dacht ik dat we er een jongere vrouw bij konden nemen – die ik dan zou kiezen. Maar ik wilde niet te veel bezwaard worden door een staf op de kinderkamer, meestal zou ik immers zelf voor de baby zorgen.
Toen kwam de dag. De pijn begon 's morgens vroeg en voor de nacht was ik bevallen van een fijne, gezonde jongen.
Ik was nooit zo gelukkig geweest als toen ik uitgeput in mijn bed lag en ze de baby in mijn armen legden. Hij mocht er dan uitzien als een oude heer van negentig met een rood, gerimpeld gezicht, voor mij was hij het mooiste op aarde. Vanaf dat ogenblik was hij mijn leven.

De weken die volgden waren uitsluitend aan hem gewijd. Ik wilde hem geen ogenblik uit mijn ogen laten. Ik wilde alles voor hem doen. Nu wist ik wat het betekende om met hart en ziel van iemand te houden. Als hij huilde was ik doodsbang dat er iets met hem aan de hand was, als hij kraaide om zijn tevredenheid te tonen, was ik zielsgelukkig. Zodra ik 's morgens wakker werd, ging ik naar zijn wieg om mij ervan te verzekeren dat hij nog leefde. Toen ik het idee had dat hij me kende, was ik dol en dolblij.
Hij moest Julian heten. Het was een naam die veel gebruikt was in de St Clare familie.
Aubrey zei: 'Op een dag is dit allemaal van hem. Dus kunnen we nu gelijk een echte St Clare van hem maken.'

Aubrey was er trots op een zoon en erfgenaam te hebben, maar afgezien daarvan toonde hij niet veel belangstelling in de jongen. Toen ik hem in zijn armen legde, hield hij hem behoedzaam vast en Julian uitte zijn onvrede door hard te schreeuwen, tot ik hem overnam en hij gorgelde van tevredenheid over de verandering.
Amelia was van plan na de doop te vertrekken. Ik was er bedroefd over, maar kon niet te veel over dingen nadenken die geen betrekking hadden op het kind. De doop had plaats aan het eind van mei. De kleine Julian gedroeg zich uitstekend en zag er prachtig uit in de doopjurk van de St Clare's. Nanny Benson wist er alles van en de jurk was onder haar toeziend oog gewassen en gestreken.
Ze had zich gezellig genesteld. 'In mijn oude kamer,' zei ze. Daar had ze een spiritus stelletje waarop ze aanhoudend thee zette. Ze was verslaafd aan thee; en ik wist dat ze er bij gelegenheid een scheut whisky doorheen deed. 'Zo, een klein beetje van het oude Schotland,' noemde ze het. 'Niets beter dan dat om wat leven in je terug te brengen.'
Ze was gemakkelijk om mee om te gaan omdat ze zelden tussenbeide kwam. Ik denk dat ze van haar gemak hield en ze was ongetwijfeld te oud om de hele verzorging van de nieuwe baby op zich te nemen. Maar ze was zo verrukt dat ze terug was in de St Clare kinderkamer dat ik niet de moed had te zeggen dat haar aanwezigheid niet nodig was – eigenlijk wilde ik niemand anders bij mijn baby. Ik wilde hem helemaal voor mijzelf.
Ik merkte nauwelijks hoe weinig ik van Aubrey zag. Dikwijls ging hij op bezoek bij vrienden en bracht dan een paar dagen buiten de Munster door. Ik miste hem niet. Mijn leven was afgestemd op dat van mijn zoon.
De tijd van Amelia's vertrek brak aan. De dag ervoor kwam ze op mijn kamer voor een laatste afscheid, want geen van ons beiden wilde 's morgens een emotioneel vaarwel. Het was laat in de middag, Julian sliep en, vermoedde ik, Nanny Benson ook. Ze zat dikwijls 's middags te doezelen na de thee, versterkt door 'een klein beetje van het oude Schotland'.
'Morgenochtend ga ik vrij vroeg weg,' zei Amelia.
'Wat zal ik je missen.'
'Het gaat wel goed. Je hebt de jongen... en Aubrey.'
'Ja.'
Het was even stil en toen zei ze: 'Ik wil je al heel lang iets zeggen, maar weet niet of ik er goed aan doe. Ik heb er lang over gepiekerd. Misschien moet ik niet... maar om de een of andere reden denk ik van wel.'
'Wat is het, Amelia?'
'Het gaat om Aubrey.'
'Ja?'
'Ze beet op haar lippen. 'Soms. maakte Stephen zich erg bezorgd om hem. Er zijn problemen geweest.'

Mijn hart begon te bonzen. 'Problemen? Wat voor problemen?'
'Hij was soms moeilijk. Oppervlakkig gezien niet. Hij was eigenlijk heel charmant. Het was alleen... Nou ja, hij raakte betrokken bij eigenaardige mensen, die vreemde dingen deden.'
'Wat voor vreemde dingen?'
'Ik geloof dat ze nogal een wild leven leidden. Hij werd van de universiteit gestuurd. Het kan zijn dat hj daar die gewoonten kreeg. Het kostte Stephen moeite de zaak te sussen. Toen ging Aubrey naar het buitenland. Ik denk toch dat je het moet weten. Maar misschien ook niet. Zo tolde het door mijn hoofd. Ik heb mijzelf steeds afgevraagd of ik het je nu moest vertellen of niet. Maar ik denk dat je er beter op voorbereid kunt zijn.'
'Ja, je kunt er beter op voorbereid zijn. Bedoel je dat hij experimenteerde met verdovende middelen?'
Ze keek me verbaasd aan. En al antwoordde ze niet direct, toch wist ik dat ze dat bedoelde.
Ze ontweek mijn ogen. 'Mensen die het doen, kunnen heel vreemd reageren als ze onder de invloed ervan zijn. Natuurlijk is het lang geleden. Misschien is het nu voorbij. Er was die man. Ik dacht altijd dat het op de een of andere manier zijn schuld was. Hij is hier een of twee maal geweest. Stephen vond hem geweldig. Hij was arts... een autoriteit op het gebied van drugs. Hij had alle soorten gekke dingen gedaan... tussen inlanders geleefd en zo. Hij heeft er heel openhartig over geschreven. Ik was altijd een beetje bang van hem. Ik denk vanwege alles wat ik gelezen had, en ik vroeg me af of Aubrey door hem aan dat experiment was begonnen. Stephen beweerde altijd dat de belangstelling van de dokter uitging naar gebruik ten goede van de mens en dat het kleinzielig was andere culturen achter te stellen omdat ze verschilden van de onze. In bepaalde zaken konden ze ons voor zijn. Stephen en ik kregen bijna ruzie om die man. "Damien lijkt op Demon," zei ik. Ik dacht aan hem als aan de Demon Dokter. Stephen vond me belachelijk bevooroordeeld. O hemel, misschien had ik niets moeten zeggen. Maar iets dwong me ertoe. Ik dacht dat je het moest weten. Ik, eh... ik denk dat je moet oppassen met Aubrey. En als die dokter Damien ooit hier komt... wees dan op je hoede.'
Ze keek me angstig aan en ik zei: 'Je had gelijk met het me te vertellen. Ik zal opletten en ik hoop dat ik die man nooit te zien krijg. Stephen gaf me zijn boek om te lezen. Het is geheimzinnig en, eh... sensueel... eigenlijk nogal verontrustend. Het heeft dezelfde soort kwaliteiten die ik ook in de boeken van Sir Richard Burton vond. Ze zijn alle twee fascinerend en afstotend.'
'Stephen had grote bewondering voor die twee. Ik heb er slechts een boek gelezen en had geen zin in meer. Stephen zei altijd dat hij, als hij ze las, bijna zo'n reis maakte naar die verre landen. Ze waren zo levendig geschreven.'
'Dat is zo,' zei ik. 'Maar ik geloof, net als jij, dat de schrijvers gevaarlijke man-

nen zijn, al zijn ze nog zo bijzonder. Ik heb het idee dat ze nergens voor zouden terugschrikken en alles zouden doen om te krijgen wat ze wilden.'
'Ik heb altijd gedacht dat Aubrey door die man is begonnen te experimenteren. Misschien wilde hij zien wat voor effect drugs zouden hebben op iemand als Aubrey. Ik weet het niet. Ik gis er alleen maar naar. Maar ik veronderstel niet dat Aubrey nu nog zoiets zou doen...'
Ze keek me bezorgd aan en ik begreep precies wat ze probeerde te vertellen. Ik begon een beeld te krijgen van wat er waarschijnlijk was gebeurd op die nooit te vergeten nacht. Bijna had ik het aan Amelia verteld, maar ik kon er zelfs tegenover haar niet over beginnen. Van één ding was ik zeker: ik zou zo'n vernedering nooit meer ondergaan.
Ik bedankte haar voor wat ze me verteld had en verzekerde haar dat ze er groot gelijk in had gehad.
Daarna zeiden we niet veel meer. We namen innig afscheid en beloofden dat we weer gauw bij elkaar zouden komen.

Ik geloof dat de meeste onbevredigende huwelijken geleidelijk opbreken. De desintegratie van dat van mij begon in ieder geval op die nacht in Venetië. Het is waar, ik maakte verontschuldigingen voor Aubrey, maar had altijd geweten dat die impulsen ergens in hem moesten huizen, anders zouden ze er onder geen enkele voorwaarde uitgekomen zijn. Ik voelde dat hij even ontevreden met ons huwelijk was. Ik had hem teleurgesteld, net zoals hij het mij had gedaan. En ik was bereid te geloven dat in zulke situaties de schuld niet alleen aan één kant kon liggen.
Ik moet zeggen dat ik, toen ik met hem trouwde de bedoeling had een goede vrouw voor hem te zijn. Misschien was hij ook van plan geweest een goede echtgenoot te worden; maar toen ik zijn karakter duidelijk te zien kreeg, realiseerde ik me dat ik de grootste fout had gemaakt die een vrouw maar maken kan.
En toch... was Julian eruit voortgekomen. En hoe kon ik zo'n spijt hebben van iets wat mij mijn kind had gebracht?
De eerste twee maanden na de geboorte van Julian was ik zo door hem in beslag genomen dat ik vrijwel nergens anders aan dacht.
Aubrey zei wel: 'Doe je niet wat absurd, lieveling? Tenslotte is die oude Nanny Benson er toch. Moet je altijd naar de kinderkamer vliegen?'
'Nanny Benson is nogal oud.'
'Ze heeft haar leven lang voor kinderen gezorgd en heeft meer ervaring dan jij. Je bent zo nerveus over dat kind, je maakt hem ziek als je niet oppast.'
Misschien was er iets waars in wat hij zei, maar ik kon het niet helpen. Ik voelde de kritiek in Aubrey's woorden en manier van doen, maar was zo overstelpt door het moeder zijn dat het me niet kon schelen of ik een goede echtgenote was.

Door Julian kreeg ik een band met mevrouw Pollack, de huishoudster. Eerder had ze me een zeer vormelijke vrouw geleken, bewust van haar positie in het huishouden, zonder humor en met iets van een dienstklopper. Maar sinds de komst van Julian was ze omgedraaid. Ze leek volkomen anders toen ze de baby zag; haar gezicht werd gedwongen tot een glimlach die heel onwillig leek – en daarom des te echter.
'Ik moet u zeggen, mevrouw,' zei ze, alsof ze iets zondigs opbiechtte, 'ik vind het echt leuk om kleine baby's te zien.'
Als ik met hem door de tuin liep, zorgde ze ervoor dat zij er ook was. Als ze dacht dat hij tegen haar lachte, was ze verrukt. Als hij haar vinger pakte, verbaasde ze zich over zijn intelligentie; en mevrouw Pollacks adoratie voor mijn baby bracht ons nader tot elkaar.
Soms dronk ik een kop thee met haar in de zitkamer en nam Julian mee. Ik vond het prettig een vriendin in huis te hebben – en dan nog wel zo'n stoere, eerlijke vrouw. Ze wist ook iets van baby's, want had er zelf drie gehad. 'Allemaal getrouwd en vertrokken, mevrouw. Maar zo gaat dat.' Ze schudde langzaam haar hoofd. 'Je herinnert je hen als kleintjes toen ze van je afhankelijk waren... en dan gaan ze weg om een eigen leven te leiden. O, die van mij zijn best lief voor me. Ik zou bij mijn Annie kunnen gaan wonen, maar ik geloof niet dat dat verstandig is voor jongeren. Ik zou willen dat ze altijd baby's konden blijven.'
Ik was blij te merken dat mevrouw Pollack ten slotte toch menselijk was, zij zou een betere verzorgster zijn geweest dan Nanny Benson.
Ik vroeg haar eens waarom ze nooit een baan gevonden had waarin ze voor kinderen zorgde in plaats van de leiding te hebben over een huishouding met bedienden.
Ze dacht erover na en zei toen dat ze dacht dat ze op die weg waanzinnig had kunnen worden. 'Ik zou te veel van hen gaan houden... en dan zijn ze te oud om je nodig te hebben. Het is net of je weer een gezin hebt. Maar ik moet zeggen, mevrouw, het is goed zo'n kleintje in huis te hebben.'
Als ik uitging, zei ik het altijd tegen mevrouw Pollack. Er was een onuitgesproken overeenstemming tussen ons dat ik graag wilde dat ze een oogje op Julian hield, want ik durfde hem niet alleen aan de zorg van Nanny Benson over te laten, daar die zou kunnen indutten op het moment dat ze op het kind moest letten.
Mevrouw Pollack was een wonder van tact. Ze begreep het en was trots op het vertrouwen dat ik in haar stelde. En ze werd beloond door de kennelijke genegenheid van Julian voor haar, toen hij groot genoeg werd om dat te laten blijken.
Op een nacht, toen Julian een paar maanden oud was, maakte ik me bezorgd omdat hij kou had gevat. Het was niet belangrijk, maar het kleinste probleem bracht me in paniek.

's Nachts werd ik wakker. Het moest even over drie zijn geweest en ik voelde dat ik me ervan moest overtuigen dat het goed met hem ging. Ik liep naar de kinderkamer. Hij was rusteloos, had een kleur en ademde zwaar.
Ik hoorde het ritmische gesnurk van Nanny Benson in de kamer ernaast. De deur was open, maar ze sliep zo diep dat ik er zeker van was dat ze met moeite wakker te krijgen zou zijn.
Ik nam de baby op, wikkelde hem in een deken en wiegde hem in mijn armen. Ik streek het haar van zijn voorhoofd en toen ik dat deed, jammerde hij niet meer. Ik bleef zijn hoofdje strelen, want mijn aanraking scheen hem goed te doen, en van uit mijn diepste kwamen herinneringen boven aan die andere gelegenheden toen mijn handen een genezend effect schenen te hebben. Ik kon duidelijk het gezicht van mijn oude aya zien. Wat had ze gezegd? 'Er is kracht in die handen.'
Ik had haar niet geloofd. Nu dacht ik aan wat ik had gelezen in de boeken die Stephen me gegeven had. Het was waar dat we in een maatschappij zoals de onze geneigd waren om alles wat we niet logisch noemden, opzij te zetten. Maar er konden andere wegen zijn, andere culturen. Sir Richard Burton en de vreemde dokter Damien hadden daarop gezinspeeld. Ik moest deze dingen ontdekken die zij hadden gevonden op hun wilde tochten.
Nu gingen mijn gedachten alleen uit naar het tot rust brengen van mijn kind, en ik deed dit zo overtuigend dat hij al gauw rustig lag te slapen, zijn adem normaal, zijn gezichtje minder rood.
Ik zat die nacht bij hem. Ik zou niet kunnen slapen als ik hem alleen liet. Dus zat ik daar en hield hem met een gevoel van geluk in mijn armen, terwijl ik iets zekerder werd van het feit dat er kracht in mijn handen was.
Mijn aya had gezegd dat het een gift was van de goden en dat zulke giften gebruikt moesten worden.
Het zou prachtig zijn om een leven te redden. Tot op zekere hoogte kon ik begrijpen waarom mannen als dokter Damien bereid waren om alles te doen in hun zucht naar kennis. In dit geval, las ik, ging het erom te ontdekken hoe bepaalde substanties gebruikt konden worden ter genezing van zieken. Dat klonk nobel. Maar hij had een arrogantie die in zijn boeken door klonk, en ik geloofde dat hij intens genoot van de avonturen die hij op zijn weg ontmoette, de honderden sensuele mysteries die hij proefde uit naam van de bevordering van de medische wetenschap, iets wat me achterdochtig maakte,vooral sinds Amelia me min of meer voor hem gewaarschuwd had.
Ik wilde meer leren over de vreemde genezende kracht die ik zou kunnen hebben.
Toen ik de volgende ochtend in onze slaapkamer terugkeerde. zei Aubrey: Wat zie je er uitgeput uit. Wat is er in vredesnaam gebeurd?'
'Julian was vannacht niet goed.'

'Kon Nanny B. niet voor hem zorgen?'
'Ze lag de hele nacht te snurken. Het kind had een toeval kunnen krijgen zonder dat ze er iets van had gemerkt.'
'Ik hoop wel dat je geen gewoonte maakt van die nachtelijke tochten.'
'Nee, ik laat de wieg hier in de kamer zetten, zodat ik dicht bij hem kan zijn.'
'Absurd.'
'Helemaal niet. Dat ga ik doen.'
Hij haalde zijn schouders op en het gebeurde.
Julian was die nacht huilerig en Aubrey zei dat dit een onmogelijke situatie was en dat ik met wieg en al de kamer moest verlaten of dat hij het anders deed.
Ik vond het niet meer dan eerlijk dat ik ging. Er waren kamers genoeg in de Munster.
Dus liet ik de wieg naar een ervan brengen en daar ging ik voortaan slapen.
Ik geloof niet dat Aubrey of ik buitengewoon geschokt was door het feit dat we nu aparte kamers hadden. Ik wist dat ik rustig kon slapen daar mijn moederlijke instinct me onmiddellijk wakker zou maken als Julian me nodig had.

Er ging een jaar voorbij. Ik werd volkomen in beslag genomen door Julian. Julians eerste lach, Julians eerste tandje, zijn eerste woord, dat tot mijn verrukking mama was. Ik had gezellige babbeltjes met mevrouw Pollack als we Julian uitgebreid bespraken. Dan kroop hij over de grond, waar hij speelde met lege garenklosjes die ze voor hem vond en die hij over de grond liet rollen. Hij klapte in zijn handjes als wij klapten voor zijn kleine prestaties. Hij zette zijn eerste wankele stapjes over de korte afstand tussen haar knieën en de mijne, en lachte triomfantelijk als hij tegen ons aan viel. Het waren heerlijke ogenblikken die ik voor altijd als een schat zou bewaren.
Soms was ik me bewust van een zekere verbittering in Aubrey's manier van doen. Nu de rouw over Stephen officieel voorbij was, wilde hij zijn vrienden ontvangen. Natuurlijk moest ik daaraan deelnemen, maar ik deed het zonder veel enthousiasme. Het was niet het soort mensen dat ik erg aantrekkelijk vond. Hun belangrijkste onderwerpen van conversatie betroffen jagen, vissen en buitensporten die ik niet goed kende.
Na zulke diners uitte Aubrey zo nu en dan zijn teleursteling over mijn bijdragen. 'Je was niet direct een stralende gastvrouw.'
'Ze praten over zulke triviale dingen.'
'Voor jou misschien.'
'Ze hebben het bijvoorbeeld nooit over politiek... de verandering in de regering, de staatsgreep in Frankrijk met Louis Napoleon die zich tot absoluut hoofd van de Franse regering heeft uitgeroepen...'
'Maar lieve kind, wat heeft dat met ons te maken?'
'Alles wat in dit land en de landen vlak om ons heen gebeurt, treft ons toch ook.'

'Je bent een echte blauwkous, lieve kind. Weet je dat dat een van de minder populaire soort vrouwen is?'
'Ik dacht niet aan aantrekkelijkheid, gewoon aan wat interessante conversatie.'
Hij keek me met koele afkeer aan. 'Natuurlijk ben jij er je leven lang al aan gewend om op mensen neer te zien.'
Dit was een verwijzing naar mijn lengte die hij niet prettig leek te vinden, want als ik hoge hakken droeg, was ik langer dan hij. Het was een symptoom van zijn groeiende negatieve gevoelens jegens mij, want als je mensen niet mag, erger je je aan bepaalde punten die je normaliter niet zou hebben opgemerkt. Hij vond mijn toewijding aan ons kind onwaardig voor onze klasse. We hadden bedienden om te doen wat ik zelf wilde aanpakken. Ik geloof dat hij vond dat ik een gebrek aan beschaving liet zien door zoveel zelf op me te nemen. Bovendien lukte het me niet – of weigerde ik – vriendschap met zijn vrienden te sluiten, en nu kwam mijn lengte er ook nog bij.
Ik nam Julian mee voor een bezoek aan mijn vader en we bleven een week logeren. Dat was een gelukkige tijd. Hij genoot van het kind en Jane en Polly waren dolblij om voor hem te kunnen zorgen.
'Zou het niet fijn zijn als u hier kwam wonen, mevrouw St Clare?' vroegen ze. En ik wist dat mijn vader het met hen eens was.
Ik kreeg bericht van Amelia. Ze was gelukkiger in Somerset. 'Ik bouw een nieuw leven op,' zei ze. Het was prettig zo dicht bij Dorothy en Jack te wonen Kennelijk bracht ze een groot deel van haar tijd bij hen door, want ze kwamen dikwijls voor in haar brieven – misschien Jack wel het meest.
Op Julians eerste verjaardag maakte de kokkin een cake met één kaarsje. De bedienden kwamen hem feliciteren met zijn verjaardag en hij genoot er intens van.
Het was kort daarna dat Louie Lee verscheen.
Ik had Julian meegenomen voor een tochtje door de tuin in zijn wandelwagentje en toen we terugkwamen, liep ik naar boven naar de kinderkamer. Daar was een jonge vrouw. Ze deed de kastdeuren open en keek erin toen ik binnenkwam.
Ik staarde haar aan. 'Wat doe jij hier?' eiste ik.
Ze zei: 'O, u bent de meesteres, hè? Dat dacht ik al.'
'Wat doe je hier?' herhaalde ik 'Kun je me dat uitleggen?'
'Ik ben Louie. Ik ben aangenomen voor de kinderkamer... om tante Em te helpen.'
Tante Em! Dat was natuurlijk Nanny Benson. Ik had ontdekt dat ze Emily heette.
'Ik heb je niet aangenomen.'
Ze haalde haar schouders op.
Nanny Benson kwam binnen. 'O, dit is Louie,' zei ze. 'Ze komt me een beetje helpen. Het is toch wat veel voor me, zoals ik al tegen meneer Aubrey zei. Ik

zei, we hebben onze Louie en hij zei, breng haar maar mee.'
Dus Aubrey had een jonge vrouw aangenomen zonder met mij te overleggen! Ik keek haar aandachtig aan. Haar haar was goudblond – een beetje té om natuurlijk te zijn – haar grote blauwe ogen waren te vrijpostig – te vrijpostig voor bescheidenheid – haar neus was klein en haar lange bovenlip gaf haar een speelse uitdrukking. Ze leek niet het soort dat een bekwaam kindermeisje zou zijn.
'Het meisje van de zoon van mijn broer,' zei Nanny Benson. 'Er is te veel voor mij in de kinderkamer te doen nu onze kleine man zo snel groter wordt... en Louie keek uit naar iets.'
Ik was verstomd. Ik wilde het kind zeggen dat ze haar koffers kon pakken en verdwijnen – en Nanny Benson mee kon nemen. Ik wilde mijn eigen kinderkamer regelen. Voor mij was dit het meest vitale deel van het huis en het was meer dan ik verdragen kon dat het in handen was van een vrouw die vaker wel dan niet in een sufffige toestand verkeerde door de whisky, al was het dan in haar thee – en nu had ze dit brutaal uitziende kind binnen gehaald.
Ik wachtte tot Aubrey thuiskwam. 'Wat is dat over het aannemen van een kindermeisje – Louie Huppelepup?'
'O, ze is een nicht of een achternicht of zoiets van Nanny Benson.'
'Ze is overbodig.'
Hij keek me ironisch aan. 'Ik dacht dat het je wat verlichting zou geven.'
'Verlichting! Ik wens geen verlichting.'
'Nee. Je geniet ervan om voor kinderjuffrouw te spelen, dat weet ik. Maar als vrouw des huizes in een huis als dit moet je je positie beseffen. Er zijn andere plichten.'
'Mijn kind is belangrijker voor me dan al het andere.'
Hij keek verbitterd. 'Je maakt dat meer dan duidelijk.'
'Hij is jouw kind ook.'
'Dat zou je niet denken. Jij monopoliseert hem. Je vindt het vreselijk als iemand anders in zijn buurt komt.'
Was dat waar? vroeg ik me af. Julian was natuurlijk van het allergrootste belang voor me en ik zag alles in verhouding tot hem.
'Je bent vrij om bij hem te zijn als je er zin in hebt,' zei ik. 'Maar ik vermoed dat je niet erg op kleine kinderen gesteld bent.'
'Nou, ik heb dat meisje aangenomen.'
'Maar ik wil haar niet hebben.'
'En als ik het wel wil... wat dan?'
'Je kunt niet...'
'Lieve kind, ik kan doen wat ik wil in mijn eigen huis. Jij moet je veranderen. Wat denk je dat mijn vrienden voelen als ze hier komen? Je hebt geen belangstelling voor hen en je toont het.'

'Dat meisje moet gaan,' zei ik.
'Nee,' antwoordde hij vastberaden, 'ze blijft.'
'Wat voor nut heeft ze, denk je, in de kinderkamer?'
Ze ontlast je van het kind.'
'Dat wil ik niet. Niets zal mijn kind van me afnemen.'
'Doe alsjeblieft niet zo theatraal. Wat heb je toch, Susanna? Je bent met me getrouwd, weet je.'
'Daar ben ik me van bewust. Maar ik dacht dat ik het recht had een eigen kindermeisje uit te zoeken.'
'Je hebt geen rechten tenzij via mij. Misschien zou het wel goed zijn als je je dat herinnerde. Dit is mijn huis, ik ben de meester hier. Jouw autoriteit bestaat door mij en ik zeg dat het meisje blijft.'
We keken elkaar aan met koude afkeer.
Ik wist dat ik de desintegratie van mijn huwelijk meemaakte.

Al gauw was het laatste schijntje hoop dat we ooit samen gelukkig konden zijn, weggevaagd.
Het meisje Louie Lee had iets uitdagends dat me een aanwijzing gaf over wat er aan de hand was. Ze had de onbeschaamdheid die mensen kunnen hebben als ze denken dat ze een speciale plaats in het huis innemen. En hoe kon Louie Lee in zo'n positie zijn? Natuurlijk omdat ze de gunsten genoot van de meester van het huis.
Haar plichten in de kinderkamer waren te verwaarlozen; en daar maakte ik geen ruzie over. Als ik haar in huis moest tolereren, hoefde ik dat niet in de buurt van mijn kind te doen. Feitelijk was Julian bijna nooit in de kinderkamer en zelden als ik er niet was. Ik zou hem zeker nooit alleen gelaten hebben met Nanny Benson of met haar verre verwante.
Nanny Benson zal vroeger wel geschikt zijn geweest als kinderjuffrouw van Stephen en Aubrey, maar in de loop der jaren had haar groeiende verslaving aan whisky, nauwelijks gecamoufleerd door wat thee, haar bekwaamheid weinig verbeterd, dacht ik. Wat Louie Lee betreft, die had hoe dan ook geen talent voor dit werk.
Eenmaal zag ik haar vanuit mijn raam. Ze was in de tuin. Aubrey kwam en ze begonnen beiden te lachen. Plotseling gaf ze hem een duw en rende weg in de richting van het bosje; hij volgde haar. Je had niet veel fantasie nodig om je conclusies te trekken uit die ontmoeting.
De man die ik die nacht had gezien en op zo'n pijnlijke manier, was nooit ver van de oppervlakte, daar was ik zeker van. Ik vroeg me af wat hij zich van die nacht herinnerde. Ik geloofde niet dat hij er zich volslagen onbewust van was. Hij had me op de proef gesteld en ontdekt dat ik niet reageerde op beestachtigheden, alleen op liefde. Onze verhouding was vanaf die nacht veranderd. Ik

had hem laten zien dat ik nooit de partner kon zijn die mee zou doen aan zijn perversies.
In die tijd speelde ik met het idee de Munster te verlaten. Ik kon bij mijn vader gaan wonen. In feite bracht ik hem nu een langer bezoek. Toen ging ik een tijdje bij Amelia logeren. Mijn vermoedens betreffende haar en Jack St Clare schenen een grond te hebben. Ze waren geen van beiden in hun eerste jeugd, beiden waren eerder getrouwd geweest, maar als ik ooit een evenwichtige, langzaam groeiende liefde zag, dacht ik dat die hier was.
Ik was blij voor Amelia. Ze was nog jong genoeg om kinderen te krijgen en en ze had iets stralends dat ik eerder niet had gezien.
Toen ik terugkeerde naar de Munster leek de vrede in Londen en Somerset wel zeer begerenswaardig. Ik dacht erover naar mijn vader terug te keren. Hij zou Julian en mij verwelkomen. Hij hield van zijn kleinzoon en zowel Jane als Polly zouden betere kindermeisjes zijn dan Nanny Benson of Louie Lee. Ik kon Aubrey bij zijn kinderjuffrouw laten.
Maar je loopt niet zomaar weg uit je huwelijk Er was te veel om in overweging te nemen. Ik wilde niets van Aubrey, maar Julian was er ook. Hij was de erfgenaam van deze prachtige plaats; en het sprak vanzelf dat na verloop van tijd de Munster van hem zou zijn. Ik was het aan hem verschuldigd dat hij hier zou opgroeien. Ik kon hem niet zomaar wegnemen uit zijn huis en van zijn erfgoed.
Na mijn bezoeken voelde ik me steeds verder afstaan van Aubrey, Er was geen liefde meer tussen ons. Ik sloot mezelf op in mijn slaapkamer met mijn baby; maar dat was niet nodig. Hij deed geen enkele poging naar me toe te komen.
Toen op een dag deed ik een ontdekking.
Al lang was ik me bewust van vreemde gebeurtenissen in huis. Aubrey had de gewoonte aangenomen om feesten te geven die duurden van vrijdagmiddag tot zondag of maandag.
Ik ontving de gasten en regelde de maaltijden. We dineerden dan om acht uur en tegen tienen trok iedereen zich op zijn kamer terug, nogal vreemd, want er waren nooit oude mensen bij.
Ik was er blij om, want ik voelde er niets voor bij hen te blijven. Ik trok me terug op mijn kamer waar Julian in zijn bedje lag te slapen; en bij de gelegenheden dat ik korte tijd bij Aubrey's gasten zat, vroeg ik mevrouw Pollack zo nu en dan naar het kind te kijken, zodat we er zeker van konden zijn dat hij in orde was – een plicht die ze heel graag uitvoerde.
Het was bijna altijd hetzelfde stel mensen dat kwam, hoewel er een enkele maal nieuwelingen bij waren. Ik was aan hen gewend geraakt en ze vielen me niet buitengewoon lastig. Er was beleefde conversatie over het huis of het weer en een enkele nonchalante vraag naar Julian, maar ze gaven me de indruk dat hun gedachten ver van de onderwerpen waren waarover ze spraken.
Op een nacht, toen ik niet kon slapen, dacht ik dat ik beneden mensen hoor-

den rondsluipen en ik ging naar mijn raam om te kijken. Uit het bosje kwamen verschillende mensen, die naar het huis liepen. Ik trok me haastig terug. Het waren onze gasten.
Ik keek naar de tijd. Vier uur.
Hier begreep ik niets van. Toen zag ik Aubrey tussen hen in. Ik kon me niet voorstellen wat ze hadden gedaan, ging naar mijn deur en luisterde. Ik hoorde voetstappen op de trap – toen stilte. Ze sliepen allemaal in een andere vleugel van het huis en waren naar hun kamers gegaan.
Er was geen maan die nacht en daar het bewolkt was, kostte het grote moeite hen duidelijk te zien.
Ik liep naar Julians bedje en keek naar hem; hij sliep lekker. Dus ging ik naar mijn eigen bed en lag lange tijd te denken aan wat ik gezien had.

Het moet vijf uur zijn geweest voordat ik in een onrustige slaap viel. Even na zessen werd ik wakker en het eerste waaraan ik dacht was wat ik de afgelopen nacht gezien had.
Toen riep Julian dat hij bij me in bed wilde komen, iets wat hij iedere ochtend deed. Ik zong voor hem, zoals altijd als de dag begon – oude liedjes en ballades en gezangen waarvan hij veel hield. Maar deze ochtend was mijn hart niet bij het gezang.
Toen herinnerde ik me dat ze uit het bosje waren gekomen en dat ik op een dag toen ik daar gewandeld had, de geheimzinnige deur had ontdekt. Ik weet niet wat mij eraan deed denken – behalve dat ik een verklaring wilde vinden van waar ze geweest waren.
Op deze weekeinden bleven ze lang slapen en stonden dikwijls niet voor de lunch op. Ik had van de keuken gehoord dat ze geen ontbijt wensten.
De ochtend leek een goede tijd om het idee te toetsen of de geheimzinnige deur misschien iets te maken had met de nachtelijke wandeltochten van Aubrey's gasten.
Ik zei tegen mevrouw Pollack dat ik een eind ging wandelen. Julian deed 's ochtend altijd een dutje en ik vroeg haar of ze wilde gaan kijken om er zeker van te zijn dat alles in orde was als ik uitging.
Buiten liep ik het bos door en kwam bij het heuveltje. Ik klauterde omlaag en bracht onder het lopen de klimop van zijn plaats.
Daar was de deur.
Iets als een waarschuwing kwam op me af. Het gaf me het gevoel dat ik op een boosaardige plek was. Ik duwde tegen de deur en mijn hart bonsde, want hij was open. Ik stapte naar binnen.
Onmiddellijk kwam de gedachte bij me op dat de deur dicht kon slaan en me in zou sluiten, zodat ik niet meer kon ontsnappen. Ik liep meteen naar buiten, zocht naar een grote steen, vond er een en duwde die tegen de deur aan, zodat

die niet dicht kon vallen. Toen, met hevig bonzend hart, stapte ik in wat een grot bleek te zijn.
De vloer had grote vlakke stenen en toen ik verder liep, werd ik me bewust van een geur die ik niet herkende. De lucht was ervan doordrongen en maakte me wat misselijk.
Ik zag dat er overal kaarsen waren – sommige uitgebrand. Maar ze waren kort geleden aangestoken geweest, dat wist ik, en het bevestigde mijn vermoedens dat dit de plaats was waar die mensen heen gingen.
De grot liep naar een vierkante kamer. Er stond een tafel die op een altaar leek en ik gilde bijna van doodsangst, want er zat een grote figuur op – levensgroot – en een afschuwelijk moment dacht ik dat het een mens was.
De figuur op het altaar scheen naar me te gluren. Hij was boosaardig. Toen zag ik dat hij de Duivel moest voorstellen – de hoorns, de gekloofde hoef waren daar bewijzen van – en zijn rode ogen schenen op mij gevestigd.
Er waren tekeningen op de wanden. Ik keek ernaar. Eerst waren ze onbegrijpelijk – mannen en vrouwen in parende groepen en in vreemde houdingen – en toen besefte ik de betekenis ervan.
Ik wilde hier zo gauw mogelijk vandaan. Ik rende weg, schopte de steen weg van de deur en sloot die achter me. Ik rende het bos door alsof de Duivel me achtervolgde. Ik had werkelijk het gevoel gehad dat ik oog in oog met hem had gestaan.
De gedachten warrelden door mijn hoofd. Waar was ik toevallig op gestuit?
Mevrouw Pollack begroette me. 'Hij slaapt nog. Ik ben twee maal gaan kijken. Voelt u zich wel goed, mevrouw St Clare?'
'Ja... dank u, mevrouw Pollack. Ik ga gauw naar boven. Hij moet niet te lang slapen, anders slaapt hij vannacht niet.'
Ik ging naar mijn kamer. Wat betekende het? Ik moest het weten.

Ik weet niet hoe ik de dag ben doorgekomen, maar was me bewust van wat mij te doen stond. Ik moest precies uitvinden wat er in de grot gebeurde. Dit was mijn huis... het huis van mijn kind. Als dat waar ik bang voor was, waar zou zijn, moest ik iets ondernemen.
Die avond stopte ik Julian in bed en bleef bij het raam zitten. Wat was het stil in huis!
Ongeveer kwart voor twaalf hoorde ik het eerste geluid. Ik dacht: Dat is de reden waarom Aubrey de gasten in de oostelijke vleugel liet logeren. Die is ver van de rest van het huis verwijderd en komen en gaan worden niet gehoord.
Ik zag hen uit het huis te voorschijn komen. Het was een donkere nacht, maar ik kon de figuren onderscheiden toen ze op weg gingen naar het bos. Ik bleef zitten nadat ze verdwenen waren en sprak mijzelf moed in. Ik beefde maar wist dat ik zekerheid moest hebben.

Beelden verschenen in mijn gedachten; ik had over vreemde sekten horen fluisteren toen ik in India was. Er waren rituelen en geheime bijeenkomsten... vreemde goden werden aanbeden.
Ik dacht aan die figuur van Satan op wat alleen een namaakaltaar kon betekenen.
Ga niet, zei een stem in me. Ga morgen naar Londen. Neem Julian mee. Zeg dat je geen dag langer onder zijn dak kunt wonen.
Dat kon ik niet doen. Ik moest bewijzen hebben van wat er gebeurde. Ik moest het met eigen ogen zien.
Ik trok laarzen aan en een grote cape over mijn nachtkleding en sloop naar beneden. Buiten in het bos ging ik naar wat ik was gaan beschouwen als een onheilige tempel.
De deur was gesloten. Ik duwde hem open en ging naar binnen.
Het schouwspel dat mijn ogen zagen, was zo schokkend dat ik, al was ik er half op voorbereid, me bijna omdraaide en vluchtte. Er brandden vele kaarsen. Er hing een nevel in de lucht. Ik zag mensen op matten op de grond liggen rondom de afschuwelijke figuur op het altaar. De meesten waren half of helemaal naakt. Ze waren in groepen van drie of vier en ik wendde mijn ogen van hen af om niet te zien wat er gebeurde.
Toen zag ik Aubrey en hij zag mij. Hij keek met vreemde, wilde ogen en grijnsde tegen me. Toen schoot hij plotseling naar me toe en zei met een slepende stem: 'Ik geloof dat dit mijn kleine vrouwtje is... nee, nee, nee, mijn grote vrouw... Kom je meedoen, Susanna?'
Ik draaide me om en vluchtte weg.
Hoewel ik wist dat hij me niet volgde, rende ik het bos door, schaafde mijn handen aan boomstammen, kwam in paniek omdat de varens aan mijn kleren bleven hangen en was doodsbang dat ze probeerden me vast te houden tot iemand me kwam halen en me terug droeg naar dat oord van verderf.
Ik wankelde het huis in, ging naar mijn kamer en deed de deur op slot. Toen gooide ik me, misselijk en wel, op mijn bed en bleef een paar minuten liggen.
Daarna stond ik op om naar Julian te kijken. Hij lag heerlijk te slapen.
Ik dacht: Ik ga naar mijn vader. Ik vertel hem alles. Ik moet Julian hier weghalen. Hij moet hier niet wonen, terwijl zulke dingen gebeuren.
Koortsachtig maakte ik plannen om snel te vertrekken.
Dat was de enige gedachte die me nog iets van rust kon geven.
Mijn vader zou me helpen. Ik dankte God voor hem. Ik was niet alleen. Ik zou bij hem komen wonen. Aubrey kon ik niet meer zien zonder aan hem te denken in die duivelse plaats.
Misschien had ik zoiets als dit vermoed. Misschien weggestopt in mijn gedachten, al sinds die nacht. Toch was hij in het begin zo'n betoverende minnaar geweest. Ik kon die weken in Venetië niet vergeten. Hij had inderdaad een dub-

bele persoonlijkheid. Iets vertelde me dat die charmante man bestond, maar verstikt werd door de man wiens geest en lichaam werden vergiftigd door de drugs die hij nam.
De gedachten tolden door mijn hoofd. Ik was ervan overtuigd dat de geheimzinnige dokter Damien hem op deze vreselijke weg had gezet. Die slechte man wilde zien wat voor effect dit soort drugs op mensen had, zodat hij ervan kon leren. Hij zocht meedogenloos naar kennis en het kon hem niet schelen hoeveel mensen hij onderweg ruïneerde... zoals hij Aubrey geruïneerd had.
Amelia had er al op gezinspeeld dat ik met hem moest oppassen als hij hier zou komen. Ik zou hier niet zijn, maar bij mijn vader.
Eindelijk was de nacht voorbij. Julian kwam om zijn liedjes vragen en ik zal die ochtend niet goed gezongen hebben.

Ik ging wat dingen bij elkaar zoeken. Dan zou ik tegen Aubrey zeggen wat ik van plan was en hem vragen niet te proberen met mij in contact te komen. Niet dat ik bang was dat hij dat zou doen. Ik had verachting en haat in zijn ogen gezien toen ik tegenover hem stond. Hij moest zich beschaamd voelen – ik was ervan overtuigd dat hij dat deed in zijn heldere ogenblikken.
Het was laat in de ochtend toen hij bij me kwam. Ik had de meest noodzakelijke dingen gepakt en was van plan de middagtrein te nemen. Die vertrok om vier uur.
Een ogenblik stonden we elkaar aan te kijken. Toen zag ik zijn lippen krullen en ik verloor de moed. Hij was in een kribbige stemming en de kou in zijn ogen, die zo duidelijk toonde dat hij een hekel aan me had en die me altijd liet schrikken, verscheen ook nu.
'En,' zei hij, 'wat heb je te zeggen?'
'Ik ga weg.'
Hij trok zijn wenkbrauwen op. 'Is dat alles?'
'Het is genoeg.'
'Je was niet erg beleefd. Zo binnen te dringen... niet uitgenodigd... en er dan vandoor te gaan zonder een woord te zeggen.'
'Wat verwachtte je dat ik zeggen zou?'
'Daar je bent die je bent – zo kalm, zo beheerst – niets, natuurlijk. Waarom zet je je remmingen niet opzij? Waarom doe je niet met ons mee? Ik kan je opwinding beloven, waarvan je nooit had kunnen dromen.'
'Je bent gek.'
'Het is het spannendste dat ik ooit heb meegemaakt.'
'Je staat onder invloed van drugs. Je bent niet normaal. Ik wil er liever niet over praten. Vanmiddag ga ik weg.'
'Maar ik wil er wel over praten. Weet je, toen ik je trouwde dacht ik dat je een vrouw met temperament was... ik dacht niet dat je bang voor het leven zou zijn.'

'Ik ben niet bang.'
'O ja, toch wel. Je bent conventioneel, star, preuts. Kort nadat ik met je getrouwd was, zag ik mijn vergissing. Ik wilde jou laten genieten van alles waar ik van genoot. Het leek me interessant je te zien veranderen. Maar ik ontdekte al gauw dat je al de ouderwetse ideeën van je opvoeding nooit van je af zou schudden.' Hij lachte wild. 'Er waren tijden in die paar weken in Venetië dat ik dacht dat ik met jou mee kon doen... worden zoals jij geloofde dat ik was. Ik moet gek zijn geweest. Waarschijnlijk was ik toen echt verliefd op je. Maar ik heb opwinding nodig. Ik zou niet conventioneel kunnen leven... niet sinds ik weet wat er te krijgen is.'
'We begrijpen elkaar volkomen,' zei ik. 'We hebben beiden de ergste fout gemaakt die twee mensen kunnen maken. Maar dat is niet onherstelbaar. Jij neemt opium... rookt het of neemt het in een andere vorm. Wat komt de manier erop aan? Misschien zijn er nog meer schadelijke drugs. Ik weet van je verhouding met de kinderjuffrouw. Ik weet wat er gebeurt in die afgrijselijke plaats en wil me er zoveel mogelijk verre van houden.'
'Als je de deugdzame vrouw bent, die je beweert te zijn, zou je je man gehoorzamen. Dat is de eerste plicht van een echtgenote.'
'In zulke omstandigheden? Ik geloof van niet. Mijn plicht is om hier weg te komen en mijn kind mee te nemen.'
Hij keek me spottend aan. 'O, Susanna. Tot op zekere hoogte bewonder ik je. Zoveel zelfvertrouwen... Zo groot. Als je alleen maar bereid was geweest aan een klein experiment mee te doen...
'Experiment? Bedoel je dat ik net zo moet worden als jij en je decadente vrienden?'
Hij zei: 'Ik vraag me af...' Zijn gezicht werd zachter en ik denk dat hij zich die eerste weken in Venetië herinnerde. Nu realiseer ik me dat hij toen niet deed alsof; hij had werkelijk deel gehad aan mijn verrukking. Nu ik ouder ben, begrijp ik wat ik toen niet inzag, dat je mensen niet keurig in categorieën kunt indelen – de goeden en de slechten. De slechtsten hebben soms goede impulsen; en de beteren handelen onwaardig. Maar ik was jong, ik was koppig en ik was bang.Ik was een moeder wier eerste gedachten naar haar kind uitgingen en ik zag Aubrey als een zwakkeling die gevaarlijke, gedegenereerde gewoonten had en zowel zijn eigen leven als het onze ruïneerde omdat hij de kracht niet had tegen zijn obsessie te vechten. Ik verachtte hem. Alle liefde die ik voor hem had gevoeld, was dood. Het was die nacht in Venetië begonnen. Misschien was het altijd broos geweest. Misschien zijn jonge mensen dikwijls zo. Ze worden verliefd – of denken dat ze verliefd zijn – op de eerste charmante man die belangstelling voor hen heeft. Ze willen iemand die van hen houdt; het is een heerlijk avontuur: huwelijk, kinderen, zij vormen de basis van het ideale bestaan. Nu zag ik het allemaal duidelijk. Mijn liefde voor Aubrey was oppervlakkig; als die

sterker was geweest, had ik willen blijven om hem te helpen zijn vreselijke verslaving te bevechten.
Nee, ik hield niet van Aubrey; maar ik had tenminste de betekenis van één soort liefde geleerd toen mijn kind geboren werd.
Het ogenblik ging voorbij 'Het is in ieder geval niet meer nodig om het geheim te houden,' zei Aubrey.
'Die nacht,' zei ik. 'Die vreselijke nacht in Venetië...'
Hij lachte. 'De nacht van de waarheid... toen ik besefte dat ik een preuts meisje had getrouwd... iemand met vaststaande ideeën, een en al conventie, die nooit mee zou komen naar waar ik wilde gaan. En jij wist dat je een monster had getrouwd.'
'Je was je van alles bewust,' beschuldigde ik hem. 'Je deed of het te wijten was aan een klap op je hoofd, dat je aangevallen was. Je was bij de Freelings geweest.'
'Je begint nu toch wat licht te zien. Natuurlijk was ik niet aangevallen. Omdat ik die man zag die uit het water was gehaald, kwam ik op het idee. Maar je vond wel mijn beurs. Dat was heel slordig van me. En het was weinig scherpzinnig van jou het toen niet te beseffen.'
'Je ontmoette de Freelings. En je had een van je sessies met hen. Ik begrijp het uitstekend. Mijn angst kon je niet schelen, toen ik in het palazzo zat te wachten en me alle soorten vreselijke dingen voorstelde, die jou hadden kunnen overkomen.'
'Op zulke momenten denk je aan niets. Je moet echt je remmingen loslaten, je zou moeten proberen...'
Ik schudde fel mijn hoofd. 'En je duivelachtige dokter Damien was er waarschijnlijk ook. Hij bracht je toch thuis? Dat verhaal over die hut en hoe hij je redde... Vals! Allemaal vals! De Freelings moesten uit India vertrekken vanwege dit allemaal. Mijn aya probeerde me te waarschuwen. Was ze maar nooit naar de Freelings gegaan... dan had ik je nooit ontmoet.'
'Ik vraag me af hoeveel teleurgestelde vrouwen dat tegen hun man hebben gezegd, en andersom. Je had de afgelopen nacht moeten blijven. We hadden je ingewijd in de mysterieën en de opwinding van de Hellevuur Club. Wat vond je ervan? Je had het al eerder toevallig gezien, ja toch? Je vond de deur, maar die was op slot. Herinner je je de dag toen ik je vertelde over Harry St Clare? Soms denk ik dat ik de nieuw geboren Harry ben. Ik ben precies als hij. Je houdt toch van verhalen over het verleden? Je wilt toch de geschiedenis van het huis leren kennen? Nou, die tempel onder het heuveltje was door Harry gebouwd. Ik ontdekte het als jongen. Er was een verwijzing naar in een of ander oud document. Ik forceerde de deur. Maar liet een nieuw slot maken toen ik op de universiteit was. We hadden daar een hele kring. Sir Francis Dashwood bouwde zijn tempel in Medmenham en Harry zag geen reden waarom hij die van hem niet hier zou bouwen. Stel je voor... honderd jaar geleden deed Harry met zijn kring min

of meer hetzelfde wat wij hier nu doen. De geschiedenis herhaalt zich. Altijd interessant, vind je niet? Zie je, er is niets nieuws in dit soort dingen. Misschien zijn we wat verder op het gebied van drugs. Maar Harry had die van hem. Opwindend. Als je onder de invloed ervan bent, is er niets, gewoonweg niets, dat je niet kunt den. Ik zou je kunnen vertellen...'

'Alsjeblieft niet. Ik heb geen zin nog meer te horen.' Ik keek hem doordringend aan. 'En Amelia's baby?'

Hij zette grote ogen op.

'Je zei dat je haar in de stad ging halen. Waarom? Om haar terug te kunnen rijden en een klein ongeluk te organiseren? Niets dat het rijtuig erg beschadigen zou, maar haar baby zou vernietigen, of proberen dat te doen.'

Hij zweeg. Ik zag een glimp van de Aubrey die ik in het begin had gekend. Er was iets van berouw in zijn ogen.

'Ik had het kunnen weten,' zei ik.

'Het gebeurde,' zei hij snel. 'Zulke dingen gebeuren. Ik was niet van plan...'

'Waarom ging je haar dan afhalen? Ze zouden de ponywagen nemen. Jij moet het geregeld hebben.'

'Ze verloor haar baby's... allemaal... om het kleinste.'

'Dus jij besloot dit... kleinste... te organiseren.'

'Het gebeurde, zeg ik je. Het gebeurde gewoon. Waarom begin je erover? Het is voorbij.'

'Ik heb je nog maar één ding te zeggen,' ging ik door. 'Ik ga hier vanmiddag weg.'

'Waar ga je heen?'

'Naar mijn vader natuurlijk.'

'Natuurlijk. Jij die je met zoveel overgave vastklampt aan conventies, zou niet iets gedurfds moeten ondernemen.'

'Het is geen conventie maar fatsoen waar ik me aan houden wil. Ik wil niet dat mijn kind in een huis als dit opgroeit.'

'Dus je bent van plan mijn kind weg te halen uit zijn huis?'

'Natuurlijk gaat hij met me mee.'

Hij schudde langzaam zijn hoofd. Alle sporen van zijn vroegere zelf waren verdwenen. Er speelde een glimlach om zijn lippen, geen aangename glimlach en ik voelde plotseling een vreselijke angst. Zijn volgende woorden bevestigden die. 'Je hebt de neiging te denken dat ik geen deel heb gehad aan die jongen. Maar dat is niet het geval. Ieder gerechtshof kan je dat vertellen.'

Ik keek hem vol afgrijzen aan. Hij begreep mijn gevoelens volkomen en ging door: 'Jij kunt natuurlijk vertrekken. Maar je kunt mijn zoon niet meenemen.'

Mijn mond was plotseling kurkdroog. De lucht was vol dreiging.

'Ja,' zei hij verder, 'jij kunt gaan. Natuurlijk kijkt de wereld niet al te vriendelijk naar de getrouwde vrouw die haar echtgenoot verlaat, hoewel sommigen zo'n onverstandige stap zetten. Maar je kunt mijn zoon niet meenemen.'

Ik riep: 'Waarom noem je hem steeds jouw zoon? Hij is ook van mij.'
'Van ons. Maar ik ben zijn vader. Dit is een mannenwereld, mijn lieve Susanna. Ik weet zeker dat dat feit bij een vrouw met een eigen mening zoals jij, wel eens is opgekomen. Als je vertrok en onze zoon meenam, zou ik hem al gauw terughebben op de plek waar hij hoorde. Daar zorgt de wet wel voor.'
'Je houdt niet van hem.'
'Hij is mijn zoon. Dit is zijn huis. Het zal allemaal op een dag van hem zijn. Het huis... het landgoed... zelfs de tempel. Alles van hem. Hij moet opgroeien in zijn eigen huis. Dat is iets waar ik op sta.'
'Maar je bent toch niet zo wreed dat je me mijn kind afpakt.'
'Ik wil jullie niet scheiden. Het enige wat je moet doen, is hier blijven. Ik vraag je niet om weg te gaan, maar als je gaat, blijft het kind hier.'
Ik was verstomd en zag dat hij me verslagen had.
Hij ging verder: 'Je hebt het kind gemonopoliseerd. Je hebt hem aan mijn zorg onttrokken. Hij kent zijn vader nauwelijks.'
'Omdat zijn vader geen tijd voor hem had. Hij had het te druk met zijn door drugs geïnspireerde orgieën.'
'Wie zou dat geloven?'
'Ik. Ik weet het.'
'Jouw mening telt niet. Als je wilt gaan, als je een schandaal wilt veroorzaken, als je de grijze haren van jouw vader en van de vader van je zoon te schande wilt maken, moet je dat doen. Ik kan je hier niet als gevangene houden. Maar laat ik je dit vertellen: als je probeert mijn zoon mee te nemen uit zijn eigen huis, zal ik ervoor zorgen dat hij wordt teruggebracht. De wet zou het eisen en jij moet de wet gehoorzamen.'
'Je vergeet wat ik allemaal van je weet. Geen enkel gerechtshof zou toch willen dat een kind opgroeit in een huis waar zulke boosaardige dingen gebeuren, waar de vader zich overgeeft aan spelletjes met de bedienden...'
'Dat is niets ongewoons, lieve kind. En het zou bewezen moeten worden. Ik kan ervoor zorgen dat dat niet gebeurt. Als je bereid bent je zoon te verliezen... ga dan je gang maar. Ik zal je niets in de weg leggen. Maar een hof kan je als krankzinnig beschouwen, een arme vrouw die fantasieën heeft. Daar zou ik zeker voor zorgen.'
Hij draaide zich om en liet me alleen.
Ik wist dat ik een gevangene in dit huis was. Ik werd hier vastgehouden door het enige wat mijn ontsnapping kon voorkomen.
Wat hij had gezegd over de wet, was waar. Als ik vertrok, verloor ik mijn zoon, en dat zou ik nooit kunnen.

Ik was in een toestand van ellendige onzekerheid. Ik wist dat Aubrey mij nooit toestemming zou geven om Julian mee te nemen, dat meende hij. Niet dat hij

de jongen zelf wilde hebben, maar hij wilde dat een zoon en erfgenaam op het landgoed zou worden grootgebracht. Ik dacht ook dat hij zich op mij wilde wreken.
Ik wist nu dat zijn gevoelens ten opzichte van mij gemengd waren, en in zijn haat was ook een grein van liefde. Hij was echt verliefd op me geweest; die dagen in Venetië hadden iets heel speciaals gehad. Maar de verslaving aan de drugs was te sterk voor hem; hij wilde dat ik alles met hem deelde en omdat ik dat niet deed, omdat ik hem verachtte, haatte hij me.
Mijn grootste verlangen was om weg te gaan. Ik had gedacht dat het simpel zou zijn om gewoon met Julian op te stappen. Wat had ik dat verkeerd berekend.
Het was moeilijk de dagen door te komen. Julian leek kostbaarder voor me dan ooit – als dat al mogelijk was. Als we gescheiden zouden worden, zou zijn hartje breken en het mijne ook. Maar één ding was duidelijk: ik zou liever alles verdragen dan gescheiden worden van mijn kind.
Wat zou ik graag een poosje naar mijn vader willen gaan, maar ik wist dat Aubrey, na de scène tussen ons, Julian niet mee zou geven. Als ik bij Amelia wilde logeren – die me al dikwijls had uitgenodigd – zou ik Julian achter moeten laten. Aubrey zou me zeker nooit toestaan met de jongen de Munster te verlaten uit angst dat ik niet met hem terug zou keren.
Mevrouw Pollack maakte zich zorgen over mijn gezondheid. 'U lijkt niet op uzelf, als ik het zeggen mag, mevrouw.'
Ik verzekerde haar dat het goed met me ging en probeerde me te gedragen of er niets gebeurd was. Ik zag zo weinig mogelijk van Aubrey, maar als het zo was, keek hij me met een spottende blik aan, de triomfantelijke blik van een overwinnaar.
Twee weken gingen voorbij, de meest rampzalige die ik tot dan ooit gekend had. 's Nachts lag ik wakker en bedacht wilde plannen die dan heel geschikt leken, maar onmogelijk bleken te zijn bij het licht van de volgende dag.
Ik kon nergens anders aan denken. Toen mevrouw Pollack me zei dat ik vooral niet naar de stad moest gaan, luisterde ik nauwelijks.
'Het is de dochter van de manufacturier. Ze zeggen dat het cholera is. Iedereen is nu doodsbang. Ze herinneren zich allemaal de epidemie van twee jaar geleden.'
'O ja,' zei ik, 'dat weet ik nog. Het was verschrikkelijk.'
'Ze zeggen dat meer dan drieënvijftigduizend mensen in Engeland en Wales eraan gestorven zijn,' vertelde mevrouw Pollack. 'Vreemdelingen hadden het meegebracht, zo zat dat.'
Ik zei dat ik dat ook dacht, en vroeg me eens te meer af of ik, als ik Aubrey plechtig beloofde dat ik met Julian zou terugkeren, met hem mijn vader mocht gaan opzoeken.
Ik kon zo niet doorgaan. En toch, wat moest ik doen? Ik verlangde ernaar weg

te komen maar Julian mocht niet achterblijven. Zo nodig zou ik hier blijven tot hij volwassen was. Ik zou hem nooit alleen laten.
Het moet zo'n vier weken na de scène met Aubrey zijn geweest, toen ik een brief ontving. Ik kende het handschrift op de envelop niet en toen ik de brief las, werd mijn ongerustheid nog groter.

Geachte mevrouw St Clare, (las ik)
Ik neem de vrijheid u te schrijven daar ik me zorgen maak over de gezondheid van Kolonel Pleydell. Ik vind dat u moet weten dat hij gisteren een milde beroerte heeft gehad. Zijn spraakvermogen is aangedaan en hij is min of meer verlamd. Ik ben bang dat hij nog een beroerte zou kunnen krijgen en ditmaal een die veel ernstiger is.
Ik dacht dat u dat moest weten.
Hoogachtend,
Edgar Corinth

Ik las en herlas de brief. De woorden dansten voor mijn ogen en ik had het gevoel dat als ik er maar hard genoeg naar staarde, de woorden zouden veranderen.
Ik kon het niet geloven. Niet nu... nu ik zijn hulp nodig had. Ik had de behoefte op iemand te leunen, met iemand te praten, plannen te maken. Ik had iemand nodig om me raad te geven. En als ik aan iemand dacht, bedoelde ik mijn vader.Hij was degene die het meest om me gaf; hij zou al mijn moeilijkheden tot de zijne maken.
Ik moest onmiddellijk naar hem toe en Julian meenemen. Onder deze omstandigheden kon ik dat toch doen. Ik besloot met Aubrey te praten.
Hij kwam van het landgoed en ik zag hem het huis naderen. Het trof me opnieuw hoe hij was veranderd. Hij zag er aanzienlijk ouder uit dan de Aubrey van de huwelijksreis; zijn ogen waren ingezonken en zijn huid had een ongezonde kleur.
Ik liep hem in de hal tegemoet. 'Ik moet je spreken.'
Hij trok zijn wenkbrauwen op en we gingen een van de kleinere kamers binnen die op de hal uitkwamen. Ik gaf hem de brief van de dokter en hij las die door.
'Ik moet naar hem toe,' zei ik.
'Natuurlijk.'
'Ik neem Julian mee.'
'Een kind meenemen naar het huis van een zieke?'
'Het is absoluut niet besmettelijk. Hij heeft een beroerte gehad. Er zijn bedienden. Ze vinden het heerlijk voor hem te zorgen. Ik kan bij mijn vader zitten en Julian is goed verzorgd.'
Hij begon te glimlachen. 'Nee. Je neemt het kind niet mee uit dit huis.'

'Waarom niet?'
'Omdat je dan misschien besluit hem niet terug te brengen.'
'Ik zou het je plechtig beloven.'
'Je bent een zeer vastbesloten vrouw. Plechtige geloften worden niet altijd door meedogenloze mensen gehouden en jij zou meedogenloos kunnen zijn waar het de jongen betreft.'
'Je ziet hoe ziek mijn vader is.'
'Hoe weet ik dat het geen valsheid in geschrifte is... de brief van die dokter? Hij komt wel op een heel geschikt ogenblik, vind je niet?'
'Aubrey, ik maak me heel ongerust over mijn vader.'
'Ga naar hem toe. Verpleeg hem. Daar ben je goed in, geloof ik. En als je hem genezen hebt, kom je terug. Maar je mag de jongen niet meenemen.'
'Hoe kan ik zonder hem gaan?'
'Gemakkelijk. Je gaat naar het station, neemt een trein en al gauw ben je dan in Londen en aan het bed van je vader.'
'Aubrey, probeer het te begrijpen.'
'Ik begrijp het volkomen. Je hebt me je plannen verteld en, zoals ik zei, ik weet hoe resoluut je kunt zijn. Ga naar je vader. De jongen blijft hier.
Hij glimlachte tegen me en liet me alleen.

Ik ging naar de kamer van mevrouw Pollack. Ze lag in bed.
'Ik voel me niet erg lekker,' zei ze. 'Een beetje rust en een lekkere kop thee brengen me er weer bovenop. Ik zal wat zetten.'
'Niet voor mij, mevrouw Pollack. Ik maak me heel ongerust.'
'O, wat is er aan de hand, mevrouw?'
'Het is mijn vader. Hij is erg ziek. Ik moet naar hem toe en moet Julian achterlaten.'
'Dat zal hij niet prettig vinden, mevrouw. U hebt hem vanaf zijn geboorte nooit alleen gelaten.
'Nee, ik vind het niet prettig... maar zijn vader wees erop dat ik niet kan reizen met een kind als er ziekte heerst. Ik... veronderstel dat er iets in zit. Ik ga voor een kort bezoek... alleen om te zien wat ik doen kan. Ik kan er vaak naartoe en dan één nachtje blijven. Ik wilde met u praten over Julian.'
'Ja, mevrouw?'
'U bent zo dol op hem.'
'Wie zou niet dol zijn op het schatje?'
'Ik vind het niet prettig om te zeggen... maar Nanny Benson is nogal oud.'
'Heel erg, als u het mij vraagt, mevrouw.'
'Natuurlijk, ze is een oude bediende. De nanny van mijn man. Mensen zijn nu eenmaal sentimenteel waar het oude nanny's betreft. Dat is te begrijpen.'
Mevrouw Pollack knikte. 'Dat meisje,' zei ze en krulde haar lippen, 'is ongeveer

net zo goed als het houten been voor een soldaat die moet marcheren.'
'Daarom maak ik me bezorgd. Ik reken op u, mevrouw Pollack.'
Ze was een en al vreugde. 'Dat kunt u, mevrouw. Het kleintje zal even goed verzorgd worden als wanneer u er bent, dat beloof ik u.'
'Dank u, mevrouw Pollack, het betekent heel veel voor me.'
Vroeg de volgende morgen ging ik naar Londen.
Toen ik het huis binnenkwam, werd ik begroet door een ernstig kijkende Polly.
'O, mevrouw St Clare,' zei ze. 'De arme Kolonel. Hij is zo ziek.'
Ik ging gelijk naar hem toe en de moed zonk me in de schoenen. Hij glimlachte met één mondhoek en opende zijn lippen, maar kon niet spreken. Ik boog me over hem heen en kuste hem. Hij sloot de ogen en ik wist wat mijn komst voor hem betekende. Daar hij niet spreken kon, zat ik aan zijn bed en hield zijn hand vast.
Toen hij sliep, sprak ik met Polly en Jane. Ze vertelden me dat hij te hard had gewerkt in het Ministerie van Oorlog en altijd werk mee naar huis nam.
'Hij zat tot 's morgens vroeg in zijn studeerkamer,' zei Jane.
'We maakten ons zo bezorgd,' voegde Polly eraantoe. Ik zei tegen Jane," Zo kan hij niet doorgaan." Toen gebeurde het. Op een ochtend, toen ik hem zijn hete water bracht, lag hij in bed en kon zich niet bewegen. We hebben de dokter gehaald. Die vroeg ons uw adres en zei dat hij u zou schrijven. Gisteren was de Kolonel nog slechter.'
Naderhand zag ik de dokter. Hij was zeer ernstig. 'Het gebeurt soms zo. De eerste beroerte was betrekkelijk licht. Hij zou niet totaal uitgeschakeld zijn, maar zou het Ministerie moeten opgeven. Toen volgde een ernstiger aanval, zoals ik al vreesde.' Hij keek me hulpeloos aan.
'Ik begrijp het. Is hij... stervende?'
'Als hij dit overleeft zal hij volkomen invalide zijn.'
'Dat is het ergste wat hem zou kunnen overkomen.'
'Ik vond dat u erop voorbereid moest zijn.'
'Dank u. Ik zou het zo kunnen regelen dat ik hem met mij mee naar huis neem.'
'Ik geloof dat u een groot buitengoed hebt. Dat zou het beste zijn. U zult hem daar, denk ik, goed kunnen laten verzorgen. De twee meisjes hier zijn uitstekend, maar geen getrainde verpleegsters natuurlijk.'
'Nee.'
'Laten we het een dag of zo aanzien. Maar ik denk dat de kansen op overleven niet zeer groot zijn.'
Ik boog mijn hoofd.
Ik was bij mijn vader toen hij stierf.
Drie dagen had ik hem verpleegd en al gaf mijn aanwezigheid hem rust, toch was ik me bewust dat ik weinig voor hem kon doen. In mijn hart wist ik dat hij liever zou sterven. Ik kon me een man als hij, die niet meer actief kon zijn, zelfs

niet meer in staat was om te spreken, niet voorstellen.
Ik was als verdoofd. Het kwam zo gauw na de ontdekking in de Munster en mijn behoefte om er weg te gaan, dat het verlies van mijn geliefde vader zo'n ongelofelijke klap was dat ik die eerst niet kon aanvaarden.
De laatste weken had ik steeds aan hem gedacht als aan mijn toeverlaat. Nu zou er geen vader meer zijn om naar toe te gaan. Ik schreef een kort briefje aan Aubrey waarin ik zei wat er gebeurd was en dat ik in Londen moest blijven voor de begrafenis. Daarna kwam ik meteen terug naar de Munster.
Er was zoveel te doen dat ik op de een of andere manier de dagen doorkwam. Ik was heel blij met de hulp van Polly en Jane maar voelde ook dat ze zich bezorgd maakten over hun toekomst, al hadden ze te veel tact om er tegen mij over te beginnen. Ik probeerde tot een conclusie te komen. Het huis was voor mij altijd een symbool geweest van ontsnapping. Als ik ooit uit de Munster vertrok, zou ik iets hebben om naartoe te gaan.
Nu was dat natuurlijk veranderd. Maar ik besloot dat ik, als ik het me permitteren kon, het zou houden... althans voor een tijd. Als ik eenmaal wist wat mijn positie was, kon ik de zaak beter beoordelen. Ik wist dat mijn vader niet arm was en dat alles wat hij had – behalve een paar legaten, aan mij zou komen. Ik zou in zekere mate onafhankelijk zijn. Zelfs als ik hier niet kon wonen, was het huis een toevluchtsoord.
Oom James en tante Grace kwamen met Ellen en haar man naar de begrafenis. Ze nodigden me uit een paar dagen met hen terug te gaan, maar ik zei dat ik zo gauw mogelijk naar huis en naar mijn kleine jongen wilde. Dat begrepen ze volkomen en ze zeiden dat ik later met hem en met mijn man moest komen logeren. Het idee van Aubrey in de pastorie bracht me bijna aan het lachen, zo ongerijmd was het; maar ik bedankte hen voor hun vriendelijkheid en zei dat ik eraan zou denken.
Het was hartverscheurend te zien hoe de kist van mijn vader in het graf werd neergelaten en te luisteren naar de kluiten aarde die op het gepolijste hout vielen. Nu moest ik de vreselijke realiteit onder ogen zien dat hij er nooit meer zou zijn. Ik voelde me verlaten en alleen.
Thuis moest het testament worden voorgelezen. Zoals ik al had vermoed, kwam het grootste deel van zijn geld aan mij. Ik was weliswaar niet rijk, maar wel onafhankelijk. Ik kon leven – niet buitenissig, maar royaal genoeg.
Op dat ogenblik besloot ik het huis te houden. Dat zou de zorgen van Jane en Polly en van Joe Tugg verminderen; en het zou mij een huis geven wanneer ik ontsnappen kon, want ik hoopte nog steeds dat het zou lukken.
Toen ik het hun vertelde, waren ze intens opgelucht.
'We zullen zorgen dat het huis er mooi uit blijft zien,' zei Jane.
'En als u dan met de kleine jongen op bezoek komt,' voegde Polly eraantoe, 'zal dat heerlijk zijn.'

Joe zei dat hij ervoor zou zorgen dat het rijtuig piekfijn in orde bleef en dat ik trots zou zijn om erin te rijden.
Dus dat was geregeld.
De dag na de begrafenis vertrok ik naar de Munster.

Zodra ik op het station aankwam, voelde ik iets ongewoons. De stationschef begroette me ernstig, vreemd voor iemand die zo graag een praatje hield. Jim, de kruier, keek de andere kant op. Er was geen vervoermiddel om me te halen, want ik had niet geschreven wanneer ik aankwam; maar het station had een vigilante die me naar huis bracht.
De stilte was overal. Er was niemand. De deur van de hal was overdag nooit op slot, dus ik kon zo naar binnen gaan.
Ik rende de trap op naar de kinderkamer.
'Julian!' riep ik. 'Ik ben thuis!'
Stilte.
De blinden in de kinderkamer waren gesloten. Het bedje was leeg, maar in een hoek van de kamer stond op schragen iets waar ik koude rillingen van kreeg.
Ik liep erheen en keek.
Het was of ik flauw zou vallen, want daar, met een uitdruking van diepe vrede op zijn koud en wit gezichtje, lag mijn zoon.
De deur ging open en Nanny Benson kwam binnen.
'O...' zei ze. 'We wisten niet dat u vandaag thuiskwam.'
Ik staarde haar alleen maar aan. Toen keek ik in de kist.
'Twee dagen geleden,' zei ze. Ik voelde dat de hele wereld om me instortte. Ik droomde. Dit was een nachtmerrie.
Nanny Benson begon te huilen. 'O, het arme kleine ventje. Het gebeurde zo snel.'
'Mevrouw Pollack...' riep ik. 'Waar is mevrouw Pollack?'
De oude vrouw keek me aan met trillende lippen. Louie verscheen in de deuropening. Ik had haar nog nooit zo plechtig zien kijken.
'Er zijn vreselijke dingen gebeurd,' zei ze. 'Mevrouw Pollack ging naar de stad en we hebben haar niet meer gezien.'
'Het is krankzinnig,' zei ik. 'Iedereen is krankzinnig, de hele wereld... vertel het me in godsnaam.'
'Mevrouw Pollack heeft cholera gekregen. Behalve mevrouw Pollack waren er twee gevallen in de stad. De dag nadat u vertrok, ging ze erheen om een paar boodschappen te doen en ze kwam niet terug. Ze is flauwgevallen in een winkel daar en ze hebben haar naar het ziekenhuis gebracht. Daar is ze gestorven. Het was cholera.'
'Ik... kan het niet geloven.'
'Het is waar. Ze zijn doodsbang voor de cholera. Als je het krijgt, word je apart

gehouden. Ze zijn bang voor een nieuwe epidemie. Ze stopten haar in het ziekenhuis en ze is er nooit meer uitgekomen.'
Dus ze was er niet geweest om voor hem te zorgen. Dat was mijn eerste gedachte. De goede mevrouw Pollack, op wie ik zo gerekend had, was er niet geweest. En hij was gestorven... mijn jongen was gestorven. Ze hadden hem dood laten gaan.
'En mijn kind...' hoorde ik mezelf zeggen.
'Longontsteking. Het ging heel vlug. De ene dag zo fit als een hoentje en de volgende vocht hij voor zijn leven.'
Waarom had ik hem niet meegenomen! Ik wist waarom. Maar toch – waarom had het lot zo'n wrede streek uitgehaald om me weg te roepen en dan mevrouw Pollack te nemen op het moment dat ik haar het meeste nodig had!
'Had hij pijn?'
'Op het laatst vocht hij om adem te krijgen,' zei Louie.
'Ik wil de dokter spreken.'
'Dokter Calliber kwam pas toen alles voorbij was.'
'Waarom? Waarom hebben jullie de dokter niet geroepen?'
'Er was hier een dokter. Een van de gasten van meneer Aubrey. Hij heeft naar hem gekeken en hem iets gegeven, hè, tante Em?'
'Een van de gasten!'
'Ja... een van hen.'
'Was er iemand bij hem toen hij stierf?'
Louie zei: 'Ja... ik.'
Ik had haar kunnen slaan. O nee! Dacht ik. Niet Louie. Die dacht natuurlijk aan afspraakjes met haar minnaars terwijl mijn kind lag te sterven!
'Meneer Aubrey kwam boven toen hij het hoorde. Hij was hier tot het eind.'
Ik kon hun aanblik niet langer verdragen.
'Laat me alleen!' riep ik. 'Laat me alleen met hem. Ga weg!'
Ze slopen weg.
Ik boog me over de kist en keek neer op het geliefde gezichtje. 'Julian,' fluisterde ik. 'Ga niet weg. Kom bij me terug. Ik ben er nu. Mijn liefste jongen. Kom terug, en dan zullen we nooit, nooit meer gescheiden worden.'
Ik bad om een wonder. 'O God, laat hem opstaan uit de dood. U weet wat dit kind voor me betekent. Ik wil niet leven zonder hem. Alstublieft... alstublieft... God.'
Ik stelde me hem voor, koortsig, misschien riep hij om mij. Mevrouw Pollack was er niet om hem te troosten. Het wrede, boosaardige lot had haar genomen. De dood was onverzoenlijk, het leven ondraaglijk. Mevrouw Pollack, die zo vol leven was geweest, had cholera gekregen die kort geleden zoveel slachtoffers had gemaakt en er misschien nog meer opeiste. Mijn lieve vader, die rots van wie ik geloofde dat ik me er altijd op zou kunnen verlaten, was van me afgenomen; en

terwijl ik zijn begrafenis organiseerde, lag mijn eigen kind te sterven.
Het was te veel om te verdragen. Ik kon me nog niet realiseren wat ik allemaal verloren had.
Ik was in de war en alleen. Ik was wanhopig. Ik weet niet hoe lang ik bij dat kistje stond.

Aubrey kwam binnen. 'Susanna,' zei hij zacht, 'ik hoorde dat je thuis was. Lieve kind, dit is verschrikkelijk. En je vader. Ik vind het heel erg. Maar je kunt hier niet blijven. Kom, laat ik je naar je kamer brengen.'
Hij zou mijn arm hebben genomen, maar ik deed een stap opzij. Ik kon zijn aanraking niet verdragen.
Ik ging wel naar mijn slaapkamer. Julians bedje was weggehaald en de kamer zag er kaal en leeg uit.
Aubrey volgde me.
'Dit is een vreselijke schok voor je,' zei hij, 'en dat het moest gebeuren tijdens de begrafenis van je vader...'
'Ik had hem mee moeten nemen,' mompelde ik, meer tegen mijzelf dan tegen hem. 'Dan zou dit nooit zijn gebeurd.'
'Het kon niet worden voorkomen. Het ging zo snel. De ene dag verkouden, de volgende een longontsteking.'
'Wanneer is mevrouw Pollack gestorven?'
'Arme vrouw. Het was vreselijk. Het was op de dag na je vertrek.'
'Je had het me moeten zeggen. Dan was ik teruggekomen en had mijn baby meegenomen, wat je ook deed. Er was niemand om voor hem te zorgen.'
'Er was Nanny... en Louie.'
'Een van whisky doordrenkte oude vrouw en een wuft kind wier gedachten bij de volgende ontmoeting met de heer des huizes waren.'
'O kom, Susanna, dat helpt niet.'
'Maar er was niemand om voor hem te zorgen. Je hebt zelfs niet dokter Calliber geroepen.'
'Dat was niet nodig. Het was zo plotseling. En er was een dokter in huis.'
Ik staarde hem aan en voelde nieuw afgrijzen. 'Het was Damien,' zei ik.
'Ja, hij logeerde hier die nacht.'
'En mijn kind werd aan hém toevertrouwd!'
'Hij is een van de meest vooraanstaande dokters ter wereld. Men geeft hoog van hem op.'
'In jouw tempels der zonde zeker!'
'Je bent onredelijk.'
'Ik probeer te begrijpen hoe een volkomen gezond kind zo plotseling kan sterven.'
'Je praat alsof kinderen nooit doodgaan. Ze sterven aanhoudend... aan deze of

gene ziekte. Het is niet eenvoudig kinderen groot te brengen. In feite is kindersterfte vrij normaal.'

'Misschien onder degenen voor wie niet gezorgd wordt. Mijn kind is verwaarloosd. Ik was er niet. Mevrouw Pollack die hem verzorgde, was er niet. Ik zie het allemaal heel duidelijk. Zijn koorts... zijn ademhalingsmoeilijkheden en Nanny Benson snurkend in de kamer ernaast, terwijl de verrukkelijke Louie rondsprong in de Duivelsgrot.'

'Ik maakte me ongerust over het kind.'

'Wanneer heb je ooit om hem gegeven?'

'Ik gaf wel om hem. Ik was niet aanhoudend met hem bezig en verwende hem niet zoals jij.'

'Verwennen! Hij was niet verwend. Hij was volmaakt...' Mijn stem brak.

'Goed. Het was een lief kind. Hij was mijn erfgenaam. Ik wilde het beste voor hem. Daarom...'

'Daarom nam je Amelia mee in je rijtuig en organiseerde een ongelukje... O, niet met gevaar voor jezelf of het rijtuig, maar om van Amelia's kind af te komen dat onze hoop in rook had doen opgaan.'

Hij was heel bleek geworden en ik dacht: Hij heeft het natuurlijk gedaan.

'Het spijt me dat je denkt dat ik schuld heb aan zoiets,' zei hij.

'Toch denk ik dat.'

'Je hebt wel een lage dunk van me.'

'Het kan niet lager.'

Hij schudde mat zijn hoofd. 'Susanna, ik probeer lief voor je te zijn. Ik weet wat voor schok je hebt gehad.'

'Dat weet je niet. Je bent niet in staat van iemand te houden zoals ik hield van mijn kind... en mijn vader. Ik heb beiden verloren. Nu heb ik niemand.'

'Stel dat we probeerden... jij en ik... We zouden weer een kind kunnen krijgen. Dan zou je je beter voelen. Susanna, laten we opnieuw beginnen... Laten we alles achter ons laten.'

Ik keek hem met diepe verachting aan.

Nu weet ik dat hij op zijn manier een hand uitstak om te helpen. De tragedie had hem ontnuchterd, maar ik had te veel verdriet om het te zien. Ik zag alleen mijn eigen tragedie en mijn verdriet werd wat tot rust gebracht door iemand alle schuld te geven. Hij was de voor de hand liggende boosdoener.

Hij wist waar zijn verslaving toe leidde. Ik weet nu dat hij toen wilde dat ik hem zou helpen bij het vechten tegen zijn obsessie; hij wilde terug naar de eerste weken van ons huwelijk, toen we gelukkig waren. Maar ik kon alleen nog maar aan hem denken als aan de man die hij geweest was op die verschrikkelijke nacht in Venetië en aan zijn gezicht op het ogenblik dat ik die grot binnenwankelde en hem met zijn vrienden zag.

Ik zei: 'Je hebt mijn baby gedood omdat je niet voor hem zorgde. Als ik hem

meegenomen had, was hij vandaag gezond. Denk je echt dat hij ooit van mij had mogen doodgaan?'
'Je hebt geen macht over leven en dood, Susanna, dat heeft niemand.'
'We kunnen vechten tegen rampen. Ik verliet een gezond kind en kwam terug bij een dode. Je feestte met je vrienden, terwijl hij lag te sterven. Je merkte niet dat hij ziek was. Je negeerde hem. Je had geen tijd om naar je zoon om te kijken. Waarom liet je dokter Calliber niet roepen?'
'Ik zeg toch dat de beste dokter in huis was.'
'Die pornograaf... die drugsverslaafde! Hij is een moordenaar, Hij heeft mijn kind vermoord.'
'Je praat onzin.'
'Hij gaf hem zijn medicijnen, ja toch?'
'Hij wist wat hij deed.'
'Ik weet dat wat hij deed, de dood van Julian tot resultaat had.'
'Het was te laat om iets te doen. Hij zei dat het te laat was.'
'Te laat! En je hebt dokter Calliber niet laten roepen. O, wat haat ik jou en je kostelijke vriend. Ik zal nooit vergeten wat je mijn kind hebt aangedaan... en mij.'
'Luister, Susanna. De schok is te groot geweest. Dat begrijp ik. Ik wilde je van het station komen halen, het je voorzichtig vertellen.'
'Dacht je dat je manier van vertellen enig verschil zou hebben gemaakt?'
'Nee, natuurlijk niet. Maar om thuis te komen en hem zo aan te treffen moet extra verschrikkelijk zijn geweest.'
'Hoe ik hem vond, doet niet ter zake. Ik vond hem... dood... en daarom haat ik jullie allemaal. Moordenaars zijn jullie! Je dronken nanny, je losbandige vrienden, jij met je gemene praktijken en je laaghartige manier van leven... en het meest van allemaal de dokter, de zogenaamde dokter. Ik heb zijn boeken gelezen. Ik ken hem via die boeken. Hij verlangt aanhoudend naar sensatie. Hij is erger dan jij, want jij bent zwak en hij is sterk. Hij verbergt zijn ondeugd onder een masker van welwillendheid. Ik haat jullie allemaal... al je vrienden... alles wat met jou te maken heeft... maar het meest van allen jou... en hem.'
'Ik zal iets voor je boven laten brengen en dokter Calliber vragen je te komen bezoeken.'
Ik lachte bitter. 'Jammer dat je voor je zoon niet even zorgzaam was. Dan had je dokter Calliber kunnen vragen naar hem te kijken. Dan had hij de aandacht van een echte dokter gehad.'
Ik gooide me op mijn bed en zonk weg in de meest rampzalige ellende.

Ik kan me het voorbijgaan van de uren niet herinneren. De dag ging over in de nacht en het was opnieuw dag, maar verlichting van mijn verbittering was er niet.

De dag dat ze mijn kind begroeven, bewoog ik me als in trance. Ik tuurde vol ongeloof naar de kleine kist die de resten droeg van het wezen dat alles ter wereld voor me had betekend. Alles had ik kunnen dragen als hij me maar gelaten was. Het luiden van de klokken sprak van mijn verdriet, ik luisterde niet naar de woorden van de predikant.
Julian werd begraven in het St Clare mausoleum tussen zijn voorouders... Stephen die zo kort geleden was gestorven, en die Harry St Clare die de tempel en de grot had gemaakt en er onheilige riten had uitgevoerd.
Ik was nog steeds als verdoofd; een verlammende apathie had me in zijn greep en ik kon alleen maar denken dat ik mijn kind verloren had.
We kwamen terug in huis. Ik sloot me op in mijn kamer en wilde niemand zien. Aubrey stuurde dokter Calliber naar me toe en het praten met hem bracht me weer tot leven.
Hij zei dat hij mijn verdriet begreep, maar dat ik me moest beheersen, anders werd ik ziek.
'U krijgt nog wel meer kinderen, mevrouw St Clare,' zei hij. En, geloof me, na verloop van tijd zal het verlies minder pijnlijk zijn.'
Ik wilde niets over mijzelf horen. Ik wilde weten van Julian.
'Het was een kwaadaardige aanval,' zei dokter Calliber. 'Er was weinig wat je voor hem had kunnen doen.'
'Maar als u op tijd was gekomen... bericht had gekregen...'
'Wie zal het zeggen? Sterfte onder jonge kinderen is groot. Het verbaast me altijd hoeveel er overleven.'
'En toen u kwam, dokter Calliber?'
'Toen was hij al dood.'
Al dood! De woorden weerklonken in mijn hoofd.
'Een andere dokter heeft hem gezien... iemand die hier in huis logeerde.'
'Ja, dat heb ik gehoord. Ik heb hem niet gezien.'
'Als u op tijd was geroepen...' drong ik aan.
'Wie weet. En nu houd ik me met u bezig. Ik zal u een tonicum sturen. Dat moet u regelmatig innemen, mevrouw St Clare, en probeer te eten. Vergeet niet dat dit geen zelden voorkomend geval is. U krijgt nog heel wat kinderen, voorspel ik, en dan is het verlies van deze niet meer zo groot.'
Toen hij weg was, ging ik uit het raam naar het bos zitten kijken, met felle woede in mijn hart.
Ze hadden hem gewoon laten doodgaan. Die dokter was degene die hem gezien had, niet de redelijke dokter Calliber, maar de Demon Dokter. Ik was ervan overtuigd dat hij mijn kostbare kind een van zijn experimentele medicijnen had gegeven en dat dat hem had gedood. Op een dag zou ik me op hem wreken.
De gedachte aan wraak bracht me, vreemd genoeg, troost. Het leidde mijn gedachten af van dat bleke, kalme gezichtje in de doodkist, van de herinnering

aan mijn vrolijke jongetje, van het klokgelui. Het leven scheen weer een doel te hebben.
En als ik de slechte dokter aansprak? Wat zou er gebeuren als ik zei wat ik van hem dacht, als ik hem beschuldigde van moord op mijn baby met zijn giftige middelen... en van het ruïneren van mijn echtgenoot?
Ik geloof niet dat ik, behalve afkeer, nog iets voor Aubrey voelde, maar op een vreemde manier had ik met hem te doen. Er waren ogenblikken waarop hij vanuit zijn werelds uiterlijk naar buiten keek en om hulp vroeg. Misschien was het gewoon fantasie. Hij had de weg naar zijn ondergang al te ver afgelegd om terug te keren. Maar hij wist het wel en misschien waren er ogenblikken waarop hij terugkeek naar wat hij had kunnen zijn.
De dokter die mijn kind had gedood, had Aubrey gemaakt tot wat hij was.
Waarom verscheen hij in tijden dat er rampen waren? Hij was een voorbode van het kwaad. Hij was er geweest in Venetië. Hij was in de Munster toen Julian stierf.
Hij was als een boze geest. Ik zag hem met hoorns en een gespleten voet als dat beeld in die griezelige grot. Hij was een geheimzinnige figuur, een onheilspellende figuur.
Er werd een hevig verlangen in me geboren om deze man te zien. Ik denk dat ik probeerde mijn verdriet te verzachten door na te denken over iets anders dan mijn hartverscheurend verlies.
Ik zou hem opsporen. Ik zou hem confronteren met wat hij had gedaan. Misschien kon ik voorkomen dat hij andere levens net zo te gronde richtte als dat van Aubrey... en van mij.
Ik was misschien melodramatisch en absurd, maar ik moest iets hebben wat me weer belangstelling in het leven gaf; en de gedachte aan wraak gaf me die. Het was het enige wat mijn diepe wanhoop verminderde. Het scheen dat ik nu iets had om voor te leven; mijn zoektocht naar de Demon Dokter... de man die, hield ik vol, mijn kind had gedood.
Ik kon er met niemand over spreken. Dit zou mijn geheim zijn. Mensen zouden denken dat ik gek was als ik veronderstelde dat de dokter mijn kind had gedood. Julian was ernstig ziek geweest toen die dokter hem gezien had. Dat was waar. Maar verder geloofde ik dat hij op hem had geëxperimenteerd met zijn gevaarlijke drugs.
Mijn woede was intens. Ik stelde me voor hoe ik hem in de ogen zou kijken. Ik zou hem zeggen dat ik tussen de regels van zijn boeken door had gelezen – die avonturen in verre plaatsen, India, Arabië – en ik zou zeggen: 'U hebt u overgegeven aan inlandse gewoonten. U bent inlander geworden. U sprak Urdu en Hindi en Arabisch als een inlander, vertelt u. U hebt een donkere huid.' Ik stelde me zijn diepliggende, flitsende ogen voor, geheimzinnig in een donker gezicht. 'Het was gemakkelijk voor u om u te vermommen.' Ik verbeeldde me

hoe hij de gewoonten volgde, zich gedroeg als een van hen, er mogelijk een harem op nahield. Dat viel vast in zijn smaak – in naam van wetenschappelijk onderzoek, natuurlijk.

En dat alles deed hij als de machtige dokter. Hij had ontdekkingen gedaan die niemand anders gedaan had; hij had veel toegevoegd aan zijn kennis van medicijnen. Zoveel dat hij mijn man te gronde had gericht en mijn zoon had vermoord met zijn afschuwelijke middelen.

Haat was een deel van mijn dag geworden. Ik herlas zijn boeken en zag er meer in dan eerst. Ik stelde me zijn donker, satanisch gezicht voor, want al had ik het nooit gezien, toch stond het helder in mijn verbeelding. Ik peinsde over hem, kweekte mijn woede, klampte me eraan vast, zoals een drenkeling zich vastklampt aan een vlot. Want ik ontdekte dat ik, als ik aan deze man dacht, niet langer wilde sterven. Ik wilde leven om mij op hem te wreken.

Er gingen enkele weken voorbij. Ik was mager geworden en mijn lengte maakte dat ik er schonkig uitzag; mijn jukbeenderen, altijd al wat opvallend, waren het nu nog meer; mijn ogen waren groot en treurig en mijn lippen alsof ze vergeten waren wat lachen was.

Aubrey had het opgegeven met me te redetwisten. Hij haalde zijn schouders op alsof hij zijn handen van me aftrok.

Er kwamen weer mensen voor de weekeinden. Ik kon wel raden wat er gebeurde en het kon me niet schelen.

Er was een tijd dat ik midden in de nacht wakker werd. Dan zat ik rechtop in bed en zei tegen mijzelf: Je moet iets doen.

En plotseling, in een flits van inspiratie, wist ik wat.

Ik zou de Munster verlaten – niet voor een bezoek aan Amelia, zoals ze had voorgesteld, niet naar oom James en tante Grace – ik zou weggaan en nooit meer terugkomen.

Ik zou nooit over mijn verdriet heen komen als ik hier bleef. Er waren te veel herinneringen. De Munster was voor mij een plaats van gruwelen. Ik werd achtervolgd door herinneringen van wat ik had gezien in de grot; en ik wist dat Aubrey slechter zou worden, nooit beter. Overal waar ik ging, waren herinneringen aan Julian. Ik werd er plotseling door overvallen. Maar ik moest blijven leven als ik zijn dood wilde wreken en dat kon ik niet doen zolang ik hier was. Bovendien wilde ik Aubrey niet meer zien. Iedere keer als ik hem zag, voelde ik mijn woede, die me bijna deed stikken. Ik gaf hem de schuld, want ik geloofde dat zijn zorgeloosheid Julians dood had veroorzaakt. Dat kon ik hem niet vergeven. Ik moest weg.

Toen, midden in de nacht, leek het heel simpel. Ik had het huis in Londen. Ik had Polly en Jane en Joe om voor me te zorgen.

Ik wist niet precies wat ik zou doen, maar iets zou het zijn. Ik zou een nieuw

leven beginnen. Ik zou niets meenemen. Ik zou me gewoon juffrouw Pleydell noemen, zoals voor mijn huwelijk met Aubrey.
Toen ik de volgende ochtend wakker werd, verbaasde het me dat het plan niet zomaar een nachtelijke fantasie was. Het was mogelijk. Bovendien voelde ik me nu veel beter.
Ik zou mijn spullen pakken en ervoor zorgen dat ze naar Londen werden gestuurd. En zelf zou ik zo gauw mogelijk vertrekken.
Ik vertelde Aubrey wat ik van plan was.
'Je wilt zeggen dat je me verlaat?'
'Ja.'
'Is dat verstandig?'
'Ik denk dat het een van de verstandigste dingen is die ik ooit heb gedaan.'
'Weet je dat zeker?'
'Ik ben er zekerder van dan van alles wat ik heb gedaan.'
'Dan heeft het geen zin te proberen je te overtuigen. Maar ik moet je zeggen dat je jezelf in een uiterst moeilijke positie plaatst. Een vrouw die haar man verlaat...'
'Ik weet dat vrouwen hun man niet horen te verlaten. Mannen mogen zich gedragen zoals ze willen. Ze kunnen honderd maîtresses hebben, en dat is acceptabel omdat het mannen zijn.'
'Er is één voorwaarde,' zei hij. 'Het mag nooit ontdekt worden. Dus is het niet zo gemakkelijk... zelfs niet voor hen. Maar je hebt je besluit genomen en ik weet dat je een zeer vastberaden vrouw bent.'
'In het verleden ben ik niet vastberaden genoeg geweest.'
'En nu wil je dat goedmaken.'
'Ik zal me beter voelen als ik alleen ben. Niets is erger voor me dan hier te blijven en niets houdt me hier nu nog. Je kunt me niet chanteren om me te laten blijven zoals je is gelukt toen Julian nog leefde.'
'Je vat het allemaal te zwaar op,' zei hij.
'Vaarwel, Aubrey.'
'Ik zeg liever tot ziens.'
'Wat je zegt, maakt voor mij geen verschil.'
Vastbesloten verliet ik hem. Ik pakte mijn laatste koffer en stopte de boeken die Stephen me te lezen had gegeven, erbij.
Toen keerde ik terug naar Londen.

Een ongeluk in Oxford Street

Mijn besluit was zo onverwacht geweest dat ik geen tijd had gehad hen te waarschuwen dat ik kwam. Met een plotseling behaaglijk gevoel dacht ik dat Joe me voortaan zou kunnen afhalen en me in mijn eigen rijtuig brengen waarheen ik wilde. Het gaf me een gevoel van vrijheid dat ik nooit eerder had gekend en dat alleen maar plezierig kon worden genoemd.
Ik liet mijn bagage aan het station achter en nam een huurrijtuig naar huis.
De deur werd geopend door Polly die me met grote ogen aankeek. Haar glimlach van vreugde verwarmde mijn hart.
'Nee maar, als dat onze mevrouw niet is!' riep ze. 'Jane... kom gauw hier. Mevrouw is er.'
Even later omhelsde ik hen beiden en het was wel leuk te denken wat tante Grace zou hebben gezegd als ze me zo ongeremd met mijn bedienden had gezien. Het was duidelijk dat mijn huishouden zeer onconventioneel zou zijn.
'Ik kom voorgoed thuis,' zei ik. 'Ik ben vertrokken uit de Munster... voor altijd.'
Er volgde een verbijsterde stilte. Toen zei Polly: 'Ik weet waar u behoefte aan hebt en dat is een lekkere kop thee.'
Ik dacht niet dat ik ergens behoefte aan had, maar toen de thee kwam, liet ik hen nog twee kopjes halen en bij me blijven – en het was verbazingwekkend hoeveel troost ze me gaven.
Ik vertelde hun wat er gebeurd was, van Julians dood en mijn besluit mijn man te verlaten. Ze luisterden in eerbiedig zwijgen, maar hun meegevoel was groot. Natuurlijk zei ik niets over de tempel.
'Jane, Polly, ik zal een nieuw leven moeten beginnen en jullie moeten me helpen.'
'Er is niets wat we niet zouden willen doen, wat jij, Pol?'
Polly zei met nadruk dat dat waar was.
'Ik wil volslagen breken met mijn oude leven. Ik wil proberen het te vergeten. Mijn jongen vergeet ik nooit... maar er zijn andere dingen.'
Ik was verbaasd over hun tact. Ze stelden geen vragen maar wachtten tot ik iets zeggen zou.
'Ik wil een heel ander iemand worden. Ik ben mevrouw St Clare niet meer. Ik wil vergeten dat ik dat ooit geweest ben.
Ze knikten. In die korte verklaring had ik hun duidelijk gemaakt dat mijn huwelijk niet langer draaglijk voor me was
'Ik ga terug naar de naam die ik had voordat ik getrouwd was. Ik noem me weer juffrouw Pleydell.'
Opnieuw knikten ze.
'En ik noem me zelfs geen Susanna meer. Voortaan heet ik Anna.'

Dat was in de trein bij me opgekomen. De stem van mijn aya klonk na al die jaren, toen ze zei: 'Er zijn er twee van jou; Susanna en Anna. Susanna... zij is het lieve meisje dat in vrede wil leven, die accepteert wat er is. Maar Anna is er ook. Zij zal de sterke zijn. Ze zal krijgen wat ze wil en doet het met niets minder dan dat.'

Ze had gelijk gehad. Ik had een dubbele persoonlijkheid; en nu had ik alle kracht, alle veerkracht, alle vastberadenheid nodig die de sterke kant van mijn karakter vormden.

Nu al leek Anna Pleydell een ander iemand dan Susanna St Clare.

'Dus jullie noemen me juffrouw Pleydell. Dat lukt gemakkelijk.'

'Ja, we zorgden voor Kolonel Pleydell, dus is het heel gewoon dat we voor zijn dochter, juffrouw Pleydell, zorgen,' vond Jane.

'Jullie beiden hielden van mijn vader... en van mijn zoon.'

Jane beet op haar lippen en Polly wendde haar hoofd af om de tranen in haar ogen te verbergen.

'Ik zal ze nooit vergeten...' Mijn stem haperde en plotseling stroomden de tranen. Het was de eerste maal dat ik huilde sinds het begin van mijn verdriet. En nu snikte ik alsof mijn hart zou breken en Jane en Polly huilden mee.

Jane was de eerste die tot zichzelf kwam. Ze schonk een kop thee in en bracht die bij me.

'Daar,' zei ze. 'Dit brengt de varkens niet naar de markt, zoals de boer zei toen het wiel losliet en de paarden ervandoor gingen'.

Polly keek me aan en glimlachte door haar tranen heen.

'Nee,' zei ik, 'dat gaat niet. We moeten praktisch zijn. Ik moet eerst bedenken wat ik zal gaan doen. Dat weet ik nog niet. Er komen geen plannen. Ik weet alleen dat ik me hier beter voel dan waar dan ook, zelfs al is er zoveel dat me aan mijn vader herinnert.'

'Hij was een lieve, goede man en zo aardig voor ons,' zei Jane.

'Hij was er een uit een miljoen,' voegde Polly eraantoe.

'Wij zullen voor u zorgen, mevrouw... ik bedoel, juffrouw Pleydell. We moeten er even aan wennen om u zo te noemen, maar het zal wel lukken.'

'Ik zal de warme pan in uw bed leggen, juffrouw Pleydell,' zei Polly.

'Zeker,' vond Jane.' We hebben de laatste tijd van die nare, vochtige dagen gehad. Vocht kruipt overal in.'

Ik voelde dat ik gelijk had gehad om te komen.

Later ging ik naar de stallen om Joe goedendag te zeggen. Hij had het nieuws al gehoord.

'Fijn u weer terug te zien, juffrouw Pleydell,' zei hij, met een knipoog om me eraan te herinneren dat hij de instructie niet vergeten was die Jane en Polly hem al haddden gegeven. 'Rijtuigen zijn bedoeld om te rijden, niet om stil te staan. Daar houden ze niet van. Ze hebben een eigen wil, die rijtuigen. Alsof ik dat

niet wist... nadat ik ze al die jaren van Londen naar Bath gereden heb.'
Ik kon meegevoel in zijn ogen zien; Jane en Polly hadden hem natuurlijk alles verteld wat ik hun verteld had; ze hadden allemaal van mijn vader en van Julian gehouden. Ze deelden mijn verdriet zoals niemand in de Munster het gedaan had, voelde ik.
Ja, dacht ik, ik geloof dat ik een nieuw begin kan maken.

Het was niet gemakkelijk. Toen ik die morgen wakker werd, voelde ik de depressie op me neerdalen. Ik had vaag van Julian gedroomd en dacht: Wat doe ik hier? Wat is er voor hoop op het begin van een nieuw leven? Wat geeft het waar ik woon? Of ik hier ben of in de Munster, het verlies is hetzelfde.
Jane kwam binnen met een kop hete chocola. En wat ik voor het ontbijt wilde hebben, vroeg ze.
'Niets, dank je, Jane.'
Ze schudde haar hoofd. 'Was het bed gemakkelijk? Hebt u lekker geslapen?'
'Het bed was goed. En als ik slaap, droom ik.'
'Drink die chocola maar op. Dat is gezond.'
Ze bleef staan alsof ze niet zou bewegen tot ik het op had. Tot op zekere hoogte deed ze me aan mijn aya denken, daar had ik de laatste tijd veel aan gedacht. Ze had iets geweten over die Demon Dokter. Ik wilde dat ze het me had verteld.
Ik dronk de chocola om Jane een plezier te doen, ging weer liggen en vroeg me af wat ik zou gaan doen als ik opstond. Ik zou een ritje moeten maken om Joe een genoegen te doen. 'Rijtuigen zijn niet bedoeld om niet te rijden.'
Hij kon mijn bagage van het station halen en daarna kon ik uitpakken. De dag zou op de een of andere manier wel omgaan. Waarom had ik gedacht dat in Londen alles anders zou zijn?

De dagen gingen wel langzaam voorbij. Zo nu en dan maakte ik een ritje door de straten van Londen ter wille van Joe. Een enkele maal deed ik een boodschap. Jane en Polly bedachten maaltijden voor me, waar ik als een vogel iets van pikte, zei Jane vol afkeuring.
'U gaat eruitzien als een geraamte,' zei Joe tegen me. 'U moet er toch een beetje vlees op aanbrengen, juffrouw Pleydell. Botten zijn zonder dat niet veel waard.'
'Ik voel me goed, Joe,' zei ik.
'Neemt u me niet kwalijk, juffrouw Pleydell, maar dat is niet waar,' antwoordde hij scherp.
Ik denk dat hij met Polly en Jane over me praatte. Ze maakten zich echt ongerust over me.
Ik weet niet hoe lang ik in die toestand van lethargie zou zijn gebleven zonder het ongeluk in de Oxford Street die Lily Craddock in mijn leven bracht.

Een enkele maal ging ik boodschappen doen. Dan kocht ik spulletjes voor het huis en ook vond ik het prettig kleinigheden voor Jane en Polly uit te zoeken, die ik zeer dankbaar was. Onze verhouding was niet die van mevrouw en dienstmeisjes. We hadden een gevoel van een gezin in dit huis. Zo was het met mijn vader geweest, en met mij was het dubbel zo, denk ik, door de omstandigheden. Ze voelden voor mij, maakten mijn verdriet tot het hunne, en ik wist dat ze zich alle drie zorgen maakten over mijn gezondheid. Aubrey zou gezegd hebben dat ze zich druk maakten over hun eigen toekomst, niet over de mijne, want als ik ziek werd en doodging, wat zou er dan van hun gemakkelijke baantjes terechtkomen? Maar ik wist zeker dat ze voor me voelden – Jane, Polly, Joe, alle drie.

Joe reed met me op een van die kleine winkel expedities en toen we uit de zaak kwamen waar ik handschoenen had gekocht en over de Oxford Street reden te midden van vrij druk verkeer, hield Joe plotseling met een ruk de paarden in. Ik keek uit het raampje. We stonden stil en er kwamen mensen om ons heen. Joe stapte af en ik kwam uit het rijtuig. Geschrokken zag ik midden op de weg een meisje liggen, met bloed op haar gezicht.

Joe keek me aan. Ze vloog zomaar van het trottoir... precies onder de paarden en voor ik iets kon doen, lag ze op de grond. Er was geen tijd om de paarden te stoppen.'

Ik knielde bij het meisje.

Ze zag er aardig uit met een massa blond, krullend haar; haar blauwe ogen keken me smekend aan.

Ik zei: 'Het is al goed. We zullen voor je zorgen.' Ik legde mijn hand op haar voorhoofd. Ze sloot direct de ogen en leek getroost.

De koetsier van een voorbij komend rijtuig leunde naar buiten en riep: 'Wat heb je nou gedaan, Joe? Breng haar naar het ziekenhuis... gauw.'

Ik vond het een goed idee.

Een politieagent baande zich een weg door de menigte die opgedrongen was. Ik zei dat het meisje de rijweg was opgerend, precies onder de paarden. 'Ik wil haar graag naar het ziekenhuis brengen,' zei ik.

De politieagent vond dat dat het beste was om te doen.

Instinctief nam ik de leiding. 'We moeten zien of ze geen botten heeft gebroken,' zei ik 'In dat geval hebben we een brancard nodig.'

De politieagent vroeg: 'Kunt u opstaan, juffrouw?'

Ik zei: 'Laat mij eens,' en knielde bij haar neer. Ze wendde haar ogen naar mijn gezicht en ik merkte dat ze me vertrouwde. Ik was me bewust van een warme gloed. Plotseling voelde ik me handig en blij dat ik er was, zodat ik zoveel mogelijk voor haar kon doen.

Ik zei: 'Je bent op de grond terechtgekomen. We willen weten of je iets gebroken hebt. Mag ik even zien wat ik kan doen?'

Ik raakte haar benen aan. Ze kromp niet in elkaar dus kwam het bij me op dat ze, als ze erop kon staan, geen been gebroken had. Ik hielp haar overeind en ze stond zonder pijn. Kennelijk waren er geen gebroken benen.
'We brengen je naar het ziekenhuis,' zei ik.
Ze schrok, maar ik fluisterde haar geruststellend toe: 'Het komt wel in orde. We zullen zien wat ze te zeggen hebben.'
De agent knikte zijn instemming en we hielpen het meisje in het rijtuig.
'St David is niet ver weg,' zei de politieagent en voegde eraantoe dat hij met ons mee zou gaan.
Het meisje zat tussen ons in. Ik zag dat ze zich van de man terugtrok en zich tegen mij aan drukte. Ik was opgelucht, omdat ik niet dacht dat ze ernstig gewond was.
Ik vroeg hoe ze heette. Ze heette Lily Craddock. Ik gaf haar mijn naam en adres, maar twijfelde of ze in staat was dat in zich op te nemen.
We kwamen bij een groot, grijs gebouw.
'Ik denk dat ik haar beter binnen kan brengen, mevrouw,' zei de politieagent.
Het meisje keek me smekend aan en ik zei: 'Ik kom vanmiddag om te zien hoe het met je gaat.'
Ze gaf me een zielig half lachje, dat me veel te dankbaar leek voor het beetje dat ik gedaan had. Joe praatte de hele weg naar huis over het incident.
'Ze kijken gewoon niet uit waar ze lopen. Vliegen naar buiten... tilbury's, cabriolets, karren en sjezen overal. Ze steken maar over, al kost het hun leven. Anders dan de buitenweg, juffrouw Pleydell... doorrijden met een lekkere vaart... en de hoeven van de paarden weerklinkend op de keien.'
'Ja, zo is het. Ik denk dat het wel in orde komt. Ze was, geloof ik, niet erg gewond.'
'Daar dank ik de sterren voor. Ik zou niet graag een lijk op mijn geweten hebben. Na al die jaren van goed rijden zou dat niet prettig zijn. Toch zou het helemaal de fout van dat jonge ding zijn geweest.'
'Arm kind! Misschien dacht ze aan andere dingen. Ze had een aardig gezichtje.'
Dat weet je nooit met die meisjes, juffrouw Pleydell. De mooisten zijn dikwijls de slechtsten.'
Ik merkte dat ik om hem lachte en kwam met een schok tot mijzelf. Ik lachte tegenwoordig niet. Er was geen lach voor me over in dit leven.
Maar ik moest de waarheid onder ogen zien. Het was zeker een uur geleden dat dat meisje onder het rijtuig terechtgekomen was en al die tijd had ik niet aan Julian of mijn vader gedacht.
Het ongeluk van het arme kind had me een uur van vergetelheid gegeven.
Ik kwam thuis en deed zelf de deur open. Poly kwam me vertellen dat het bijna tijd voor de lunch was.
'Ik weet het,' zei ik. 'Ik ben later dan ik dacht. We hebben een meisje in de

Oxford Street aangereden en haar naar het ziekenhuis gebracht.'
'Heilige moeder!' riep Polly. 'Was ze erg gewond?'
'Ik geloof van niet. Geschokt, natuurlijk. Ze vinden alles wel uit in het ziekenhuis. Ik ga vanmiddag naar haar toe.'
De twee meisjes keken me geschrokken aan.
'U gaat toch niet naar een van die plaatsen, juffrouw?'
'Het ziekenhuis, bedoel je? Ja, natuurlijk. Ik wil weten hoe het kind het maakt. Tenslotte was het mijn rijtuig dat haar aangereden heeft.'
'Ze moet ergens geweest zijn waar ze niet hoorde. Joe zou haar nooit aangereden hebben als ze niet op de verkeerde plek was.'
'Het was waarschijnlijk haar eigen schuld, maar dat maakt geen verschil. Ik ga haar opzoeken. Ik voel me verantwoordelijk voor haar.'
'O, juffrouw. U kunt niet naar een ziekenhuis gaan.'
'Waarom niet?'
'Die zijn niet voor mensen zoals u.'
Ik keek hen vragend aan. En ze kregen de blik in hun ogen die ik zo goed begon te kennen en die me altijd amuseerde. Het betekende dat ik onschuldig was en niet veel wist over de manieren van de slechte grote stad. Zij waren hier geboren en getogen, ze waren wijzer dan ik; zij wísten alles.
'Ziekenhuizen zijn verschrikkelijke plaatsen, juffrouw,' zei Jane.
'Natuurlijk. De mensen zijn ziek of stervende.'
'Ik zou liever dood zijn dan naar een ervan toegaan. Laat mij daar nooit worden opgenomen, Polly... al is het mijn laatste ademtocht.'
'Ik moet dat meisje opzoeken om te zien hoe het met haar gaat.'
'Juffrouw, alleen het ergste van het erge komt er,' zei Polly. 'Er was een tijd dat Jane en ik erover dachten erheen te gaan... verplegen, weet u, als een soort beroep. We hebben jaren voor ma gezorgd en dachten dat we er goed in waren. Maar die verpleegsters... de helft van de tijd dronken... ze zijn het laagste van het lage.'
'Ik ga naar dat meisje toe. Ze heet Lily Craddock. Ik ga vanmiddag en niets kan me tegenhouden.'
Jane haalde haar schouders op. 'Er is vis voor de lunch,' zei ze. 'Hij is zo vers dat hij smelt in je mond.'
Ik ging zitten en ze bleven om me heen om me te bedienen.
Het verbaasde me dat ik iets eten kon.

Ik zal nooit mijn bezoek aan het ziekenhuis vergeten. Zodra ik binnenkwam, was ik me bewust van de stank. Ik kon niet bedenken waar die vandaan kwam en wist alleen dat je er misselijk van werd. Later kwam ik erachter dat het vuil en gebrek aan hygiëne was.
Ik liep een kamer binnen waar een grote, slordige vrouw aan een tafel zat. Ze leek half te slapen.

Ik wekte haar en zei: 'Ik kom voor Lily Craddock die vanmorgen is binnengebracht.'
Ze keek me verbaasd aan, alsof ik heel bijzonder was. Toen wees ze met haar duim over haar schouder in de richting van de deur. Ik duwde die open en ging een andere kamer binnen.
Jane en Polly hadden wel gelijk! Het was een afschuwelijke aanblik. De zaal was lang, met verscheidene ramen, waarvan de helft met karton afgesloten was. De vieze stank was hier duidelijker dan erbuiten. Er stonden rijen bedden – zo'n vijftig of zestig, berekende ik – en zo dicht naast elkaar dat er nauwelijks ruimte was om ertussen te komen. Maar de mensen in die bedden schokten me het meest. Sommigen zagen eruit als lijken, op zijn best waren ze in bepaalde stadia van achteruitgang – geelwitte gezichten, vuil, verward haar, verkleurd linnengoed, vol vuil en uitwerpselen. Een of twee richtten zich op hun ellebogen op om me aan te kijken, de meesten waren de dood te dicht genaderd, dacht ik, om nog ergens notitie van te nemen.
Ik liep de zaal door en zei luid: 'Is hier ook een juffrouw Lily Craddock?'
Zo vond ik haar. Ze lag aan het eind van de zaal. Ik passeerde een lange rij en ging naar haar toe. 'Juffrouw... U bent het!' Ik zag de vreugde op haar gezicht en was blij. 'Ik had nooit gedacht dat u zou komen.'
'Ik heb het toch gezegd.' Ik keek haar aan en zag dat ze anders was dan de anderen. In vergelijking met de andere zag haar gezicht er bijna gezond uit.
'Je kunt hier niet blijven. Ik neem je mee.'
Ze schudde haar hoofd.
'Ja,' zei ik resoluut, 'ik neem je mee naar huis. Ik zal voor je zorgen tot je weer helemaal beter bent.'
Een soort verbazing tekende zich af op haar gezicht.
Een vrouw naderde ons. Ze leek iemand te zijn met enige autoriteit.
Ik zei tegen haar: 'Ik ben gekomen om deze jonge vrouw mee te nemen.'
'O,' zei ze en nam me brutaal van het hoofd tot de voeten op.
'Dat kan geen bezwaar zijn, neem ik aan. Het was mijn rijtuig dat haar aangereden heeft. Mijn rijtuig wacht nu buiten op ons. Wilt u zo vriendelijk zijn haar kleren te brengen?'
'Wie bent u, mevrouw?' vroeg de vrouw en ik zag met plezier dat het me op de een of andere manier was gelukt haar ontzag in te boezemen.
'Ik ben juffrouw Pleydell, dochter van Kolonel Pleydell van het Ministerie van Oorlog. Haal even de kleren van het meisje. Als ze niet kan lopen, kan ze wel naar het rijtuig worden gedragen. Zo nodig helpt mijn koetsier.'
'Ik... ik kan lopen,' zei Lily geestdriftig.
De vrouw riep naar iemand anders en zei: 'Deze jonge vrouw vertrekt. We hebben alle bedden nodig die we krijgen kunnen. Het heeft iets te maken met het Ministerie van Oorlog.'

Ik lachte in mijzelf en toen Lily zich had aangekleed – ze had haar ondergoed in bed gedragen – pakte ik haar arm en hielp haar naar de deur.
Joe wachtte om ons in het rijtuig te helpen.
Ik keek het meisje bezorgd aan toen we onderweg waren. 'Hoe voel je je?'
'Beter, dank u, juffrouw.'
'Je zou niet lang beter zijn geweest als je daar gebleven was,' zei ik grimmig.
Zo kwam Lily Craddock in mijn leven en vanaf dat ogenblik begon het te veranderen.

Ik had iets te doen. Iedere ochtend was het eerste waar ik aan dacht de zorg voor mijn patiënte. In het ziekenhuis had ze er vrij gezond uitgezien; dat kwam omdat ik haar vergeleek met mensen die op het punt waren om te sterven. Maar zodra ik haar onder mijn hoede had, ontdekte ik dat ze mager was, ondervoed, bang voor de wereld, en wanhopig proberend voldoende geld te verdienen om in leven te blijven.
De zorg voor haar vulde mijn dagen. Ik maakte plannen voor haar maaltijden, ik verzorgde haar, verpleegde haar en de vreugde toen ik haar onder mijn ogen zag veranderen, was al mijn inspanning waard.
Op een dag zei ze tegen me. 'Ik denk dat mijn beschermengel me onder dat rijtuig heeft gestuurd. Ik wist niet dat er mensen zoals u op de wereld waren. Als ik denk aan wat u voor me gedaan hebt...'
Ik was diep onder de indruk en zei toen tegen mijzelf: Ik geloof niet dat het te vergelijken is met wat je voor mij hebt gedaan...
Ik begon wanhoop en melancholie achter me te laten. Ik zou nooit ophouden met om mijn doden te rouwen, maar bijna als door een wonder was me getoond dat het leven niet helemaal zinloos voor me was. Er was iets waardevols dat ik kon doen.
Lily zei eens: 'Ik voel me beter als u over mijn voorhoofd strijkt. Het is iets in uw handen, juffrouw Pleydell.'
Ik keek naar ze. Lange, spits toelopende vingers – 'artiestenvingers' had iemand eens gezegd. Ik was niet artistiek – tenzij je verplegen een kunst zou kunnen noemen.
In gedachten werd ik achtervolgd door die mensen in het ziekenhuis en de herinnering aan de paar verpleegsters die ik had gezien. Ze waren vies, slordig en slecht verzorgd; ze stonken naar jenever en ik wist zeker dat ze de zieken en kwetsbaren verwaarloosden. Dat leek me vreselijk en ik was blij dat ik Lily mee had kunnen nemen.
Wat mij betreft – ik at meer; de zorg voor Lily gaf me honger. Er werden speciale hapjes voor haar klaargemaakt, want Jane en Polly hadden zich volledig op de taak geworpen haar weer, zoals ze zeiden, 'op de been te helpen.' Soms kwam ik in de verleiding – ja, echte verleiding – om die hapjes met haar te delen en

niets kon Jane en Polly meer plezier doen. Zij leidden míj terug tot gezondheid, net als Lily Craddock.
Soms overviel het verdriet me en dan dacht ik aan mijn baby die om me huilde toen ik er niet was, die niet kon ademen terwijl niemand voor hem zorgde... en ten slotte die dokter... die gemene dokter die op hem ging experimenteren. Misschien wist hij dat wat hij gaf, zijn leven niet zou redden, maar wilde hij het effect zien.
Op de een of andere manier werd de gedachte aan de verwaarlozing van die ziekenhuispatiënten aan die dokter gekoppeld. De verpleegsters daar dachten alleen aan zichzelf. Ze waren voor vrijwel alles ongeschikt en zo kwamen ze in het ziekenhuis terecht. Wat een manier om mensen uit te zoeken voor dit uiterst belangrijke beroep. Degenen die eraan begonnen, zouden een roeping moeten hebben; ze zouden moeten voelen dat ze de plicht hadden zieken te hulp te komen. Ze zouden goed opgeleid moeten worden. Maar wat deze vrouwen wilden, was een gemakkelijk leventje, voedsel voor henzelf en een dak boven hun hoofd. En die dokter... op zijn manier gaf hij evenmin iets om het leven. Hij wilde het effect van zijn middelen op mensen zien en had geen enkel zelfverwijt als hij ze gebruikte om zijn boosaardige experimenten te bewijzen.
Ik herinnerde me verhalen over de beruchte Madame de Brinvilliers die in de zeventiende eeuw had geleefd. Ze wilde mensen die haar in de weg stonden, vermoorden, en voordat ze hen vergiftigde, had ze haar vergif getoetst bij ziekenhuispatiënten om het effect ervan te zien en of ze het kon toedienen zonder betrapt te worden. De ziekenhuizen moeten toen ongeveer net zo zijn geweest als die ik gezien had. Ik kan me voorstellen hoe die vrouw op bezoek kwam als een beschermengel, de zieken hielp, hun voedsel bracht, gelardeerd met vergif. Die dokter was een soortgelijk geval, en omdat hij arts was, had hij meer gelegenheid zijn moorddadige methoden uit te voeren dan zij.
Ik voelde een brandend verlangen iets te dóén. Ik was veranderd. Ik had niet langer het gevoel dat mijn leven voorbij was. Het was of ik opnieuw was geboren. Ik zag een doel in mijn leven. Het was of ik een soort hemelse openbaring had gehad. Ik hoorde iets over mijzelf, en pas nu Lily Craddock het me zo duidelijk had gemaakt, realiseerde ik me wat het was. Mijn aya had gezegd: 'Je hebt genezende handen. Het is een gave en de goden zijn degenen die de gaven die ze van hen ontvangen hebben, negeren, niet gunstig.'
Had ik een gave? Ja. Die diende om levens te redden. Ik had het lijden in die bedden van pijn gezien en het had me diep getroffen. Ik voelde dat ik tekortschoot. Wat kon ik eraan doen? Mijn eigen kind, geloofde ik, was verwaarloosd. Vermoord! Dat was een wilde verklaring; maar als ze dokter Calliber op tijd geroepen hadden, had hij misschien zijn leventje kunnen redden. In plaats daarvan had Aubrey zijn duivelse bekende naar het bedje van mijn kind gehaald en de man had hem een middel gegeven dat hem had gedood.

Omdat hij mijn geliefde zoon was, was ik misschien hartstochtelijk en onredelijk in zijn geval, maar ik dacht dat ze misschien zijn leven hadden kunnen redden en dat hadden ze niet gedaan. Ik ging die dokter zoeken. Ik zou hem ermee confronteren; ik zou voorkomen dat hij de dood van iemand anders zou veroorzaken met zijn duivelse experimenten.
Ik had een enorme stap vooruit gezet.
Ik had een doel in mijn leven. Ik zou weer sterk en gezond worden en te zijner tijd zou het me wel duidelijk worden welke weg ik nemen moest.
Intussen vond ik troost en enthousiasme in de verpleging en gezondmaking van Lily Craddock.
Ze was twee weken bij ons en een stuk beter geworden, toen ze droefgeestig leek te worden en haar genezing stokte.
Jane en Polly ontdekten de oorzaak.
'Weet u, juffrouw Pleydell, dat meisje maakt zich zorgen.'
'Dat hoeft ze niet.'
'Nou ja, ze wordt beter. En ik denk dat ze het fijn vond ziek te zijn. Nu denkt ze: Waarheen ga ik terug?'
'Denk je dat ze ongerust is over haar toekomst?'
'O, jazeker.'
'Ik begrijp het,' zei ik. Ik dacht al een poosje na over Lily's toekomst.
Ze was naaister, wisten we, en vond het moeilijk aan de kost te komen. Tot twee jaar terug had ze op het platteland gewoond. Ze kwam uit een groot gezin en de tijden waren moeilijk; ze moest de familiekring verlaten en haar eigen brood verdienen. Ze was dienstbode geweest maar hield er niet van. Ze was naar Londen gekomen waar ze dacht dat de rijken woonden en dat ze daar voldoende met haar naald zou verdienen.
We zagen allemaal dat ze dat niet met veel succes zou klaarspelen.
Ik legde mijn gevoelens uit aan Jane en Polly. 'Ik ben niet rijk,' zei ik tegen hen, maar mijn vader heeft me goed verzorgd achtergelaten als ik maar niet extravagant ben. Ik zou Lily hier een baantje kunnen aanbieden. Ze kan jullie helpen... misschien voor ons naaien en de boodschappen doen.'
'Geen boodschappen,' zei Jane. 'Ze is te zacht, met haar landelijke manieren. Ze zou aan alle kanten bedrogen worden. Als je haar op de markt zou loslaten met het geld van haar mevrouw, was dat net zoiets als een van de martelaars in de leeuwenkuil te stoppen. En zij is geen Daniel.'
Ik lachte.
'Dan kun jij beter de boodschappen blijven doen, maar het zal wel lukken Lily een klein loon te betalen; ze kan tenminste goed gevoed worden en een onderdak hebben.'
'U bent precies uw vader, juffrouw,' zei Polly. 'Maak u geen zorgen. We vroegen ons af of we u niet konden vragen haar hier te houden.'

Toen ik het plan aan Lily voorlegde, was ze overstelpt van vreugde en vanaf dat moment zagen we een verandering in haar. De eeuwige nervositeit en angst gleden van haar af.
Ik dacht: Ik ben bijna gelukkig.
's Avonds zat ik dikwijls bij hen en langzamerhand kwam ik achter hun leven voordat ze iets van mij wisten. Jane en Polly hadden een harde jeugd gehad, met een dronken bruut van een vader wiens binnenkomst in huis het sein voor terreur was.
'Hij liet ma alle kanten van de kamer zien, vreselijk,' zei Jane. 'Hij waggelde naar binnen, begon te brullen en dan begon het. Ik en Pol verstopten ons onder de trap zo lang we konden... en eens kwamen we te voorschiijn en probeerden hem te stoppen toen hij ma toetakelde. Hij keerde zich tegen ons. Hij heeft een keer je pols gebroken, hè Poll?'
'Nooit meer goed gekomen,' zei Polly. 'Geef ons een beetje regen en het doet machtig veel pijn.'
'Ik geloof dat we hem te pakken zouden hebben genomen als hij niet van de trap was gevallen en zichzelf dood had gemaakt voordat wij oud genoeg waren om het te doen.'
'Wat een vreselijk verhaal,' zei ik. 'Ik ben blij dat de drank en de trap hem hebben gedood,n zodat jullie het niet hoefden te doen.'
'Ik zou het gedaan hebben.' Jane's ogen schoten vuur. 'Sommigen zijn niet goed genoeg om in deze wereld te leven.'
Ik sloot mijn ogen en zag de Demon Dokter, geheimzinnig met hoorns en een gespleten voet. Ze had gelijk. Zulke mensen zouden niet mogen leven.
'We hadden een echt goede tijd toen hij weg was,' zei Polly. Ma ging altijd stoepen boenen, en toen we groot genoeg waren, deden we alle soorten dingen – boodschappen, schoonmaken. Soms hadden we honger, maar dat vonden we niet erg omdat we van hem af waren. Toen stierf ma en waren we op onszelf aangewezen. We hebben haar verpleegd, hè Jane? Ik geloof dat het door hem kwam. Ze voelde zich nooit goed. Hij verknoeide alles voor ons toen we klein waren, ja toch, Jane?'
Jane was het met haar eens. 'Ziet u,' ging ze verder, 'je trouwt met ze... zoals ma het hem deed. Hij moet toen heel gewoon zijn geweest, anders was ze niet zo dwaas geweest zich zoiets op de hals te halen... en dan, na de bruiloft, laten ze hun ware kleuren zien, sommigen tenminste.'
Polly wierp haar zuster een waarschuwende blik toe, die ik opving. Ik wist wat ze bedoelde. Ook ik had een rampzalig huwelijk gehad, waaruit ik juist was ontsnapt.
Lily, die naar alles zat te luisteren, en voelde dat ze bij ons hoorde, begon over zichzelf te praten. 'We waren met ons tienen. Ik was de zesde. Ik zorgde altijd voor de kleintjes. Tijdens de oogst gingen we dikwijls aren lezen. En soms pluk-

ten we fruit en rooiden aardappelen. We moesten het huis uit om geld te verdienen en toen ik twaalf was, werd ik dienstbode.
'Vond je het niet leuk?' vroeg ik.
'In het begin was het best. En toen was er die zoon... hij kwam thuis, ziet u. Hij praatte altijd met me op de trap en soms kwam hij in de keuken als er niemand anders was dan ik. Ik vond hem eerst best aardig. Toen belde hij altijd vanuit zijn slaapkamer. En toen... en toen... O, wat maakte hij me bang. Ik wist niet wat ik moest doen. Ik wilde weglopen maar wist niet waarheen. Toen kwam mevrouw een keer binnen en zag ons en ik werd naar huis gestuurd. O, het was vreselijk. Ik werd het huis uitgezet met mijn tinnen doos of het niks was. Niemand geloofde dat het mijn schuld niet was.'
'Mannen!' zei Jane. 'De slechten geven je maar verdriet.'
'Moeten gekookt worden in olie, in stukjes gesneden en aan de ezels worden gevoerd,' voegde Polly eraantoe.
'En toen ging ik naar Londen. Er was een meisje in ons dorp die er dolgraag heen wilde. Ze zei dat de straten geplaveid waren met goud en dat je het maar op hoefde te rapen om rijk te worden. Dus liepen we samen weg. We kregen een lift op een kar die naar Londen ging. In een herberg gaven ze ons een bed als we voor ze werkten. Daar bleven we drie dagen. Er was daar een dame die een scheur in haar japon had, die heb ik voor haar gemaakt. Ze zei dat het heel netjes was. Ze betaalde me goed en zei dat ik moest gaan naaien om mijn brood te verdienen. Dus dacht ik dat ik dat kon gaan doen. Ik vond een kamer, eigenlijk een soort kast en ging naar de kleermakers voor werk. Ze gaven je overhemden te maken en herenjassen en vesten voor de knoopsgaten en om knopen aan te zetten. Ik vond het beter dan dat schrobben, maar je moest dag en nacht werken om genoeg te verdienen om van te leven. En de kleren waren zwaar. Je moest ze halen en brengen. Mijn vriendin was er vandoor gegaan. Ik weet niet wat er met haar gebeurd is. Ze zei dat er gemakkelijker manieren waren om aan geld te komen. Ze was heel levendig. Mannen keken naar haar. Ik denk dat ik weet wat ze bedoelde.'
'En wat deed je toen we je vonden?' vroeg ik.
'Ik keek niet uit waar ik liep. Ik was zo overstuur. Ik kwam juist van de kleermaker... Ik had een stapel vesten gebracht. Ik had de knoopsgaten en knopen gedaan en was de halve nacht op geweest omdat ik die dag geld moest hebben. Het was een afschuwelijk winkeltje... donker en vies. Ik had de man eerder gezien, maar hij had me toen niet betaald. Ik vond hem er naar uitzien; zijn gezicht was vet en behaard en hij was zo dik. Hij zei: "Hallo, Goudhaartje, ik denk dat je wat geld wilt hebben." Er waren twaalf vesten en dat is heel wat. Ik zei: "Ja meneer, een dozijn." Hij zei: "Mooi, eerst een kusje." Ik was bang van hem. Hij deed me denken aan mijn eerste baantje als dienstmeisje. Ik schreeuwde: "Nee!" en hij werd heel boos en gooide de vesten op de toonbank, stak zijn

duim onder de knopen en trok ze er half af. "Niet doen!" riep ik. "Hij zei: "De deur uit. We betalen niet voor zulk werk." "Maar u deed het zelf," zei ik. "Maak dat je wegkomt, sloerie die je bent!" riep hij, "of ik stuur de politie op je af." Ik was zo bang, ik rende weg. Ik was zo verward dat ik niet wist waar ik was en toen... lag ik opeens onder die paarden.'
Ik werd boos toen ik luisterde. Arm kind! Om zo behandeld te worden. Geen wonder dat ze bang voor het leven was.
Ik keek naar Jane en Polly die mijn emotie deelden.
Toen zei ik zacht: 'Zoiets zal je nooit meer overkomen, Lily.'
Ze nam mijn hand, en kuste die en keek me min of meer vragend aan. Toen dacht ik: Ik moet iets doen. Ik wilde dat ik wist wat. Maar ik zou het ontdekken. Het lot had haar bij me gebracht en door haar had ik mijn wil tot leven teruggekregen. En ik wist dat ik op de een of andere manier een plicht had te vervullen. Dat was om mensen als Lily Craddock te helpen.
Er waren slechte mensen op de wereld. Mannen en vrouwen die mensen exploiteerden, maar voornamelijk mannen die vrouwen exploiteerden, met een eigen bedoeling. Ik kon me de jonge man die Lily had willen verleiden duidelijk voorstellen en ook de slechterik in de kleermakerij. En de belichaming van hen allen was die dokter... de Demon Dokter... die had geholpen mijn man te gronde te richten en die mijn zoon had laten sterven.
Mijn besluit was genomen. Ik ging die dokter zoeken. Ik zou aan de hele wereld laten zien wat hij was.

Lily paste zich gemakkelijk aan ons aan. Ze ging door de klerenkasten en repareerde alles wat gemaakt moest worden. Ze vond een paar lakens die we weg wilden doen en verklaarde verontwaardigd dat ze gerepareerd konden worden. Ze vond werk voor zichzelf, vastbesloten een waardevol aandeel aan het huishouden te geven. Ze kon niet weten hoeveel ze voor mij had gedaan. Jane en Polly wisten het echter, en ze waren toegeeflijk, beschermend, zagen haar als een hulpeloos meisje van buiten dat nooit het voordeel had gehad in de grote stad op te groeien.
Ze maakte een japon voor me van smaragdgroen fluweel. Ze had de stof in een winkel zien liggen en haalde me over die te kopen. 'Met uw rossige haar en die groene ogen, juffrouw Pleydell, ziet u niet... het is precies iets voor u. En de japon die ik zal maken...' Ze zuchtte van extase.
Dus kocht ik de stof om haar een plezier te doen. Ik had nog niet het stadium bereikt waarop ik weer enige belangstelling voor kleren had.
Op een dag keerde ik naar huis terug na een kort tochtje naar de winkels, toen ik hoorde dat er een heer en dame in de salon waren. Ze waren tien minuten eerder gekomen en Jane had gezegd dat ik niet lang weg zou blijven, dus wilden ze wachten. 'Ze zeiden dat ze meneer en mevrouw St Clare waren,' zei Jane.

Ik wist niet wat ik denken moest, ging de salon binnen en daar was Amelia met een man die ik onmiddellijk herkende. Ze rende naar me toe en omhelsde me. Ze zag er jonger uit dan ik me haar herinnerde.
Ze zei: 'O, Susanna, wat heerlijk je te zien. Ik heb nieuws voor je.' Ze stak haar hand uit en Jack St Clare pakte die.
'Jullie zijn getrouwd?'
Amelia knikte.
'O, wat ben ik blij voor jullie.'
'We zijn zo lang bevriend geweest. Het scheen dwaas om langer te wachten.'
'Ik zag het al aankomen,' vertelde ik haar. 'En je brieven verraadden het.'
Ik feliciteerde hen beiden en was oprecht blij. Ik was dol op Amelia en zij was het soort vrouw dat een man nodig had. Ik hoopte dat ze kinderen zou krijgen, ditmaal met succes. Maar zelf kon ik niet aan kinderen denken. Als ik ze zag in het Park werd ik overstelpt door verdriet... of door woede.
Ik vroeg of ze iets wilden gebruiken. Koffie bijvoorbeeld, of thee of wijn?
'Nu niet, dank je,' zei Amelia. 'Ik kwam alleen langs om je te zeggen dat we in Londen zijn.'
'Hoe lang?'
'Een week maar. We logeren bij mijn ouders.'
'Zijn ze blij met jullie huwelijk?'
'Verrukt. Maar ik wil met je praten. Er is zoveel te vertellen. Kan ik morgen niet komen? Jack heeft dan wat zaken af te handelen.'
'Maar natuurlijk.'
Dus zo werd het geregeld. De volgende dag kwam Amelia thee bij me drinken. Toen we goed en wel zaten en alleen waren, zei ze: 'Ik hoop dat je het niet erg vond dat we zonder aankondiging kwamen. Ik weet dat je eigenlijk helemaal wilde verdwijnen, maar ik hoopte dat ik niet hoorde bij de dingen die je in de steek wilde laten.'
'Natuurlijk niet.'
'Ik weet dat je je meisjesnaam weer aangenomen hebt, vertelde het aan Jack en hij begrijpt het volkomen. Ik zal erop letten dat ik je juffrouw Pleydell noem.'
'En Anna... het tweede deel van mijn naam. Ik wil een ander zijn.'
'Ik zal eraan denken. Soms voel ik me schuldig omdat ik je niet heb gewaarschuwd voordat je met hem trouwde. Stephen had het idee dat jij hem kon redden. Hij hield inderdaad veel van zijn broer. Stephen wilde dit huwelijk graag nadat hij jou had leren kennen. Hij zei dat hij wist dat jij sterk en evenwichtig was. Maar ik wist dat je het op een gegeven ogenblik zou ontdekken.'
'Denk je dat ik iets had kunnen doen, zoals Stephen gedacht schijnt te hebben?'
Ze schudde haar hoofd. 'Misschien een kleine mogelijkheid. Maar ik begrijp dat je na de dood van het kind niet langer kon blijven.'
Ik aarzelde – even te emotioneel om te spreken omdat ze de herinneringen aan

mijn prachtig kind weer bij me boven bracht.
'Zie je,' stamelde ik. 'Ik liet een gezond kind achter en kwam terug en vond hem... dood.'
'Ik weet het. Ik weet het.' En dat deed ze ook, omdat ze zelf kinderen had verloren. 'Zie je, hij begon met het nemen van die drugs toen hij nog een heel jonge man was. Hij las die boeken... en was gefascineerd door die man.'
'Dokter Damien?'
'Ik zei tegen Stephen dat het daardoor begonnen was, maar Stephen wilde er niets van weten. De man was een vriend van hem en Stephen vond hem fantastisch. Hij geloofde in al dat gedoe voor de mensheid en zo. Ik nooit. De aard van die man bleek uit zijn boeken. Al die erotica waarop gezinspeeld werd. Je besefte dat hij ervan genoot. Aubrey ontmoette hem in de Munster. Hij was volkomen van zijn stuk gebracht. De man heeft iets hypnotisch. Kort na die ontmoeting ging Aubrey met drugs experimenteren.'
'Ik ben er zeker van dat die man een diabolische rol in ons leven heeft gespeeld,' zei ik. 'Maar op een dag zal hij tot verantwoording worden geroepen. Geloof me.'
We zwegen even en toen zei ze: 'Susanna... o nee, Anna... daar moet ik aan denken. Wat ga je nu doen?'
'Hier blijven tot er een plan bij me opkomt.'
'Het moet moeilijk zijn als ongetrouwde vrouw te leven, terwijl je een echtgenoot hebt met wie je niet samenwoont.'
'Er is geen reden waarom het me iets zou doen. Ik ben in dit huis gaan wonen. Mijn vader huurde het en nu doe ik dat. Bijna alles wat hij had, heb ik geërfd. Ik woon hier heel plezierig.'
'Je hebt een prettige staf... zusters, hè?
'Ja. Ze waren bij mijn vader en blijven nu bij mij. Verder is er een koetsier en we hebben ook nog een meisje, een naaister.'
'Een naaister! Bedoel je dat je permanent een naaister nodig hebt?'
'Ze doet er andere dingen naast. Ik kreeg haar op een nogal speciale manier.' Ik vertelde haar het verhaal en ze was buitengewoon geïnteresseerd.
'Ik ging naar dat ziekenhuis voordat ik haar hier bracht. Het was een afschuwelijke ervaring die ik niet kan vergeten. Ik word nog steeds achtervolgd door de herinnering aan al die bedden vlak naast elkaar en die arme stumpers die dood lagen te gaan... vuil... onverzorgd. Ik kan er niet aan denken.' Ze knikte en ik ging verder, fel. 'Er moet iets aan gedaan worden.'
'In ieder geval heb je het meisje meegenomen en die heeft nu een goed huis. Tussen twee haakjes, mijn ouders hebben een familie-dineetje... wij zijn de enigen. Ze willen graag dat jij ook komt.'
Ik aarzelde.
'Ze weten hier alles van en leven met je mee. Je hoeft niets te zeggen. Je bent

gewoon juffrouw Pleydell. Maar je moet zo nu en dan eens uitgaan. Ik veronderstel dat dat niet vaak gebeurt.'
Ik schudde mijn hoofd. 'Het is het laatste waar ik zin in heb. Ik wilde hier zijn, alleen. Ik word goed verzorgd. Jane en Polly zouden alles voor me willen doen – en Lily Craddock en de koetsier ook.'
'Het is weer eens iets anders als je bij ons komt.'
Ik aarzelde nog steeds, maar toen ze aandrong zei ik ja.

De meisjes waren dolblij toen ze hoorden dat ik naar een diner ging. Ik wist zeker dat ze in de keuken hadden beslist dat het goed voor me was.
Lily zei dat het een mooie gelegenheid was om de groenfluwelen japon te dragen die ze gemaakt had. Ze had de rang van kamenier aan haar andere plichten toegevoegd en ik moest toegeven dat ze de rol goed vervulde. Ze had van nature een goede smaak en haar houding tegenover me was er bijna een van adoratie, die ik vrij pijnlijk vond en niet echt verdiend.
Ook Joe was verrukt toen hij me met het rijtuig naar de residentie van Sir Harry en Lady Carberry reed, dicht bij het park. 'Daar zijn rijtuigen voor,' merkte hij zelfgenoegzaam op.
Ik was heel wat minder enthousiast dan de rest, ook al kenden de gastvrouw en gastheer mijn geschiedenis en hoefde ik niet bang te zijn voor een pijnlijke uitleg; maar toch deed het me herinneren aan tijden die ik liever wilde vergeten.
Ik werd hartelijk begroet door Amelia en haar man en ouders.
'We zijn niet helemaal alleen,' zei Lady Carberry.
'Henrietta en haar verloofde kwamen vanochtend op bezoek en mama heeft hen voor het diner uitgenodigd,' zei Amelia verontschuldigend. 'Ik geloof dat je Henrietta hebt ontmoet.'
Ze kwam naar me toe. Ik herinnerde me haar nog heel goed. Zij was het levendige, knappe meisje dat ik voor mijn huwelijk in de Munster had ontmoet.
'De Honourable Henrietta Marlington en haar verloofde, Lord Carlton,' zei Lady Carberry.
Ik verbaasde me over de verloofde. Hij was niet zo lang als Henrietta, die bijna even lang was als ik, en moest zo'n twintig jaar ouder zijn dan zij. Hij had wallen onder zijn ogen. De keus van de vrolijke Henrietta stelde me teleur.
'Juffrouw Anna Pleydell,' zei Amelia die me voorstelde.
'O... we hebben elkaar al eens ontmoet.' Henrietta opende haar stralende ogen heel wijd. 'Ik dacht...'
'Juffrouw Pleydell woont nu in Londen,' zei Amelia kordaat. 'Ze woont in het huis dat haar vader koos, toen hij uit India terugkeerde. Het is heel geriefelijk.'
Henrietta keek of ze op het onderwerp van onze vroegere ontmoeting wilde doorgaan en ik dacht dat ze zich mij herinnerde als Aubrey's verloofde en zich afvroeg wat er was gebeurd. Het trof me dat ze impulsief was en niet nadacht

voordat ze sprak. Maar op de een of andere manier was het Amelia gelukt duidelijk te maken dat er geen vragen zouden worden gesteld. Ik wist dat ze het vervelend vond dat Henrietta een medegast was.
We gingen aan tafel en ik bleek tegenover Henrietta te zitten. We spraken over India. Lord Carlton kende het goed en had er ook mijn vader ontmoet. Het gesprek was levendig en ikzelf droeg eraan bij en genoot ervan. Er werd gepraat over de Grote Tentoonstelling die van mei tot oktober van het afgelopen jaar voor het publiek geopend was geweest. En het enorme succes dat het was en wat een verdienste van Prins Albert.
'De Koningin is verrukt dat de mensen hem nu eindelijk blijken te appreciëren,' zei Lord Carlton.
'Maar niet lang,' voegde Sir Henry eraantoe. 'Ze vinden wel weer iets in hem om over te klagen.'
'Er is heel wat dat fout is met het land, geloof ik,' zei Lady Carberry. 'Het ziet ernaar uit dat Lord Derby zijn ontslag zal aanbieden.'
Ik zei in een opwelling: 'Eén ding dat absoluut fout is, is de toestand van onze ziekenhuizen.'
Iedereen keek me aan en Lord Carlton zei: 'Een jongedame zoals u heeft toch zeker geen ervaring met zulke plaatsen?'
'Vertel ze, Anna, over je avontuur,' zei Amelia.
Dus vertelde ik hun over het incident met het rijtuig en hoe ik Lily naar het ziekenhuis had gebracht en dat ik daardoor met enige autoriteit kon spreken.
'Ik had me nooit zo'n plek kunnen voorstellen,' zei ik. 'De stank was overstelpend, je werd er misselijk van en die mensen... ongewassen en onverzorgd. En dat noemen ze een ziekenhuis! Het is een schande. Hoe kunnen de mensen dat toestaan!'
Er viel een stilte aan tafel. Toen zei Lord Carlton: 'Mijn lieve jongedame, wat bent u fel. U doet me denken aan de dochter van de Nightingales.'
'Hoe gaat het met Fanny?' vroeg Lady Carberry. 'Ik heb haar zo lang niet gezien.'
'Ze maakt zich heel wat zorgen om Florence. Net als die arme oude W.E.N., denk ik. Wat haar zuster, Parthenope, betreft... die wordt bijna wild om wat ze de obsessie van Florence noemen.'
Het was voor het eerst dat ik de naam hoorde die zo belangrijk voor me zou worden.
'Zegt u eens waarom ik u aan Juffrouw Nightingale doe denken, Lord Carlton,' vroeg ik.
'Ze heeft een of ander idee dat ze een opdracht heeft... geroepen door God. En wat denkt u dat het is? Ze wil verpleegster worden. Jij kent de familie, Henry. Het is volkomen ongepast. Geen enkele dame kan verpleegster worden.'
'Ze moet nu al dertig zijn, neem ik aan,' zei Sir Henry. 'Tijd dat ze die sprookjes ontgroeit.'

'Florence had er al jaren overheen moeten zijn. Het is pure koppigheid. Maar W.E.N. vindt haar het toppunt.'
'Wie is W.E.N.?' vroeg ik.
'William Edward Nightingale, die het ongeluk heeft de vader van deze onhandelbare jongedame te zijn. Ik geloof niet dat ze er ooit in zullen slagen haar van dat alles los te weken. Weet je, ze is naar een in Duitsland geweest. Kaiserswerth, heet het, geloof ik.'
'Daar heb ik van gehoord,' zei Lady Carberry. 'Het is een soort instituut... liefdadigheid, dacht ik. Ze hebben, geloof ik, ook een school voor weeskinderen, geleid door diaconessen. Flo heeft daar gewerkt. Kennelijk vond ze het fijn.'
'Ja, en ze behandelden haar als een dienstbode. Toen kwam ze terug en beweerde dat ze er meer van genoten had dan van alles wat ze tot nu toe gedaan had.'
'En als je bedenkt wat W.E.N. en Fanny niet allemaal voor dat kind hebben gedaan! Ze had een briljant huwelijk kunnen doen.'
'Misschien vond ze een briljant huwelijk niet het beste dat een vrouw kan overkomen,' zei Henrietta.
Ik luisterde gespannen en voelde mijn opwinding groter worden.
'In Duitsland, zei u?' vroeg ik.
'Ik weet zeker dat het Duitsland was.'
'Ik zou er graag meer over willen weten.'
'Gewoon een van die instituten. Vandaag zijn ze er, morgen zijn ze weg, stel ik me zo voor.'
'Mensen vinden het prettig een poosje goed te doen, maar ze hebben er al gauw genoeg van.'
'Arme W.E.N,' zei Sir Henry, 'hij wil alleen maar in vrede leven. En het enige wat Fanny wil is een goed huwelijk voor haar dochters. Knappe meisjes ook, allebei... en vooral Florence.'
'Dus ze had het gevoel dat ze een roeping had,' zei ik langzaam en merkte dat Henrietta me aandachtig bestudeerde.
Ze zei: 'Het moet opwindend zijn geroepen te worden... zoals het kind Samuel, die was het toch? Overkwam hem dat niet?'
'Ja, jij bent geroepen,' zei Sir Henry. 'Je bent geroepen tot het huwelijk bijna vanaf het moment dat je debutante was geweest.'
Er klonk algemeen gelach en ik zag dat Lady Carberry vond dat we genoeg hadden gehoord van Florence Nightingale's obsessie. Doelbewust leidde ze het gesprek in andere banen.
Maar het zaad was geplant. Ik was opgewonden en het leek me toe dat ik op een vreemde manier geleid werd. Eerst mijn ontmoeting met Lily Craddock en mijn introductie in de afgrijselijkheden van die instituten die ze ziekenhuizen noemden; toen mijn ontwaken uit de lethargie waarin mijn neerslachtigheid me gedompeld had. Ik zag toen het feit onder ogen dat wat er ook met iemand ge-

beurde, je verder moest gaan; en nu vanavond. Er vormde zich een idee in mijn hoofd.
Joe zat op zijn praatstoel op de weg terug, vertelde me verhalen over zijn avonturen op de weg van Londen naar Bath. Ik luisterde maar half. Mijn gedachten waren ver weg. Hij was tevreden. Ongetwijfeld had hij met Jane en Polly gepraat en waren ze allen tot de conclusie gekomen dat dit een teken was en dat ik uit mijn schulp begon te kruipen.

De volgende dag kreeg ik bezoek. Ik was verbaasd toen ik de salon binnenkwam om haar te ontvangen en Henrietta Marlington voor me zag.
Ze stak haar handen naar me uit.' Ik hoop dat u het niet erg vindt dat ik u zo gauw kom opzoeken. Ik moest komen. Ik moest met u praten. Gisteravond kon dat niet. Het is allemaal zo geheim.'
Ik keek haar verbaasd aan en ze ging door: 'O, ik weet dat het klinkt als nieuwsgierigheid, maar dat is het niet... of niet helemaal. Ik wil zo graag dat u me helpt en ik geloof dat u het zou kunnen. Ik denk dat u het zult begrijpen.'
'Natuurlijk wil ik helpen als ik kan.'
'Ik vond het mooi wat u deed voor dat meisje en dat u zich zoveel aantrok van de ziekenhuizen.'
'Iedereen zou het zich aantrekken als ze het hadden kunnen zien.'
'O, ik geloof niet dat iedereen zo zou zijn. In de eerste plaats, u was toch getrouwd met Aubrey St Clare? O, maak u maar niet bezorgd, ik zeg er geen woord over. Alleen moet ik het weten. Het is belangrijk voor me.'
'Waarom?'
'Het is als een voorbeeld. Ziet u.'
'Ik zie het niet.'
'Dat ga ik nu juist vertellen. Mag ik gaan zitten?'
'Natuurlijk, neem me niet kwalijk. Dat kwam omdat ik zo verbaasd was. Wilt u thee?'
'Dat zou wel gezellig zijn, hè?'
Ik belde en Jane verscheen. 'We zouden graag thee willen hebben, Jane,' zei ik.
'Goed, mevrouw.' De manier waarop ze overging tot het model-
kamermeisje als de gelegenheid erom vroeg, amuseerde me altijd, want als we alleen waren, was onze verhouding nauwelijks die van mevrouw en hulp.
'Wat een prettig huis,' zei Henrietta toen Jane weg was.
'Ja, mijn vader en ik ontdekten het toen we terugkeerden uit India.'
'Ik hoorde over de dood van uw vader. Wat droevig.'
'En onverwacht,' zei ik. 'Dat is altijd moeilijker te dragen.'
Ze knikte. 'Het huis heeft zo ongeveer de juiste grootte voor u, denk ik,' zei ze.
Ik glimlachte. Ik wist dat ze oppervlakkig babbelde tot de thee er was en we niet meer gestoord zouden worden. Toen de thee gebracht was en Jane zich discreet

had teruggetrokken, zei Henrietta: 'U zult zich afvragen waarom ik u zo plotseling stoor. Het is onconventioneel, dacht ik. Maar dat ben ik nu eenmaal en u, geloof ik, ook. Daarom had ik de moed te komen.'

'Wat is het probleem?'

'Er is een heleboel.'

'En u denkt dat ik kan helpen?'

'Ik ken niemand anders die het zou kunnen of willen.'

'Vertel me eens wat er is.'

'Het gaat om het trouwen. Ziet u, nu ik erover nadenk, wil ik het niet.'

'Maar hoe denkt u dat ik kan helpen... met zoiets?'

'Ik dacht dat u me zou kunnen zeggen wat ik moet doen.'

'Ik heb geen idee wat ik zou kunnen zeggen behalve dat u de verloving moet verbreken, en u weet veel beter hoe u dat moet doen dan ik.'

'Laat ik het eerst uitleggen. Ze zijn allemaal gebrand op dit huwelijk.'

'Ik neem aan dat Lord Carlton het is.'

'O, hij niet alleen. Het zijn mijn moeder en vader en de hele familie. Er is een grote clan van Marlingtons. Ze zitten overal en zijn vreselijk arm en hebben allemaal de familienaam en landgoederen en dingen die goed moeten lopen. Mijn leven lang heb ik niet anders gehoord dan angst voor vuur in het hout en doodskloppertjes op het dak. Ik nam aan dat het altijd zo zou blijven tot ik merkte dat iedereen op mij rekende. "Henrietta zal een goed huwelijk doen," zeiden ze altijd. Echt, ik groeide op met dat idee in mijn hoofd. Geld – moeilijk te vinden – werd in mij geïnvesteerd. De beste opleidingsschool ter wereld, getraind in alle verleidingskunsten. Ik dans, ik zing, ik speel de pianoforte; maar wat het belangrijkste is, ik heb de kunst van conversatie moeten leren; geen serieuze conversatie, maar de luchthartige, nogal frivole soort... hoe te vleien en te flikflooien, mannen om me heen die me adoreren, onder voorwaarde natuurlijk dat ze belangrijk genoeg zijn – en ik denk dat dat rijk genoeg betekent – om mijn aandacht te garanderen.'

Ik lachte. 'Ik denk dat heel wat jongedames zijn grootgebracht met zulke doelstellingen en zogenaamde idealen.'

'U niet?'

'Ik ben normaal opgevoed. Ik was in India, ziet u, en dat maakte veel verschil; en toen ik in Engeland was, ging ik naar school en bracht mijn vakanties door bij familie in een dorpspastorie. Heel nederig, vergeleken met het gezelschap waar u zich kennelijk in beweegt.'

'Gelukkige juffrouw Pleydell! Ze wachtten gewoon op me tot ik debuteerde. Ik weet niet waarom ze het aan mij zouden overlaten om dat wonder te bewerkstelligen.'

'U ziet er heel aantrekkelijk uit.'

Ze trok een boos gezicht. 'Ik ben niet echt mooi, als je goed naar me kijkt.'

'Het is al die vitaliteit, die vrolijkkeid. Ik veronderstel dat aantrekkelijkheid niet zozeer een zaak is van uiterlijk als van persoonlijkheid. Ze hebben goed werk in die toverschool van u verricht – of misschien hoefden ze dat niet omdat het er al was.'
'Ik ga zo langzamerhand wensen dat ik scheel geboren was en rare vlekken had.'
'Veracht alsublieft de gaven die de goede feeën u gegeven hebben, niet. Ze zijn zeker nuttig, ook al brengen ze je wel eens in moeilijkheden. Maar ga door.'
'Nou, ik debuteerde – dat was buitengewoon kostbaar. Ze investeerden in mij, ervan overtuigd dat ze een goed dividend zouden krijgen. Er was een vrij aardige jongeman, ik mocht hem heel graag. Goede familie, maar geen geld... dus werd hij afgevoerd. En toen kwam Tom Carlton op het toneel. Hij was het antwoord op hun gebeden. Hij is een van de rijkste mannen van het land. Maakte een fortuin, kreeg een adelbrief en waar zou hij nog meer naar zoeken dan naar een vrouw die de achtergrond kon verschaffen? De Marlingtons konden dat goed. We gaan terug naar Willem de Veroveraar, of bijna. Het zou het meest geschikte huwelijk zijn dat je bedenken kunt. Ze zeggen dat het de ideale vereniging is van de Carlton-miljoenen en het blauwe bloed van de Marlingtons.'
'En de enige in de familie die het niet als ideaal beschouwt, is de toekomstige bruid.'
Ze keek me aan en knikte. 'Eerst dacht ik dat het geweldig was. Zie je, Tom was zo blij met me. Hij is zo royaal en het was een feest niet al dat gemopper te horen over vocht en vuur in het hout. Ongeveer een week was ik stralend gelukkig. We waren gered en dat had ik voor ons allen gedaan.'
'En toen besefte u dat een huwelijk meer is dan familietrots.'
'Precies. En sindsdien vraag ik me steeds af wat ik eraan zou moeten doen.'
'Waarom denkt u dat ik u kan helpen om een besluit tenemen? Ik ben een vreemde. Dit is pas de derde maal dat we elkaar zien. Ik weet niets, behalve wat u me verteld hebt.'
'Ik ben eerlijk tegen u geweest. Wilt u het ook tegen mij zijn? Ik zweer dat ik geen woord van wat u vertelt over mijn lippen zal komen.'
Ze was dramatisch wat haar stemmingen betreft, veranderde per seconde; daarnet had ze bijna tragisch geleken, het offerlam op het altaar van de familietrots; nu glinsterden haar ogen van opwinding. Zij was de samenzweerder.
Ik vond haar charmant en kon begrijpen waarom de slimme Lord Carlton, die geweten moest hebben dat het zijn fortuin was dat hem zo begerenswaardig voor de Marlingtons maakte, het slachtoffer was geworden van haar charme.
Ik zei: 'Ik wil mijn zaken niet bespreken.'
'Ik zal mijn mond houden. Dat zweer ik.'
'Goed. Ik ben inderdaad met Aubrey St Clare getrouwd geweest. Het huwelijk was geen succes. Ik had een zoontje en bleef bij mijn echtgenoot ter wille van hem. Toen hij was gestorven, ben ik vertrokken.'

'Vertrokken? Dat was dapper.'
'Er was niets dappers aan. Ik kon daar niet blijven, dus ging ik weg. Ik had geluk. Ik had geld genoeg van mijn vader om van te leven – niet buitensporig, maar met enig comfort – en dat doe ik nu.'
'Ik heb ook een inkomen. De familie vindt het een schijntje, maar ik vind dat het niet zo vreselijk weinig is... alleen als je een groot huis wilt onderhouden met een stoet personeel en de lekkende daken wilt vernieuwen en de doodskloppertjes bevechten. Wat zou u doen als u in mijn plaats was?'
Ik haalde mijn schouders op. 'Wat kan ik zeggen? Ik ken niet alle details. Er is waarschijnlijk heel wat meer dan u me hebt verteld.'
'Ik denk dat het komt door die noodlottige avond... gisteren.'
'O?'
'Ja, door de kennismaking met u... en al dat praten over Florence Nightingale. Ik heb de Nightingales ontmoet. Niet Florence, maar haar vader en moeder. Ik nam toen niet veel notitie van hen. Het zou anders zijn geweest als Florence er toen was. Ik weet zeker dat dat opwindend zou zijn geweest. In ieder geval gaf het gesprek van gisteravond me het gevoel dat ik me uit die val kon bevrijden als ik de moed had van mensen zoals u en Juffrouw Nightingale.'
'Bedoelt u dat u uw verloving wilt verbreken?'
Ze knikte.
'Als u het zo voelt, moet u het doen.'
'Ziet u, eerst dacht ik aan de vreugde in de familie en hoe blij Tom was, en hoe prettig het zou zijn wanneer niemand zich meer zorgen hoefde te maken over wat dit of dat kost... maar toen dacht ik aan alles wat ik zou moeten verduren. Ja, hij is heel aardig, maar soms kijkt hij naar me op een manier... Om het eerlijk te zeggen, juffrouw Pleydell, ben ik een beetje bang, nee, niet een beetje maar heel erg. En dan... en dan...'
Herinneringen kwamen terug; het wakker worden in de slaapkamer in Venetië met Aubrey naast het bed. Hoe wist je wat voor geheime verlangens zich van mensen meester konden maken? Ik keek naar dit meisje – fris, jong, levenslustig en aantrekkelijk. Wat mij was overkomen, kon jarenlang een litteken nalaten... misschien voor altijd; het kon je kijk op het leven kleuren; het kon je gezonde en natuurlijke instincten frustreren.
Ik wist dat Henrietta haar verloving moest verbreken, omdat ik, als ik dat allerliefste gezichtje aankeek, de doodsangst uit haar ogen zag gluren.
Ze keek me ernstig, bijna smekend, aan.
Ik zei: 'Het is vreemd dat u naar mij toekomt met uw probleem. U kent me nauwelijks. Er moet toch iemand anders zijn... iemand die u nader staat.'
'Wie? Mijn ouders? De vrienden van mijn ouders? Ze vinden dit de grootste vangst van het seizoen. Ze zeggen dat er geen debutante is die niet groen ziet van jaloezie, omdat ik de prijs gevangen heb. U weet hoe mensen zijn. Hij is zeer

gerespecteerd. Hij is een lord – een titel die hij voor zichzelf veroverd heeft, waar je eerbied voor moet hebben. Maar zoals u weet, vinden mensen degenen die hun titels hebben geërfd, veel belangrijker. Hij is een vriend van vooraanstaande mensen zoals Lord Derby en Lord Aberdeen en Lord Palmerston. Prins Albert vindt hem geschikt omdat hij het land veel nieuwe zaken brengt. Ik hoor vereerd en gevleid te zijn en dat ben ik. Maar ik ben bang, meer bang dan gevleid.'

'Het is iets wat u zelf moet beslissen.'

'Ik weet wat u zou doen. U zou zo'n verloving verbreken. U bent sterk en ik bewonder u. U hebt uw man verlaten en iedereen zou zeggen dat het sociale zelfmoord was. Maar het kan u niet schelen, geloof ik.'

'Ik hoef me niet in gezelschap te bewegen.'

'Prins Albert zou u niet willen ontvangen. Hij is heel star.'

'Ik kan heel goed leven zonder het gezelschap van Prins Albert. Ik hoef door niemand ontvangen te worden. Ik voel me hier plezierig en ben volkomen bereid alles te laten zoals het is tot ik heb ontdekt wat ik kan doen.'

Ze keek me met sprankelende ogen aan. 'Ik vond het geweldig, de manier waarop u dat ziekenhuis binnenging.'

'Geweldig! Het was afschuwelijk.'

'Dat weet ik. Maar om daar naar binnen te gaan en dat meisje mee te nemen. Het was geweldig. Daarom dacht ik dat u degene moest zijn aan wie ik het vragen kon.'

'Mijn lieve juffrouw Marlington, u bent de enige die daarover kan beslissen.'

'Maar als het om u ging, zou u dan zo doorgaan en met hem trouwen?'

Ik sloot mijn ogen. De herinneringen bleven bestaan. Deze man die zoveel ouder was dan zijzelf – hoe wist ze wat hij van haar zou verwachten? Ze was niet verliefd op hem. Zoveel was duidelijk en ze was bang geworden. Ik herinnerde me de droom die ik de nacht voor mijn bruiloft had gehad. Was dat een waarschuwing geweest? Ik had hem niet als zodanig herkend. Maar dit meisje was duidelijker gewaarschuwd.

Ik zei: 'Je bent niet verliefd op hem, anders zou je met hem willen trouwen.'

'Dus u vindt dat ik met hem breken moet?'

'Hoe kan ik u raadgeven? U moet zelf beslissen.'

'Maar als u in mijn plaats was, wat zou u dan doen?'

Ik antwoordde niet.

'Ik weet het,' zei ze triomfantelijk. 'Dank u, juffrouw Pleydell.'

Haar stemming sloeg om. Ze was uitgelaten, vertelde me amusante gebeurtenissen over haar debutantentijd. Hoe verbazingwekkend het belang was van een goede indruk. Haar eerste bal was een nachtmerrie geweest voordat het begon en het bleek een triomf. 'Ik was zo bang dat ik een mislukkeling zou zijn en dat niemand me ten dans zou vragen. Muurbloempje zijn is de steeds weerkerende

angst van iedere debutante. En als je succes hebt, hoor je het gesnater van de mama's die vreselijk jaloers zijn – behalve die van jou, natuurlijk, die triomfeert. Het is een vuurdoop.'
En ik ben ervan overtuigd dat u er met vlag en wimpel doorheen kwam.'
'Ik had heel wat partners en het was leuk, zo bleef het ook een hele poos. Toen verscheen Tom, met alle opwinding die steeds groter werd. Ik werd vertroeteld en in de watten gelegd, hun lieveling, hun ooilam, hun redder. Het is een vreselijke verantwoording.'
We waren weer bij ons onderwerp terug.
Toen ze vertrok, pakte ze mijn hand en hield die vast. 'Mag ik je Anna noemen?' vroeg ze.
'Natuurlijk.'
'En je noemt mij Henrietta.'
Ik stemde toe. Hoewel ik verwachtte haar niet meer te zien, zou ik waarschijnlijk wel horen of ze haar verloving al dan niet verbroken had. Het zou in de society kolommen van de kranten staan.

Ik was niet voorbereid op het vervolg. Twee dagen later arriveerde een huurrijtuig voor het huis. Toen ik door het raam keek, zag ik tot mijn verbazing Henrietta uitstappen. De koetsier droeg twee koffers naar de voordeur.
Jane deed open.
Ik hoorde Henrietta's stem: 'Is juffrouw Pleydell thuis?' En toen tegen de koetsier: 'Breng die koffers naar binnen, wil je? Hartelijk dank.'
Ik wachtte.
Jane kwam de salon binnen waar ik had zitten lezen.
'Die jongedame is terug, juffrouw,' zei ze met haar binnenmeisjes-stem. 'Het ziet ernaar uit dat ze wil blijven.'
Henrietta, blozend en triomfantelijk, werd de kamer binnengelaten.
'Ik heb het gedaan,' zei ze. 'Ik kon de familie niet onder ogen komen, dus ben ik weggelopen.'
'Maar...' begon ik.
Ik dacht dat ik van jou zou mogen blijven... heel kort maar ... alleen tot ze eraan gewend zijn. Er zal een storm opsteken.'
'Was het niet beter geweest te blijven en het onder ogen te zien?'
'Om je de waarheid te zeggen, ik geloof dat ze zouden proberen me over te halen.'
'Maar als je vastbesloten bent...'
'Je kent mijn familie niet. Er zal gehuild worden en tandengeknars. Ik had het niet kunnen verdragen. Ik ben niet zo sterk als jij. Mama zou gehuild hebben en dat vind ik vreselijk om te zien. Ik had misschien toegegeven en ik weet dat ik dat niet moet doen. Het enige wat ik kon doen, was weggaan. Dus dacht ik,

als jij zo vriendelijk bent geweest voor dat meisje dat in het ziekenhuis lag, ben je ook vriendelijk tegen mij. Je stuurt me toch niet weg?'
'Natuurlijk niet. Maar ik vraag me af of je verstandig bent geweest.'
'Ik voel me stukken beter. Ik was echt bang van Tom Carlton. Het was de manier waarop hij naar me keek... alsof hij van alles in zijn gedachten had. Hij is oud en heeft een hele serie maîtresses gehad – alle soorten, geloof ik. Ik had het gevoel dat ik nooit aan zijn verwachtingen zou kunnen voldoen. Dus is het voor hem ook beter dat ik er nu uitstap, voordat we allebei beseffen wat een grote vergissing we hebben gemaakt. Ik dacht dat ik misschien hier kon blijven tot de storm geluwd is. Tom vindt natuurlijk iemand anders en mijn familie komt na verloop van tijd wel over de teleurstelling heen. Tenslotte zitten die doodsklop-pertjes er al honderden jaren, een paar meer maakt geen verschil en dan krijgen we misschien iemand in de familie die weet hoe je een fortuin kunt bemachtigen, en misschien vindt een van hen een weldoener met wie ze trouwt. Ik babbel maar wat, hè. Dat weet ik, hoor. Maar als je begreep hoe opgelucht ik me voel...'
'Natuurlijk kun je vannacht blijven,' zei ik. 'Misschien ben je morgenochtend van gedachten veranderd. Heb je je ouders verteld waar je naartoe ging?'
'In mijn briefje heb ik geschreven dat ik naar een vriendin ging. Ik heb veel kennissen waar ik kan gaan logeren. En ik heb Tom geschreven en geprobeerd uit te leggen dat ik geloof dat ik nog niet klaar voor het huwelijk ben.'
'Ik zal vragen of ze een kamer voor je in orde willen maken. We hebben maar één logeerkamer, weet je.'
'Dat weet ik. En dat vind ik juist zo fijn. Ik ben gewoon ziek van die adellijke hallen en schitterende bespannen wanden die in stand gehouden moeten worden ten koste van je zelfrespect.'
'Ik vind dat je moet nadenken over je toekomst. Ik ben nu eenmaal een vrouw die haar echtgenoot verlaten heeft. De maatschappij is niet bijster vriendelijk tegen mensen als ik.'
'Wie interesseert zich nu voor de maatschappij?'
'Ik niet. Maar weet je zeker dat jij het niet doet?'
'Absoluut. Ik zal het heerlijk vinden met je te praten.'
'Toch oordeel je vrij haastig.'
'Misschien wel, maar soms heb ik gelijk en ik heb gelijk wat ons betreft. Jij en ik worden zeker vriendinnen.'
En zo kwam Henrietta Marlington bij mij in huis wonen.

Het was niet te verwachten dat Henrietta's familie haar gemakkelijk zou laten ontsnappen. Weken achter elkaar kwamen en gingen ze, met smeekbeden en bedreigingen. Ik verbaasde me over Henrietta's vastberadenheid. Ik had haar vrij oppervlakkig gevonden, en zo leek ze ook in veel opzichten, maar onder haar

oppervlakkigheid had ze een ijzeren wil. Ik was nogal uit mijn humeur toen ik merkte dat ik in het centrum van een storm stond, het was het laatste wat ik wilde; en er waren ogenblikken dat ik wenste dat ik de uitnodiging van het diner bij de ouders van Amelia niet aangenomen had. Aan de andere kant raakte ik steeds meer op Henrietta gesteld. Ze was zo charmant en haar aanwezigheid in huis was een vreugde voor ons allen. Jane, Polly en Lily waren haar vurige bewonderaarsters; ze waren bereid de wapens op te nemen tegen de hele Marlington-clan en Lord Carlton zelf, als ze niet ophielden met hun pogingen Henrietta te dwingen tot een actie die ze weerzinwekkend vond.
Henrietta's moeder kwam me opzoeken om te vragen of ik niet wilde proberen Henrietta ervan te overtuigen dat ze aan haar toekomst moest denken.
Ik zei dat ze zich daar juist zo druk over maakte.
Ze antwoordde dat Henrietta jong was en altijd koppig was geweest, en dat ze zich niet realiseerde wat een kans ze verspeelde. Ik had veel invloed op haar.
Ik verklaarde dat ik haar slechts twee maal had ontmoet, toen ze naar mijn huis was gekomen. Ik had niets van haar gevoelens geweten. Ze had me alleen gevraagd of ze bij mij kon logeren tot ze een besluit genomen had. Ik kon haar op geen enkele manier overhalen.
Eindelijk schenen ze ervan overtuigd te zijn dat alle hoop om Henrietta gezond verstand bij te brengen, zoals ze het noemden, vruchteloos was en dat ze het onvermijdelijke moesten accepteren. Ze wilden dat Henrietta weer thuis kwam. Maar Henrietta wimpelde het af; tegen die tijd was ze een deel van ons gezin geworden en we waren er allemaal blij om.
Meer dan twee maanden beheersten Henrietta's zaken ons leven; en toen de storm eindelijk ging liggen, ontdekte ik dat ik weer een stap verder verwijderd was van mijn overstelpende verdriet en dat ik steeds meer interesse in het leven kreeg.
Lily Craddocks zaken kwamen nu onze aandacht opeisen. Ik had een verandering in haar gezien. Ze was altijd een buitengewoon mooi meisje geweest, maar nu straalde ze.
Het duurde niet lang of Jane en Polly wisten het geheim van haar los te peuteren.
Lily ging dikwijls naar haar favoriete manufacturier. Ze zei dat ze daar de mooiste kant en gekleurde zijde in Londen hadden, en ze kon goed opschieten met de eigenaars, een meneer en mevrouw Clift. Een paar weken geleden was ze in de zaak, toen er een knappe soldaat uit de zitkamer kwam, terwijl mevrouw Clift Lily hielp. Ze had gezegd 'O William, je moet kennismaken met juffrouw Craddock. Ze is een van onze beste klanten.'
'Het leek,' zei Jane, die me alles vertelde,' dat het klikte tussen hen... en dat was dat. Wat je liefde op het eerste gezicht zou kunnen noemen.'
'Dus dat is de reden van de verandering in Lily.'

'Lily heeft, bij wijze van spreken, een vrijer,' voegde Polly eraantoe.
We waren allemaal opgewonden over Lily's fortuinlijke ontmoeting, vooral toen het leek dat William Clift serieuze bedoelingen had.
Lily werd door de familie Clift op de thee gevraagd en kwam terug in een wolk van geluk. Ik zei dat ze William ook moest uitnodigen voor de thee en er was heel wat drukte en voorbereiding in de keuken. Jane bakte een cake en Lily maakte een nieuw kraagje en nieuwe manchetten voor haar beste jurk. Henrietta vond dat we allemaal aanwezig moesten zijn en dat de thee moest plaatshebben in de salon. Maar Jane wimpelde het vierkant af. Wat zouden de Clifts wel denken als de bedienden met de vrouw des huizes thee dronken in de salon?
Nee! Jane wist hoe zulke dingen moesten gebeuren. Er zou thee zijn in de keuken – dat was er de juiste plaats voor – en dan zouden Henrietta en ik beneden komen nadát iedereen gegeten had en konden we op de juiste manier aan William worden voorgesteld.
Alles verliep volgens plan. Henrietta en ik gingen op de afgesproken tijd naar beneden en werden formeel voorgesteld.
William was een knappe jongeman en zijn mannelijke houding werd nog versterkt door zijn uniform. Hij vertelde me dat hij hoopte de dienst te verlaten als hij trouwde, waarna hij in de zaak kon gaan werken, die nu veel beter liep dan toen hij in dienst ging. Hij dacht dat hij met Lily daar bij zijn ouders zou kunnen wonen als ze getrouwd waren.
Het klonk ideaal en ik was gelukkig voor Lily.
Toen William weg was, kwam ze naar me toe en zei met tranen in haar ogen hoezeer ze alles waardeerde wat ik voor haar gedaan had. 'De gelukkigste dag van mijn leven was toen ik onder uw rijtuig terechtkwam. Als ik denk dat het het rijtuig van iemand anders had kunnen zijn, word ik koud van angst.'
Dat was een van de liefste complimenten die ik kon ontvangen, maar ik voelde dat ik het niet verdiende. Feitelijk had ik maar weinig gedaan. Ik was nu zoveel beter dan toen. Mijn aandacht voor de zaken van de mensen om me heen hadden mijn gedachten afgeleid van mijn eigen moeilijkheden.
Henrietta was nu helemaal thuis. Ze was een deel van het gezin en vertelde me dat ze zich zo anders voelde, zo gelukkig en vol leven.
'Vergeleken met alles waar je aan gewend was, moet dit wel een nederig bestaan zijn,' zei ik.
Ze ontkende het niet, maar zei nadenkend: 'Hier heb ik iets wat ik nooit eerder heb gehad. Vrijheid! Weet je, ik begin te geloven dat het het meest wenselijke ter wereld is. Hier denk ik mijn eigen gedachten. Ik geloof niet dat wat ze in mijn hoofd hebben gestopt, een evangelische waarheid is. Ik neem mijn eigen beslissingen. Wat ben ik blij dat ik niet met Tom Carlton ben getrouwd, dan zou ik nu zijn vrouw zijn. Stel je voor!'
'Zo rijk. Zo bewonderd in de maatschappij,' bracht ik haar onder het oog.

'Mijn geboorterecht voor een bord soep.'
Ik lachte, begreep wat ze bedoelde. Ze praatte dikwijls over haar jeugd, haar tijd van debutante, haar roepeing in dit leven, zoals ze het noemde: 'Om een rijke echtgenoot te vinden en het familiefortuin te redden. Nu ben ik vrij. Ik kan trouwen met wie ik wil, of helemaal niet... als ik er geen zin in heb. Ik ga waar ik wil. Ik doe wat ik wil. Glorieuze vrijheid.'
Ik merkte dat ik haar vertrouwde en vertelde haar iets van mijn huwelijksleven, dat culmineerde in de dood van mijn zoontje. 'Meer dan wat dan ook wil ik vergeten. Ik wil iets anders in mijn leven zo belangrijk maken dat ik niet aanhoudend meer omkijk. Ik wil het verleden achter me laten. Ik wil teleurstelling, desillusie en verdriet vergeten, Henrietta. Ik wil zieken verplegen, zodat ze weer gezond worden.'
Ze keek me vol afgrijzen aan. 'Bedoel je dat je verpleegster wilt worden?'
'Ja, ik denk van wel.' Ik spreidde mijn handen uit en bekeek ze. 'Ik geloof dat ik er talent voor heb. Mijn handen hebben een genezende aanraking. Het is bijna mystiek, maar het is een paar maal gebleken.'
Ze pakte ze en keek ernaar. 'Ze zijn prachtig gevormd. Ze zouden versierd moeten zijn met smaragden, diamanten en dat soort edelstenen.'
'Nee,' zei ik, terwijl ik ze wegtrok, 'ze moeten nuttige dingen doen.'
'Anna, serieus. Je zag hoe ze zijn toen je Lily ging halen.'
'Maar, dat wil ik juist veranderen. Ik wil er iets anders van maken.'
'Juffrouw Nightingale probeert dat ook. Ik hoorde steeds over haar voordat ik wegliep. Zij was, net als jij, geschokt door al die ellende in de ziekenhuizen. Natuurlijk vinden ze het allemaal even onvrouwelijk van haar. Haar familie wil het helemaal niet. Ze hebben alles gedaan om haar tegen te houden.' Ze lachte. 'Maar niemand kan een vrouw zoals zij tegenhouden als ze vastbesloten is om iets te doen.'
'Ik ga een besluit nemen, Henrieta. O, mijn gedachten tollen door mijn hoofd en ik droom veel. En er is één figuur die in mijn dromen weerkeert. Het is een man... een slechte man. Hij heet Damien. Hij heeft ook een eigenaardig leven, heeft zich vereenzelvigd met de inboorlingen in de verste plaatsen ter wereld.'
'Heeft hij geen boek geschreven?'
'Ja.'
'De man aan wie ik denk, is een beroemde dokter... een soort pionier.'
'Zo doet hij zich voor, geloof ik. Ik wil hem vinden. Er is veel wat ik over hem wil weten. Ik geloof dat hij verantwoordelijk is voor de verslaving van mijn man en voor de dood van mijn zoon.'
'Hoe?'
'Hij interesseert zich voor verdovende middelen... opium, laudanum... en vreemde soorten die je in het Oosten kunt vinden. Daar experimenteert hij mee. Misschien ook op zichzelf, maar met mate. Hij maakt dat anderen ze gaan

gebruiken zodat hij belangrijke ontdekkingen kan doen en zijn reputatie groter wordt. Heb je ooit van Madame de Brinvilliers gehoord, de gifmengster?'
'Vaag. Probeerde ze haar vergiften niet uit op mensen in ziekenhuizen?'
'Ja. Ik vind hem tot dezelfde soort horen.'
'Maar zij was een slechte vrouw. Ze vergiftigde mensen om hun geld, geloof ik.'
'Hij is een slechte man. Hij vergiftigt mensen uit naam van de wetenschap, zodat hij de wereld van zijn grote ontdekkingen kan vertellen. Hij is zelfs nog erger, omdat hij zo schijnheilig is.'
'Ik dacht dat zij dat was – ze ging de ziekenhuizen rond als een weldoenster en probeerde haar vergiften op arme patiënten uit.'
'Nou, ze horen tot dezelfde soort, Henrietta. Ik wil die man vinden. Ik wil hem in de ogen zien. Ik wil werken in het geheim en hem betrappen – op heterdaad – als hij met zijn boosaardige werk bezig is.'
Ze keek me verbaasd aan. 'Dat klinkt helemaal niet zoals jij. Meestal ben je zo kalm... zo redelijk.'
'En nu vind je me niet kalm of redelijk?'
'Nee. Je bent heftig. Je haat die man die je nooit hebt gezien.'
'Ik heb hem eenmaal gezien, in Venetië. Hij bracht Aubrey terug naar het palazzo... bedwelmd.'
'Denk je dat hij daar verantwoordelijk voor was?'
'Ik ben ervan overtuigd.'
'Wat opwindend! Hoe stel je je voor die man te vinden?'
'Dat weet ik niet.'
'Dan werk je wel in het wilde weg.'
'Er komen plannen bij me op en die schijnen zo onmogelijk dat ik ze verwerp. Maar mijn standvastigheid blijft. Ik kan nooit in het reine komen met mijzelf als ik die man niet vind. Er zijn dingen die ik hem vragen wil. Alleen als ik hem ken, kan ik zijn methoden ontdekken.'
'Ik dacht dat je die kende.'
'Ik weet in mijn hart dat hij slecht is. Hij doet veel kwaad en ik zal hem vinden, Henrietta.'
'Goed dan. Maar hoe?'
'Het lijkt voorbestemd. Hij is arts.' Ik keek neer op mijn handen. 'Ik verlang ernaar zieken te verplegen, iets te doen aan die afschuwelijke ziekenhuizen. Het lijkt wel of dat bepaald is. Als verpleegster krijg ik misschien een kans hem te vinden. Het is iets waar ik gevoel voor heb. Ik wéét dat ik een goede verpleegster zou kunnen zijn. Mijn eerste stap is om er een te worden.'
'Hoe?'
'Dat weet ik nog niet.'
'Je kunt niet naar een van die ziekenhuizen. Ze zouden je niet nemen. Je zou niet passen tussen die onverkwikkelijke mensen.'

'Ik heb bepaalde dingen over juffrouw Nightingale gehoord. Ze probeert de manier waarop de zieken worden verpleegd, te veranderen. Ik weet zeker dat ze graag mensen zou willen hebben zoals ik die verplegen willen bestuderen... mensen die zich geroepen voelen de zieken te helpen. Die zogenaamde verpleegsters in het ziekenhuis geven geen steek om de ouden, de zieken en de armen. Daar moet iets aan worden gedaan. Ze zijn zelf noodlijdend. Juffrouw Nightingale gaat dat alles veranderen en als ze dat doet, wil ze zeker haar toegewijde verpleegsters bij zich hebben. Henrietta, ik wil ontdekken hoe ik voor verpleegster kan trainen.'
Ze knikte. 'Ik geloof dat ik dat ook graag zou willen.'
'Jij?'
'Waarom niet? Ik wil graag iets doen. Ik wil mijn leven niet met iets onbenulligs voorbij laten gaan. Ik heb besloten. Ik wil samen met jou verpleegster worden.'
'Herinner je je dat diner bij de Carberry's?'
'Alsof ik dat zou kunnen vergeten! Toen wist ik dat jij me kon helpen.'
'Ze zeiden toen iets over juffrouw Nightingale en dat ze ergens naar een plaats in Duitsland zou gaan. Kaiserswerth, dacht ik.'
'Dat herinner ik me.'
'Daar wil ik achter komen. Jij kent toch de familie?'
'Ja.'
'En zie je nog wel eens een paar van je oude vrienden?'
Ze knikte weer.
'Misschien zou je inlichtingen kunnen inwinnen.'
'Over Kaiserswerth en of het mogelijk is voor twee beginnende verpleegster om erheen te gaan?'
'Precies.'
Henrietta's ogen straalden. Ze leek nieuwsgierig; en ik vroeg me af of het idee van het opsporen van de Demon Dokter haar meer aantrok dan het beroep van verpleegster.
Het enthousiasme had wortel geschoten. De opwinding over Lily's verloving was gekalmeerd. Ze was nu een ernstige jonge vrouw die spaarde voor haar uitzet. Dat was heel plezierig, maar Henrietta hield van opwinding.
Het grote project, zoals ze het noemde, was nu haar voornaamste zorg. Ze begon aan haar opdracht met een gedrevenheid, een geheim agent waardig.

Een paar dagen later schrok ik toen ik een brief kreeg uit Munster St Clare. Mijn vingers trilden toen ik hem opende. Hij was van Amelia. Ze schreef:

Mijn lieve Anna,
Je zult wel verbaasd zijn dat ik schrijf vanuit bovenstaand adres. Jack en ik zijn

inderdaad hier. Men had ons aangeraden te komen. Aubrey is dan ook erg ziek. Dat was onvermijdelijk. Zijn toestand ging blijkbaar hard achteruit nadat jij vertrokken was, en we hebben gehoord dat zulke gevallen al snel verergeren.
De dokter denkt dat hij niet lang meer zal leven. Hij mag geregeld laudanum gebruiken – dat natuurlijk opium bevat – en het is zijn verslaving daaraan die hem in deze toestand heeft gebracht. Maar hij kan er absoluut niet buiten, zeggen de dokters, daar hij anders waarschijnlijk door het dolle heen zal zijn.
Het doet me veel verdriet je dit schrijven, want ondanks alles wat er gebeurd is, weet ik dat je nog iets voor hem voelt. Hij heeft perioden waarin hij helder is en dan spreekt hij aanhoudend over jou. Als je zou kunnen komen en even bij hem kon zijn, zou hem dat kalmeren, denken de dokters.
Mijn lieve Anna, dit is een heel droevige brief om te schrijven, en als je zegt dat je niet kunt komen, begrijp ik het. Maar ik schrijf omdat de dokter het voorstelde. Ik denk dat Aubrey niet lang meer te leven heeft. Misschien kun jij hem op de een of andere manier geruststellen. Ik denk dat hij grote schuldgevoelens heeft en graag vrede met je zou willen sluiten.
Als altijd alle liefs, en ik hoop dat ik je zal zien,
Amelia

Ik was verbijsterd. Ik had niet gedacht Aubrey en de Munster ooit weer te zien. Mijn eerste gedachten waren: Nee, nee, ik kan niet gaan. Ik kan die oude herinneringen niet doen herleven. Dat is te veel.
Een hele dag antwoordde ik niet op de brief.
Toen Henrietta merkte hoe verstrooid ik was, wilde ze weten wat ik had. Ik toonde haar de brief.
'Ik kan niet gaan,' zei ik fel. 'Dan beleef ik opnieuw wat ik juist probeer van me af te zetten. Overal zijn herinneringen aan mijn kleine jongen. Door alles wat er is gebeurd, is het me gelukt het een klein beetje te vergeten. Alle wonden zou weer opengaan.'
'Anna Pleydell,' zei Henrietta plechtig, 'als je niet gaat, drukt het voor de rest van je leven op je geweten. Ik ken je goed en zo zal het zijn. Je man heeft gefaald. Je moest weg. Je wilde vrijheid. Ik weet wat dat voor je betekende. Ja, oude wonden zullen opengaan en je zult eronder lijden, maar in de jaren die volgen zal je meer lijden als je niet gaat.'
Ik dacht na over wat ze had gezegd. Ondanks al haar uiterlijke frivoliteit had ze soms flitsen van wijsheid; en na lang nadenken besloot ik te gaan.
Ik werd van het station gehaald door Jack St Clare.
Toen we naar de Munster reden, zei hij: 'Je zult een grote verandering in Aubrey zien.'
'Dat verwachtte ik ook. Maar het is toch vrij plotseling.'
'Het is ongeveer een jaar geleden dat je hem voor het laatst zag, hè.'

'Ja,' antwoordde ik.
'De dokter zei dat als hij eenmaal in het laatste stadium is, hij snel achteruit gaat.'
'Is hij stervende?'
'Ik denk niet dat hij lang zal kunnen blijven leven in de toestand waarin hij is. Hij is heel mager geworden. Hij is nerveus en geïrriteerd, en hij eet nauwelijks. Ik denk dat hij pijn heeft als hij het probeert. De dokter zegt dat als je hem zijn laudanum helemaal ontneemt, hij in de war kan raken en instorten.'
'Bedoel je dat hij dan gewelddadig kan worden?'
'Als hij niets meer krijgt, zou hij alles doen om eraan te komen.'
'Moet hij thuisblijven?'
'Hij kan nergens heen. Iedere dag krijgt hij een kleine dosis laudanum. Hij snakt ernaar. Het is echt zielig hem te zien, vooral als je bedenkt wat hij was en wat hij nog steeds had kunnen zijn. De dokter vond dat je moest weten van zijn toestand, en hoewel hij denkt dat niets meer verbetering kan brengen, denkt hij wel dat je aanwezigheid hem rust geeft.'
Ik zweeg, bang voor wat er voor me lag.
Amelia begroette me met warmte. 'Op de een of andere manier wist ik dat je komen zou.'
Ze brachten me naar Aubrey's kamer. Hij sliep. Ik herkende hem nauwelijks, hij zag er jaren ouder uit dan toen ik hem voor het laatst zag. Hij lag op zijn rug en ademde zwaar.
'Kom mee naar je kamer,' zei Amelia. 'Als hij wakker wordt, zullen we hem vertellen dat je gekomen bent. Ik heb je niet je oude kamer gegeven, want ik dacht dat je dat liever niet wilde.'
Wat begreep ze het goed.
Ik liep over de galerij die ik me zo goed herinnerde, met de slechte Harry die spottend en geamuseerd op me neerkeek, en kwam zo in mijn kamer aan de voorkant van het huis met uitzicht op de oprijlaan. Toen ik naar buiten keek, stelde ik me Julian voor die beneden door het gras rende. Ik moest me wapenen tegen alle herinneringen die naar me toestroomden.
Later, toen ik Aubrey zag, kon ik niet anders dan medelijden met hem hebben. Hij was zo zwak als een oude man.
'Susanna,' mompelde hij. 'Je bent dus gekomen.'
Ik zat naast zijn bed en hij stak zijn hand naar me uit. Ik pakte die en hield hem stevig vast.
'Dat,' zei hij, 'is prettig. Ik heb altijd van je handen gehouden, Susanna. Ze gaven me rust. God weet dat ik nu rust nodig heb. Ik ben blij dat je bent gekomen. Dat is lief van je. Ik wil je zeggen dat het me spijt.'
'Het is allemaal voorbij. Laten we niemand de schuld geven.'
'Het had anders kunnen zijn.'

'Ik neem aan dat dat voor alles geldt.'
'Zo gemakkelijk...' zei hij. 'Herinner je je...'
'Ik herinner me een heleboel.'
'Ik had het bedoeld als een keerpunt. Ik wilde de oude manier van leven opgeven.'
'Dat weet ik nu.'
'Als...'
'Laten we geen verdriet hebben over wat er niet veranderd kan worden.'
'Vergeef me, Susanna.'
'Vergeef jij mij ook.'
'Jij niet,' zei hij. 'Jij niet, Susanna. Ik heb de laatste tijd liggen denken over hoe anders het had kunnen zijn.'
'Dat weet ik.'
'Blijf bij me.'
'Daarom ben ik gekomen.'
'Het duurt nu niet lang meer.'
'Misschien word je wel weer beter.'
'Van wat ik scheel? Nee, Susanna. Ik zag eens een man... precies als ik. Die hunkering... Het is verschrikkelijk. Je zou er alles voor doen... zelfs een moord plegen. Het is vreselijk.'
'Ik begrijp het.'
'Mensen zouden het moeten weten voordat ze eraan begonnen.'
'Dat doen ze wel,' zei ik, 'maar ze beginnen er toch aan.'
'Praat met me over Venetië... de eerste weken in Venetië voordat ik me liet gaan. Als ik... ik had toen kunnen beginnen. Ik had misschien de weg teruggevonden.'
Dus praatte ik over Venetië, hoe leuk ik de gondeliers had gevonden, over het palazzo, het Dogen Paleis, de mooie bruggen, en zo gaf ik ons weer iets terug van de magie van die huwelijksreis.
Hij hield mijn hand vast, zei dat die hem rust gaf, en zo viel hij in een diepe, vredige slaap.
Had hij zo maar kunnen blijven.
Later diezelfde dag hoorde ik hem schreeuwen en roepen door de ellende van de ontwenningsverschijnselen. Hij had een verpleger die meer op een cipier leek, vond ik. Het was een sterke man, daar hij Aubrey in bedwang moest houden tijdens zijn gevaarlijke stemmingen ten gevolge van zijn verslaving.
Jack legde het me uit: 'Dit is een typische dag voor hem geweest. Hij heeft tijden dat hij helder en aardig is, en dan, als het tijd wordt voor zijn dosis, wordt hij wild. De dosis is nooit genoeg, zie je. Hij is zo verslaafd. Jasper weet hoe hij hem aan moet pakken. Wij komen nooit bij hem als hij in een van die agressieve buien is.'

Na zo'n aanval was Aubrey altijd uitgeput en sliep dan uren achter elkaar, wat goed was, zei de dokter, want hij kon geen rustgevende middelen krijgen, omdat de meeste daarvan opium bevatten. Dat was juist de vijand waartegen ze vochten en het zou onverstandig zijn de dagelijke dosis te vermeerderen.
Ik praatte veel met Amelia en Jack. Na Aubrey's dood zou Jack Munster St Clare erven, en op advies van de juristen had hij al iets van het werk van het landgoed overgenomen – dus zou Munster St Clare in de handen van een St Clare blijven. Ik was blij voor hem en Amelia.
Maar het waren droeve dagen voor me. Ik was helemaal terug in de periode waarin ik zo geleden had. Een keer ging ik naar boven naar de kinderkamers en zat daar terwijl de schemer viel, en mijn hart huilde om mijn verloren kind. Als ik zo naar hem verlangde, was mijn woede om zijn dood nog even fel als eerst. Ik herinnerde me zoveel: zijn eerste waggelende stapjes, zijn eerste tandje, de manier waarop zijn mollige vingertjes zich om de mijne klemden, de manier waarop zijn ogen begonnen te stralen als hij mij zag.
Ik rouwde opnieuw om mijn geliefde jongen.
En ik zei tegen mijzelf: Ik zal het doen. Ik zal de man vinden onder wiens invloed Aubrey is geworden tot dat wrak dat nu de laatste dagen van zijn ellendige leven boven doorbrengt, de man wiens experimenten mij misschien van mijn kind beroofd hebben.
Amelia trof mij daar. Ze gaf me een standje. 'Je moet hier niet zitten piekeren. Dat is onverstandig. Ik had het gevoel dat je een nieuw leven voor jezelf opbouwde. En nu heb je Henrietta. Misschien had ik je niet moeten vragen om te komen.'
'Ik ben blij dat ik ben gekomen,' zei ik. 'Maar het heeft dingen veranderd... ik voel nu anders over Aubrey. Misschien had ik hem eens kunnen helpen. Toch ben ik blij dat ik gekomen ben, al is het pijnlijk. Dat kon niet anders. Ik realiseer me nu dat ik zelfs het kleinste niet vergeten heb. Het is er gewoon aldoor geweest...'
'Maar lieverd, je moet doorgaan met het nieuwe leven dat je nu aan het opbouwen bent.'
'Ja, dat doe ik ook. Ik geloof dat het terugkomen mijn besluit heeft versterkt.'
Weer ging een dag voorbij. Aubrey leek zwakker. Ik zat bij zijn bed en we praatten over het verleden, over onze kennismaking in India, over de dagen op de boot naar huis, die me zo magisch hadden geleken. Nu scheen het dat het voor hem ook zo was geweest. Ik had niet beseft dat hij toen, tot op zekere hoogte, zijn hand naar me uitgestoken had. Hij was zo werelds, wist alles van het leven, en ik was zo onervaren en onschuldig. Als ik ouder en wijzer was geweest, had ik er misschien een idee van gehad. Maar dat had ik niet en het gaf me het gevoel dat ik op de een of andere manier tegenover hem tekortgeschoten was. Mijn verleidingskunsten waren niet groot genoeg geweest om hem weg te lokken uit

die oude gewoonten, en mijn liefde was niet groot genoeg om hem bij me te houden.
Ik hield zijn hand vast. Dat vond hij prettig. Hij sprak over mijn kalmerende handen.
Toen ik zag dat hij onrustig werd, ging ik weg. De verandering in hem was angstwekkend. Ik wilde hem niet in zo'n stemming zien, vastgehouden door de man die ik als zijn cipier beschouwde.
Die ochtend was ik vroeg op. Ik zat voor het raam uit te kijken over de oprijlaan en bedacht dat ik van plan was geweest Julian zijn eerste pony te geven als hij wat ouder was. Maar ik moest die herinneringen van me afzetten – ze deden me geen goed.
Ik was zo geholpen door iedreen in het Londense huis en probeerde nu aan hen te denken – de wispelturige Henrietta, mijn praktische Jane en Polly, die lieve oude Joe met zijn herinneringen aan de weg tussen Londen en Bath, aan Lily met haar romance. Ze hadden me door de moeilijke maanden heen geholpen en nu zij er niet waren, gleed ik terug in de melancholie.
Terwijl ik voor het raam aan dat alles zat te denken, werd er op de deur geklopt. Amelia kwam binnen en onmiddellijk wist ik dat er iets ergs was gebeurd.
'Het is Aubrey,' zei ze. 'Hij is weg. Verdwenen.'
'Waarheen?'
Ze schudde haar hoofd. 'Hij is niet in huis. Jack en ik hebben overal gezocht.'
'Maar waar kan hij naartoe zijn gegaan?'
'Jasper heeft er geen idee van. Gisteravond kreeg hij zijn dosis en leek te gaan slapen. Vanmorgen was zijn bed leeg.'
'Wat kan er met hem gebeurd zijn?'
'Wisten we het maar. Ver weg is hij niet. Zijn kleren zijn hier.'
'Denk je dat hij zichzelf iets heeft aangedaan?'
'Daar hebben we wel aan gedacht.'
'Denk je dat hij de laudanum gevonden heeft?'
'Jasper zegt van niet. Die is achter slot en grendel in zijn kamer. Er is niet met de kast geknoeid en de fles is zeker niet aangeraakt sinds hij hem heeft weggezet.'
'Wat moeten we doen?'
'Hij kan niet ver weg zijn in zijn nachtgoed... hij had alleen pantoffels en een kamerjas aan. Hij moet ergens in huis zijn.'
'Hebben jullie overal gezocht?'
'Ja. En ze zoeken weer overal. Ik vond dat ik het je moest komen vertellen.'
Ik ging met haar naar beneden. Daar was Jack. Hij schudde zijn hoofd. 'Hij is gewoon nergens te vinden.'
'Denk je dat hij het huis is uitgegaan... de tuin in?' vroeg Amelia.
'Daar zoeken we ook. Hij kan niet ver zijn.'

Ik volgde hen naar buiten en liep in de richting van het bos.
'Daar hebben we ook gezocht,' zei Jack.
'Ik vraag me af...' mompelde ik, want er was een gedachte bij me opgekomen. Ik rende het bosje door en bereikte de andere kant. Daar beklom ik het heuveltje en gleed naar beneden. Terwijl ik dat deed, zag ik dat de deur van de tempel openstond. Een instinct vertelde me dat ik hem daar zou vinden.
Ik ging naar binnen. Er hing een doordringende kilte en ik rook dezelfde geur waarvan ik nu wist dat hij afkomstig was van de drugs die er gerookt waren. Ik wilde dolgraag terugkeren, niet die plek van het kwaad binnengaan. En ik had het griezelige gevoel dat ik, als de deur dichtsloeg, niet zou kunnen ontsnappen.
Ook herinnerde ik me de eerste keer dat ik hier kwam. Ik vond een steen en duwde die tegen de deur, ademde diep de frisse lucht in voor ik de gang doorliep naar de open ruimte. Nu wist ik dat het een altaar voor de Duivel bevatte. Toen zag ik het idool en Aubrey. Het grote beeld met de gele ogen, de hoorns en de gespleten voet lag op de grond en er lag iets onder.
Ik wist het.
Het was Aubrey.

Voor mij was het symbolisch. Het beeld personifieerde de man die hem te gronde had gericht. In een van zijn buien van woede was hij naar de tempel gegaan en had het aangevallen, met het resultaat dat het van zijn voetstuk getuimeld was en hem had gedood. De grote angst, vanaf het ogenblik dat zijn verslaving resulteerde in die heftige momenten, was dat hij of zichzelf, of een ander iets zou aandoen. Ten slotte was het gebeurd.
Arme gedoemde Aubrey.
Ik bleef in de Munster voor de begrafenis. Er waren maar weinig mensen voor de ceremonie. Onder deze omstandigheden vonden Amelia en Jack dat het zo rustig mogelijk moest plaatsvinden. Naderhand werd het testament voorgelezen. Het was zo ongeveer wat we verwacht hadden. Jack was nu heer van de Munster. Ik kreeg een hoeveelheid geld die me een klein inkomen verschafte en zodoende zou ik, samen met wat ik van mijn vader had, in de toekomst geen financiële zorgen meer hebben.
Amelia en Jack namen hartelijk afscheid en dwongen me de belofte af dat ik hen gauw zou komen opzoeken.
Ik had hun in Londen laten weten wanneer ik zou aankomen en Joe stond te wachten aan het station. Toen ik het huis binnenkwam, vloog Henrietta me om de hals en Jane en Polly wachtten op eerbiedige afstand op hun beurt om me te begroeten.
Overal waren bloemen en er hingen lauriertakken boven de schilderijen.
'We hebben je zo gemist,' zei Henrietta.

En ik voelde dat ik echt thuisgekomen was.
Henrietta wilde horen wat er allemaal was gebeurd en ze luisterde met grote ogen toen ik haar vertelde hoe Aubrey aan zijn eind was gekomen.
Ik zei: 'Ik weet zeker dat hij probeerde dat monsterlijke beeld naar beneden te trekken. Natuurlijk was het ding wel honderd jaar oud. Het moet toen boven op hem gevallen zijn. Ik geloof dat hij dacht dat het Damien was... de man die hem te gronde had gericht.'
'We vinden hem wel,' zei Henrietta en glimlachte in stilte.
'Jij vindt het vergezocht om het te proberen.'
'De meeste dingen die de moeite waard zijn, zijn vergezocht. Je bent bedroefd,' voegde ze eraantoe.
'Ik heb gewetensbezwaren wat Aubrey betreft. Misschien had ik moeten blijven en voor hem zorgen.'
'Je deed, wat je toen het beste leek. Daar moet je je geweten niet mee belasten. Hoe had je kunnen leven met een man die de helft van de tijd onder de drugs zat? Je deed toen wat je juist scheen. Het heeft geen zin om om te kijken. Je moet vooruit.'
'Je hebt gelijk. Ik voel dat ik aan het eind van een periode ben gekomen. Nu ben ik weduwe, Henrietta.'
'En dat is respectabeler dan een vrouw te zijn die haar man heeft verlaten!'
'Dat kan wel. En ik ben nog wat rijker ook.'
'Mooi. De financiën waren wat krap, dacht ik. Je hebt een naaister genomen en als je ooit wroeging hebt over Aubrey, moet je maar denken aan wat je voor Lily hebt gedaan. Je kunt niet de hele wereld tegelijk redden.'
'Je bent een troost voor me, Henrietta. Ik ben blij dat je gekomen bent.'
'Daar, zie je, je bent blij, dat is een punt in mijn voordeel. Maar denk aan alle negatieve punten die ik krijg omdat ik Tom Carlton de bons heb gegeven.'
'Weet je zeker dat je er geen spijt van hebt?'
'Compleet en absoluut. Het leven is nu opwindend en vol mogelijkheden. En ik heb niet niets gedaan terwijl jij weg was.'
'Wat heb je gedaan?'
'Op het ogenblik is het een geheim.'
'Ik heb een hekel aan geheimen die ik niet deel.'
'Ik ook. Maar je komt het te weten... te zijner tijd. Ik wil het niet verknoeien door je de helft te vertellen voor het af is.'
'Ik ben nieuwsgierig. Is het een minnaar?'
'Mensen denken ook altijd aan hetzelfde. Als een meisje een geheim heeft, neemt iedereen aan dat het een man moet zijn. Zelfs jij, Anna.'
'Is het dan niet zo?'
'Je kijkt opgelucht. Is dat omdat je dacht dat ik weg zou gaan?'
Ik knikte.

'Wat lief van je. Ik heb me wel eens afgevraagd of ik eigenlijk geen last voor je was. Ik sleepte je mee in mijn zaken en gaf je niet veel kans om je erbuiten te houden. Dat kwam omdat ik wist dat je iets speciaals had. Ik wist dat het de bedoeling was dat we vriendinnen zouden worden. Ik kan je niet genoeg danken voor wat je voor me gedaan hebt. Wat er ook gebeurt, we zullen altijd vriendinnen blijven. Mijn geheim is iets waar we beiden mee te maken hebben.'

'Je hebt nu zoveel verteld, waarom vertel je niet alles?'

'Op zijn tijd. Nog een beetje geduld.' Ze begon over andere dingen. Lily's huwelijksplannen kregen al vaart.

'Het enige wat me spijt is dat hij soldaat is,' zei ik. 'Soldaten gaan weg en laten hun vrouw alleen.'

Ze babbelde nog wat en ik luisterde. Ik was blij om weer thuis te zijn, en met de wetenschap dat een pijnlijk hoofdstuk van mijn leven voorgoed afgesloten was.

Kaiserwald

Twee dagen later hoorde ik van Henrietta's activiteiten. Ze had gewacht op een brief en toen die kwam, rende ze ermee naar haar kamer.
Een paar minuten later stormde ze triomfantelijk bij mij binnen. 'Het is gebeurd,' zei ze. 'Het is me gelukt.'
'Vertel het gauw.'
'Ik zei toch tegen je dat ik niet niets had gedaan terwijl jij weg was. Je wist dat we de familie Nightingale kenden en ik dacht dat ik daar goed gebruik van zou kunnen maken. Eerst hoorde ik van een vriendin wat juffrouw Nightingale probeerde te doen. Net als jij bekommerde ze zich om de toestand van de ziekenhuizen en het niveau van de verpleging. Ze was naar die plaats in Duitsland – Kaiserswerth – geweest om er over te horen. Ze wil van onze ziekenhuizen plaatsen maken waar de zieken behoorlijk worden verzorgd, en het eerste waar ze zich mee bezig zal houden, is het beroep van verpleegster. Het heeft geen zin die dronken meiden, die zichzelf verpleegster noemen, in de ziekenhuizen te houden omdat het een gemakkelijke manier is om je brood te verdienen. Ze wil het verpleegstersberoep eervol en respectabel maken. Ze wil dat verpleegsters worden getraind en probeert er alle soorten vooraanstaande mensen voor te interesseren.'
'Ik wist niet dat dat haar bedoeling was.'
'Ik wilde haar graag spreken om haar over ons te vertellen. Natuurlijk was ze onbereikbaar. Ze heeft zoveel te doen en er wordt aanhoudend aan haar getrokken. Ze heeft er zich volkomen aan gewijd en is ook bevriend met de Palmerstons, de Herberts... en nog andere invloedrijke mensen. Maar ik kreeg een adres waar ik naar kon schrijven en vertelde haar van ons... voornamelijk van jou, hoe je gevoel had voor de verpleging en er iets van wilde leren en dat ik had gehoord dat er een plaats was die Kaiserswerth heette.' Haar ogen straalden 'Ik kreeg een brief terug. Ze dacht niet dat we in Kaiserswerth terecht zouden kunnen. Het is een instituut waar het ziekenhuis een klein onderdeel van vormt en de staf bestaat uit Diaconessen die hun leven aan de Kerk hebben gewijd. Maar sommigen van de Diaconessen hadden de opdracht instituten te stichten in verschillende delen van Duitsland. Een ervan bestaat vrijwel geheel uit een ziekenhuis en het is mogelijk dat jonge vrouwen die tot verpleegster willen worden opgeleid, daar worden aangenomen. Juffrouw Nightingale zou informeren of wij geschikt waren en het ons dan laten weten.' Ze wuifde triomfantelijk met de brief. 'Hier wachtte ik op. Natuurlijk wist ik niet of ik iets zou horen. Maar hij kwam vanmorgen. De sollicitatie van juffrouw Anna Pleydell en juffrouw Henrietta Marlington om in Kaiserwald te trainen, is aangenomen.'
'Henrietta!' riep ik.

'Zeg nu dat ik een knapperd ben geweest.'
'Je was schitterend en je hebt het nog wel geheim gehouden.'
'Ik wilde je verrassen met al het goede nieuws. In gedeelten maakt het lang niet zoveel indruk.'
'Het is geweldig.'
'Wanneer gaan we?'
'Volgende maand?'
'Waarom zo lang wachten?'
'We moeten ons klaarmaken. Bovendien moeten we hier zijn voor Lily's bruiloft.'
'We zullen een heleboel te doen hebben. Hoe lang blijven we weg?'
'Drie maanden, denk ik.'
'Duurt het zo lang om opgeleid teworden?'
'Ik kan heel wat leren in drie maanden. En jij ook.'
Ik glimlachte. Dit was precies wat ik nodig had. Het zou mijn gedachten van Aubrey afleiden en nu ik in de Munster was geweest, was het verdriet om mijn kind weer heel intens geworden.

Op een frisse oktoberdag vierde Lily haar bruiloft.Ik was blij met het gelukkige vervolg op haar geschiedenis. Ze straalde en William scheen een zeer plezierige jongeman. Meneer en mevrouw Clift waren kennelijk zielsgelukkkig met het huwelijk en hielden al van Lily, dus alles leek volmaakt.
Het bruidspaar zou een week naar Brighton gaan voor de huwelijksreis en daarna zou Lily haar intrek nemen in het huis van de Clifts.
Jane en Polly waren wat terneergeslagen. Ze zouden niet alleen Lily verliezen, maar ons ook. Het zou nu weer net zo zijn als voordat ik thuiskwam.
'Niet helemaal,' zei ik, 'want jullie kunnen bij Lily op bezoek gaan en zij hier. Ze gaat om de hoek wonen en wij blijven maar een paar maanden weg.'
'Het is niet precies hetzelfde,' zei Jane.
'Dat is het leven nooit,' zei Polly luguber.
Ook Joe was terneergeslagen. Rijtuigen zijn niet bedoeld om op stal te staan en paarden moeten geregeld lopen, merkte hij op.
Ik zei dat hij regelmatig met het rijtuig uit moest gaan.
'Rijtuigen zonder passagiers zijn als hachee zonder vlees,' zei Jane.
'Het is niet voor eeuwig. We komen weer terug.'
Niets kon onze opwinding indammen en we gingen door met onze voorbereidingen.
Eind oktober stonden Jane en Polly aan de deur om ons uit te wuiven. Polly veegde in een oog en ik besefte weer eens hoeveel ik van hen hield. Joe reed ons naar het station. 'Ik zal er zijn om u af te halen als u thuiskomt,' zei hij. 'En liever eerder dan later.'

'We zullen naar je uitkijken, Joe,' zei ik. 'Wat roepen die krantenjongens daar?'
Joe luisterde. 'Iets over Rusland. Er is altijd iets met Rusland.'
'Luister,' zei ik.
'Rusland en Turkije in oorlog,' zei Henrietta. 'Er is weer eens iemand aan het oorlogvoeren.'
'Oorlog!' zei ik. 'Ik haat het. Ik denk aan William Clift. Het zou vreselijk zijn als hij overzee moest.'
'Rusland... Turkije...,' zei Henrietta. 'Dat is ver weg.'
Het was waar; we vergaten de oorlog en vestigden onze gedachten op wat er voor ons lag.
Toen ik Kaiserwald zag, had ik het gevoel dat ik een toverland binnenstapte dat in een sprookje thuishoorde. Het huis was een kasteeltje met torens en torentjes. Het was van een edelman geweest die het had gegeven aan de Diaconessen om als ziekenhuis te gebruiken. Het lag in de bergen – beboste heuvels en woud. Een ideale ligging, want de verkwikkende lucht zou goed zijn voor patiënten met aandoeningen van de luchtwegen; zulke lucht was trouwens goed voor ons allemaal. Een rijtuig had staan wachten om ons naar het huis te brengen en toen het de steile weg omhoog nam, voelde ik me steeds uitbundiger; een blik op Henrietta deed me zien dat zij mijn gevoel deelde.
Ik rook de sterke dennenlucht, hoorde het water van de waterval die van de berg stortte. Nu en dan klonk het getinkel van een bel die, zoals onze koetsier zei, betekende dat er koeien in de buurt waren. Er hing een vage nevel in de lucht die alles beroerde met een mistig blauw. Zelfs voordat ik Kaiserwald zag, was ik verrukt.
We kwamen bij een open plek in het bos en het rijtuig hield plotseling halt. Er stak een meisje de weg over. Haar lange blonde haar hing over haar rug en ze droeg een stok; voor haar waggelden zes ganzen, die weigerden haast te maken. Onze koetsier riep iets naar haar maar ze antwoordde met een schouderophalen. Mijn Duits was verre van volmaakt. Het meeste van wat ik op school had geleerd was ik vergeten, maar ik maakte eruit op dat ze Gerda de Ganzenhoedster was die bij haar grootmoeder woonde in een huisje in de buurt. Hij tikte tegen zijn voorhoofd. 'Er ontbreekt daar wat,' zei hij, iets wat ik met behulp van het gebaar kon vertalen.
Ik antwoordde aarzelend dat ze een allerliefst beeld vormde met haar ganzen.
Nu waren we bij het kasteel. Er was een klein meer voor – weinig meer dan een vijver. Wilgentakken sleepten in het water en met de bergen op de achtergrond was het een beeld van adembenemde schoonheid.
'Wat prachtig,' zei Henrietta en ik was het er volslagen mee eens.
We reden een binnenplaats op waar we uitstapten. Een jonge vrouw kwam ons begroeten. Ze droeg een lichtblauwe japon met een wit schort, had een blanke huid en blond haar, en ze sprak Engels. Ze bekeek ons wat nieuwsgierig en ik

verbeeldde me dat ik een spoor van scepticisme ontdekte. Naderhand vertelde ze ons dat ze had gehoord dat we twee Engelse dames van goede familie waren die zich voor de verpleging interesseerden en dat ze dacht dat we niet langer dan een week in Kaiserwald zouden blijven.
Ze bracht ons naar onze slaapgelegenheid. Het was een lange slaapzaal met gewitte muren en in hokjes verdeeld. In elk ervan stond een bed. Daar moesten we slapen, zei ze, en we moesten een wit schort over onze japon dragen en erop voorbereid zijn iedere taak die van ons gevraagd werd, uit te voeren.
Er lagen tweehonderd patiënten in het ziekenhuis, van wie de meesten ernstig ziek waren.
'We nemen ze pas op wanneer ze zwaar ziek zijn,' vertelde ze. 'Dit is een plaats voor echte zieken en voor degenen die hier komen om werk te hebben. We krijgen niet vaak dames op bezoek. De Hoofd Diacones heeft u aangenomen om juffrouw Nightingale een plezier te doen.'
We zeiden dat we het begrepen en ik legde uit dat we graag getrainde verpleegsters wilden worden.
'Alleen jaren werk tussen de zieken kan u dat bijbrengen,' was het antwoord.
'We kunnen een begin maken,' zei Henrietta met een stralende glimlach.
Onze gids wierp haar een blik vol ongeloof toe en ik kon het begrijpen. Henrietta maakte de indruk dat ze geschapen was voor vrolijkheid. Wat mij betreft, verdriet en ervaring hadden ongetwijfeld wat lijnen op mijn gezicht getekend. Mijn manier van doen was ernstiger, dus misschien maakte ik een betere indruk.
We werden aan onze medewerkers voorgesteld. Slechts weinigen van hen spraken Engels. Het waren gelovige mensen die wilden verplegen omdat ze er aanleg voor hadden. De meesten kwamen uit arme gezinnen en ze verdienden er de kost mee, maar de sfeer hier was heel anders dan wat ik kort had gezien toen ik bij Lily in dat Londense ziekenhuis was geweest.
Vervolgens werden we naar de Hoofd Diacones gebracht, een dame met veel karakter. Ze was van middelbare leeftijd met ijzerkleurig grijs haar en koele grijze ogen.
Ze vertelde ons: 'De meeste patiënten hier lijden aan ziekten van de ademhalingswegen. Sommigen worden niet meer beter. Ze worden hiernaartoe gestuurd uit plaatsen in heel Duitsland omdat men zegt dat de lucht hier hen goeddoet. We hebben twee inwonende dokters – dokter Bruckner en dokter Kratz.'
Haar Engels was heel goed en ze vertelde ons verder over het doel van het ziekenhuis.
'Ik deel de opvatting van uw eigen juffrouw Nightingale,' zei ze. 'Er wordt te weinig gedaan om zieken te genezen. We zijn pioniers hier. Ons doel is het geweten van mensen wakker te schudden door hen de noodzaak om voor zieken te zorgen en hen zo mogelijk te genezen te tonen. We hebben wat bijval

gekregen voor wat we doen en nu en dan krijgen we bezoek van dokters uit andere landen. Die hebben we ook uit uw eigen land gehad. Ze hebben belangstelling voor onze methoden en ik geloof dat we een klein beetje vooruitgang boeken. We zijn hier allemaal overwerkt en u zult het leven verre van luxueus vinden.'
'We hebben niet anders verwacht,' zei ik.
'Onze patiënten vragen veel tijd. Er is weinig vrije tijd en als we die hebben... we zijn ver verwijderd van een stad.'
'U hebt prachtige bossen en bergen.'
Ze knikte. 'We zullen zien,' zei ze, en ik wist dat zij, evenals de Diacones die ons binnengebracht had, niet verwachtte dat we zouden blijven.
Het was niet gemakkelijk en het verbaasde me dat Henrietta het accepteerde. Voor mij was het iets anders. Ik wilde hard werken, ik wilde vergeten... en om nu in ongewone omstandigheden te zijn, was eigenlijk een zegen voor me.
We leefden als Spartanen. We hadden verwacht hard te werken maar niet zo onophoudelijk. Er werd van ons gevraagd te doen wat nodig was. Ik werd getroffen door de schone ziekenzaal. Het beddengoed moest door ons worden gewassen en we moesten de vloeren schrobben. Om vijf uur 's ochtends stonden we op en werkten vaak hard tot zeven uur 's avonds, tot, zoals Henrietta zei, de patiënten waren ingestopt. Het was een religieuze orde en als we klaar waren met ons werk, kwamen we samen om uit de bijbel te lezen en gezangen te zingen. In de eerste week was ik aan het eind van de dag zo uitgeput dat ik naar bed ging, waar ik in een verrukkelijke slaap viel en pas wakker werd als de bel me riep. Tot op zekere hoogte deed het me aan school denken.
De maaltijden waren in een lange hal met gewitte muren en we zaten aan een lange tafel waar iedereen een plaats had die hij moest houden.
Het ontbijt, even voor zes uur, bestond gewoonlijk uit roggebrood en een drank die, naar ik dacht, van gemalen rogge was gemaakt. Het was boerenvoedsel. We gaven de patiënten hun maaltijd om elf uur en kwamen om twaalf in de hal voor die van ons. Er was soep, groenten en wat vlees of vis.
Zo nu en dan hadden we een paar uur vrij en na de eerste week – toen we te moe waren om iets anders te doen dan op bed te liggen en een beetje te babbelen – liepen we naar de rand van het meer en zaten er te luisteren naar het geluid van de wind in de dennen; en zelfs al waren we zo langzamerhand aan het harde werken gewend, toch wilden we alleen maar zitten en uitrusten. Ik was helemaal tot rust gekomen.
Soms, als we daar zaten, kwamen er mensen langs op weg naar het dorp dat zo'n zeshonderd meter van het ziekenhuis lag. De meeste mensen hadden een paar dieren – meest koeien – en veel van hen borduurden japonnen en blouses die in de winkels in de stad werden verkocht. De houthakker kwam langs met de bijl over zijn schouder en riep een begroeting naar ons. Ze wisten allemaal wie

we waren, respecteerden ons als verpleegsters van Kaiserwald en waren buitengewoon hoffelijk.
Het was lang geleden dat ik zo gelukkig was geweest.
Het meest hield ik van het werk op de ziekenzaal. Het was een lange zaal met kale gewitte wanden en aan beide kanten hing een groot crucifix. De bedden stonden dicht bij elkaar en er was een gordijn dat de zaal verdeelde in een mannenafdeling en een voor vrouwen. De dokters waren altijd aan het werk en ik denk dat ze een beetje minachting voor de zusters hadden – en vooral voor Henrietta en mij, want ze wisten dat we niet werkten om de kost te verdienen en dat we, voordat we naar Kaiserwald kwamen, geen ervaring in het verplegen hadden. Ongetwijfeld dachten ze dat we dames waren die zich overgaven aan een luchthartig avontuur om de verveling van hun nutteloze levens te doorbreken.
Deze houding irriteerde mij veel meer dan Henrietta. Ik was besloten hun te tonen dat het verpleegster zijn geen spelletje voor me was. Ik wist dat ik een bepaald gevoel voor dit soort werk had en was voldaan toen een van de patiënten een aanval van hysterie had en niemand hem kon kalmeren – zelfs de dokter niet – behalve ik. Ik denk dat hun houding ten opzichte van mij daarna veranderde en zelfs de Hoofd Diacones kreeg belangstelling voor me.
'Er zijn geboren verpleegsters,' zei ze tegen me. 'Sommigen krijgen de benodigde handigheid. Jij behoort tot de eerste categorie.' Het was het grootste compliment dat ze mij geven kon, en als ze zich ongerust maakte over een patiënt, liet ze mij die dikwijls verzorgen. Ik werd er enorm door bemoedigd, wierp me op het werk en was gelukkig daar te zijn.
Ik vroeg me wel eens af wat Henrietta voelde. Ik geloof dat er ogenblikken waren dat ze minder opgetogen was. Maar ze zag dat ik in mijn element was en daar was ze blij om.
'Ik voel me half dood,' zei ze op een dag tegen me toen we ons hadden uitgestrekt bij het meer. 'Maar dan denk ik eraan dat het voor een goede zaak is. Ik moet het verdragen omdat het allemaal een onderdeel is van een groot doel. Het zal ons tot de Demonen Koning brengen.'
Zo noemde ze de man die ik vastbesloten was te vinden. Ze verzon verhalen over zijn slechtheid; ze schetste zijn uiterlijk. Er verscheen een beeld – donker, met zware oogleden, broedende ogen, zwart haar en een gemene, satanische uitdrukking.
Op een middag, toen we beiden een uur vrij hadden, zaten we aan de rand van het meer. Een slank figuurtje kwam van achter de bomen te voorschijn. Het was Gerda, de ganzenhoedster.
Mijn Duits was stukken beter geworden sinds mijn aankomst in Kaiserwald, want we spraken die taal aldoor, afgezien van de enkele opmerking van de Hoofd Diacones en van degene die ons had afgehaald toen we aankwamen; en

zelfs Henrietta, die het minder goed geleerd had als ik, kon wat Duits praten, al was het soms aarzelend.
Ik zei 'Hallo' tegen Gerda en toen: 'Waar zijn je ganzen?'
'Daar wordt voor gezorgd,' antwoordde ze. 'Nu kan ik alleen zijn.' Ze kwam bij ons staan en lachte in zichzelf alsof ze ons nogal amusant vond. 'Julie zijn Engelse dames.'
'En jij bent een klein Duits meisje.'
'Ik ben ook een dame.'
'Ik ben er zeker van dat je er een bent.'
'Ik loop door het bos. Lopen jullie ook door het bos?'
'We hebben niet veel tijd om te wandelen. Maar het zal prachtig zijn in het bos, zo onder de bomen.'
Ze kwam dichter naar ons toe. 'De bomen komen 's nachts tot leven,' zei ze. Ze had een verre blik in haar ogen alsof ze iets zag wat voor ons verborgen was. 'Er zijn trollen... Die wonen op de heuvels.'
'Heb je ze gezien?' vroeg Henrietta.
Ze knikte. 'Ze trekken aan je jurk. Ze proberen je te vangen. Je moet ze nooit in de ogen kijken. Als je dat doet, vangen ze je.'
'Dan heb je zeker nooit in de ogen van een trol gekeken,' zei ik.
Ze haalde haar schouders op en giechelde. 'Hebt u de Duivel gezien?' vroeg ze. Ze noemde hem *Der Teufel.*
'Nee. Jij wel?'
Ze begon te lachen en haalde haar schouders weer op.
'Je woont bij je grootmoeder, hè?' vroeg ik.
Ze knikte.
'En je zorgt voor de ganzen en de kippen... en wat heb je nog meer?'
'Een koe. Twee geiten.'
'Die houden je zeker wel bezig.'
Ze knikte. 'Het was in het bos. Het was de Duivel.'
'O... heb je hem ontmoet?'
'Hij vond me aardig.'
Weer begon ze te giechelen.
Henrietta gaapte, maar ik had belangstelling voor dit vreemde meisje en vroeg me af wat er in haar hoofd omging.
Henrietta was opgestaan. 'Kijk eens naar de tijd. We komen te laat.'
Ik zei: 'Tot ziens, Gerda.'
'Dag,' zei ze en keek ons na toen we vertrokken.
'Vreemd meisje,' zei ik.
'Er ontbreekt iets in haar bovenkamer,' zei Henrietta.
'Ik vraag me af wat ze bedoelde met de Duivel.'
'Over die trollen?'

'Ik denk dat ze die dingen hoort en er een hoop bij fantaseert. Ze is echt heel mooi – zo fijn, en dat prachtige haar. Jammer dat ze geestelijk gestoord is. In ieder geval kan ze voor de ganzen zorgen. En ze lijkt heel gelukkig... trots op haar ontmoeting met de Duivel. Ik zou graag meer van haar willen weten, misschien moeten we een keer de grootmoeder opzoeken... maar je weet nooit zeker of je het juiste doet.'
'We hebben nauwelijks tijd voor sociale bezoeken in ons leven hier.'
'Henrietta,' zei ik, 'vind je het te moeilijk? Wil je liever naar huis?'
'Natuurlijk niet. Als jij het kan uithouden, kan ik het ook.'
'Maar voor mij is het anders. Ik wil iets belangrijks om me helemaal aan te wijden, en ik heb het idee dat ik dit altijd gewild heb zonder het echt te weten.'
'Ik houd het vol tot de drie maanden voorbij zijn. Ik ben niet vergeten waar het om gaat, weet je. Gerda geniet van haar ontmoetingen met de Duivel. Ik ben vastbesloten hetzelfde te doen.'
Zodra ik een uurtje over had, ging ik naar buiten. Een enkele maal zag ik Gerda; ze gaf me die verre glimlach als ze me zag, maar als ze haar ganzen bij zich had, zei ze niet veel. Het was alsof ze geen twee dingen tegelijk kon doen. De ganzen sisten tegen ons en dan kalmeerde ze die. Het waren onvriendelijke wezens. Het werd nu echt winters en het was te koud om buiten te zitten. We moesten flink doorlopen tijdens een wandeling. Er zou een kermis in de stad komen, die ruim twee kilometer van ons vandaan lag en er waren wat meer mensen die we op onze wandelingen tegenkwamen. Het was een nevelige middag toen we voor het eerst Klaus, de marskramer, tegenkwamen. Hij had een kar en een ezel, en de kar was met alle soorten waren beladen.
Hij riep een vrolijk *Guten Tag*, waar we even vrolijk op antwoordden.
'Dames van de Kaiserwald,' zei hij. 'Engelse dames. Waar we zoveel over gehoord hebben. Ik had het niet kunnen raden, nu ik u zo zie.' Zijn ogen waren op Henrietta gevestigd. 'U ziet er niet naar uit. Maak kennis met Klaus, de Marskramer. Iedereen kan u vertellen wie ik ben. Ik kom hier geregeld... en nu is het de tijd van de Kermis. Een tijd van goede zaken. Wat heb ik in mijn pak? Iets dat u, dames, interesseert... kammen en leuke dingen en ringen voor in de oren, mooie zijde om een japon van te maken, kettinkjes en poeders om ervoor te zorgen dat de mannen van u houden... Als u wat wilt, vraag het dan aan Marskramer Klaus. Als hij het nu niet heeft, brengt hij het u de volgende keer.'
Hij praatte snel en er waren woorden bij die ik niet verstond, maar het was gemakkelijk de gang van zijn conversatie te begrijpen. Hij was knap om te zien op een zigeunerachtige manier. Hij was heel donker, met flitsende ogen en droeg ringen in ziijn oren. Ook had hij iets zwierigs en maakte de indruk dat hij trots en onafhankelijk was en om niemand iets gaf.
Hij bekeek ons wat geamuseerd, en vroeg zich ongetwijfeld af waarom we naar Kaiserwald waren gekomen. Ik denk dat waarschijnlijk onze jeugd en boven-

dien het feit dat we vreemdelingen waren, ons zo bijzonder maakten.
'Wat u maar wilt, dames,' ging hij door. 'Vraag het aan de oude Klaus de Marskramer en hij brengt het u. Een mooie lap zijde, een lap fluweel en wat kralen die bij uw ogen passen... blauwe voor de een en groene voor de ander. Ik kan voor allebei zorgen.'
'Dank je,' zei Henrietta. 'Maar we krijgen niet veel kans om zulke dingen hier te dragen.'
Hij schudde zijn vinger naar ons. 'Niet aldoor werken! Dat is niet natuurlijk. Er is plezier genoeg in het leven en als je het niet neemt als het er is, zul je merken dat het wegvliegt en niet meer terugkomt. Nou, een mooie lap zijde voor een luchtige japon... groen voor dat rossige haar van u. Dat groeit niet op het hoofd van iedere maagd, weet u. Daar moet u het beste van maken.'
Ik zei: 'We zullen eraan denken.'
'Denk niet te lang, anders is Klaus de Marskramer weer weg.'
'Maar hij komt ongetwijfeld terug.'
'Hij komt terug. Maar vergeet niet, de zon gaat op, de zon gaat onder, en dan is er weer een dag voorbij,... en iedere dag brengt zelfs mooie dames weer nader tot de ouderdom.'
'Je hebt ons herinnerd aan het voorbijgaan van de tijd, en we hebben nog maar weinig over. We moeten terug.'
'Wat een fascinerende man,' zei Henrietta toen we weggingen.
'Hij hoeft in ieder geval niet naar woorden te zoeken,' antwoordde ik.

Het was een kille dag, want we waren aan het eind van november. De wind bulderde en joeg de wolken door een grauwe hemel. Henrietta en ik hadden die middag een uur vrij en op zulke dagen vonden we het prettig door het bos te wandelen. Ik hield van de geur van de dennen en het plotselinge getinkel van de koeienbellen dat door de wind naar ons toe gedragen werd. Ik had altijd het gevoel dat het bos een zekere betovering had en was niet verbaasd over Gerda's verbeelding.
We kwamen langs haar huisje; ze zat in de tuin voor zich uit te neuriën. We riepen een begroeting, maar ze scheen zich niet bewust te zijn van ons. Het was dikwijls zo met Gerda. We liepen door en na een minuut of tien begon het te regenen. Door de bomen heen kon ik de zwarte wolken zien. In plaats van ons te verwelkomen, was het bos donker en dreigend geworden. De bomen schenen eigenaardige vormen aan te nemen, en de wind was als het geklaag van menselijke stemmen. Toen ik dat tegen Henrietta zei, lachte ze me uit. 'Voor zo'n nuchter, praktisch iemand, heb je soms van die gekke inbeeldingen,' zei ze.
'Schiet op,' waarschuwde ik haar 'Zo dadelijk plenst de regen neer. Ik ben bang dat we niet terug zullen zijn voordat het begint.'
We renden door het bos en tegen de tijd dat we bij de open plek kwamen waar

Gerda's huisje was, stroomde het van de regen.
De deur van het huisje ging open en er verscheen een vrouw. Ik had haar een keer eerder gezien en wist dat het Gerda's grootmoeder was.
Ze riep: 'Jongedames, jullie worden doornat. Kom binnen. Het is zo over. Het is maar een bui.'
Ik was blij dat we werden uitgenodigd in het huisje, want ik had grote belangstelling voor de bewoonsters. Frau Leiben was, dacht ik, achter in de vijftig, maar ze was levendig en het huis was heel schoon.
'Aardig van u om ons onderdak te bieden,' zei ik.
'Het is het minste dat ik kan doen. Ga toch zitten.' Dat deden we en ze ging door: 'We zijn allemaal even dankbaar voor jullie dames van Kaiserwald. U doet veel goed. En u bent Engelsen... Bent u gekomen om onze manier van doen te bestuderen?'
Ik vertelde haar dat we er voor drie of vier maanden waren en daarna naar huis zouden gaan.
'Van tijd tot tijd komen er hier mensen,' zei ze.
'Waar is Gerda?' vroeg ik. 'Kan ze uitgaan in de regen?'
'Ze zal wel ergens staan. Zoveel verstand heeft ze wel.' Ze schudde treurig haar hoofd.
'Ze is zo'n mooi meisje,' ging ik door. 'En ze ziet er zo schilderachtig uit met haar ganzen. Als ik schilder was, zou ik zeker een portret van haar maken.'
Frau Leiben zuchtte. 'Ik maak me zorgen over haar. Wat moet er van haar worden als ik er niet meer ben? vraag ik me af. Wie zal er dan voor haar zorgen? Als ze zo was als anderen, zou ze trouwen en een man hebben die naar haar omkeek. Misschien dat haar moeder haar komt halen.'
We zwegen even, toen ging ze door: 'Ze was vijf toen mijn dochter en haar man haar bij mij achterlieten. Ik dacht dat ze terug zouden komen, maar dat is nooit gebeurd. Ze zijn ver weg, in Australië.' Ze keek treurig voor zich. 'Herman, mijn man, was hier bij me toen ze vertrokken. En nu is Herman er niet meer. De gezegende Diaconessen deden wat ze konden, maar zijn leven konden ze niet redden en nu ben ik alleen. Al drie jaar ben ik alleen.'
'De mensen hier zijn aardig tegen elkaar,' zei Henrietta. 'Het moet een troost zijn in een plaats als deze te wonen.'
Ze knikte. 'Dat is zo. Ze waren aardig voor me toen Herman stierf. Ik voelde de last niet zo toen hij er nog was. Toen waren we met ons tweeën om de zorg om Gerda te delen.'
Ze keek ons aan alsof ze zich afvroeg of ze niet te veel praatte. Tenslotte waren we betrekkelijke vreemden. Ik was altijd grenzeloos nieuwsgierig naar het leven van andere mensen; dat schenen ze te voelen en ze vertrouwden me van alles toe. En plotseling kwam het verhaal eruit. Zij en Herman hadden een dochter gehad, Clara. Ze hadden haar vreselijk verwend. Gerda leek op haar, alleen was

Clara helder en intelligent. Ze hadden het beste met haar voor. Toen ging ze logeren bij een nicht in Hamburg en daar ontmoette ze Fritz en trouwde met hem.
'Ze kwam eigenlijk niet meer terug,' zei Frau Leiben. 'Alleen om ons te zien... dat was alles. Het was haar thuis niet meer. En we konden zien dat ze gelukkig was. Natuurlijk waren we blij voor haar, maar zelf leden we eronder. Toen Gerda geboren werd, waren we zo gelukkig... tot ze bleek te zijn zoals ze is. Ze wilden haar eigenlijk niet... Fritz althans niet. Ze was geen normaal kind en was een belemmering. Ze brachten haar hier. Zo nu en dan kwamen ze haar en ons opzoeken. Toen kwam Fritz uit de marine en gingen ze naar Australië. Gerda wilden ze niet bij zich hebben. Herman leefde toen nog. Hij was dol op Gerda. Ze gingen samen het bos in. We hadden toen nog meer koeien en hij vertelde haar verhalen, alle oude sagen over goden en helden... alle verhalen over draken en trollen in de bergen. Herman kon ze allemaal wel dromen en maakte er iets heel spannends van. Ze zat er uren naar te luisteren, helemaal in de ban ervan. Het was gemakkelijk toen Herman nog leefde. En toen is hij gestorven. Het waren zijn longen. Hij hoestte en hoestte, het brak je hart hem te horen. Ze namen hem op in Kaiserwald, daar is hij gestorven en was ik alleen.'
'Wat vreselijk verdrietig,' zei Henrietta.
'Gerda is een heel gelukkig meisje,' voegde ik eraantoe.
'O, ze leeft in haar eigen droomwereld, beleeft alle verhalen die Herman haar altijd vertelde. Ik herinner me ons laatste Kerstfeest met Herman. We brachten de boom binnen en versierden hem met alle soorten dingetjes, en met kaarsen. Al gauw is het weer tijd voor de boom. Oude Wilhelm, de houthakker, brengt er een voor me mee. Ik versier hem. Daar houdt Gerda van. Maar het is een treurige tijd zonder Herman.'
Ik merkte dat de regen was opgehouden en dat we zo gauw mogelijk terug moesten gaan om niet te laat te komen.
Ik zei: 'Het was heel interessant met u te praten, Frau Leiben. Ik hoop dat uw dochter u gauw komt opzoeken.'
'Australië is ver weg.'
Toen we terugrenden, zei ik tegen Henrietta: 'Wat een droevig verhaal. Arme Gerda. Arme Frau Leiben.'
'Ik denk niet dat Gerda het verdriet voelt,' zei Henrietta. 'Het is een van de compensaties als je bent zoals zij. Ik geloof niet dat ze iets voelt. Ze mist haar moeder niet. Ze zeurt niet over het feit dat ze in de steek is gelaten.'
'We weten niet wat er in Gerda's hoofd omgaat. Ik hoop dat ze een mooie kerstboom krijgen. Het is een Duitse gewoonte om een boom te hebben en die te versieren. Wij doen het thuis steeds meer sinds Prins Albert met de Koningin is getrouwd.'
'De Koningin-Moeder is er voor die tijd al mee begonnen,' zei Henrietta.

'Ik vraag me af wat ze in Kaiserwald doen.'
'Niets, stel ik me voor. Alleen een paar gezangen en gebeden.'
'Er moet toch iets gedaan worden. Het zou de patiënten vast veel goed doen. Mijn kritiek op Kaiserwald is dat er niet genoeg vrolijkheid is.'
'Probeer dat maar aan de H. D. te vertellen,' zei Henrietta. H.D. was de Hoofd Diacones.
'Dat zou ik misschien wel kunnen proberen.'
'Pas maar op, ze zal er vierkant nee op zeggen.'

Ik vroeg om een onderhoud met de Hoofd Diacones – een audiëntie, noemde Henrietta het.
Die werd me genadig toegestaan. Ik ontdekte in de dame een zeker respect voor me dat Henrietta nooit in haar had kunnen oproepen.
Ik mocht gaan zitten. Zelf zat ze achter een schrijftafel met papieren voor zich die ze zo nu en dan aanraakte, als om me eraan te herinneren dat de tijd die ze me kon geven, zeer beperkt was.
Ik viel met de deur in huis. 'Het is gauw Kerstmis. Ik vroeg me af wat er geregeld is voor de kerstdag.'
'We zingen kerstliederen en hebben speciale gebeden.'
'Is er geen feest?'
'Ik begrijp u niet, juffrouw Pleydell.'
'Een kerstboom, bijvoorbeeld.'
Ze staarde me ongelovig aan en ik ging door: 'Ik dacht dat we er twee konden hebben... een aan iedere kant van de zaal, en het gordijn dat de mannen van de vrouwen scheidt, zou opzij getrokken kunnen worden zodat we allemaal samen zijn in één grote zaal. En misschien konden we voor iedereen een cadeautje hebben. Het zou natuurlijk niet veel zijn... een kleinigheid. Die zouden we aan de boom kunnen hangen en later uitdelen.'
Ze had me laten doorlaten praten omdat ze van verbijstering niets kon zeggen. Ik besefte dat mijn vermetelheid ongehoord was. Niemand sprak zo tegen de Hoofd Diacones. Niemand durfde te proberen met nieuwe methoden te komen in Kaiserwald.
Ze hief een vinger om me af te remmen. 'Juffrouw Pleydell, ik denk dat u hier nog niet lang genoeg bent om onze manieren te kennen. Deze mensen zijn ziek... sommigen ernstig ziek...'
'Ik geloof dat het voor degenen die goed genoeg zijn, een leuks zou betekenen. Hun dagen moeten lang schijnen en ze vervelen zich, waardoor ze lusteloos worden en het leven niet veel meer voor hen betekent. Als er iets aardigs voor hen was, als ze bezig gehouden konden worden, zou hun geest ook weer opgewekter zijn.'
'We zijn hier niet om ons met hun geest bezig te houden, juffrouw Pleydell. We

zijn hier om hun lichaam te genezen.'
'Soms is het een afhankelijk van het ander.'
'Wilt u zeggen dat u beter weet dan ik hoe een ziekenhuis geleid moet worden?'
'Nee. Maar ik zeg dat buitenstaanders soms met nuttige suggesties komen.'
'Dit idee heeft geen zin. We hebben al het geld nodig dat we kunnen krijgen. Er zijn heel wat zínvolle dingen die we ermee kunnen doen.'
'Dit ís zinvol. Ik geloof dat het verlichting brengen aan de geest helpt bij het genezen van het lichaam.'
'En stel dat ik zou instemmen met uw belachelijke voorstel? Waar zouden we het geld vandaan moeten halen om die... eh... kleinigheden van te kopen? Er zijn ongeveer honderd patiënten, weet u.'
'Dat weet ik en ik ben ervan overtuigd dat we de bomen cadeau zullen krijgen. De mensen hier denken zeer positief over het ziekenhuis.'
'Hoe weet u dat?'
'Omdat ik met hen gepraat heb. Sommigen ken ik goed genoeg om er zeker van te zijn dat ze alles zouden doen wat ze kunnen voor een zaak als deze.'
'En de kleinigheden?'
'Die koop ik. Juffrouw Marlington wil helpen. Er is een marskramer hier die het een en ander voor ons zal hebben. Kleine dingen... zakdoeken, kleine snuisterijen... iets waardoor het een speciale dag voor hen wordt.'
'Het ís een speciale dag. We vieren de geboorte van Christus. We zingen Kerstliederen. En ik zal ervoor zorgen dat ze worden herinnerd aan de betekenis van Kerstmis.'
'Maar de geboorte van Christus moet toch vreugde brengen. Het zou een gelukkige dag moeten zijn. Ik geloof dat we een verbetering in onze patiënten zouden zien. Alleen de verwachting al... en de dag zelf. Ik denk dat, als je mensen gelukkig maakt, hen laat lachen, hen van het leven laat genieten, dat ook goed is voor hun gezondheid.'
'En ik denk, juffrouw Pleydell, dat u mijn tijd en die van u verspilt.'
Ik kon gaan. Ik kon niets anders doen dan vertrekken.

Een paar dagen later liet de Hoofd Diacones me roepen.
'Ga zitten, juffrouw Pleydell,' zei ze.
Dat deed ik en ik vroeg me af of ze me zou vragen te vertrekken. Ik geloof dat mijn voorstel haar geschokt had. Ze was een diep gelovige vrouw met een sterk en nobel karakter maar zonder enig gevoel voor humor. Ik was me ervan bewust dat zulke mensen dikwijls geen begrip voor anderen hebben. Misschien geloofde ze dat iedereen haar eigen hoge moraal accepteerde en daar was het soort frivoliteit dat ik had voorgesteld, niet bij inbegrepen, zeker niet om die in haar ziekenhuis te introduceren.
Haar volgende woorden verbaasden me. 'Ik heb over uw ideeën nagedacht, juf-

frouw Pleydell. U hebt een zeker talent voor de verpleging. Dat is me opgevallen. Maar u houdt zich niet altijd aan onze methoden.'
O hemel, dacht ik. Nu komt het.
'U heb het in u een goede verpleegster te worden. U gelooft, natuurlijk, dat uw voorgestelde ontspanning goed voor de patiënten zal zijn. U zou bereid zijn dit met financiële steun te organiseren. Gelukkig bent u in een positie om dat te kunnen.' Een flauwe glimlach speelde om haar mondhoeken. Ik was verbaasd. Het was voor het eerst dat haar gezicht iets van een glimlach vertoonde. 'Uw vriendin, juffrouw Marlington, heeft niet uw aanleg voor dit beroep, ben ik bang. Maar ze is vrolijk en hulpvaardig. Ik geloof dat de patiënten haar graag mogen. Ik heb met dokter Bruckner en dokter Kratz gesproken en zij denken dat uw voorgestelde plan geen slechte invloed op de patiënten zal hebben. We zullen zien, juffrow Pleydell, hoeveel patiënten zich beter gaan voelen door uw kerstarrangementen, en ook zullen we zien of sommigen van hen erdoor achteruitgaan.'
'Ik kan me niet voorstellen dat dat gebeurt.'
'We zullen zien. Ik zal er niets mee te maken hebben. Het wordt geheel en al uw zaak. U zorgt voor de bomen en de kleinigheden. U organiseert alles en u mag hulp vragen van de andere verpleegsters als ze het ermee eens zijn. Het is volkomen in uw handen. Het zal u tot eer strekken of het tegendeel.'
'O, dank u,' zei ik.
Ze bewoog haar hand en weer zag ik iets in haar gezicht veranderen. Ik verbeeldde me dat ze me aankeek met iets van affectie. Ik was opgetogen.
Ik ging Henrietta zoeken die opgewonden was bij het idee. We maakten plannen hoe we het zouden doen. Eerst moesten we de marskramer vinden. De kermis was nog aan de gang en hij had er een kraam. We zouden hem de volgende dag gaan opzoeken en we zouden de houthakker vragen twee bomen voor ons uit te zoeken – de hoogste en mooiste die hij vinden kon. Hij kon ze een week voor Kerstmis omhakken zodat ze er fris uitzagen.
'En nu,' zei ik, 'moeten we Klaus de Marskramer, opzoeken. Morgen gaan we naar de kermis.'

We waren verbaasd over de reactie van onze mede-verpleegsters. De meesten wilden helpen en alleen een paar van de ouderen vonden dat zoveel vreugde zondig was. Een enkeling was bereid onze diensten over te nemen, zodat we wat meer tijd hadden om ons te concentreren op de voorbereidingen.
We hadden de patiënten gezegd dat er op de grote dag een kerstboom zou zijn en ik was verrukt te zien hoeveel er van hen opgewonden waren bij het idee. Ongewijfeld verheugden ze zich op de kerstdag. Degenen die niet al te ziek waren, praatten erover met elkaar; alleen de ziekste patiënten waren onverschillig.

Ik wist zeker dat we de marskramer op de kermis zouden vinden. Op dertig november zou alles voorbij zijn, dus moesten we ons haasten.
De kermis werd gehouden op een veld dicht bij het stadje. Toen Henrietta en ik naderden, hoorden we de klank van violen. De kraampjes met hun harde blauw en rood maakten plassen van kleur tegen het groen van de bomen. We zagen jonge meisjes in het plaatselijk kostuum met een puntige muts en een grote hoeveelheid onderrokken die uitstonden en het stralende wit onder de rokken lieten zien. De mannen droegen een leren broek en een driehoekige hoed, versierd met veren. Iedereen zag er even vrolijk uit, vond ik. Op het plein was een groep jongelui aan het dansen bij de muziek van twee violen. Ik wilde dat ik ze had kunnen meenemen naar het ziekenhuis om de patiënten op te fleuren. We stonden een poosje te kijken en gooiden wat munten in de doos die op de stenen was neergezet, zodat voorbijgangers hun goedkeuring konden laten blijken.
We liepen kris-kras tussen de kramen door die beladen waren met goederen die te koop waren: zadelmakersartikelen, kleding – schoenen, laarzen, jurken – groenten, eieren en kaas, stof en alle soorten sieraden.
Ik vroeg naar Klaus de marskramer, en werd naar zijn kraam verwezen.
Daar was hij, hoog op een houten kist, vanwaar hij de voorbijgangers toesprak, de vrouwen het ene moment vleide en hun het volgende vertelde hoe dwaas ze waren om de buitengewone waarde van zijn goederen niet te herkennen.
'De kans van uw leven!' riep hij. 'Kom, dames. Waar denkt u aan? Laat u een kans als deze zomaar liggen? En u, mijn schoonheid, wat een mooie lap fluweel voor een japon... zacht en u komt er mooi in uit. Een figuur als het uwe is dat waard. Ja, echt, dame.'
De vrouw kwam in de verleiding en bevoelde het fluweel. Toen zag hij ons. 'Welkom, dames. Kom maar kopen! Engelse dames. Die weten wat goed is, zodra ze het zien.'
'Help die dame maar eerst, Klaus,' zei ik. 'Daarna moeten we met je praten.'
Hij verkocht een lap voor de lengte van een japon en wendde zich toen tot ons.
'Ik wil graag je raad over spullen om in de kerstboom te doen,' zei ik.
'U bent bij de juiste man gekomen, liefje. Alles wat u hebben wilt, heeft Klaus. U hoeft alleen maar te kijken. Wat zou u willen? Fluister het in mijn oor en dan vertel ik u dit: Als Klaus het niet heeft, krijgt hij het.'
'Het is voor het ziekenhuis,' zei ik.
Hij keek me achterdochtig aan. 'U wilt dat gratis voor niks?'
'Nee, nee. We zullen ervoor betalen. Maar we hebben zo'n honderd kleine cadeautjes nodig.'
'Honderd!' riep hij. 'Dat is pas goede handel. We zullen erover praten, maar niet hier op straat. Nee, dat moet aan een tafel. Zo handel je grote zaken af.'
Hij legde een vinger langs zijn neus, ik veronderstel om het begrip tussen twee

sluwe zakenvrienden duidelijk te maken. 'Hier, Jacob!' riep hij. Een jongeman, niet veel meer dan een kind, kwam aangerend. 'Zorg voor de verkoop. Ik ga zaken doen.'
Hij bracht ons het plein over naar een groen veld voor de herberg. Tijdens mooi weer zouden hier tafeltjes staan, maar de *Biergarten* werd 's winters niet gebruikt. We gingen naar binnen en Klaus bestelde bier dat ze in bierpullen kwamen brengen. Toen leunde hij met zijn armen op de tafel en keek ons aan.
Ik vertelde hem in het kort wat we wensten. Hij stelde bijzondere zakdoekjes voor voor de vrouwen, alles een andere kleur, geborduurd en toch niet hetzelfde; kralen kettingen, sieraden, schaaltjes in mooie kleuren, platen van het bos in de zomer en 's winters in de sneeuw; figuurtjes, goochelaars met belletjes aan hun enkels, waaiers. Voor de mannen witte zakdoeken... heel groot, puzzels... hij zou nog meer bedenken.
'Ik merk dat je goede ideeën hebt,' zei ik. 'We moeten alles ruim twee weken voor Kerstmis hebben.'
'Dat is niet moeilijk. Bij mijn volgende bezoek breng ik ze mee. Dan heb ik alles voor u klaar.'
'Kunnen we op u rekenen?' vroeg Henrietta.
Hij keek haar verwijtend aan. 'Natuurlijk kunt u op Klaus rekenen. Als ik zeg dat ik iets kom brengen, is het er al bijna. Hoe kan ik anders zakendoen? Ik ben hier twee maal in de maand. Daar kunt u op rekenen. Als ik zeg dat ik iets kom brengen, wordt het gebracht.'
'Ik weet zeker dat ik je kan vertrouwen, Klaus. Vooral daar je weet dat die arme zieke mensen in het ziekenhuis op jou rekenen. Als je de cadeaus niet zou brengen, zou dat een vreselijke teleurstelling zijn. We laten ook bomen komen. Dus je ziet hoe belangrijk het is.'
'U hebt mijn woord, dames. Nu, een paar berekeningen. Hoeveel mannen? Hoeveel vrouwen? Dat moeten we even uitwerken.'
Dus zaten we ons bier te drinken en te lachen met Klaus, die duidelijk verrukt was met zo'n grote bestelling, maar wat bang voor de betaling, tot ik hem zei dat Henrietta en ik daarvoor zorgden.
'Dames, u moet me vergeven dat ik zoiets laag bij de gronds als betaling noem, maar ik ben een arme man die zijn toekomst moet veilig stellen.'
'Natuurlijk praten we over de betaling,' zei ik. 'Wil je soms nu vast iets hebben?'
'*Mein Gott*,' riep hij. 'Het is een groot genoegen met zulke dames zaken te doen. Wees ervan verzekerd dat u uw spullen precies op tijd krijgt en als u niet zover boven me verheven was, zou ik halsoverkop op u allebei verliefd worden.'
We beseften nu dat we veel te lang op de kermis waren gebleven, maar we hadden ons doel bereikt; en we wisten dat nadat we een deel van de som aan Klaus hadden betaald, we ervan verzekerd konden zijn dat hij de spullen die we nodig hadden, zou brengen.

Terug in het ziekenhuis hoorden we dat de Hoofd Diacones naar ons had gevraagd en dat we dadelijk naar haar toe moesten gaan.
Henrietta trok een boos gezicht. 'Nu krijgen we te horen dat we veel te veel tijd hieraan besteden. Dat zul je zien. Ik ben ervan overtuigd dat H.D. het idee niet echt leuk vindt en hoopt dat het een mislukking wordt.'
'Ik geloof van niet. Ik denk dat ze, als ze werkelijk vindt dat het de patiënten goeddoet, blij zal zijn.'
'Nou, ik vraag me af wat ze nu weer wil.'
'We moeten maar zo gauw mogelijk naar haar toegaan.'
Ze zat achter haar bureau, knikte ons toe toen we binnenkwamen en vroeg ons te gaan zitten.
'Zo nu en dan hebben we bezoekers voor het ziekenhuis,' begon ze. 'Het zijn belangrijke mensen, meestal dokters. Volgende week krijgen we een bezoeker die zeer goed aangeschreven staat, zoals trouwens al onze bezoekers. Het is een dokter uit Engeland. Maar weinigen van ons spreken Engels en dat is vaak een belemmering gebleken. Ik wil graag dat u tweeën met onze gast spreekt, hem vertelt wat hij weten wil als het in uw macht ligt dat te doen. Mijn Engels is niet foutloos, zoals u weet. Ik verwacht dat u dokter Fenwick zo behulpzaam mogelijk zult zijn.'
'We zullen het heel graag doen,' zei ik.
Henrietta voegde eraantoe: 'Het zal ons een groot genoegen zijn.'
'Ik denk dat hij een paar weken zal blijven. Dat gebeurt meestal. We zullen een kamer voor hem in orde laten maken. Misschien kunt u daarop letten... U weet, denk ik, wat hij verwacht. En het zou prettig zijn als u hier bent om hem te begroeten.'
We herhaalden dat we dat graag zouden willen doen.
Toen konden we vertrekken en eenmaal buiten haar gehoor keek Henrietta me aan. 'Maar dat is een verrassing,' zei ze. Haar ogen glinsterden ondeugend. 'Wat een opwinding! We zullen een Engelsman zien. En een vooraanstaand iemand! Stel je voor! Een beetje mannelijk gezelschap zal niet onwelkom zijn.'
'Maar je hebt dokter Bruckner en dokter Kratz.'
Henrietta haalde de schouders op. 'Die mag je van me houden.'
'Dank je, liever niet. Je bent wel erg lichtzinnig, Henrietta. Maar wacht even tot je hebt gezien hoe dokter Fenwick is, voordat je hem gaat beschouwen als de held van je dromen.'
'Ik heb het gevoel dat hij knap en charmant zal zijn en precies wat ik nodig heb om mijn dagen wat levendiger te maken.'
'We zullen zien,' zei ik.

Trouw aan zijn woord bracht Klaus ruim op tijd wat hij de leuke dingetjes noemde, en we waren dolblij met de transactie.

We hadden het druk met onze kaartjes en nummers, en een week voor Kerstmis werden de bomen in de ziekenzaal opgezet. We versierden ze met kaarsen. De cadeautjes werden uitgestald en de zaal was vol enthousiasme. Ik was er zeker van dat het een succes zou worden.

Toen kwam dokter Fenwick.

Henrietta's voorgevoel kwam uit. Al was hij niet direct knap om te zien, toch zag hij er goed uit en hij was in ieder geval charmant; hij moest ongeveer dertig zijn en had iets ernstigs over zich wat veronderstelde dat hij toegewijd was aan zijn werk. Toen Henrietta en ik hem ontvingen, was hij verrukt twee Engelse vrouwen op deze plaats aan te treffen en onze gezamenlijke nationaliteit maakte dat we onmiddellijk vriendschap sloten.

Henrietta zei dat het zalig was met iemand in het Engels te kunnen praten en toen ik mijn wenkbrauwen optrok, voegde ze eraantoe: 'Ik bedoel van het mannelijk geslacht.'

Hij had een serie vragen over van alles en vond ons Kerstmisplan uitstekend. Veel tijd bracht hij door met dokter Bruckner en dokter Kratz, en iedere dag maakte hij op de ziekenzaal visite met hen. Hij wilde de details van ieder geval horen en de dokters vergeleken hun aantekeningen; het bleek duidelijk dat dokter Fenwick grote eerbied had voor de methoden die er in Kaiserwald werden toegepast.

Een paar maal maakte hij een wandeling met ons in het bos. Hij genoot van de natuur en zei dat het jammer was dat zijn bezoek niet langer kon duren. Hij kon hoogstens zes weken blijven.

Zijn glimlach was voor ons beiden alsof hij bedoelde dat we een van de redenen – misschien de voornaamste – waren van zijn spijt.

Maar ik vertelde hem dat wijzelf over een maand of zo zouden vertrekken. We hadden toestemming hier drie maanden te blijven en onze tijd was bijna om. We hadden het alleen aan Henrietta's connectie met juffrouw Nightingale te danken dat we toestemming hadden gekregen om te komen.

'Ik begrijp,' zei dokter Fenwick, 'dat ze niet hadden verwacht dat dames zoals jullie beiden, van enig nut zouden zijn. Maar ze hadden ongelijk! Toch veronderstel ik dat jullie niet eerder enige ervaring met verpleging hadden opgedaan.

'Absoluut niet,' zei ik.

'Maar Anna heeft gevoel voor het werk,' zei Henrietta. 'Zelfs H.D. heeft het gemerkt en het met tegenzin goedgekeurd.'

'Dat zag ik onmiddellijk.'

Hij sprak over de afschuwelijke toestanden in de ziekenhuizen overal ter wereld – en tot onze schande was ons land geen uitzondering – maar gelukkig waren er plaatsen als Kaiserswerth en dochter-huizen en werden er pogingen gedaan de zaken te verbeteren. Hij sprak over de patiënten, besprak hun symptomen met ons zoals dokter Bruckner en dokter Kratz nooit hadden gedaan en toen

hij het daarna over thuis had, kon ik zien dat hij zich bezorgd maakte over de manier waarop de gebeurtenissen plaatsvonden.
'Is Rusland nog steeds in oorlog met Turkije?' vroeg ik. 'We hoorden er iets over juist voordat we uit Engeland vertrokken.'
'Het is vrij beangstigend,' zei hij 'Wanneer zoiets begint, weet je nooit hoe het zich verspreidt. Rusland kijkt al lange tijd begerig naar de rijkdommen van Constantinopel en de Sultan.'
'Goddank dat het allemaal ver van huis gebeurt,' zei Henrietta.
Dokter Fenwick keek haar ernstig aan. 'Oorlogen hebben de neiging om degenen erbij te betrekken die ver weg zijn.'
'Je denkt toch niet dat wíj bij al die onzin betrokken worden?'
'Ik wilde dat ik vol overtuiging nee kon zeggen, maar we kunnen Rusland niet toestaan om te machtig te worden. Bovendien hebben we verplichtingen aan de Turken. De Eerste Minister is tegen oorlog.'
'Bedoel je dat wij... in Engeland... in oorlog kunnen komen?'
'Als de situatie zich zo ontwikkelt, ja. Palmerston is absoluut voor oorlog en het volk staat achter hem. Ik houd er niet van zoals het er nu uitziet. Mensen bejubelen de oorlog. Voor de doorsnee man, veilig thuis, is het niets dan vertoon van vlaggen en patriottische liederen. Voor de arme soldaat is het even anders. Wat ik gezien heb... gewonden... doden...'
'Wat een somber gesprek met Kesrtmis voor de deur,' zei Henrietta.
'Vergeef me. Ik liet me meeslepen.'
Hij lachte en we babbelden over het kerstfeest en of ik H.D. ertoe zou kunnen brengen mij gelijk te geven.
Maar ik voelde me niet op mijn gemak. Toch was het allemaal ver weg en wij waren hier.... De kersttijd in het hart van het bos en de bergen. Het zou een heel andere kerst zijn dan die we eerder hadden meegemaakt.
Op die dag werd ik wakker met een gevoel van opwinding. Er was geen tijd om lekker in bed te blijven liggen. Het was vijf uur – tijd om op te staan.
Ik keek naar Henrietta aan de overkant, ze lag in diepe slaap. Ik stond op en ging naar haar toe. Ze zag er zo mooi uit met haar krullende haar – zo onschuldig, kinderlijk bijna. Een golf van tederheid overviel me toen ik dacht aan alle moeilijkheden die ze had doorgemaakt en hoe anders haar leven nu was van wat het geweest zou zijn als ze met Lord Carlton was getrouwd. Toch scheen ze geen spijt te hebben. Ze praatte veel over vrijheid. Dat begreep ik natuurlijk. Ikzelf had er evenveel eerbied voor.
'Word wakker,' zei ik. 'En gelukkig kerstfeest.'
Langzaam opende ze haar ogen en keek me aan. 'O, laat me met rust,' jammerde ze. 'Ik had zo'n heerlijke droom. Ik was in het bos en een lelijke oude trol kwam achter me aanrennen. Een knappe ridder reed voorbij en stond juist op het punt me te redden. Raad eens wie?'

'Zou het dokter Fenwick kunnen zijn?'
Ze schudde haar hoofd. 'Niet zoiets voorspelbaars... en eigenlijk veel opwindender. Hij had een masker voor zijn gezicht en toen hij dat afdeed, zag ik hem, met zwart haar, zwarte ogen en absoluut slecht... onze Demon Dokter. Ik krijg er wat van dat jij me juist op dat moment wakker hebt gemaakt. Ik wilde weten wat er verder zou gebeuren. Weet je, Anna, we hebben het Project al deze weken zo'n beetje vergeten. Ik geloof niet dat je aan iets anders hebt gedacht dan aan die kerstboom.'
'Het vroeg om een zekere organisatie, en bovendien hebben we duurdere plichten.'
'O, waarom liet je me niet daar in het bos blijven bij onze Demon?'
'Kom mee. Anders zijn we te laat voor het ontbijt.'
Wat een dag was het! Hij staat voor altijd in mijn herinnering gegrift. Ik was verbaasd over de verandering die de kerstbomen maakten op de ziekenzaal. Mensen die goed genoeg waren, praatten opgewonden met elkaar, en al dagenlang was er een gegons van verwachting geweest.
En nu... kerstdag! Ik dacht aan het feestelijke seizoen in India; de Engelse gemeenschap was er zo op gebrand een Engels kerstfeest te houden. Maar hoe konden ze dat doen? Om de een of andere reden leek het nooit echt. De traditionele kerstfeesten die ik had gekend, waren in de pastorie, met een kinderpartijtje in de hal van de kerk en zangers van kerstliederen die langs kwamen en bij de deuren stonden met hun lantaarns in de hand. Ze zongen de kerstliederen die we kenden, misschien wat vals, maar dat kwam er niet op aan. En in de kerk waren diensten met koorknapen die met onpersoonlijke, onschuldige stemmen de glorie van de geboorte van Christus verkondigden, maar op een manier die verraadde dat hun gedachten ver weg waren en juist daardoor was het ontroerend. Gans... en de kerstpudding die brandend door de rum aan tafel werd gebracht. En de zelfgemaakte wijn van Grace en de diensten in de kerk... dat waren de kerstfeesten die ik me herinnerde; de kerstfeesten in de Munster, in de wetenschap dat Aubrey en ik steeds verder uit elkaar groeiden. Kerstmis met Julian – het kribbetje dat ik in de kinderkamer had gezet en het kindje Jezus die er op de kerstdag stilletjes in werd gestopt, terwijl ik mijzelf voorhield dat hij het volgende jaar zou begrijpen waar het allemaal om ging. Maar er was geen volgend jaar voor hem geweest.
Kerstmis was een tijd van herinnering, en ik had het gevoel dat dit er een zou zijn die ik nooit zou vergeten.
De opwinding bij het uitdelen van cadeautjes was precies zoals ik het me had voorgesteld. Dokter Fenwick pakte de nummers, Henrietta de namen en ik vond het cadeau en bracht het naar de patiënt voor wie het bedoeld was.
Het was verbazingwekkend hoeveel plezier die kleine geschenken gaven. Het was niet zozeer de zakdoek, of de waaier, of de potjes en doosjes... het was de

geest van Kerstmis, het feit dat er een dag was die anders was dan de andere.
Het uitdelen had plaats gehad na het middagmaal en we gaven een klein concert – als dat geen te grootse naam is. Een van de zusters bespeelde een blokfluit en dokter Kratz gaf een uitvoering op zijn viool. Henrietta, die een mooie stem had, zong.
Ik was diep bewogen toen ik naar haar keek. Ze zong verschillende liedjes – oude Engelse liedjes, die de patiënten niet begrepen maar die ze toch prachtig vonden. Het was heel spontaan en ze zong er vele. We hoorden *Hoor, de Englen zingen d'Eer, Stille Nacht, Nu sijt Wellekome* en nog meer liederen. Ze bracht de uitbundigheid van de muziek zo goed over dat de mensen, al konden ze de woorden niet verstaan, zich bewust waren van de gevoelens die erin werden uitgedrukt. Met het blonde haar losser om haar gezicht dan ze het gewoonlijk op zaal droeg, was ze mooi.
Ik zag dokter Fenwick naar haar kijken toen ze zong en dacht: Ik geloof dat hij verliefd op haar wordt.
Het leek me volkomen natuurlijk dat een man verliefd werd op Henrietta.

Het kerstfeest was – zoals niemand kon ontkennen – een buitengewoon succes, en met de eerlijkheid van een sterke vrouw, probeerde de Hoofd Diacones dat ook niet. Anderen waren misschien wat bedillerig geweest en hadden gezegd dat sommige patiënten oververmoeid waren of dat degenen die ernstig ziek waren, toch werden gestoord. Maar dat gebeurde niet. De voordelen overtroffen de nadelen.
De Hoofd Diacones riep Henrietta en mij naar haar studeerkamer en zei: 'Het was zeer prijzenswaardig. De dokters hebben alleen maar lof voor. U hebt beiden hard gewerkt en uw andere plichten niet verwaarloosd.'
'Wie zou dat kunnen geloven!' riep Henrietta, toen we vertrokken waren. 'Weet je, ik geloof dat ze bijna glimlachte. Ze kon zo'n geweldige onderneming niet helemaal waarmaken, maar ik zag dat het begon.'
'Ze heeft tenminste toegegeven dat het een succes was.'
'Ze moest wel. Dat lag toch voor de hand?'
We leefden een paar dagen in de glans van dat succes en toen was het nieuwjaar.
'Binnenkort,' herinnerde ik Henrietta eraan, 'gaan we hier weg.'
'Vind je het jammer?'
'Ik denk van niet. Het is heel interessant geweest en ik heb veel geleerd. Ik voel me ervaren... en het was geweldig, maar ik zou hier niet graag mijn hele leven willen blijven, jij?'
'Het zou vrij saai zijn zonder dokter Fenwick.'
Ik keek haar met een scherpe blik aan.
'Vind je ook niet,' zei ze.'

'Natuurlijk.'
'Hij is als een wind van thuis. En het is leuk iemand te hebben die je grapjes begrijpt... iemand met wie je op een natuurlijke manier kunt praten. Je begrijpt wel wat ik bedoel.'
'Zeker.'
'Hij heeft grote bewondering voor je.'
'En voor jou, denk ik.'
Ze haalde haar schouders op. 'Hij vindt echt dat jij heel speciaal bent. Hij zegt dat je niet van die laagbijdegrondse dingen moet doen als verplegen. Je zou de leiding moeten hebben, organiseren... O ja, jíj hebt diepe indruk op hem gemaakt.'
'Jij ook, geloof ik.'
'Twee Engelse vrouwen, kennelijk gewend aan wat comfort, komen naar een plaats als deze. Natuurlijk vertelde ik hem niet van ons grootse plan en dat we onder het mom van verpleegsters speurders zijn op zoek naar een monster.'
'Gelukkig maar. Hij zou gedacht hebben dat we gek waren.'
Ze lachte en ik vroeg me af of ze de gevoelens van de dokter beantwoordde.

Het was koud en er lag sneeuw op de bergen. We hoorden dat het later veel erger zou zijn. In Kaiserwald werden voorbereidingen getroffen als voor een beleg. Een van de verpleegsters vertelde me dat we op een ochtend wakker konden worden en de sneeuw hoog opgestapeld zouden zien, zodat we volkomen afgesloten waren. Het afgelopen jaar hadden ze drie weken lang het ziekenhuis niet uit gekund. We moesten ons voorbereiden op zoiets.
Henrietta en ik zouden in februari vertrekken. Ik wist dat ik Kaiserwald zou missen maar wilde verder. Ik was ervan overtuigd dat de verandering van omgeving, het gevoel dat ik een paar stappen dichter bij mijn doel was gekomen, mijn verdriet had verzacht. Maar het was er nog steeds, klaar om me ieder moment weer te omhullen.
Charles Fenwick zei dat, als we het ermee eens waren, hij het zo kon regelen dat hij samen met ons terug naar Engeland reisde. Henrietta was verrukt bij het idee.
'Betekent het dat je hier langer moet blijven?' vroeg ik.
'Iets, misschien. Maar ik heb met de Hoofd Diacones gesproken en die was heel aardig. Ze vindt dat twee dames een geleide moeten hebben en dat het niet te pas zou komen als jullie zonder gezelschap door Europa zouden reizen.'
'We zijn hier toch alleen naartoe gekomen.'
'Ja, maar dat heeft haar nogal geschokt. Ze zal blij zijn en me toestaan te blijven tot jullie vertrek en dat is, geloof ik, begin februari.'
Zo werd het afgesproken.
De dagen kregen een nieuw aspect omdat ze genummerd waren. We proefden

iedere dag. Ik had ongetwijfeld aangetoond dat ik een talent voor de verpleging had, zelfs de Hoofd Diacones besefte dat en behandelde me met een respect dat ze niet toonde aan Henrietta en zelfs niet aan haar opgeleide verpleegsters.
Ik had verschillende gesprekken met dokter Fenwick – in feite scheen hij meer met mij te praten dan met Henrietta. Met mij besprak hij de ziekten van de patiënten, hoe ze het best behandeld konden worden. Hij vertelde me hoe gefrustreerd hij zich voelde, hoe weinig hij van de oorzaken wist, en hoe angstwekkend het was in het duister te moeten werken... als het ware te experimenteren. 'Maar we moeten het ontdekken,' zei hij. 'Wat kunnen we doen? We geloven dat een bepaalde methode de genezing kan zijn, maar hoe kunnen we het weten totdat we het geprobeerd hebben?'
Hij praatte met mij ook over de politieke situatie. 'Ik kan alleen maar hopen dat we niet bij de oorlog betrokken raken. Mensen beseffen de verschrikkingen van een oorlog niet... van soldaten op een vreemd slagveld zonder hospitalen, zonder medische aandacht, dokters, verpleegsters...'
Ik zei: 'Ik heb er een glimp van gezien in een van de ziekenhuizen in Londen. Het was een afschuwelijke ervaring.'
'Dan moet je je iets voorstellen dat duizendmaal erger is.'
'Overal moeten mensen een manier zien te vinden om dat te veranderen.'
Hij keek me aan met iets van de bewondering die ik in zijn ogen had gezien toen hij Henrietta *Hoor de Englen zingen d'Eer* had horen zingen.
'Er zal iets gedaan worden. Het is een troost te weten dat er mensen zoals jij op de wereld zijn.'
'Je overschat me.'
'Ik denk van niet,' zei hij.
Het moest me wel een gevoel van vreugde geven. Al gauw kwam Henrietta erbij en zaten we met elkaar te lachen.
Het was eind januari; het was iets minder koud en de sneeuw was gesmolten. Ik trok stevige laarzen aan en ging een wandeling in het bos maken. Henrietta had dienst, dus ging ik alleen.
Toen ik bij het huisje van Frau Leiben kwam, vroeg ik me af waar Gerda zou zijn op een dag als deze. Op het ogenblik dat ik de deur passeerde, ging die open en werd mijn naam geroepen. Ik herkende de stem van Frau Leiben.
'Fräulein... Fräulein Pleydell. Kom... kom hier... vlug.'
Haastig ging ik het huis binnen. Ze nam me mee naar een kamer waar een bed stond. Daar lag Gerda te krimpen van de pijn.
'Alstublieft... help... stamelde Frau Leiben.
Ik ging naar Gerda. 'Gerda,' zei ik, 'wat is er? Waar doet het pijn?'
Ze antwoordde niet, maar bleef kreunen.
Ik wendde me tot Frau Leiben. 'Ga direct naar het ziekenhuis. Zeg tegen een van de dokters dat hij meteen moet komen.'

Haastig trok ze haar laarzen aan, sloeg een cape om en ging. Ze was bang – en ik ook toen ik me tot het meisje wendde, want ik zag dat ze inderdaad heel ziek was.
Ik legde mijn hand op haar voorhoofd; het was heet.
'Gerda,' zei ik. 'Je kent me. Ik ben hier bij je. Ik zal voor je zorgen.'
Dat scheen haar iets gerust te stellen. Ik hield mijn hand op haar voorhoofd. Maar een paar minuten later schreeuwde ze het uit van de pijn.
Nooit was de tijd zo langzaam voorbijgegaan. Het leek uren te duren, voordat dokter Fenwick arriveerde. Hij wierp één blik op Gerda en zei tegen mij: 'Ga terug naar het ziekenhuis en zorg voor transport. Ik wil haar zo snel mogelijk in het ziekenhuis hebben.'
Ik rende weg.
Zo brachten we Gerda naar Kaiserwald. Ze kreeg een kamertje – weinig meer dan een cel – maar ze had niet bij de anderen kunnen liggen.
Dokter Brucker was bij Charles Fenwick en ze riepen een van de verpleegsters. Ik voelde me wat gekwetst, omdat ik het niet was. Ik had het gevoel dat ik Gerda gerust kon stellen. Ze kende me en ik geloof dat ze me vertrouwde. Ik vond het moeilijk terug te gaan naar mijn werk zonder te weten wat er gebeurde.
Het was laat. Ik kon niet slapen en besloot te doen wat ik kon om erachter te komen. Ik sloop naar het kamertje waar Gerda lag. Het was heel stil en plotseling was ik bang.
De deur van de kamer ging open en Charles Fenwick kwam naar buiten. Hij staarde me aan. 'Juffrouw Pleydell!'
'Ik maakte me bezorgd over Gerda,' zei ik.
'Ze is iets beter.'
'Goddank.'
'Ze zal blijven leven, maar het was op het nippertje.'
'Mag ik haar zien?'
'Beter van niet. Wacht tot morgen. Ze is heel ziek geweest.'
'Wat is het?'
Hij keek me lang aan maar gaf geen antwoord. 'Je moet naar bed gaan,' zei hij ten slotte. 'Morgen moet je weer vroeg op.' Hij legde zijn hand op mijn arm. 'Ze wordt weer beter. Ze is sterk en gezond. Morgen praat ik met je. Welterusten, juffrouw Pleydell.'
Ik kon niet anders doen dan weer naar bed gaan.

De volgende ochtend ging ik naar haar kamertje. Ik opende de deur en keek naar binnen. Ze lag in bed met haar blonde haar los om haar gezicht. Ze was heel bleek en zag eruit of ze dood was.
Een van de zusters zat bij haar bed.
Ik zei *Guten Morgen* en vroeg naar de patiënte.

'Ze heeft een rustige nacht gehad,' was het antwoord.
's Middags kwam Charles Fenwick naar me toe en vroeg of Henrietta en ik een wandeling door het bos zouden gaan maken. Toen ik ja zei, vroeg hij of hij mee mocht.
Eenmaal onder de bomen vroeg ik naar Gerda. 'Is ze echt beter?'
'Ik denk dat het een paar weken zal duren eer ze weer helemaal in orde is. Ze heeft zichzelf bijna gedood.'
'Zichzelf gedood!' riep ik.
'Ze had natuurlijk een medeplichtige.'
'Wat bedoel je?' vroeg Henrietta.
'Gerda was zwanger. Ze had juist een abortus gehad.'
'Wat? riep ik. 'Dat is onmogelijk!'
'Ze is te jong,' zei Henrietta.
'Oud genoeg,' zei Charles.
'Gerda! Nee, ik wil het niet geloven.'
'Dat meisje weet meer dan je zou denken. In de eerste plaats wordt ze zwanger en dan probeert ze van het kind af te komen.'
'Wat ze gedaan heeft, neem ik aan,' zei Henrietta.
'En zodoende bijna zichzelf doodgemaakt.'
'Ik kan het nog steeds niet geloven.'
'Maar het bewijs liegt er niet om.'
'Maar wie...?'
'Er moeten mensen zijn die misbruik maken van zo'n meisje.'
Ik herinnerde me plotseling flarden van een gesprek. Wat had ze ook weer gezegd over haar ontmoeting met de Duivel in het bos? Wat en wie kon ze daarmee hebben bedoeld? 'Arm onschuldig kind,' zei ik.
'Zo onschuldig nu ook weer niet,' corrigeerde Charles. 'Ze wist wat er aan de hand was toen ze besloot het kind kwijt te raken.'
'Maar hoe komt zo'n meisje aan de middelen?'
'Ze heeft ongetwijfeld iets ingenomen dat haar minnaar haar gegeven heft.'
Dit is vreselijk. Weet je wie het misschien zou kunnen zijn?'
Hij schudde zijn hoofd 'Iemand die iets van die dingen af weet.'
'Weinig kennis kan gevaarlijk zijn. Heb je met haar gepraat?'
'Nee. Ze is te ziek. Ik ben alleen dankbaar dat we haar op tijd hier hebben gebracht. Dankzij u, juffrouw Pleydell, omdat u ons riep en we haar naar het ziekenhuis konden brengen... anders had het wel het einde voor Gerda kunnen betekenen.'
'Ik ben zo blij dat ik juist langs het huisje kwam. Maar waarom heeft Frau Leiben niet om hulp geroepen?'
'Waarschijnlijk wist ze wat er aan de hand was en dacht dat ze wel voor het meisje kon zorgen.'

'Bedoel je dat de grootmoeder haar misschien dat spul gegeven heeft?'
'Dat weet je nooit. Het enige wat ik kan zeggen, is dat Gerda zwanger was en iets nam dat bedoeld was om van de baby af te komen. Dat gebeurde... maar het heeft Gerda ook bijna het leven gekost.'
'Wat vreselijk...'
'Ik zal haar waarschuwen voor zulke middelen. Ze moet het nooit meer doen.'
Henrietta zei nadenkend: 'Gerda,zou zeggen, het heeft toch gewerkt.'
'We moeten haar met nadruk zeggen dat ze het nooit meer mag doen.'
'Haar eigen lijden zal meer indruk maken dan welke waarschuwing dan ook,' zei ik.
'Dat is zo,' vond Charles Fenwick. 'Maar ze had nooit moeten doen wat ze heeft gedaan.'
'Nooit meegesleept mogen worden door de poeslieve woorden van een minnaar,' voegde Henrietta eraantoe. 'Maar mensen zijn nu eenmaal menselijk.'
'Ik zou graag willen weten hoe ze aan die rommel gekomen is. Waarschijnlijk een of andere oude vrouw. Dat moet worden ontdekt en gestopt.'
'Ach,' zei Henrietta gedachteloos, 'misschien is het zo wel het beste.'
'Ik zou het niet prettig vinden daar een besluit over te nemen,' zei Charles. 'En ik zou graag meer over dit geval willen weten. In de eerste plaats wie de schurk was die misbruik heeft gemaakt van haar onnozelheid, en wie degene was die haar dat gevaarlijke middel gaf. Ik wil dat er een paar dagen bij haar gewaakt wordt tot ze weer normaal is.'
'Vind je haar nu dan niet normaal?'
'Nee, Ze is in een soort bedwelming.'
'Je weet nooit wat Gerda weet.'
'Maar ze is in ieder geval in een zeer emotionele toestand. Ik wilde voorstellen dat u, juffrouw Pleydell, haar verzorgt. Ik kon het niet eerder vragen omdat we een verpleegster nodig hadden met ervaring in verloskunde. Nu denk ik dat u de beste voor haar bent.'
'Zal ik nu gelijk naar haar toegaan?'
'Eerst moet ik de Hoofd Diacones spreken. Ze heeft erin toegestemd dat u het meisje verzorgt, maar ik wil eerst naar haar toe... zodra we terug zijn.'

Ik zat bij haar bed. Wat was ze zwak. Ik streek de weerbarstige krullen van haar smalle voorhoofd; ze opende haar ogen en glimlachte tegen me.
'Ik ben in Kaiserwald,' zei ze.
'Ja. Je bent ziek geweest en wordt nu weer beter.'
Ze knikte en sloot haar ogen.
Ik bleef haar voorhoofd strelen.
'Fijn,' mompelde ze. 'Ik voel me er beter door.'
Ze sliep een tijd lang en ik wekte haar pas toen ik wat pap voor haar had.

'Blijf ik hier?' vroeg ze.
'Tot je beter bent.'
'Ik was ziek, hè?' Haar gezicht betrok. 'Het deed pijn. Het deed vreselijke pijn.'
'Dat kwam door wat je ingenomen hebt, Gerda. Waar had je dat medicijn vandaan?'
Ze glimlachte terughoudend.
'Wist je wat het deed?'
'Het was om me beter te maken.'
'Maar het gaf je veel pijn.'
'Het maakte me beter.'
Ik zei: 'Je hebt me over de Duivel verteld. Je hebt hem in het bos ontmoet. Heeft de Duivel je dat medicijn gegeven?'
Ze fronste haar voorhoofd.
'Met wie was je samen in het bos, Gerda?'
Ze zweeg.
'Je vertelde me dat het de Duivel was.'
Ze knikte. Haar gezicht veranderde en ze lachte. Ik kon zien dat ze in gedachten terug was met wie het ook was die haar verleid had.
'Wie?' fluisterde ik.
Ze fluisterde terug: 'Het was de Duivel.'
'En wie heeft je het medicijn gegeven?'
Ze sloot haar ogen. Ze zag er erg ziek uit en ik vond dat ik haar niet verder moest ondervragen. Ik laat het haar weer allemaal beleven, dacht ik. Ik plaag haar op het moment dat ze alleen rust nodig heeft. Ik moet wachten tot ze beter is. Maar er was iets dat me vertelde dat ik mijn antwoord niet zou krijgen van Gerda.

Gerda werd iedere dag sterker. Na twee weken verliet ze Kaiserwald en ging terug naar haar grootmoeder. Ze zag er nog zwak uit en tengerder dan ooit, maar ze leek volkomen argeloos en niet bewust van wat er gebeurd was.
Ik praatte een keer met de grootmoeder. De arme oude dame was kapot van verdriet. Ik probeerde haar te troosten.
Ze zei: 'Dat dat nu een kind van mij moet gebeuren! Ik had nooit gedacht dat te beleven.'
'Frau Leiben,' zei ik. 'Hebt u enig idee wie...'
Ze schudde haar hoofd. Er zijn hier niet veel jonge mannen. Als ze oud genoeg zijn, gaan ze naar de stad. Er is hier weinig voor ze... en degenen die hier zijn, zijn fatsoenlijke jongens. Die zouden Gerda niet misbruiken.'
'Ik denk dat je nooit zeker kunt zijn van wat mensen in een opwelling zullen doen. Ze had het over de Duivel.'
'Ook zo'n inbeelding van haar. Zo is ze altijd geweest. Soms ziet ze trollen, zegt

ze. Het komt van alle verhalen die Herman haar altijd vertelde.'
'En dat spul dat ze nam. Hebt u daar iets van gezien?'
'Niets. Ik vond haar wel een beetje veranderd. Ik had geen idee dat het al drie maanden was.'
'Het moet een grote schok zijn geweest. Waar de dokters zo van geschrokken zijn, is dat ze zich ermee had kunnen doden. Ze zouden graag willen weten wie haar dat onbekende spul gegeven heeft. Als u er ooit achter komt, moet u het de dokters laten weten. Ze willen niet dat zoiets nog eens gebeurt.'
Ze keek geschrokken.
'O,' zei ik snel. 'Ze dachten niet aan Gerda, maar aan een willekeurig ander meisje dat in dezelfde positie zou kunnen geraken.'
'Als ik het wist, zou ik het zeggen,' zei ze.
En ik geloofde haar.

Het was bijna februari, de maand van ons vertrek. Onze gedachten waren zo bezig geweest met Gerda dat we ons niet hadden gerealiseerd hoe snel de tijd voorbijging.
Onze wandelingen door het bos kregen een nieuwe betekenis voor me. Dikwijls dacht ik: Binnenkort zeg ik dit alles goedendag. Ik vraag me af of ik het nog ooit terug zal zien.
Het was een waardevol experiment geweest. In zekere zin had ik een brug gebouwd tussen mij en mijn verdriet. Er waren lange perioden geweest waarin ik zo betrokken was bij wat er om me heen gebeurde, dat ik mijn verlies vergat. Nu kon ik geloven dat ik onderweg was naar een nieuw leven voor mijzelf.
Het lukte Charles Fenwick vrij te zijn toen wij het ook waren en met ons drieën maakten we een wandeling door het bos en praatten over onze plannen voor het naar huis gaan.
Charles zei dat het nuttig was te zien wat er in Duitsland gebeurde, en dat het zeker aan te bevelen was, maar natuurlijk bleef er nog meer dan genoeg ruimte voor verbeteringen, zelfs hier, wat diagnosen betreft, zo niet voor de verpleging.
'Ze zullen jullie beiden missen,' zei hij. 'Jullie moeten een goede aanwinst zijn geweest voor de verpleegsters.'
'Ze missen jou natuurlijk ook,' zei ik.
'Kratz en Bruckner zijn zeer efficient... zeer methodisch, zeer plichtsgetrouw.'
'Zeer Duits,' zei Henrietta.
'Dat kun je zeggen. Ze hebben er een uitstekend ziekenhuis van gemaakt. Ik hoorde er goede verhalen over van een vriend van mij die hier niet lang geleden is geweest.'
'Ook een dokter, denk ik.'
'Ja, een bijzonder iemand. Dokter Adair.'
'En hij kreeg een gunstige indruk?'

'Buitengewoon. En hij is meer dan kritisch. Al zei hij dat er nog wel iets verbeterd kon worden. Maar hij is geschokt door de toestanden in de ziekenhuizen in de wereld.'
'Misschien wil hij er iets aan doen.'
'Ik weet zeker dat hij het zal proberen. Hij is het soort man dat iets op zich neemt en het snel laat gebeuren. Hij heeft een geweldige energie.'
'Hij klinkt zo volmaakt!' zei Henrietta.
'Dat weet ik niet,' lachte hij. 'Er doen wel roddelverhalen over hem de ronde.'
'Ik word steeds nieuwsgieriger,' riep Henrietta.
'Die zijn er natuurlijk altijd over zo'n man. Hij is in het Oosten geweest... heeft buitengewoon veel gereisd... tussen inlanders gewoond als een van hen. Heeft boeken geschreven over zijn avonturen. En hij gelooft dat we onze ogen niet moeten sluiten voor de methoden van andere rassen alleen omdat ze ons vreemd zijn. Hij gelooft dat mensen verdovende middelen of geneesmethoden kunnen hebben waar wij nog heel wat van kunnen leren.'
Mijn hart bonsde wild. Ik hoorde mijzelf vragen: 'Hoe zei je dat die dokter heette?'
'Adair.'
'Ik heb een boek gelezen van een arts die precies hetzelfde deed. Maar hij heette geen Adair.'
'Was het Damien?'
'Ja.'
Charles lachte. 'Dat is zijn voornaam. Hij schrijft onder de naam Damien. Hij wil liever niet zijn volledige naam gebruiken. Hij heeft anonimiteit nodig.'
Ik keek Henrietta aan. Ze opende haar mond om iets te zeggen, maar ik bracht haar met een blik tot zwijgen.
Ik vroeg langzaam: 'Was hij hier kortgeleden nog?'
'O ja. Het moet even voordat jullie kwamen zijn geweest.'
Ik voelde me duizelig. We hadden hem kunnen ontmoeten. Ik stelde me voor hoe ik oog in oog met hem zou hebben gestaan.
'Zie je hem... dikwijls?' vroeg ik.
'Goede hemel, nee! Hij is hier, daar en overal. Hij is altijd bezig met een of ander project. Een fantastische man, zoals ik zei. Maar ik zag hem toevallig toen hij ditmaal terugkwam. Hij vertelde me hierover en zei dat het zeker een bezoek waard was. Feitelijk heeft hij het voor mij geregeld.'
'Interessant,' zei ik. 'Na het lezen van zijn boeken...'
'Misschien ontmoet u hem nog wel eens.'
'Dat hoop ik,' antwoordde ik.

Toen hij wegging om een patiënt te bezoeken, zei Henrietta: 'Eindelijk zijn we hem op het spoor.'

'Denk eens aan. We hadden hem tegen het lijf kunnen lopen.'
'Het lot moet ons hier hebben gebracht. Ik vraag me af wat voor iemand hij is. Charles schijnt hem geweldig te vinden.Zie je niet een spoor van een heldenverering?'
'Ja,' zei ik. 'Dat is de invloed die hij op sommige mensen schijnt te hebben. Met mijn zwager Stephen was het net zo.'
'Hij moet een fascinerende man zijn.'
'Hij is een duivel,' zei ik.
'Maar dat zegt nog niet dat hij niet fascinerend is. Dat type man kan heel... Wat gaan we nu doen?'
'Ik weet het niet zeker. Maar in ieder geval hebben we ontdekt wie hij is. We kennen zijn naam. Dat is al een grote stap vooruit.'
'En nu zijn we gekwalificeerde verpleegsters. Zou jij zeggen dat we gekwalificeerd zijn?'
'Nauwelijks, na een paar maanden bedden opmaken en lakens wassen.'
'Toch heeft Kaiserwald een naam, en nu we tot het beroep horen, komen we hem misschien wel ergens tegen. Wie weet. We moeten alles proberen om dat te bereiken... En denk je dat Charles "Vaarwel, leuk je ontmoet te hebben," zegt, als we thuiskomen? Ik niet. Ik geloof dat we een vriend aan hem hebben. En vergeet niet dat híj een vriend is van onze Demon Dokter. We zullen hem thuis uitnodigen. Dat vinden Jane en Polly vast leuk. En dan zeggen we – of ik zeg het – omdat zoiets van mij natuurlijker klinkt – "Breng die fascinerende vriend van je mee. We hebben zoveel belangstelling voor het Oosten – en zoals je weet, is Anna vroeger in India geweest."'
Ik voelde me opgewonden bij het idee.
'Wie van ons doet stilletjes dollekervel in zijn glas?' ging Henrietta verder. 'Dat is meer jouw taak. Jouw gevoelens zijn sterker. Ik ben eigenlijk doodsbang dat ik verliefd op hem zal worden.'
'Je bent gewoon weerzinwekkend.'
'Ja, dat weet ik. Maar het is wel spannend.'
'Er is zojuist iets bij me opgekomen, Henrietta.'
'Vertel het eens.'
'Hij was hier. Vergeet niet dat hij duivels is. Misschien zag hij Gerda in het bos. Ze zei dat het de Duivel was, ja toch? Misschien...'
Ze keek me vol afschuw aan. 'O nee, niet onze bereisde, wereldse, briljante Demon Dokter en die simpele kleine Gerda.'
'Waarom niet? Ik kan me voorstellen dat ze heel aantrekkelijk is voor zo'n man. Hij zou kunnen experimenteren. Doet hij dat niet altijd? En waar kreeg ze de drank of wat het was vandaan die haar bijna gedood heeft? Charles zei dat het heel effectief middel was. Iemand die verstand heeft van zulke dingen zou het haar gegeven kunnen hebben.'

Henrietta bleef me vol ongeloof aankijken. 'Het klopt,' zei ze, 'maar er zijn te veel toevalligheden. Hij was hier. Je kunt je hem voorstellen... zijn methoden proberend... die arme oude Bruckner en Kratz uitvragend, H.D in haar hol trotserend met zijn eisen om van alles te weten. Zijn neerbuigende glimlach, zijn veroordeling van alles... Ik verwacht dat hij vloeiend Duits spreekt. Vast wel, hè? En dan, om wat ontspanning te zoeken, slentert hij door het bos en ziet plotseling de mooie ganzenhoedster. Eenvoudig, begerenswaardig, experimenteel materiaal. "Kom met me mee, kind. Ik laat je alle verrukkingen van de natuur zien." Misschien dat hij het een goed idee vindt om te zien wat voor soort kind dit allersimpelste meisje zou produceren na gepaard te hebben met de meest briljante man. Aan de andere kant – hij geeft haar het middel, omdat het misschien beter is het experiment van dat grapje in het bos te elimineren. En misschien draaide het ten slotte alleen maar daar om... wat ontspanning voor de god op Aarde.'
'Dat is al bij me opgekomen. Ik ben er steeds meer van overtuigd dat hij er verantwoordelijk voor is. Wie zou het anders kunnen zijn? Frau Leibens buren zouden haar kleindochter te veel respecteren om zoiets te doen. Het zijn vriendelijke mensen, aardige, goede buren. Wat zou ik graag willen dat Gerda het ons vertelde.'
'Nu weten we tenminste,' zei Harriet, 'wie onze prooi is. Wees niet bang, we sporen hem te zijner tijd wel op. Ik voel het in mijn botten.'
'Ja,' zei ik, 'dat doen we zeker.'

Storm op zee

Het was een mooie dag in februari toen we in Engeland terugkwamen. We hadden op het dek gestaan en de witte rotsen steeds dichterbij zien komen – Henrietta aan de ene kant van Charles, ik aan de andere. We moesten alle drie toegeven dat we een zekere emotie voelden bij de aanblik.
Charles stond erop ons eerst thuis te brengen. Vandaar zou hij naar zijn eigen huis in de Midlands gaan. Hij wist nog niet zeker wat hij zou gaan doen. Zijn vader had een praktijk en Charles kon met hem gaan samenwerken. Maar eigenlijk dacht hij er ook over in het leger te gaan, omdat hij geloofde dat daar een groot tekort aan dokters was en dat ze er hard nodig waren.
Op dit ogenblik aarzelde hij nog tussen de twee mogelijkheden. Dat was ook de reden waarom hij naar Kaiserwald was gegaan, om 'alles op een rijtje te zetten' zoals hij zei.
Joe wachtte al met het rijtuig bij het station en het was duidelijk te merken hoe blij hij was om ons te zien. 'Die meisjes van u, juffrouw Pleydell, hebben de dagen geteld. "Jullie zijn ook een mooi paar," zei ik tegen hen. "Jullie leven als dames en snakken ernaar ze weer thuis te zien." Ze zeiden dat het niet natuurlijk was er zomaar te zijn zonder u, twee dames, om voor te zorgen.'
'Een prettig welkom thuis,' zei ik.
Toen was het een en al drukte en beweging. Lamsbout met saus, 'omdat juffrouw Marlington er zo dol op is. En hier is kaas voor u, juffrouw Pleydell. Jane is de hele buurt af geweest om het te vinden. Het is onbegrijpelijk waarom ze nooit hebben wat je wilt, op het ogenblik dat je het wilt hebben.'
'Een beetje als het leven zelf,' was mijn commentaar. 'Dit is dokter Fenwick die met ons in Kaiserwald was.'
Jane en Polly maakten een kleine buiging. 'En blijft hij voor de lunch, juffrouw?'
'Ja.'
'Dek nog voor iemand erbij, Poll.'
Het was goed weer thuis te zijn.
Ik wilde alles over Lily horen en ze keken elkaar aan met blikken die het verraadden. 'Echt?'
'Ja, juffrouw... echt.'
'Wanneer?'
'Juli.'
'En is ze er blij mee?'
'Mijn hemel, juffrouw, u had die Clifts moeten zien. Je zou denken dat nooit iemand eerder een baby had gehad.'
Mijn gedachten gingen terug naar de arme kleine Gerda die wel heel bang moest zijn geweest om dat gemene medicijn in te nemen. Hoe anders was het met Lily.

De lunch werd heel ceremonieel geserveerd. Charles was onder de indruk van de toewijding van ons personeel. Hij zei steeds hoe blij hij was dat we elkaar hadden ontmoet in Kaiserwald. 'Het was verreweg het prettigste dat daar is gebeurd.'
Toen hij die middag vertrok, bracht Joe hem naar de trein.
'We moeten elkaar weer gauw zien,' zei hij voor hij vertrok. 'Ik moet nog in Londen zijn en dan kom ik op bezoek, als ik mag.'
'We verheugen ons erop.'
Hij pakte mijn hand en die van Henrietta. Hij zou heel goed voor haar zijn, maar ik vroeg me af of zij het wel voor hem was. Ik was dol op haar, maar zo nu en dan leek ze wat roekeloos, ze wilde met zoveel enthousiasme het leven grijpen. Bij haar vergeleken, was ik een nuchtere, ervaren vrouw. Misschien dat verdriet je zo maakt.
In ieder geval hoopte ik dat we Charles Fenwick terug zouden zien.
Het was moeilijk weer aan het oude leven te wennen. Er was in Kaiserwald altijd zoveel te doen geweest, dat we ieder vrij uur aangrepen. Eerst leek het zo luxueus om in een lekker bed te slapen, het ontbijt gebracht te krijgen – iets waar Jane en Polly op stonden – en gevarieerde, smakelijke maaltijden te hebben. Heel verschillend van de dunne pap en steeds dezelfde groenten; een echte kop thee in plaats van iets gebrouwen uit rogge. Jane's commentaar was dat ze ons daar hadden uitgehongerd. Je kon buitenlanders nooit vertrouwen en Jane en Polly zouden ons nu gaan bijvoeden. Ze maakten de heerlijkste hapjes klaar die we altijd opaten uit angst hen te beledigen.
'We worden vetgemest, we worden veel te dik,' klaagde Henrietta. Ze keek met een wrange blik naar haar handen en ik naar de mijne – niet langer mooi. Het schrobben en het omgaan met borstels, het steeds met de handen in het water zitten, hadden ze ruw gemaakt en de nagels, die vaak een probleem waren geweest, begonnen nu pas weer normaal te groeien.
Henrietta vond het onze eerste taak onze handen in hun pre-Kaiserwald toestand terug te brengen, want zulke handen als die van ons waren geworden, zouden nooit worden geaccepteerd in de Londense society.
'Storten wij ons dan in de Londense society?' vroeg ik.
'We moeten erop voorbereid zijn dat we onze Demon Dokter moeten achtervolgen zodra de gelegenheid zich voordoet, en ik heb een idee dat hij met de hoogste kringen omgaat.'
Dus smeerden we iedere avond onze handen in met ganzenvet en droegen in bed katoenen handschoenen.
Dikwijls dacht ik aan Gerda, en ik was nog steeds woedend op de man die haar verleid had. Ik wist zeker dat hij het was – de man die Aubrey in het verderf had gestort en het leven van mijn zoon niet had kunnen redden. En ik haatte hem nog evenzeer.

Op de dag van onze aankomst kwam Lily ons begroeten. Ze straalde en zag er al een beetje uit als een matrone. We zeiden hoe blij we waren en ze vertelde ons over de komende baby; uit alles bleek dat ze een zeer tevreden jonge vrouw was.
'En dat heb ik allemaal aan u te danken, juffrouw,' zei ze. 'Stel je voor, als ik niet door uw rijtuig overreden was...'
'Misschien moet je de man bedanken die de knopen er bijna aftrok. Zo zie je, Lily, oorzaak en gevolg is overal. Het gaat steeds verder terug in de tijd.'
'U zult wel gelijk hebben, juffrouw. Maar ik vind dat ik het allemaal aan u te danken heb,'
'Ik ben blij je gelukkig te zien, Lily.'
'Er is alleen één ding waar we ons ongerust over maken.'
'En dat is?'
'Dat William misschien weg moet.'
'Je bedoelt in dienst in het buitenland?'
'Dat zou niet zo erg zijn omdat ik dan mee kan gaan, met de baby. Maar ze praten aldoor over oorlog.'
'Oorlog?'
'O, u bent weggeweest. De kranten staan er vol van. Iets over Rusland en Turkije en iedereen zegt dat we ze onze tanden moeten laten zien en ze roepen om Lord Palmerston en zo.'
'Ik begrijp het.'
Iets van de vreugde verdween uit haar gezicht. 'Ziet u, William is soldaat.'
'Ja natuurlijk. Wat jammer. Hij had in de zaak van zijn vader kunnen werken.'
'Dat had ik graag gewild. Al ziet hij er natuurlijk geweldig uit in dat uniform.'
'En zo ben je verliefd op hem geworden. Maak je niet bezorgd. Misschien gebeurt er niets. Tenslotte zijn de moeilijkheden tussen Rusland en Turkije.'
'Dat zegt Williams vader ook. Maar er staat zoveel over in de kranten en er zijn mensen die vinden dat we daar moeten vechten.'
'Laten we maar hopen dat het niet zo ver komt.'
Maar toen ik de kranten zag en de commentaren las, begreep ik waarom Lily zich ongerust maakte. Ik besefte dat we in Kaiserwald afgesloten van de wereld waren geweest en dat we dichter bij een oorlog stonden dan ik me had voorgesteld. De grootmachten van Europa hadden geprobeerd tussenbeide te komen en vrede te stichten tussen Rusland en Turkije, maar Rusland was vastbesloten wat men de 'Zieke Man van Europa' noemde – dus Turkije – te overwinnen en wilde geen overgave accepteren. Onderhandelingen werden afgebroken en de oorlog leek op het punt uit te barsten.
Er was spanning op straat. Overal praatte men over oorlog. De krantenkoppen eisten interventie en iedereen die daarop tegen was, was een verrader. We moesten meedoen, werd er gezegd. En we zouden de Russen in een week een lesje geven.

Een veldslag wordt gemakkelijk gewonnen aan de eettafel of in clubs of andere plaatsen waar mensen bij elkaar komen, en de oorlog was het belangrijkste onderwerp. Lord Palmerston moest terugkomen. Hij zou Rusland de macht van Groot-Brittannië wel eens laten zien. Er moest iets worden gedaan. Rusland bedreigde niet alleen Turkije, maar ook ons. Aberdeens beleid van vrede tot iedere prijs was de reden van Ruslands onverzoenlijkheid, zeiden sommigen. Als Engeland een vuist had gemaakt en had getoond dat het Turkije wilde redden, was het nooit zover gekomen.
'Roep Palmerston terug,' schreeuwde de pers.
Ze verweten het de Koningin omdat ze, zoals bekend, tegen de oorlog was, maar bovenal kreeg haar echtgenoot de schuld.
Zo kon het niet doorgaan.
Er gingen een paar weken voorbij. Het was maart van dat onvergetelijke jaar. Krantenjongens renden door de straten, ze schreeuwden het nieuws en mensen schoten uit hun huizen om de kranten te kopen.
'Frankrijk verklaart Rusland de oorlog.'
'Hoe kan Groot-Brittannië dan achterblijven?'
De volgende dag begon het. We waren bij het conflict betrokken.
De rampzalige Krimoorlog was begonnen.

Arme Lily! Haar vreugde werd getemperd door angst. William had zijn marsorders. Lily zei wel twintig maal per dag: 'Ze zeggen dat het niet langer dan een dag of veertien zal duren als onze jongens er eenmaal zijn.'
En we deden of we het met haar eens waren.
Op de dag dat William vertrok, waren we allemaal op straat. De Koningin bekeek de parade vanaf het balkon van Buckingham Palace, en glimlachte trots naar al haar soldaten. Het was een prachtig en diep ontroerend gezicht. De kreten waren oorverdovend en de mensen juichten de schitterende garde-soldaten met de trommelslagertjes voorop, toe, toen ze onderweg waren naar de havens. Triomfantelijk klonk het geluid van de marsmuziek:

Sommigen spreken van Alexander en and'ren van Hercules,
Van Hector en Lysander en van Lyonides.
Maar van al 's werelds helden is er geen enkel vergelijk
Met de touw rou rou rou rou rou voor de Grenadier van ons Koninkrijk.

Ik keek toe terwijl de muziek in mijn oren bonkte en zocht naar Lily die nu gauw moeder zou zijn. En ik bad dat William veilig thuis zou komen.
Polly en Jane vonden de soldaten prachtig en ze waren vastbesloten, zoals ze zeiden: 'Om Lily zo op te vrolijken dat ze haar angst om William wat vergat,' dus gingen we met elkaar naar huis en praatten over de baby en lieten Lily de kleer-

tjes zien die we hadden verzameld voor de babyuitzet; en Lily's stemming werd weer iets opgewekter.
De volgende dag kregen we een bezoeker: Charles Fenwick.
'Ik ben twee dagen in Londen,' zei hij, 'dus moest ik jullie komen begroeten. Ik ga naar de Krim.'
'Wanneer?' vroeg ik.
'Onmiddellijk. De oorlog heeft me doen besluiten. Ze hebben dokters aan het front hard nodig. Ik solliciteerde en werd ogenblikkelijk aangenomen – en ben nu onderweg.'
'Ik wens je alle geluk.'
Hij lachte tegen mij en toen tegen Henrietta.
'Als ik terugkom,' zei hij, 'moeten we elkaar weer zien. Mag ik op bezoek komen?'
'We zullen vreselijk boos zijn als je dat niet doet,' zei Henrietta.
Ons afscheid was vrij bruusk. Ik denk dat we alle drie probeerden onze emotie te verbergen.

De mensen spraken nauwelijks over iets anders dan over de oorlog. Ik denk dat ze wonderen van het leger hadden verwacht en dat ze ongeduldig werden nu er geen nieuws van een overwinning kwam.
Precies op tijd werd Lily's baby geboren en er was grote vreugde, niet alleen bij de familie Clift maar ook bij ons. De kleine Willie verplaatste de oorlog zelfs even naar de achtergrond. Het was een gezond, vrolijk jongetje en de trots van Lily. We praatten eindeloos over hem, en wat Jane en Polly betreft, die waren een en al verrukking over de baby.
De afleiding was welkom, want het enthousiasme van de mensen begon te tanen. Wat gebeurde er daar? De zomer was bijna voorbij toen we nieuws kregen van de overwinning van de Engelsen en Fransen bij de Alma. De oorlog zou nu gauw voorbij zijn, zei iedereen. Onze soldaten waren daar immers. Maar in *The Times* verschenen verontrustende berichten, nu de oorlogscorrespondent, William Howard Russell, alarmerende telegrammen naar huis stuurde.
Er was een cholera-epidemie uitgebroken in het leger en mannen lagen te sterven, niet aan oorlogsverwondingen maar aan de ziekte. De hospitaaluitrusting was beklagenswaardig. Er was absoluut geen organisatie en het gebrek aan medische voorraden en verzorging versloegen de manschappen. De vijanden waren ziekte en gebrek aan overleg en administratie – niet de Russen.
De mensen werden opstandig, zochten naar een zondebok; tevergeefs probeerde het leger deze telegrammen te onderdrukken, maar de afschuwelijke verhalen bleven komen.
Er moest iets worden gedaan.
Op een dag stond er een bericht in de kranten dat ons deed schrikken.
ADAIR VOOR DE KRIM, stond er.

Ik las het Henrietta voor. '"Dokter Damien Adair gaat naar de Krim. Hij zegt dat hij hevig geschokt is door wat er daar gebeurt. Hij wil onderzoeken wat er gaande is. Hij zegt dat het een voorbeeld lijkt van uiterst slechte organisatie. Dokter Adair is de arts wiens Oosterse reizen de belangsteling van velen hebben gewekt. Hij is expert op het gebied van geneesmiddelen. Vandaag is hij vertrokken en hij zal binnenkort ter plekke zijn."' Ik liet de krant zakken en keek Henrietta aan. 'Wat zou ik er graag willen zijn.'
'Wat zou hij er voor kwaad kunnen doen?'
Ik schudde mijn hoofd. 'Overal waar hij komt, volgen rampen.'
'Het lijkt anders dat die naar de Krim zijn gekomen zonder hem.'
'Ik vraag me af...'
'Ik ook.'
'Zou het niet opwindend zijn als we erheen konden?'
'Ze zouden het ons nooit toestaan.'
'Ik heb mijzelf altijd voorgehouden dat niets onmogelijk is.'
Henrietta haalde haar schouders op. 'Hij komt vast weer gauw terug. Misschien gaat hij met Charles naar Londen. Dan kunnen we hen beiden uitnodigen om te komen eten.'
Ik bleef aan hem denken met zijn demonen gezicht en aan die arme mannen die aan de genade van een slecht geoutilleerd hospitaal waren overgeleverd.

De artikelen van Russell konden niet genegeerd worden. Er moest iets worden gedaan – en dat gebeurde.
Het volgende nieuws was dat men juffrouw Nightingale had gevraagd om een groep verpleegsters bij elkaar te krijgen en met hen naar de Krim te gaan. Dat was alles wat we nodig hadden.
Henrietta had door haar connecties al gauw de informatie gekregen over hoe de verpleegsters geselecteerd zouden worden. We moesten ons melden bij het huis van de Herberts die het voor dat doel aan juffrouw Nightingale hadden uitgeleend. Het was in Belgrave Square en toen we er aankwamen, stonden we voor vier dames, van wie er een een bekende van Henrietta was. Ik weet niet zeker of dat een voordeel betekende, want ze wist natuurlijk dat Henrietta haar verloving met Lord Carlton verbroken had en dat zou als een wilde handeling worden beschouwd, vooral omdat ze was vertrokken en aan haar sociale kring was ontsnapt, waarna ze in het bijna niets was verdwenen.
We werden met iets van verbazing bekeken.
'Beseft u wel dat het heel hard werken is? Het is niets voor jongedames zoals u.'
Ik antwoordde vrij heftig: 'We zijn zojuist drie maanden in Kaiserwald geweest en hebben er heel hard gewerkt en ook iets geleerd over de verzorging van zieken. Ik denk dat ik talent voor dit werk heb en dat kan bovendien worden bevestigd door de Hoofd Diacones van Kaiserwald. Ik verlang er zeer naar met de

groep verpleegsters mee te gaan. Ik hoop dan ook dat u ons in gedachten wilt houden.'
'We twijfelen er niet aan,' was het antwoord, 'dat u het soort vrouw bent dat juffrouw Nightingale graag zou willen hebben, maar ik waarschuw u. De meesten die we hebben gezien, waren werkeloze meisjes... meisjes die hun brood moeten verdienen.'
'Wij willen graag meegaan,' zei ik ernstig.
'Juffrouw Marlington?' zei onze ondervraagster en keek Henrietta aan.
'Ik was ook in Kaiserwald. Ik heb hard gewerkt en wil graag gaan.'
'Ik zal uw namen aan juffrouw Nightingale doorgeven en haar vertellen welke indruk u op mij gemaakt hebt.'
We vertrokken – niet direct in de wolken.
'Ik denk,' zei Henrietta somber, 'dat ik het misschien voor ons beiden heb verknoeid. Ze weten alles van me af en beschouwen me als onhandig en als een flirt. Het spijt me, Anna. Je had alleen moeten gaan. Jou hadden ze wel genomen, maar ik denk dat je min of meer besmet bent doordat je omgaat met iemand die geen parel voor de society is gebleken.'
'Onzin. We gaan en we gaan samen.'
Enigszins tot mijn verbazing had ik gelijk. Een paar dagen later kregen wij beiden een brief waarin stond dat we aangenomen waren.

In de weken die volgden was er geen tijd om aan iets anders te denken dan aan ons naderend vertrek. De tocht naar Kaiserwald had een opwindend avontuur geleken, maar het was niets vergeleken bij wat nu volgde.
Jane en Polly zetten grote ogen op van verbazing toen ze hoorden wat we gingen doen.
'God zij ons genadig,' zei Polly, 'ik heb nooit gehoord dat dames dingen doen zoals u gaat doen. Ik had gedacht dat juffrouw Henrietta aan jongemannen hoorde te denken... en wat u betreft, juffrouw Pleydell, zoiets zou u ook geen kwaad doen.'
'We hebben besloten de gewonde soldaten te verplegen.'
Lily zei: 'Als het niet om de jonge Willie was, zou ik met u meegaan. U kijkt wel uit naar William, juffrouw?'
Ik zei dat ik dat doen zou.
Joe schudde ongelovig zijn hoofd. 'En wie rijdt er nu in het rijtuig als u er niet bent?' vroeg hij. 'Rijtuigen horen niet op stal te staan. Ze willen uit en over de wegen rollen.'
'Het kan wel wachten tot we terug zijn.'
'Wees voorzichtig,' zei Joe. 'Oorlogen zijn gevaarlijke dingen.'
Toen we onze uniformen thuisbrachten, waren Jane en Polly te geschokt om iets te zeggen. We hadden gehoord dat alle verpleegsters hetzelfde uniform moesten

dragen. Er waren geen concessies voor dames. We zouden samen eten, de plichten delen en hetzelfde uniform dragen. Het was het plan van juffrouw Nightingale om zo een nieuw professionalisme tot stand te brengen.
Ik moet toegeven dat ik met een zeker afgrijzen keek naar wat we moesten dragen.
'Waarom,' vroeg Henrietta, 'moeten we lelijk zijn om doeltreffend te werken?'
'Misschien is de stilzwijgende bedoeling: Handen af, galante heren. Wij geven ons aan onze plicht.'
'Ik denk niet dat er één heer is die zich galant voelt als hij ons hierin ziet. Die van jou is te klein. De mijne is te groot.'
Het was waar. De uniformen waren niet op maat gemaakt. Ze waren van verschillende grootte en we kregen iets wat leek op wat ons zou kunnen passen. We hadden een soort manteljapon: een tweed jurk in een lelijke kleur grijs, een jasje van kamgaren in dezelfde grauwe kleur, een wollen cape en een witte kap.
Toen Lily dit alles zag, stak ze wanhopig haar handen omhoog. 'Waar hebben ze in vredesnaam die dingen gevonden?'
'Ze zijn speciaal ontworpen om te laten zien dat we niet als voorwerpen van bewondering moeten worden beschouwd,' legde ik uit. Toen zei ik tegen Henrietta: 'Het staat jou niet eens zo gek.'
'Dat is meer dan ik van jou kan zeggen. Het lijkt wel of je een vogelverschrikker hebt beroofd.'
Lily gaf als commentaar: 'U zou er niet zo vreselijk in uitzien als die kleren zouden passen.'
'Misschien kun je die van Henrietta korter maken en de mouwen omslaan,' stelde ik voor.
Lily bekeek het kledingstuk. 'Ja, dat kan ik wel doen.'
'Maar ik geloof dat die van mij hopeloos is.'
Ze knielde aan mijn voeten. 'Er is hier nog een zoompje... en omdat u zo'n bonestaak bent, trekt het lijfje niet op. Ik zou de mouwen ook wat langer kunnen maken.'
Ze ging onmiddellijk aan het werk, blij iets voor ons te kunnen doen. Ze was somberder dan de anderen. Ik geloof dat Jane en Polly dachten dat onze reis naar de Krim een soort grap was. Lily nam het niet zo op. Maar ik denk dat ze in stilte blij was dat we gingen. Ze had zo'n hoge verwachting van me en dacht dat ik voor William zou kunnen zorgen, want volgens haar zou ik hem zeker vinden omdat we naar dezelfde plaats gingen.
Onze uniformen waren wat opgeknapt toen ze beter pasten; en het werk van Lily met naald en draad was echt een wonder.
Koortsachtig bereidden we ons voor op ons vertrek en op een heldere zaterdagmorgen in oktober, gingen we op weg naar de London Bridge voor onze reis naar de Krim.

Alle verpleegsters reisden samen en ik kreeg een eerste glimp van juffrouw Nightingale. Ze was een uitgesproken mooie vrouw en dat verbaasde me. Ik had van Henrietta gehoord dat ze een briljant huwelijk kan kunnen doen en een ster aan de society hemel had kunnen zijn: In plaats daarvan werd ze in beslag genomen door haar opdracht: het verplegen van zieken. Bovendien wilde ze Engeland ziekenhuizen geven waar ze trots op kon zijn. Ze was nobel. Ze was bewonderenswaardig. In feite dacht ik toen – en dat werd later bevestigd – dat ze de meest opmerkelijke vrouw was die ik ooit had ontmoet. Ze was afstandelijk, maar tegelijkertijd zag ze kennelijk alles wat er gebeurde. Ze had een zeldzame waardigheid en distinctie en ik vond haar geweldig.
We zouden naar Boulogne gaan, waar we van boord zouden gaan en onmiddellijk zouden doorreizen naar Parijs, waar we één nacht zouden slapen; vandaar zouden we naar Marseille gaan, waar we vier dagen zouden blijven, zodat het schip waarmee we naar Scutari zouden gaan, kon worden bevoorraad.
Ik was benieuwd te ontdekken hoe onze mede-verpleegsters zouden zijn. Er waren er veertig. 'Alle soorten en toestanden,' zei Henrietta tegen me. En zo was het. Er waren er een stuk of zes zo ongeveer als wij; over de rest was ik stomverbaasd. Sommigen hadden verlopen gezichten en waren niet erg jong. Ik vroeg me af waarom ze gekozen waren en hoorde later dat ze in wanhoop waren aangenomen omdat het niet eenvoudig was geweest verpleegsters voor zo'n onderneming te vinden.
Op de boot naar Boulogne kreeg ik de gelegenheid met een paar van hen kennis te maken. Henrietta en ik waren op dek toen een van de verpleegsters, die Henrietta zag, riep: 'Henrietta! Wat enig je te zien! Dus jij zit er ook in. Ik denk dat het interessant zal worden.'
Het was een lange vrouw van een jaar of dertig met een hooghartig aristocratisch gezicht. Henrietta stelde haar voor: 'Lady Mary Sims. Juffrouw Pleydell.'
We gaven elkaar een hand.
'Doroty Jarvis-Lee is hier ook,' zei Lady Mary. 'We zijn samen gegaan. Toen we erover hoorden, waren we er gewoon op gebrand om te komen. Is Florence niet geweldig? Weet je, ik denk niet dat ze ons wilde nemen. In het begin niet. Pas toen ze het zo moeilijk vond... Ze dacht dat we niet graag met *hoi polloi* zouden willen omgaan. O, daar is Dot. Dot, ik heb Henrietta Marlington ontdekt.'
Mevrouw Dorothy Jarvis-Lee kwam naar ons toe. Ze was hoekig met een nogal verweerd gezicht dat op een buitenleven wees.
'Henrietta, wat leuk je te zien.'
'En dit is juffrouw Pleydell.
'Ik weet dat u een goede vriendin bent van Henrietta. U bent toch samen met haar naar die plaats in Duitsland gegaan?'
'Ja, Kaiserwald,' zei ik.
'Dat is toch een van die pioniersplaatsen? Toen ik hierover hoorde, wist ik dat

ik moest gaan. Tenslotte is het een manier om ons land te dienen.'
Onder het praten had ik twee vrouwen opgemerkt die naar ons stonden te kijken. De een was groot en de ander klein en heel bleek. De grootste scheen uit haar uniform te barsten en de kleinste in het hare te hangen. Ze keken aandachtig naar ons en ik zag een niet erg prettig lachje op de lippen van de grootste. Toen wendde ze zich tot haar metgezellin en zei met een luide, slepende stem die kennelijk was bedoeld als imitatie van die van mevrouw Jarvis-Lee: 'O Ethel, wat doe jij hier? Ik ben gekomen om mijn land te dienen. Ik vertelde Florence dat ik komen zou. Ik zag haar pas in ord Lummy's kasteel en hij zei tegen me: Hé, Eliza, waarom ga je Florence niet helpen bij de soldaten? Maar let op het gezelschap dat je er vindt, want er zijn een paar gekke oude wijven die ook gaan. Ik denk niet dat ze ooit een bed hebben opgemaakt. Geeft niet, het zal leuk zijn voor jou met zo'n gezelschap om te gaan.'
Er viel een stilte toen mevrouw Jarvis-Lee en Eliza elkaar aankeken. De minachting aan de ene kant en de vijandschap aan de andere spraken boekdelen.
Eliza zei: 'Kom, Ethel. Ik denk dat we voorzichtig moeten zijn met wie we omgaan. We willen dat soort niet.'
De kleinste vrouw keek nerveus naar ons, en de grote Eliza hield haar stevig aan de arm toen ze wegliepen. Eliza wiegde op een manier waarvan ze zeker dacht dat het de geaffecteerde gang van de rijken was.
'Als dit het soort is met wie we moeten omgaan, komen er moeilijkheden,' zei mevrouw Jarvis-Lee. 'Ze was opzettelijk brutaal. Ik weiger aan dezelfde tafel te eten als dat soort vrouwen. Er moet toch een manier zijn waarop dames van hen gescheiden kunnen blijven.'
'De regels zijn, geloof ik, dat we allemaal samen zijn, zonder onderscheid,' zei ik.
'Nou, je ziet dat dat onmogelijk zal zijn,' was het antwoord. En ik wist dat er moeilijkheden zouden komen.
Het welkom dat we kregen in Boulogne toen we van boord kwamen, was verbazingwekkend. Natuurlijk waren de Fransen onze bondgenoten; en ik twijfelde er niet aan of zij hadden ook iets gehoord over de toestand in Scutari en dat we erheen gingen om de zieken te verplegen – niet alleen onze mannen maar ook die van hen.
Ze namen onze bagage en droegen die naar het hotel waar we zouden eten; daar kregen we een lekkere maaltijd – gratis – zo dankbaar waren die goede mensen en zo bewonderden ze wat we gingen doen.
Om ongeveer tien uur die avond kwamen we aan op het Gare du Nord en werden weer gefêteerd. Daar we allemaal moe waren, gingen we na het eten onmiddellijk naar de bedden die voor ons klaarstonden. Lady Mary Sims en mevrouw Jarvis-Lee hadden een paar gelijkgestemde vrouwen om zich heen verzameld en gingen met ons mee.

De volgende ochtend waren we op weg naar Marseille.
Ons groepje bleef bij elkaar; we gingen oppervlakkig de stad bekijken en kochten een paar dingen die we dachten nodig te hebben. De ergernis tussen Ons en Hen – zoals mevrouw Jarvis-Lee het uitdrukte – werd groter en ik vroeg me af hoeveel goed we zouden kunnen doen als er ruzie tussen ons was. Vergeefs keek ik uit naar iemand die op dezelfde manier als ik over verplegen dacht. Ik wist dat juffrouw Nightingale zo was, maar wie van de anderen? Lady Mary en Dorothy Jarvis-Lee beschouwden de hele expeditie als een avontuur om de eentonigheid van hun leven wat op te fleuren en tegelijkertijd hun land op een spectaculaire manier te dienen. Er waren verscheidene 'dames' die ook zo dachten, daar was ik van overtuigd. Aan de andere kant waren er vrouwen die zo nu en dan in een ziekenhuis hadden gewerkt en enige ervaring hadden, en die niet meegingen omdat ze zich ertoe geroepen voelden, maar omdat ze hun brood moesten verdienen. Ze dachten dat dit een gemakkelijke manier zou zijn.
Sommigen van hen hadden flessen jenever in hun bagage meegesmokkeld en het werd al gauw duidelijk dat er vrouwen bij waren die een slokje namen zodra de gelegenheid zich voordeed.
Ik dacht aan de strikte discipline van Kaiserwald en de Diaconessen die vrijwel nooit buiten het ziekenhuis kwamen; en ik beefde bij de gedachte hoe we het in Scutari moesten organiseren.
Mijn eerste aanblik van de *Vectis* was niet bijster inspirerend. Het was een oud schip, nogal verwaarloosd en zelfs voor iemand die bijna niets van zulke dingen afwist, was het duidelijk dat het niet in een beste staat was.
We gingen in Marseille aan boord voor de tocht naar de Bosporus en zodra we goed en wel ingescheept waren, wist ik dat mijn angst gegrond was. Kakkerlakken schuifelden over de dekken... snel, slim, afschuwelijk. Ik weet niet waarom ik zo'n afkeer van ze had; ze waren onschadelijk, vermoedde ik. Het kwam waarschijnlijk omdat ze een uiterlijk teken van vervuiling waren. Je kon onmogelijk rondlopen zonder op ze te trappen.
Er was weinig comfort. Zelfs met kalm weer schrok ik van het gekraak en getril. We waren met ons achten in een hut en Dorothy Jarvis-Lee die handig was in dit soort zaken, had acht van ons gedwongen die te delen.
'We willen niemand van hén bij ons,' verklaarde ze. 'Ik hoop maar dat we niet te lang op die vreselijke boot moeten blijven.'
We waren nog geen dag op zee of we kwamen in een hevige storm terecht en ons arme, niet-zeewaardige schip werd wreed heen en weer geslingerd op de golven. Bijna iedereen was zeeziek en wilde alleen maar in de hut blijven. Ik vond het een opluchting toen we Malta bereikten, maar een deel van de verpleegsters was te ziek om aan land te gaan. Juffrouw Nightingale zelf was ook niet goed; en het schip had wat averij opgelopen in de storm.

Henrietta en ik gingen met een paar verpleegsters naar de stad onder de hoede van een soldaat die gestationeerd was in het hoofdkwartier op Malta. Hij bewaakte ons als schapen en veel plezier hadden we niet, zodat ik blij was op de boot terug te zijn en de reis voort te zetten. Ik had het gevoel dat hoe eerder we ons doel bereikten en de krakkemikkige *Vectis* konden verlaten, hoe beter het was.

Eenmaal onderweg was het weer niet verbeterd. De wind gierde om ons heen en het was onmogelijk om rechtop te staan.

Ik kon de muffe hut met zoveel van mijn mede-passagiers.– onder wie Henrietta – die zeeziek waren, niet langer verdragen en wankelde naar het dek. De wind was fel en het schip kreunde en kraakte zo onophoudelijk dat ik het gevoel kreeg of het ieder moment verscheurd kon worden, en ik vroeg me af wat voor kans ik zou hebben in het woelige water.

Ik kroop bijna naar een bank en ging zitten. Daar klampte ik me aan de randen vast omdat ik dacht dat ik ieder ogenblik opgepakt en tegen de railing kon worden geworpen. Zo hevig was de storm, zo wrak het schip dat ik ging geloven dat we allemaal zouden vergaan. Vreemd dat ik eindelijk dit punt had bereikt, alleen om aan zo'n einde te komen.

Toen besefte ik hoe graag ik wilde blijven leven. Toen Julian was gestorven, waren er tijden geweest waarin ik er met een soort verlangen aan dacht met hem mee te gaan. Maar nu de dood vlakbij leek, wist ik hoe graag ik wilde leven. De gedachte verbaasde me. Wanhopig wilde ik blijven leven, iets met mijn leven doen – levens redden, de zieken verplegen tot ze gezond waren. Het leek geen wereldbestormende ambitie. Verpleegster zijn! Het is niet zoiets als een groot wetenschapper of een dokter.

Mijn gedachten gingen naar dokter Damien Adair. Wat was zijn doel. Ik dacht dat ik het wist. Eer voor hemzelf. Roem. Om als een pauw op het toneel te schrijden met de allergrootsten, om dokter Adair te zijn die zulke verbazingwekkende ontdekkingen had gedaan, die een wild, avontuurlijk leven had gehad, die mensen gebruikte voor zijn experimenten en wie het niets kon schelen wat er van hen werd. Als ze stierven was het voor een zaak – de zaak van de verheerlijking van de wetenschappelijke ontdekkingen van de grote dokter Adair. Hij had geëxperimenteerd met Aubrey. Diepe droefheid overviel me. Ik denk dat het een gevoel van schuld was. Weer herinnerde ik me die eerste weken van onze huwelijksreis toen alles nog volmaakt was. En zo had het kunnen blijven als hij niet verslaafd was geweest, waardoor hij ons huwelijk ruïneerde. Ik wist dat Aubrey een zwakkeling was en hij had het niet moeten toestaan zo geleid te worden. Maar mannen als Damien Adair loerden op de zwakheid van anderen. De verwoesting die ze achterlieten, kon hun niets schelen. Het enige wat eropaan kwam voor Damien Adair was het verzamelen van kennis die hij dan kon gebruiken voor zijn eigen glorie. Hij had mijn man vernietigd; toen had hij

geëxperimenteerd op mijn zoon. Hij had beiden te gronde gericht.
O, wat wilde ik graag blijven leven! Ik wilde oog in oog met hem staan. Ik wilde hem laten ophouden met het misbruiken van anderen zoals hij mijn man en mijn zoon had misbruikt.
Ik klampte me vast aan de bank waar ik op zat. 'Ik zal hem vinden,' zei ik, 'en ik ga de zieken verplegen. Ik zal hen genezen... en ik zal hem vinden.'
Toen werd ik me bewust van een tengere figuur die over het dek strompelde. Het was Ethel, het meisje dat me al eerder opgevallen was – bleek, mager, ondervoed. Ze was vaak samen met de slordige en vechtlustige Eliza – een stel dat absoluut niet bij elkaar hoorde.
Ik was er zeker van dat de stoere Eliza zich bewust was van de verdeling tussen Hen en Ons die nu al werd opgebouwd, en er een diepe wrok over voelde.
Maar dit was de tengere Ethel.
Ik keek toe hoe ze verder wankelde. Zo nu en dan leek het of ze weggeblazen zou worden. Ze was zo licht. Ze klampte zich vast aan de railing en boog zich voorover. Een tijdlang stond ze heel stil, terwijl de wind aan haar haar trok en rond haar gierde als duizend boze geesten... Ze keek omlaag naar het wilde water. Ze bewoog... klom. Onmiddellijk wist ik wat ze van plan was.
Ik vloog van mijn bank. De wind hinderde me en het rollen van het schip maakte dat ik moeilijk vooruitkwam, maar ik worstelde mij met al mijn kracht naar haar toe.
'Nee!' schreeuwde ik, maar mijn stem werd weggeblazen door de wind en ze moest wel denken dat het de storm was.
Ik bereikte haar juist toen ze overboord ging. Toen trok ik haar terug naar de veiligheid.
Ze draaide zich om en keek me aan. Ik zag de wanhoop in het gezichtje. Ik riep: 'Nee... nee. Dat moet je niet doen. Dat is niet de manier.'
Ze bleef me aanstaren en ik pakte haar arm en sleepte haar naar de bank. Ze zat naast me, en ik had mijn arm in de hare gestoken om haar vast te houden.
'Ik zag het op tijd,' zei ik.
Ze knikte. 'Ik wilde het. Het was echt het beste.'
'Nee. Zo denk je er nu over. Maar later is het anders. Dat weet ik.'
'Hij is weg,' zei ze toonloos alsof ze tegen zichzelf sprak. 'Ik zal hem nooit meer in mijn armen houden. Hij was zo mooi. Hij was alles wat ik had, en nu is hij weg.'
'Misschien komt hij terug.'
'Hij is dood,' huilde ze. 'Dood... dood... mijn kleine baby is dood.'
Ik voelde me onmiddellijk met haar verwant en hoorde mijzelf zeggen: 'Ik weet het... ik weet het.'
'Dat kunt u niet. Dat kan niemand. Mijn kleine baby was alles wat ik had. Hij was alles. Er was niets anders. Als ik niet uit was gegaan... maar ik moest. Ik

moest op de een of andere manier geld hebben. Hij was mijn baby en toen ik terugkam, was hij weg. Ik wilde dingen voor hem halen... pap en melk. Toen ik binnenkwam lag hij daar... koud... ijskoud... en zijn gezichtje was als was.'
Ik zei steeds: 'Ik weet het. Ik begrijp het. Niemand kan het beter begrijpen dan ik.'
De diepte van mijn emotie scheen tot haar door te dringen. Ze keek me aan en zag het verdriet op mijn gezicht. Gek genoeg verbaasde het haar niet; en ik besefte dat er op dat moment een band tussen ons was ontstaan.
'Wil je praten?' vroeg ik. 'Als je het niet wilt, geeft dat niet. Dan blijven we hier samen zitten.'
Ze zweeg even en zei toen: 'Ik wist dat het verkeerd was. Er was niet genoeg... niet als je naait.'
Naaien! Ze had dus hetzelfde beroep als Lily had gehad. Ik veronderstelde dat er veel vrouwen op zolders dag en nacht zaten te naaien.

Naai, naai, naai
In armoede, honger en vuil
En naai dan ook met een dubbele draad
Een vest met een doodshemd in ruil.

'Ik moest wel geld verdienen... voor hem.'
'Ja, dat begrijp ik.'
'Ik wilde hem niet, maar toen hij er eenmaal was... O, mijn kleine Billy was alles voor me. En om dan binnen te komen en hem zo te vinden... ik had hem nooit alleen moeten laten.'
'Je moest wel. Je deed je best.'
Ze knikte. 'U had me niet moeten tegenhouden.'
'Toch wel. Dat zie je later. Dan zul je er blij om zijn.'
'Dat kunt u niet weten.'
'Dat kan ik wel. Ik heb ook een kind verloren... een jongetje.'
'U!'
'Mijn man is ook dood. Ik vertel het niet aan anderen. Het is prettiger als ze denken dat ik ongetrouwd ben. Het is een geheim.'
'Ik zal er niet over praten.'
'Dank je. Maar je ziet nu waarom ik je begrijp. Mijn kleine jongen betekende ook alles voor me.'
'Maar hij zal geen honger hebben gehad.'
'Nee. Toch heb ik hem verloren. Ik vertel het je, zodat je weet dat ik je begrijp.'
En toen beleefde ik alles opnieuw. Ik voelde mijn wangen nat worden, en niet van hetopzwiepende water.
Ze keek me verwonderd aan en ik zag dat zij ook huilde.

Ik weet niet hoe lang we daar zaten, zonder te spreken, gebeukt door de wind. Ik dacht aan Julian en zij aan haar kind. We waren als één – twee bedroefde vrouwen die het liefste hadden verloren – en die zwijgend hun verdriet deelden, terwijl de storm om ons heen raasde.
Er kwam iemand het dek op. Het was Eliza. Ze zwalkte naar ons toe.
God allemachtig!' riep ze. 'Wat doe jij hier, Ethel?'
Ze ging naast Ethel zitten en keek ons aan. Ze moet gedacht hebben dat we een ongerijmde aanblik boden zoals we daar zaten – vertegenwoordigsters van tegengestelde kampen, die stilletjes zaten te huilen.
Ethel zei: 'Ik wilde er een eind aan maken, Eliza.'
'Dat wilde je nooit.'
'Zij... zij hield me tegen.'
Eliza bekeek me met vijandige blikken.
'Ze heeft me over zichzelf verteld. Ze is goed... en ze heeft me tegengehouden.'
'Je had nooit alleen naar boven moeten gaan.'
'Ik moest wel, Eliza. Ik hield het niet meer uit.'
Eliza schudde haar hoofd en het viel me op met hoeveel tederheid ze sprak. 'Wat heb je haar verteld?'
'Over de jongen.'
Ik zei: 'Ik begrijp het. Ik heb zelf mijn jongen verloren.'
Eliza tuurde voor zich uit. Toen zei ze: 'Als het zo doorgaat, slaan we allemaal overboord. Ik heb nooit geweten dat het zo zou zijn, anders was ik nooit aan dit grapje begonnen.' Ze wendde zich tot mij en haar gezicht werd zachter: 'Er moet voor haar gezorgd worden.'
'Ja,' stemde ik in.
'Ze heeft geen geluk gehad. Alles zat haar tegen. Ze is hier niet voor bedoeld. Er moet voor haar gezorgd worden. War is er gebeurd?'
'Ik zat hier en zij kwam en ik zag haar... ik zag wat ze wilde gaan doen. Ik heb haar naar de bank gebracht en we hebben samen gepraat... en merkten dat we dezelfde ervaring hadden gehad.'
'U! U niet!'
'Ja. Ik bent getrouwd geweest. Ik heb mijn man en mijn kleine jongen verloren.'
'Ik dacht dat u een juffrouw was.'
Ethel sprak voor het eerst. 'Het is een geheim. Je moet het niet verder vertellen, Eliza. Dat heb ik beloofd.'
'Het is prettiger als ze me kennen als ongetrouwde vrouw,' zei ik. 'Het is een manier om te vergeten.'
Ethel knikte heftig toen een reusachtige golf de boot bijna uit zee tilde. Op dat ogenblik dachten we alle drie dat we overboord gegooid zouden worden.
'Denk je dat we er zullen komen?' vroeg Ethel.

'God mag het weten,' antwoordde Eliza.
Wat mij betrof, ik vroeg het me ook af. Het gebeuk van de golven en het gekraak van het hout maakten me nerveus. Ik was er zeker van dat wij allen op dat moment dachten dat de boot op het punt stond doormidden te breken en dat we in de woeste zee zouden worden gesmeten. Ik voelde dat het er eigenlijk niet toe deed als ze mijn geheim kenden. Het hielp Ethel aan mij te denken als aan een bedroefde moeder zoals zijzelf. En het kwam bij me op hoe vreemd het was dat mensen verdriet gemakkelijker kunnen dragen als anderen ook leden.
'Gek... om die hele tocht te maken voor zoiets als dit,' zei Eliza.
'Het is iets waar ik nu pas over nadenk,' antwoordde ik.
'Nou, daar zitten we dan.' Ze zweeg even. 'Ik maak me zorgen over haar,' zei ze toen.
'Dat weet ik, Liza,' zei Ethel. 'Maar dat moet je niet doen. Alles wat ik heb gedaan, was uit mijn eigen vrije wil.'
'Ik weet het niet. Een tijd als nu zet je aan het denken. Ziet u, juffrouw... eh...'
'Pleydell,' zei Ethel. 'En je moet nooit zeggen dat ze een mevrouw Dinges is geweest.'
'Weten al die opgetutte vriendinnen van u het?'
'Alleen juffrouw Marlington.'
'Die mooie? Dat is uw speciale vriendin. Die lijkt niet zo gek.'
'Ze is heel aardig. Je zou haar best mogen.'
'Die anderen kan ik niet uitstaan. Neus in de lucht. Ze kijken naar je of je stinkende vis bent.'
'We doen dit allemaal samen en juffrouw Nightingale zei dat er geen onderscheid mocht zijn.'
'O, juffrouw Nightingale is een echte dame.' Ze voegde er wat aarzelend aan toe: 'U ook.'
'Dank je,' zei ik.
'Ik vraag me af hoe het voelt als je verdrinkt.'
'Het gaat vlug in een zee als deze,' zei ik troostend.
'Wij drieën zouden samen gaan,' zei Ethel.
'Ik weet niet of het zo erg is,' zei ik. 'Misschien lijkt het erg omdat we niet gewend zijn aan de zee.'
'Gek,' zei Eliza. 'Ik heb nooit gedacht aan doodgaan... nog niet tenminste. Daarom maak ik me bezorgd over haar. Ziet u, ik ben begonnen. Het was goed voor mij en ik dacht dat het voor haar ook goed zou zijn.'
'Wat is er gebeurd?'
'Je vindt het niet erg als ik het vertel, hè Eth? Ik moet het kwijt. Het lukte haar niet. Ze naaide de halve nacht en toch was het niet genoeg om haar op de been te houden. Ik zei tegen haar: "Kijk eens, meid, het kan gemakkelijker." Dus nam ik haar mee uit. Je raakt eraan gewend. Ik wel. Ik dacht, zij ook. Dan wordt ze

verliefd op zo'n vent. Stom kind.' Ze gaf Ethel een kameraadschappelijk duwtje. 'En o, hij is zo lief en alles ziet er goed uit voor Ethel. Hij zal met haar trouwen, alles gewoon in een huisje. Dan verwacht ze dat kind en weg is hij. Dat is het zo'n beetje. Maar ziet u, als ik haar niet meegenomen had, zou ze nog steeds zitten naaien en had ze alleen voor zichzelf hoeven te zorgen – en wie weet, mischien was dat gelukt.'
'Je hebt gedaan wat je kon om te helpen,' troostte ik.
'Dat is zo. Maar het heeft niet geholpen. En toen ging ze naar haar oude werk terug... om het kind. En op de dag dat ze hem alleen laat, omdat zij de hort op moet... komt ze thuis en ziet dat hij dood is.'
'Het is vreselijk triest.'
'Ze is er nooit overheen gekomen dat ze hem kwijt is.'
'Dat weet ik. Dat kan niet.'
'Toen dacht ik: Dat is het dan. Laten we naar de oorlog gaan. We worden verpleegsters. We hebben allebei wel eens in een ziekenhuis gewerkt. Afschuwelijk was het – dweilen van vieze vloeren – en je kreeg er niet veel voor. In ieder geval gaf het ons, wat je noemt, ervaring. Maar ziet u, ik heb altijd gevoeld dat ik voor haar zorgen moest.'
'Ik kan zien hoe ze op je rekent.'
'En dan sluipt ze weg en probeert zoiets te doen. Denk je eens in. Als u er niet was geweest, lag ze nou daar beneden.'
'Maar ik was hier, en ze heeft beloofd dat ze het niet meer zal proberen. Als ze over dingen wil praten, kan ze naar mij toekomen. Dan praten we samen over onze kleine jongens.'
'Ik ben blij,' zei Eliza, 'ik ben blij dat u er was.'
We bleven zwijgend zitten en moesten elkaar vasthouden vanwege het stoten en stampen van het schip dat dreigde ons van de bank te gooien; en ik denk dat we elkaar troostten. Ik weet dat zij mij troostten.
De storm hield niet op, ging soms even iets liggen en werd dan weer sterker. Zo nu en dan zeiden we iets, bedachten hoe het zijn zou als we Scutari hadden bereikt of we spraken over onszelf. Ik vertelde van mijn bezoek aan Kaiserwald, en beschreef de Diaconessen en de betovering van het bos.
Ze luisterden en soms moest ik bijna schreeuwen om me verstaanbaar te maken boven het razen van de storm. Toen vertelde ik over mijn jeugd in India en hoe mijn vader gestorven was.
Ik leerde van hen beiden. Eliza had een moeilijk leven gehad. Haar eigen vader had ze niet gekend, maar ze had een stiefvader. Toen ze tien was, probeerde hij 'iets met haar te doen.' Ze haatte hem en ging het huis uit. Zo had ze geleerd voor zichzelf op te komen toen ze nog jong was. Ze had grote minachting voor de andere sekse, dus vermoedde ik dat ze heel wat had meegemaakt in hun handen. Maar ze was sterk en doortastend en ik betwijfelde het of er tegenwoordig

nog één mens was die Eliza de baas kon zijn. Ethel kwam – net als Lily – van het platteland om haar fortuin te zoeken in de grote stad.
Droevige geschiedenissen van beiden – en ik had nu het gevoel dat ik hen goed kende. De verbittering van Eliza was veroorzaakt door het feit dat ze haar weg in de wereld had moeten bevechten; de verlegenheid van Ethel was het bewijs van de wetenschap dat ze niet tot zoiets in staat was.
We werden heel intiem die nacht. Waarschijnlijk vertelden we zoveel over onszelf omdat we, in gedachten, niet wisten of de *Vectis* de storm wel zou overleven; en we vonden troost door het blootleggen van onze ziel.
We moeten zo een paar uur gezeten hebben, tegen elkaar aangedrukt. En toen de storm eindelijk ging liggen, voelden we dat we leefden en was er een sterke vriendschapsband tussen ons ontstaan.

In de straten van Constantinopel

Op een sombere novemberdag voeren we de Bosporus binnen, die nauwe Straat die Europa van Azië scheidt. De wind gierde, want de storm had ons niet verlaten en rukte aan ons toen we op het dek stonden. Het was een buitengewone aanblik ondanks de regen. Aan weerszijden rees een kaap uit de baai, er waren inhammen, en cypressen en laurier groeiden aan de oevers. Pittoreske bootjes, als gondels – waarvan we later hoorden dat ze *caïques* werden genoemd – gleden heen en weer door het water. Een van de inhammen vormde de haven van Constantinopel; en daar tegenover lag Scutari, ons einddoel. Ongeveer vijfhonderd meter scheidde de twee steden.

In het halve duister van de vroege morgen was het een romantisch en prachtig beeld. Maar toen het licht werd, viel dat tegen.

We konden toen de modderige oevers zien en het enorme Militaire Hospitaal dat eens op het paleis van een kalief had geleken dat uit de schemer oprees, bleek nu vuil, afgebrokkeld en in verval te zijn. De internationale strijdmacht was omringd door tenten, kramen en hutten. Ik zag twee soldaten, de een hinkend en de ander met een vuil verband om zijn hoofd die zich moeizaam voortbewogen tussen de kramen.

Al gauw werden we ontscheept, wat betekende dat we neergelaten werden in de *caïques* met onze stoffen tassen om vervolgens naar de oever te worden gebracht. Zo bereikten we het hospitaal van Scutari.

Er was geen echte weg – alleen een ruw, modderig pad; en om het plateau te bereiken waar het hospitaal op lag, moest je dit pad beklimmen.

Mijn eerste indruk van dat hospitaal maakte me zo depressief dat ik bijna wenste dat ik naar de *Vectis* terug kon gaan en vragen of ik naar huis kon worden gebracht. De lucht scheen doordrongen van hopeloosheid. Ik voelde dat zelfs Henrietta's opgewektheid het liet afweten. Wat hadden we eigenlijk verwacht? In ieder geval dit niet.

We waren buiten adem toen we het plateau hadden bereikt en hoe meer we het hospitaal naderden, des te meer groeide ons bange vermoeden. Nu konden we de kramen en tentjes duidelijk zien. De meeste verkochten sterke drank. Ik zag een vrouw in een gevlekte fluwelen japon met een fles onder de arm, op weg naar het hospitaal.

'Marketentsters,' fluisterde ik tegen Henrietta.

'Niet te geloven.'

'Ik heb over hen gelezen.'

'Maar toch niet in het hospitaal.'

'We zullen zien.'

En dat deden we.

Het hospitaal was enorm groot. Dan hebben we tenminste voldoende ruimte, dacht ik. Maar dat was niet het geval. De meeste ruimte werd ingenomen door de ziekenzalen. Toen ik zag hoeveel zieken en lijdenden er lagen, was ik verbijsterd; en later hoorde ik dat ze niet leden aan de gevolgen van de oorlog maar aan de ziekte. Er was een cholera-epidemie geweest die duizenden had gedood. Het vocht liep langs de wanden en de eens imposante tegels waren op veel plaatsen gebroken; de binnenplaats lag vol afval dat gezien de staat waarin het verkeerde er al een tijdlang moest liggen. Wanorde en verval, met de onvermijdelijke ziektes, scheen bij deze plaats te horen.
Hoe kon een leger in oorlog vechten vanuit zo'n achtergrond?
Ik werd woedend op degenen thuis die mannen hadden uitgestuurd – zoals Lily's William – om de ontberingen te ondergaan die ze moesten verduren. Beter sneuvelen in de strijd, dacht ik, dan naar zo'n hospitaal te worden gebracht.
Mensen als Lady Mary Sims en mevrouw Jarvis-Lee raakten steeds meer ontgoocheld en hun verlangen om goed te doen ter wille van hun land, verdween al snel.
Juffrouw Nightingale was wanhopig, maar ze was niet iemand die zich overgaf aan emotie, en ik zag dat ze onmiddellijk plannen maakte om de situatie te verbeteren en de onverwachte tegenslagen aan te pakken.
We kregen zes kamers toegewezen; een hiervan was een keuken en de andere waren zo klein dat er onmogelijk meer dan twee mensen in konden.
'Vooruit,' zei ze, 'we moeten nu maar accepteren wat er is.' Ze hoopte dat alles later zou verbeteren.
Toen we de kamers zagen, werden we nog neerslachtiger, hoewel we nu al voorbereid waren op ongemak. Langs de wanden stonden divans volgens de Turkse gewoonte en het was de bedoeling dat we daarop sliepen. Ze waren vochtig en vuil.
Juffrouw Nightingale zei: 'Allereerst moeten we ze schoonmaken en dan een indeling maken. Laten we niet vergeten dat we hier niet zijn om gemakkelijk te leven maar om de zieken te helpen.'
We begonnen onmiddellijk de kamers schoon te maken. Eliza bleef bij ons, want we waren, sinds onze ontmoeting aan dek, goede vrienden geworden. Ik had er Henrietta over verteld; ze had veel meegevoel getoond en met haar natuurlijke charme was het haar gelukt een prettige verhouding met de twee te krijgen. We merkten vaak dat Eliza bij ons was en dat was goed voor ons. Ze was een natuurlijke beschermer. Ze was groot, dominerend en vechtlustig en de meeste anderen waren een beetje bang van haar. Haar houding tegenover Ethel had haar zachte plek getoond, een natuurlijke vriendelijkheid die ze probeerde te verbergen; en hoewel ze liet blijken dat ze een zekere minachting had voor onze manier van spreken en gedrag, en van het feit dat we niet aan zo'n hard

leven gewend waren, bleef ze onze vriendin.
'Dit wordt ons hoekje,' zei ze met een knipoog. 'We leggen er beslag op en dan is het van ons. Moet je zien,' ging ze door en wees op een stapel vuilnis. 'Ratten! Die zijn hier geweest. Wat kun je verwachten met al die rotzooi overal? Reken maar dat de ratten als lords leven. Ik krijg jeuk, het zou me niet verbazen als er ook wat springertjes waren.'
Wat was ik blij met hun gezelschap, en ik geloof Henrietta ook. Al had ik een idee dat ze ging denken dat een huwelijk met Lord Carlton altijd nog te prefereren was geweest boven de situatie waar ze nu in zat. Henrietta was geen toegewijde verpleegster, maar ze was mooi en had charme die al in Kaiserwald gebleken was en haar zeer populair had gemaakt bij de patiënten. Bij mij lag dat anders. Ik zou liever verplegen dan weet ik wat doen, en als dat moest in Scutari in plaats van in het droomziekenhuis dat ik me thuis had voorgesteld, vooruit dan maar.
Als ik terugdenk aan de aankomst in Scutari, zijn de beelden verward. Het beste herinner ik me die arme mannen in hun bed zonder behoorlijke kledij en dekens – niets dan vuile lakens tegen de kou. Ik denk aan vloeren waar ratten overheen renden; aan de verschrikkelijke stank van ziekte en bederf. Ik wist hoe juffrouw Nightingale zich met felle verontwaardiging tegen de ministers keerde, gezellig thuis in hun Londense comfort, die deze mannen hadden uitgezonden om voor het land te vechten zonder behoorlijke medische voorraden. Hoe dwaas! Hoe kortzichtig! Iedereen thuis dacht dat het Britse leger onoverwinnelijk was. Maar er was meer dan macht en kracht nodig om tegen ziekten te vechten. Het was me al direct duidelijk dat ziekten – cholera en dysenterie – grotere vijanden waren dan de Russen.
Het eerste dat we deden, was schrobben en wassen. We moesten toch enige reinheid in het hospitaal brengen. Vuilnis – hand in hand met ziekte – was de vloek van deze oorlog.
Er waren geen kaarsen. Juffrouw Nightingale had ontdekt dat er een tekort aan was en zei dat ze bewaard moesten worden voor noodzakelijke doeleinden. Dus gingen we in het donker naar bed en strekten ons uit op onze divans; Ethel en Eliza aan de ene kant, Henrietta naast mij.
'Wat een grap,' zei Eliza. 'Wie zou hebben gedacht dat we nog eens zo zo zouden eindigen?'
En toen we lagen te luisteren naar het getrippel van de ratten op de vloer, waren we zo uitgeput dat we al gauw in slaap vielen.

De volgende dag zag ik Charles Fenwick. Hij zag er magerder en vermoeider uit. We hadden het druk met de schoonmaak van onze kamertjes, want hoe meer we van het Miliair Hospitaal zagen, des te minder begerenswaard leek het. Natuurlijk had juffrouw Nightingale gelijk met haar opdracht om eerst alles zo

goed mogelijk schoon te maken voordat we iets konden gaan doen. Het was een bijna bovenmenselijke taak en had eigenlijk in gedeelten uitgevoerd moeten worden, maar we konden althans een goed begin maken.
Charles had gehoord dat we aangekomen waren en kwam ons begroeten. Hij pakte mijn handen en we keken elkaar aan.
'Je bent er dus,' zei hij. 'En Henrietta?'
'Ze is bij me.'
'Maar jullie moeten wel vreselijk geschrokken zijn.'
Ik gaf toe dat dat zo was. We hadden geen luxe verwacht, maar dit...
'Die uitwerking had het op ons allemaal. Maar je ziet er goed uit, Anna.'
'Ik voel me best, dank je.'
'O, er is zoveel te doen. Het komt door de cholera-epidemie dat het zo uitziet. We hadden verwondingen wel aangekund, hoewel er schandelijk weinig voorraden zijn. Je voelt je er zo machteloos door.'
'Er zal wel iets gebeuren nu juffrouw Nightingale er is. Ze is vastbesloten dat deze toestand niet zo mag blijven.'
Hij glimlachte. 'Er zijn vooroordelen wat haar betreft. O, we zijn bedrogen door de autoriteiten, Anna. Mensen die niets weten van de toestanden hier... mensen thuis in Whitehall geven de orders. Dat kan niet.' Hij keek me bezorgd aan. 'Anna, zou je dit kunnen volhouden?'
'We zijn hier gekomen om een karwei te klaren en dat zullen we doen.'
'Jij en Henrietta wel. Maar de anderen? Ik vraag het me af. Het was Spartaans in Kaiserwald, dat weet ik, maar niet te vergelijken met hier. Kaiserwald was niet comfortabel. Dit is echte ontbering. En het wordt winter.'
'O hemel, geen erg plezierig welkom, hè?'
'Ik stel me jou en Henrietta hier liever niet voor, met wat je te zien zult krijgen.'
'Charles, we zijn gekomen om de zieken te verplegen en dat gaan we doen.'
'En Henrietta... zij zal het nooit kunnen volhouden. Ze is niet zo sterk als jij, Anna. En niet zo volhardend.'
'Ik geloof dat ze zal blijven. Ik moet haar gaan zoeken; je zult haar vast graag willen zien.'
Ik bracht haar naar hem toe.
Hij pakte haar handen en tuurde naar haar zoals hij naar mij had gedaan. Ik bekeek hen met een warme glimlach en geloofde dat hij zich tot haar aangetrokken voelde. Dat leek me onvermijdelijk. Iedereen voelde zich tot Henrietta aangetrokken.
'Charles,' riep ze, 'wat fijn je te zien! Dit is net als vroeger. Ik verwacht dat de H.D. ieder ogenblik kan binnenkomen en me dan een van die vernietigende blikken van haar geeft.'
'Het is wel anders dan Kaiserwald, Henrietta,' zei ik.
'Dat zie ik wel. Er moet hier veel werk worden verzet.'

'Ik zei al tegen Anna dat het moeilijk voor je wordt. Vrouwen horen hier niet te zijn.'
'We worden heel boos als mannen zulke dingen zeggen, ja toch, Anna?'
'Heel erg,' stemde ik toe.
'God zegene jullie beiden,' zei hij, 'maar ik maak me echt zorgen over jullie.'
'En al die mannen hier dan? We hebben de ziekenzalen nog niet goed gezien, maar...'
'Je zult het afschuwelijk vinden,' zei Charles.
'Dan wordt het tijd dat we komen helpen,' zei ik resoluut.
'We hoorden dat dokter Adair hier was,' zei Henrietta. 'Je weet wel, de man die die boeken geschreven heeft.'
'O ja,' zei Charles. 'hij is hier, meestal in het Algemene Hospitaal.'
'Waar is dat?' vroeg Henrietta gespannen.
'Het maakt deel uit van het Hospitaal, feitelijk is het zo'n vijfhonderd meter verderop.'
'Misschien zien we de beroemde man dan nog wel eens,' zei Henrietta.
'Ik neem aan dat je hem hier ergens zult tegenkomen. Hij komt hier vaak. Meestal is hij woedend over het gebrek aan vitale voorraden... zoals wij allemaal.'
Het noemen van zijn naam trof me op een emotionele manier, hoewel hij nooit ver uit mijn gedachten was.
Ik zei: 'Juffrouw Nightingale zal iets doen, dat weet ik zeker. Ze stuurt telegrammen naar Londen. Nu ze hier is, zal er vast iets gebeuren.'
'Je kunt net zo goed bloed uit een steen halen. Het zijn volkomen gevoelloze mensen thuis! Ik moet er niet over doorgaan, maar ze maken me woedend.'
'Dat kan ik best begrijpen,' zei ik. 'Maar nu moeten we verder met ons werk. We zien je later wel weer.'
'Dikwijls, hoop ik,' zei Charles. 'Als je moeilijkheden hebt, moet je naar mij toe komen. Ik zal dan zien wat ik doen kan.'
'Is dat nu geen troost?' riep Henrietta en gaf hem een van haar smachtende glimlachjes.
Hij zei: 'Het is verkeerd van me... maar ik ben blij dat jullie er zijn.'
'Verkeerd?' vroeg Henrietta. 'Waarom?'
'Om alles wat jullie moeten doormaken.'
'Je vergeet dat we het zelf gekozen hebben,' herinnerde ik hem. 'Het is juist wat we willen.'
Hij lachte tegen me. 'Ik weet het,' zei hij, 'ik vind jullie geweldig.'
We gingen terug naar het schrobben.
Henrietta zei: 'Ik heb zo'n gevoel dat we binnenkort tegenover de demonische dokter staan.'

Ze had gelijk.
Ik wist dat Charles op een bepaalde tijd uit de ziekenzaal kwam en als hij in de buurt was, wilde hij graag even met ons praten. We hadden nog niemand mogen verplegen. Er was een soort samenzwering in de medische staf om ons als incompetent overal buiten te houden. Maar, zoals juffrouw Nightingale zei, geen enkel soort verpleging had zin zonder fundamentele reinheid, dus er was meer dan genoeg voor ons te doen tot we konden bewijzen dat we het professionele vertrouwen waard waren.
Naast de ingang naar de ziekenzaal was een kamertje en ik verwachtte dat Charles daar was. Toen ik naderde, hoorde ik het geluid van stemmen. Ik aarzelde en toen klonk er een diepe resonerende stem die zijn woorden zeer duidelijk maakten. 'Ik wil medische voorraden, geen pakket van die Nachtegalenvrouwen. Wat voor goed kunnen zij doen? Absoluut niets! Alleen maar in de weg lopen. Ik zie ze al overal flauwvallen... vapeurs... hysterische aanvallen... met eisen van veren dekbedden. Ik wil spullen die ik nodig heb en ze sturen me die stomme vrouwen.'
Ik was zo woedend dat ik als versteend bleef staan.
Toen hoorde ik de stem van Charles: 'Je hebt het mis. Er zijn een paar heel goede meisjes bij. Je zult van mening veranderen.'
'Ik betwijfel het. O, ik weet dat sommige van die vrouwen het prachtig vinden om voor verpleegster te spelen. Maar de werkelijkheid is wel anders. Je weet wat er aan de hand is. Het leger wordt gedecimeerd. Niet door de Russen maar door ziekte en verwaarlozing. Omdat er hier niets is... niets om hen mee te genezen, Niets, niets... en dan sturen ze ons een pakket van... Nachtegalen. Binnenkort krijgen we de gewonden binnen uit Balaclava en wat hebben we? Medicijnen? Verband? Nee! Een snaterend stelletje nutteloze vrouwen.'
Ik handelde in een impuls, opende de deur en ging naar binnen. Mijn ogen schoten vuur, mijn wangen waren rood.
'Anna!' riep Charles.
'Ik heb alles gehoord.'
Ik keek hem strak aan en wist onmiddellijk wie hij was. Hij was lang en magerder dan ik me hem had voorgesteld. Zijn haar was zwart, zijn diepliggende, glanzende ogen waren zo donkerbruin dat ze ook zwart leken. De hoge jukbeenderen gaven zijn gezicht een magere indruk, zijn neus was lang en recht, zijn mond was gebogen tot een glimlach die, dacht ik, betekende dat hij het leuk vond. Zijn uiterlijk stelde me niet teleur. Hij was bijna precies zoals ik me hem had voorgesteld.
'Ah,' zei hij. 'Een echte Nachtegaal. Nou, ze zeggen dat luistervinken nooit iets goeds over zichzelf horen.'
'Dit is dokter Adair, Anna,' zei Charles. 'Adair, dit is juffrouw Pleydell.'
Hij boog bijna ironisch.

'Ik heb een paar van uw boeken gelezen,' zei ik.
'Wat vriendelijk van u dat te zeggen.'
Hij wachtte op een lofrede en kreeg een koel zwijgen.
'Het spijt me dat u zo slecht over ons denkt, maar ik geloof niet dat we in de weg zullen lopen.' zei ik toen.
'Juffrouw Pleydell was in Kaiserwald,' vertelde Charles. 'Ze maakte daar diepe indruk en ze vonden haar een uitstekend verpleegster. Juffrouw Marlington was bij haar. Ik weet zeker dat je van gedachten zult veranderen... althans wat deze twee betreft.'
Ik beefde. Daar stond hij, voor me. In mijn verbeelding had ik hoorns op zijn hoofd gezet, hem een gespleten hoef gegeven en me hem voorgesteld in Aubrey's Tempel der Zonde. Ik probeerde kalm te zijn, maar mijn emotie overstelpte me. Tenslotte was het deze ontmoeting waar ik zo voor gewerkt had; het was de gedachte aan wraak die me tijdens mijn maanden van rouw kracht had gegeven. En nu stond ik hier. Ik had mijn prooi ontdekt. Wie had kunnen geloven dat het in een hospitaal in Scutari zou zijn?
Ik realiseerde me onmiddellijk dat hij formidabel was.
Toen hoorde ik Henrietta's stem: 'Anna, ben je daar? Is Charles er?'
Ze kwam de kamer binnen.
Ik zei: 'Henrietta, dit is dokter Adair.'
'O!' Haar ogen werden groot en ik was bang dat ze impulsief het een en ander zou zeggen.
'Dit is juffrouw Marlington die met juffrouw Pleydell in Kaiserwald was,' stelde Charles haar voor.
Hij boog koeltjes.
'Hoe maakt u het?' zei Henrietta, die een kleur kreeg en wier ogen dansten van opwinding.
'Dokter Adair heeft zojuist zijn verachting voor ons uitgedrukt,' zei ik. 'Hij denkt dat we aan vapeurs lijden en veren dekbedden eisen.'
'Ieder bed is te verkiezen boven onze vlooien-divans,' zei Henrietta. 'Een veren dekbed is geen eerste vereiste.'
'Ik denk dat u meer te klagen zult vinden dan uw divans,' zei dokter Adair.
'En ík vind het dapper van ze om hierheen te komen,' zei Charles. 'Ik heb de grootste bewondering voor allemaal.'
'Laten we hopen dat iedereen er zo over denkt.' En met iets van een vorstelijke hoofdbeweging wees dokter Adair erop dat de bijeenkomst voorbij was.
Charles zei: 'Ik moet ook gaan. Gaat het wel goed met jullie?'
'Zo goed als je verwachten kunt,' zei Henrietta.
Dokter Adair gaf ons een knikje en verdween.
'Dat was dus dokter Adair,' zei Henrietta.
'Je moet wat hij zei, niet ernstig nemen,' vertelde Charles me.

'Wat zei hij precies?' vroeg Henrietta.
'Dat we een klungelig, nutteloos stelletje vrouwen zijn – een pakket noemde hij ons – en we zijn eerder een hindernis dan een hulp.'
'Hij uitte alleen zijn woede over het gebrek aan spullen die hij nodig heeft. Hij is er woedend over. Wij allemaal trouwens.'
'Hij had het niet over voorraden, maar over ons,' hield ik vol. 'Hij heeft zich iets in zijn hoofd gezet, voordat hij ons gezien heeft. Hij is arrogant, zelfingenomen, onmogelijk. Ik geloof niet dat ik je dokter Adair aardig zal gaan vinden.'
'Waarom noem je hem mijn dokter Adair?' vroeg Charles.
'Omdat ik kan zien dat je hem een soort held vindt.'
'Hij werkt heel hard.'
'Jij ook. Wij allemaal.'
'Hij heeft iets heel speciaals.'
'Ja. Een aura van zelfgenoegzaamheid. "Ik ben de grote man. Alles wat ik doe, is geweldig."'
'Wat ben je fel, Anna. Hij heeft je overstuur gemaakt met die gedachteloze opmerkingen.'
'Niet alleen de opmerkingen,' antwoordde ik kort.
Ik wilde weg. Ik stond op het punt mijn gevoelens te tonen en dat was niet verstandig. Mijn haat tegen de man was zo groot dat ik het moeilijk kon verbergen; de ontmoeting was – al had ik die verwacht – op zekere hoogte te plotseling geweest.
'We moeten gaan,' zei ik tegen Henrietta.
'Ik zie jullie wel weer,' zei Charles.
'En,' zei Henrietta toen we alleen waren, 'dat is hem dus. Indrukwekkend, vind je niet?'
'Hij is precies zoals ik me hem had voorgesteld. Nu ik hem gezien heb, haat ik hem meer dan ooit... als dat mogelijk is.'
'Hm,' zei Henrietta. 'Ik vond hem nogal fascinerend.'
Ik keek haar ongeduldig aan en ze lachte me uit.
'Weet je,' zei ze. 'Ik denk dat het allemaal de moeite waard is, alleen al door onze ontmoeting met hem.'

Iedere gedachte aan andere dingen werd weggevaagd op die vreselijke dag toen ze de gewonden van de slag bij Balaclava naar Scutari brachten. Het lijden van die mannen was onbeschrijfelijk. Ze konden alleen naar het hospitaal worden vervoerd door ze op brancards naar het plateau te dragen en het was hartverscheurend te zien hoe die arme gewonden kreunden van pijn terwijl de Turkse dragers hen onhandig naar boven brachten.
We hadden niet genoeg bedden voor alle mannen en veel van hen lagen op de

vloer. Er was een deerniswekkend gebrek aan dekens en veel te weinig verband. Maar het grootste gebrek was dat aan medicijnen.
De dokters waren wanhopig. Hoe konden ze zoveel gewonden aan? De vreselijke waarheid was dat veel van hen die gered hadden kunnen worden als we goed waren voorzien, nu moesten sterven. Juffrouw Nightingale besloot dat tien van ons naar het Algemene Hospitaal moesten gaan, dat in feite een uitbreiding van de Kazerne was; de rest van ons gezelschap bleef in de kazerne. Ik was een van de degenen die met Henrietta gekozen werd om naar het Algemene Hospitaal te gaan, en we waren blij dat Eliza en Ethel ook meegingen. Men had gemerkt dat we goed met elkaar konden opschieten en waarschijnlijk vond men het een goed plan om de twee kanten te vermengen – de dames, zoals ze zeiden, en de anderen, tussen wie een zekere vijandschap bestond.
Mijn eerste gedachte was dat we gingen werken waar *híj* was en ik wist niet of ik er blij of boos om moest zijn. Ik wilde meer over hem te weten komen, natuurlijk; maar aan de andere kant wist ik zeker dat ik in conflict met hem zou komen. Hij had me al laten zien dat hij me minachtte. Dat was geen beste verhouding tussen een arts en een verpleegster.
Gedurende die verschrikkelijke dagen hadden we het veel te druk om te denken aan iets anders dan de verzorging van de gewonden. Het lijden dat ik zag, schokte me zo dat ik probeerde het los te laten en tot op zekere hoogte slaagde ik erin het uit mijn gedachten te zetten. Maar het kwam op de gekste momenten terug en vulde me met melancholie. In mijn hart wist ik dat het iets was wat niemand ooit kon vergeten. Nu ik eraan terugdenk, is er een onduidelijk beeld van bloed en verschrikking – beelden waarvan ik nooit had gedacht dat ik er getuige van zou zijn en waarvan ik intens hoopte dat ik ze nooit meer zou zien. Nooit konden de gruwelijkheden van de oorlog je beter voor ogen staan dan in het hospitaal van Scutari; en de domheid en ongevoeligheid van de mannen die plannen opstelden, die anderen moesten uitvoeren, vervulden me met een verontwaardiging die me inspireerde om taken te vervullen waar ik anders de kracht niet voor zou hebben gehad.
Dagen gingen in nachten over. Ik was er aanhoudend zonder afgelost te worden en rende van bed naar bed. Zo nu en dan sliep ik een paar uur en ik zag pijn en lijden die ik me mijn leven lang zou herinneren. En ik was diep ontroerd door de hoop in die arme, door pijn gekwelde ogen van ernstig gewonde mannen. Juffrouw Nightingale liep zachtjes door de ziekenzalen, hield haar lamp omhoog, bleef staan bij de bedden van de ergste gewonden, fluisterde woorden van bemoediging en zei ons wat we moesten doen. Ik had nooit gedacht dat ik zoveel menselijke ellende zou zien en toch voelde ik me geestelijk beter dan ooit. Ik wist dat het mijn opdracht was en dat ik daarvoor was geboren. Bovendien wist ik dat ik iets goeds deed. Ik had de macht om pijn te verzachten en er waren ogenblikken dat de aanraking van mijn handen op een

koortsig voorhoofd een wonderbaarlijk effect scheen te hebben.
Henrietta deed het goed. Ze was minder sterk dan ik en was gauw moe, maar ik merkte dat haar aanwezigheid velen opfleurde. Ze was zo lief en mooi, als een bloem tussen die verschrikking; niets kon haar haar verfijning afnemen, zelfs niet de uitputting en onze verre van elegante uniformen. Ethel was heel lief; ze was te gauw ontroerd, maar de patiënten zagen het en hielden daarom van haar. Wat Eliza betreft, ze was buitengewoon sterk en kon gemakkelijk een man optillen. Dus wij vieren vonden dat we het er, ieder op onze eigen manier, niet te slecht vanaf brachten.
In de dagen die alleen uit werk bestonden, en in het verlangen om vrijwel onmogelijke taken te volbrengen, vergat ik alles behalve het werk waar ik mee bezig was. Ik herinnerde me zelfs niet dat ik hierheen had willen komen om een persoonlijke reden: het vinden van de man die, naar ik geloofde, mijn echtgenoot te gronde had gericht en door zijn verwaarlozing mijn kind had gedood – en dat ik iedereen zijn slechtheid wilde laten zien. Hij was dichtbij en werkte even onvermoeibaar als de rest van ons. Ik zag hem zo nu en dan, zijn witte jas dikwijls rood van het bloed, zijn mond strak, zijn ogen vol woede; en hij maakte diepe indruk op me. Soms blafte hij bevelen tegen ons op een manier die aantoonde dat hij niet veel van ons verwachtte en zich afvroeg waarom we zoveel plaats in zijn hospitaal innamen.
Ik had het idee, dat hij zich bewust was van mijn aanwezigheid, hoewel hij dikwijls langs kwam alsof Charles ons nooit aan elkaar had voorgesteld. Maar soms knikte hij kort en gaf een bevel. 'Ga die patiënt wassen. Wees voorzichtig. Hij is erg ziek.'
Soms zou ik iets terug willen roepen, maar ik deed het nooit. Ik gehoorzaamde deemoedig. Hij kon op de een of andere manier iedereen om hem heen laten gehoorzamen en hij werd met diep ontzag door het hele ziekenhuis behandeld.
Er kwam weer zo'n vreselijke ochtend waarop veel gewonden werden binnengebracht, en onder hen was een man wiens rechterbeen verbrijzeld was.
Ik probeerde hem zo goed mogelijk te verzorgen toen dokter Adair met een van de andere artsen, dokter Legge, langs kwam. Ik trok me terug toen ze de man die eruitzag of hij op het punt was om te sterven, onderzochten.
De dokter liep weg en dokter Adair zei: 'Gangreen. Het moet eraf.'
'Hij gaat dood door shock,' antwoordde dokter Legge.
'Door die gangreen gaat hij in ieder geval dood. Ik neem het risico en hoe eerder hoe beter.'
'Hij zal het nooit kunnen verdragen.'
'Ik doe het,' zei dokter Adair. Toen zag hij mij. 'U kunt helpen.'
Dokter Legge keek hem vol afgrijzen aan. 'Maar...' begon hij.
'Ze is hier als verpleegster. Als vrouwen professioneel willen werken, moeten ze aan dit soort dingen gewend raken.' Hij keek me spottend aan. 'We moeten ge-

bruik maken van wat we hebben. God weet dat het meer dan armzalig is.' Zijn blik gleed als een scalpel door me heen.
Ik weet niet of hij het over mij of over de uitrusting had – beide, vermoed ik.
'Ik ga hem nu opereren.'
'Hij kan het niet hebben.'
'Er is een kleine kans en die moet ik nemen.'
Het was als iets uit een afschuwelijke nachtmerrie. De operatie moest in de ziekenzaal worden uitgevoerd. Er was geen andere plek. De patiënt werd op een door een schraag gedragen plank gelegd.
'Dit zal gruwelijk zijn, juffrouw... eh... Nachtegaal,' zei dokter Adair met iets van een lachje om zijn lippen. 'Ik hoop dat u niet flauwvalt. Het helpt niet en we zullen het negeren. We kunnen de patiënt niet laten liggen om u reukzout te geven.'
'Dat verwacht ik niet van u en ik zal niet flauwvallen.'
'Wees er niet te zeker van. Maar kalmeer de patiënt. Houd zijn hand vast. Laat hij u maar knijpen. Doe uw best.'
'Dat zal ik doen.'
En ik deed het. Ik gebruikte alle kracht die ik had en aldoor bad ik. 'Lieve God, lieve God.' En die arme man zei samen met mij: 'Lieve God.'
Ik keek niet naar wat er gebeurde, ik wist dat ik dat niet kon. Maar ik hield zijn hand vast en hij klampte zich eraan vast, zo krampachtig dat ik er niets meer in voelde... en ik bleef hardop met hem bidden. Gelukkig raakte hij bewusteloos.
'Er is niets meer voor u te doen,' zei dokter Adair.
Ik wendde me af met het gevoel dat ik de ergste vuurproef van mijn leven had doorgemaakt en er niet te slecht van afgekomen was. De volgende dag zag ik dokter Adair weer en hij was onbeleefd genoeg om niets van mijn aandeel in de operatie te zeggen.
Later die dag stierf de man.
Ik hoorde het van dokter Adair zelf. Ik was niet op zaal toen ik hem zag.
'Onze operatie heeft geen succes gehad,' zei hij.
'Het leek... overbodig.'
'Overbodig! Weet u wat gangreen is? Het is de dood van de weefsels, het gevolg van de onderbreking van de bloedtoevoer.'
'Dat weet ik. Hij zou toch gestorven zijn, maar het leek overbodig hem extra pijn te laten lijden.'
'Geeft u me raad, juffrouw... eh... Nachtegaal?'
'Helemaal niet. Ik zeg alleen dat het triest is dat deze man die in ieder geval zou sterven, een overbodige amputatie moest ondergaan.'
'Het is ons werk om levens te redden, juffrouw Pleydell. Als er een kans is, moeten we die nemen. Op zijn best hebben we een leven gered, in het andere geval hebben we ervaring opgedaan.'

'Dus de patiënt, die al gebruikt is door degenen die oorlogje spelen, heeft nog steeds zijn nut. Hij mag helpen om beroemde dokters nog beroemder te maken.'
'Juist,' zei hij, 'daar raakt u de kern van de zaak.'
Hij boog ironisch en liep door.

Ik was geschokt door de ervaring maar er was geen tijd om te piekeren. Er kwamen nog steeds mannen aan uit Balaclava – zeker de meest onnodige veldslag die er ooit gevochten werd. O, het was schitterend. De aanval van de Light Brigade. Glorieus, noemden sommigen het – mensen die de toegetakelde overlevenden niet hadden gezien. De gelukkigen waren degenen die gesneuveld waren in die wilde, roekeloze aanval.
Kort hierna gingen Lady Mary Sims en Mevrouw Jarvis-Lee terug naar huis. Ze vonden dat ze hun land beter konden dienen in Engeland. Misschien was dat zo, want als verpleegsters waren ze waardeloos, maar ze zouden uitstekend een liefdadigheidsbal en bazaars voor hulp aan de hospitalen kunnen organiseeren.
Er werd veel gesproken over de briljante dokter Adair. We hadden geluk dat we hem in ons hospitaal hadden, zei men. Ik geloofde dat hij precies was wat ik dacht dat hij was – ongetwijfeld een knappe arts, maar zonder sympathie of meegevoel. Ik was ervan overtuigd dat hij zijn patiënten beschouwde als materiaal voor zijn experimenten. En ik hield mijzelf voor dat hij aldoor al had geweten dat hij het leven van de man niet kon redden door het amputeren van zijn been; hij had het alleen gedaan in de hoop iets te kunnen leren. Lijden raakte hem niet. Het enige wat voor hem iets betekende was zijn zoeken naar kennis, en natuurlijk roem voor dokter Damien Adair.
Toen de vreselijke nasleep wat verminderde, de doden waren begraven en de overlevenden op de rand van leven en dood balanceerden, zag ik dokter Adair twee dagen lang niet. Ik was het me duidelijk bewust, want de dagen leken eigenaardig leeg. Ik miste het oplaaien van mijn wrok, de woede jegens hem die zo'n deel van mijn bestaan was geworden; en mijn besluit om hem aan de kaak te stellen – hoe, was me nog niet duidelijk – was sterker dan ooit.
Toen hoorde ik dat hij niet langer in het hospitaal was.
Hoewel Charles in het Kazerne Hospitaal werkte, zagen we elkaar slechts zo nu en dan; en toen ik hem zag, vroeg ik wat er met dokter Adair was gebeurd.
'Hij is even weg... een paar weken, geloof ik.'
'Toch niet met vakantie?'
'Misschien moest hij even tot zichzelf komen.'
'Tot zichzelf komen? Terwijl het hier zo druk is?'
'Hij heeft buitengewoon hard gewerkt.'
'Dat hebben we allemaal. Ik zou gedacht hebben dat dit zijn plaats was.'
Charles zei: 'Hij heeft dag en nacht gewerkt.'

'Maar dat hebben wij ook gedaan.' Ik vroeg me af waarom iedereen hem wilde verdedigen.
En dat was alles wat ik wist.
Het leven bleef grimmig. Nadat de slag bij Inkerman door de Britten en de Fransen was gewonnen, dachten we dat Sebastopol wel in onze handen zou vallen, en dat, meenden we, zou het keerpunt van de oorlog zijn. Helaas, de verschillende machten hadden weer een verkeerde berekening gemaakt. Sebastopol werd belegerd en zo bleef het de eerstkomende tijd. Het zou geen gemakkelijke overwinning zijn.
De winter naderde snel en de gewonden bleven komen. We hadden weinig vrije tijd maar ik denk dat men besefte dat we een verademing nodig hadden en dat we, als we die niet kregen, zelf ziek zouden worden.
We moesten het hospitaal een paar uur vergeten en hoorden dat ons gezelschap een van de *caïques* mocht nemen om Constantinopel een uur of zo te gaan bezoeken.
We trokken er met ons zessen op uit. We hadden niet in paren mogen gaan, maar sommigen van ons wilden dingen kopen die ze nodig hadden.
We waren opgewonden nu we het sombere hospitaal en de eeuwige aanwezigheid van pijn achter ons konden laten en we hadden onszelf gezegd dat we in deze korte tijd niet aan de verschrikkingen moesten denken die we allemaal al zo lang hadden meegemaakt en die ons wachtten zodra we terug waren.
De *caïque* bracht ons naar de overkant van de Bosporus, en daar lag Constantinopel ons te wachten. De naam alleen al had een romantische klank en wat zag de stad er magnifiek uit met zijn koepels en minaretten. Daar was het oude kasteel van de Zeven Torens met zijn sombere geschiedenis, wegens de vele sultans die er ter dood waren gebracht door opstandige soldaten en door alle andere gevangenen die er jaren opgesloten hadden gezeten, onderworpen aan afschuwelijke folteringen. Ik wilde het Topkapi Paleis zien, huis van de sultans, met hun fantastische rijkdom en harems.
Dikwijls had ik over de smalle strook water gekeken en gevoeld dat er een wereld was die ik absoluut niet kende, een wereld die vreemd verschilde van het Victoriaanse Engeland – misschien een beetje als die van India die ik in mijn jeugd had gekend, want die had zo anders geleken voor ik hem door de ogen van een volwassene zag en hij veel van zijn romantiek verloren had.
We waren gewaarschuwd dat we voorzichtig moesten zijn en wisten dat er in feite twee steden waren – de een heette het Christelijk Constantinopel en het andere, dat vaak Stamboul werd genoemd, was het Turkse gedeelte en lag aan de zuidkant van de Gouden Hoorn. Er waren bruggen die de twee verbonden en men zei ons dat we ons in geen geval in Stamboul moesten wagen.
Het was boeiend die Saraceense en Byzantijnse architectuur te zien en ik verlangde ernaar meer te onderzoeken.

Ik veronderstel dat we nogal opvielen in ons uniform met onze katoenen sjaals waarop in rood *Scutari Hospitaal* was geborduurd. Mensen keken naar ons en gingen opzij om ons te laten passeren.
Het waren de bazaars en kleine stegen die de meeste verpleegsters aantrokken. Het was er druk en daardoor moeilijk om bij elkaar te blijven. Henrietta gaf me een arm. 'Raak me niet kwijt,' fluisterde ze. 'Ik word bang als dat gebeurt.'
De straten werden steeds smaller; de winkels waren als donkere holen waarin alle soorten koopwaar was uitgestald... koper, ornamenten, sieraden, zijde. Hier en daar zat een eigenaar voor zijn deur een lange waterpijp te roken; ergens klonk vreemde muziek; jongens op blote voeten renden door de menigte, duwden tegen ons aan, en herinnerden ons aan het feit dat we voorzichtig moesten zijn met het beetje geld dat we hadden.
We stopten bij een kraam om naar oorbellen te kijken. Ze waren van email in verschillende kleuren en waren heel mooi.
'Niet direct geschikt voor een zaaldienst,' merkte ik op.
'Maar lieverdje, we blijven hier toch niet eeuwig. Wacht maar. Sebastopol valt en dan wordt het naar huis voor ons.'
'Ik hoop dat je gelijk krijgt.'
Toen de oude man een koopje rook, legde hij zijn waterpijp opzij. De transactie nam nogal wat tijd in beslag. Het was de bedoeling dat we afdongen, maar we wisten niet hoe en ik denk dat onze verkoper teleurgesteld was. Hij had liever een lagere prijs gehad en het plezier van onderhandelen.
Toen we onze oorbellen eindelijk betaald hadden, ontdekten we dat ons gezelschap er niet meer was.
'Geeft niet,' zei Henrietta. 'We vinden zo de weg weer terug.'
'En ik denk dat we dat onmiddellijk moeten gaan doen,' antwoordde ik.
We probeerden dezelfde weg terug te vinden maar in plaats van dat we de doolhof van bazaars achter ons lieten, merkten we dat we er steeds dieper in terechtkwamen.
Ik merkte dat een donkere man naar ons keek en het leek me toe dat hij ons volgde.
We kwamen bij een steeg.
'Laten we deze proberen,' stelde Henrietta voor. 'Hier is het minder druk. Misschien vinden we wel iemand die Engels spreekt en ons de weg kan wijzen.'
We waren nog niet veel verder toen we tot ons verdriet merkten dat de steeg doodliep en toen we probeerden terug te gaan, kwamen er een paar knullen – het konden niet anders dan jonge tieners zijn – naar ons toe. Twee van hen gingen achter ons lopen en de anderen versperden de weg.
Ik nam Henrietta bij de arm en probeerde me langs hen te duwen, maar ze hadden ons omringd. Een van hen pakte mijn cape, de anderen hadden een mouw van Henrietta beet.

Ik zei: 'We willen naar de *caïques.* We moeten terug naar het hospitaal.'
Een van hen kwam dichterbij en hield zijn hand op. 'Geld,' zei hij. 'Jij geeft arme jongen.'
Henrietta keek me aan. 'We zijn arme verpleegsters,' zei ze. 'We hebben geen geld.'
Het lag voor de hand dat ze er geen woord van begrepen en ze namen een dreigende houding aan.
Ik weet niet wat er gebeurd zou zijn, maar de donkere man die ik in de bazaar had gezien, kwam de steeg in.
Hij liep recht op ons af en uitte een stroom van wat scheldwoorden tegen de jongens moesten zijn; het trof in ieder geval doel, want ze renden weg.
Toen wendde hij zich tot ons. Maar hij sprak niet meer dan een paar woorden Engels, zodat een gesprek moeilijk was. Ik verbeeldde me echter dat hij vroeg of hij ons kon helpen.
Ik zei: 'We moeten naar de *caïques.* We moeten terug naar het hospitaal.'
'Hospitaal.' Hij wees naar onze sjaals. Ik keek opgelucht naar Henrietta. We schenen geluk te hebben.
'Volg,' zei onze redder.
Hij leidde ons uit de cul-de-sac naar een plek waar een paar rijtuigjes stonden te wachten. Ze waren kennelijk te huur.
Ik zei: 'We hebben geen rijtuig nodig. We kunnen niet ver van de oever zijn.'
Maar hij gaf Henrietta al een hand om in te stappen. Ik ging protesterend naast haar zitten, en terwijl ik probeerde met Henrietta weer uit te stappen, kwam het paard in beweging en onze redder gaf de koetsier instructies.
Het duurde niet lang of ik merkte dat we niet in de richting van het water reden.
'Dit is niet de goede weg,' fluisterde ik tegen Henrietta.
Haar ogen werden groot van schrik. 'O... Anna, wat denk je dat dat betekent?'
Ik schudde mijn hoofd. Ik durfde me niet voor te stellen wat de bedoeling van de man was, toen ik, tot mijn ellende, besefte dat we een van de bruggen over de Gouden Hoorn overstaken en dus uit het Christelijk Constantinopel naar die andere kant van de stad werden gebracht, waarvoor men ons zo gewaarschuwd had.
Het paard liep nu sneller en ik dacht dat we ieder moment konden omvallen. Dit gebeurde niet, en hoewel ik bang was dat kinderen en oude mensen op ons pad overreden zouden worden, slaagden ze er steeds in te ontsnappen. We waren nu in een straat met hoge huizen; ze zagen er donker en geheimzinnig uit omdat er zo weinig ramen waren.
Toen reed ons koetsje een poort in en we stonden op een binnenplaats.
'Uit,' zei de man.
Ik keek naar Henrietta en vroeg me af of ze zou weigeren uit te stappen. We hadden echter geen keus. De man die ons gevangen had, maakte het duidelijk

dat we moesten gehoorzamen. Hij trok eerst Henrietta en toen mij uit het rijtuig, greep ons bij de arm en leidde ons door een deur naar een donkere gang. Voor ons was een trap. 'Naar boven,' zei hij.
Ik wendde me tot hem. 'Luister,' zei ik luid. 'Waar zijn we? Ik eis dat u het zegt. We zijn verpleegsters. Engelse verpleegsters. U deed of u ons naar de oever wilde brengen. Ik verzet geen stap meer voordat u zegt waar we zijn.'
Zijn antwoord was een duw de trap op. Ik hoorde Henrietta hijgen: 'Anna...'
'We moeten weg zien te komen,' zei ik.
'Hoe...?'
Er verscheen een man boven aan de trap. Onze man sprak met hem en hij ging opzij. Een paar seconden bleven ze opgewonden praten; toen pakte de man die ons gebracht had, ons weer bij de arm en dwong ons een gang in.
Daar duwde hiij ons in een kleine, donkere kamer, met veel gordijnen en divans langs de nuren. De deur sloot hij achter ons.
Ik rende naar de deur en probeerde hem te openen. Het lukte niet, hij was op slot.
'Het heeft geen zin,' zei Henrietta. 'We zijn gevangen.'
We staarden elkaar aan, en probeerden te doen alsof we maar half zo bang waren als we ons voelden.
'Wat betekent dit?' vroeg Henrietta.
Ik schudde mijn hoofd.
'Wat zijn we een idioten geweest. Waarom zijn we verdwaald? Die ellendige oorbellen...'
'Ik dacht dat de anderen bij ons waren.'
'Wat gaat er nu met ons gebeuren?'
Ik zag hoe de gedachten zich vormden in haar hoofd. Ze zei: 'Ik heb wel van zoiets gehoord. Er zijn veel gevallen van vrouwen... opgepakt... slavin gemaakt... in harems.'
'O nee!'
'Waarom niet? Zo leven sultans toch? Ze hebben vrouwen in al die harems, nemen hen gevangen in een oorlog en maken hen tot slavin.'
'Dit zijn onze bondgenoten. Vergeet niet dat we hún oorlog voeren.'
'Zou het ze interesseren? De man heeft ons gevolgd. Misschien was het wel afgesproken – die jongens om ons heen en hij komt eraan en red ons — om ons hierheen te brengen. Denk je dat dit een paleis van een sultan is?'
'Het is in ieder geval niet Topkapi.'
'O Anna, ik hoop dat ze ons niet van elkaar scheiden. Al deze nare dagen heb ik zo verlangd dat er iets zou gebeuren. Ik was ziek van de geur van bloed en ziekte en al dat verschrikkelijks. Ik bad dat er iets zou komen... wat dan ook, wat me uit deze plaats zou halen... en nu dit. Ik vraag me af hoe het is in een harem.'

'Om de een of andere reden geloof ik niet dat dat het antwoord is. Kijk nu eens naar ons. We zijn toch geen voorwerpen van begeerte. Die uniformen... Kijk eens naar mijn haar. Ik schijn het hier nooit goed te kunnen wassen. En we zijn allebei bleek en moe. Toch geen prijs voor een seraglio van een sultan.'
'Maar we zien er anders uit. Misschien hebben we een allure omdat we buitenlandse vrouwen zijn; en als we eenmaal in ezelinnenmelk gebaad en met juwelen overdekt zijn, zouden we er best heel fascinerend uit kunnen zien.'
Ze lachte maar ik hoorde iets van hysterie in haar stem.
'Houd op, Henrietta. We moeten onze hersens erbij houden. We gaan zoeken naar een manier om te ontsnappen. Let op.'
Ze pakte mijn arm. 'We moeten bij elkaar blijven. Omdat jij er bent, ben ik niet bang... tenminste niet zo bang als ik zou zijn wanneer ik alleen was.'
'Wat er ook gebeurt, we proberen bij elkaar te blijven.'
'Wat zullen ze in het hospitaal wel denken?'
'Dat we ons niet aan de orders hebben gehouden en het gezelschap hebben verlaten.'
'Het gezelschap heeft ons in de steek gelaten! Denk je dat ze iemand zullen sturen om naar ons te zoeken?'
'Natuurlijk niet. Iedereen is nodig voor belangrijkere dingen.'
'Anna, wat zal er van ons worden?'
'We kunnen niets anders doen dan afwachten. Blijf waakzaam. We moeten hier weg.'
'Hoe? En als het lukt, waar zijn we dan?'
'We zullen de weg naar de waterkant wel vinden. Dat is het enige wat we moeten doen. Overal zijn *caïques.* Luister.'
De deur ging open. We sprongen ernaartoe. Het was de donkere man die ons gevangen had.
'Kom,' zei hij.
'Waar brengt u ons naartoe?' vroeg ik.
Hij antwoordde niet.
Henrietta en ik keken elkaar aan. We hadden gewacht op een gelegenheid. Als die kwam, moesten we er klaar voor zijn. Hij hield ons stevig vast en bracht ons een trap op. Toen pas liet hij Henrietta los, zodat hij met zijn vingers aan een deur kon krassen. Een stem binnen zei iets en onze man opende de deur en duwde ons naar binnen.
De zware gordijnen waren gesloten. Ik zag een tafel met een bewerkte lamp die een flauw licht in de kamer wierp. Er lag een man op de divan; hij droeg een tulband en er was iets aan hem dat me onmiddellijk bekend voorkwam.
Ik dacht: Het kan niet, en toch... En toen hij sprak, wist ik het. 'Een paar nachtegalen,' zei hij.
'Dokter Adair,' stamelde Henrietta.

'Ik wist dat er problemen zouden komen als men een pakket vrouwen zou zenden.'
'Wat betekent dit allemaal?' vroeg ik. De angst van het afgelopen uur verdween snel en in plaats daarvan kwam een gevoel van opluchting. 'We zijn beledigd... tegen onze wil hiernaartoe gebracht. Ze hebben gedaan of...'
Ik keek naar Henrietta. Ook haar stemming was omgeslagen. Ik zag het geschitter van opwinding in haar ogen.
'De bedoeling is eenvoudig,' zei hij. 'Twee dwaze vrouwen vonden het leuk door de bazaars te dwalen, stonden op het punt beroofd te worden, werden gered en hierheen gebracht. U had geluk dat u in uniform was. De sjaals die u draagt, zijn amuletten. Scutari Hospitaal. Iedereen weet waar dat is en dat u ervandaan komt. Dat was ook de reden waarom u hiernaartoe werd gebracht.'
'Naar u?' vroeg ik.
'Ik heb vrienden in de stad. Mijn band met het ziekenhuis is bekend. Dus als twee nachtegalen het nest verlaten en worden ontdekt als ze in de obscure gedeelten van de stad ronddwarrelen, worden ze gevangen en naar mij toe gebracht.'
'Ik kan het niet geloven,' zei ik.
'Hoe had het anders kunnen gebeuren?' vroeg Henrietta.
'Inderdaad, hoe anders? Ik ben verbaasd dat u toestemming heeft gekregen om door de stad te gaan wandelen.'
'We zijn met een gezelschap gekomen,' zei Henrietta.
'En u bent de anderen kwijtgeraakt?'
'Ze raakten ons kwijt. We bleven staan om iets te kopen en toen waren ze er niet meer.'
'Maar wat is dit voor iets?' zei ik. 'Wat doen we hier? Het is geen hospitaal.'
'Ik heb ook een leven buiten het hospitaal. En waarom ik hier ben, is mijn eigen zaak.'
'En gekleed als een sultan,' giechelde Henrietta. Arm kind, ze was echt bang geweest en ik zag dat de hysterie nog niet helemaal verdwenen was.
'Ik ben er zeker van dat u twee keurig opgevoede jongedames bent en dat uw nanny's u vele malen hebben gezegd dat je in het beste gezelschap nooit brutale vragen stelt.'
'Ik vond het niet brutaal,' zei Henrietta.
Ik onderbrak haar. 'Wilt u ons alstublieft vertellen wat er aan de hand is?'
'Zeker. Een vriend van me ontdekte u op straat. Hij zag dat u gemakkelijk in gevaar kon komen. Hij heeft op u gelet en u gevolgd naar een plaats waar u op het punt stond beroofd te worden... mogelijk erger. Hij heeft u gered en daar het duidelijk was waar u vandaan kwam, heeft hij u naar mij toe gebracht. U hebt geluk gehad vandaag. In de eerste plaats door uw uniform en in de tweede plaats omdat ik op het ogenblik toevallig hier ben. Ik kan wel zeggen dat u

een flink standje zult krijgen voor uw late terugkeer in het hospitaal en ik hoop dat ze u streng aanpakken. Dit hoort een les voor u te zijn. Waag u nooit meer alleen in deze straten. Dit is niet Bath of Cheltenham, en goed opgevoede jongedames zouden zelfs daar niet alleen mogen wandelen. Dit is een vreemd land en heel anders dan Engeland. Vergeet dat niet. Men heeft hier andere ideeën, manieren, gewoonten... alles is hier anders. Denk daaraan. Ik zal u koffie geven, terwijl we wachten op een vriend van me die u terug zal brengen naar het hospitaal.'
'En u?' begon ik.
Hij trok zijn wenkbrauwen op.
Ik stotterde: 'Ik... ik dacht dat u misschien ook terugging. Er zijn steeds gewonden. Het schijnt...' Ik keek de kamer rond en toen naar hem met zijn tulband, die hem bijna tot een vreemde maakte. Hij leek donkerder, zijn ogen leken glanzender.
'U verwijt me mijn genotzucht, zie ik,' zei hij.
'U bent echt nodig in het hospitaal.'
Hij glimlachte eigenaardig tegen me – een glimlach waar ik niets van begreep. Op dat ogenblik werd er aan de deur gekrast en een man kwam binnen met een koperen blad waar koffie en koekjes op stonden. Dokter Adair zei iets tegen hem wat ik niet verstond en hij zette het blad op de tafel.
'U hebt iets nodig voor u weggaat,' zei hij tegen ons. 'Zo drinken ze de koffie hier. Ik hoop dat u het lekker vindt.'
We zaten naast hem op de divan en hij gaf ons de dikke zoete koffie en de gekruide kleine cakes.
Hij keek ons plechtig aan. 'Ik twijfel er niet aan dat uw avontuur in de Krim zo langzamerhand wat vervelend wordt. Dat is altijd met dit soort avonturen. Ze zijn nooit wat je ervan verwacht als je op weg gaat. Ik durf te zeggen dat u beelden van uzelf had in gesteven witte schorten en flatteuze jurken en dat u voor reddende engel speelde voor dankbare mannen. Het is enigszins anders, hè?'
'We hadden inderdaad niet iets dergelijks verwacht,' zei ik. 'We wisten dat er ontberingen en lijden zouden zijn, maar...'
'Maar zulke ontberingen? En zoveel lijden?'
'We hebben zieken in Kaiserwald gezien,' zei Henrietta. 'Maar ik geef toe dat u gelijk hebt. Ik had nooit verwacht dat we zoiets als dit zouden aantreffen.'
'En dan zou u niet gekomen zijn.'
'Nee,' zei Henrietta. 'Ik niet. Maar Anna wel. Ja toch, Anna?'
'Ja,' zei ik.
Hij keek me met iets van twijfel aan. 'U bent de jonge vrouw die nooit zou willen toegeven dat ze ongelijk had.'
'Dat is niet waar. Ik heb vaak ongelijk.'
'Wat betreft kleinigheden. Maar de grote dingen?'

'Ook niet waar. Ik heb belangrijke dingen ondernomen en heb gefaald en ik heb me nooit voor de gek gehouden door te denken dat het niet aan mijzelf lag.'
'Anna is heel bijzonder,' zei Henrietta. 'Een zeldzaam iemand. Dat wist ik zodra ik haar zag. Daarom ging ik ook naar haar toe toen ik van plan was mijn leven te veranderen.'
Hij keek van de een naar de ander en knikte langzaam. 'En u bent van plan hier te blijven?'
'Als u bedoelt tot we niet langer nodig zijn, ja,' antwoordde ik.
'Maar ik hoop dat de oorlog gauw voorbij is,' voegde Henrietta eraantoe. 'Ze zeggen dat Sebastopol het niet lang meer zal uithouden en dat de zij de sleutel is tot de overwinning. Als de stad eenmaal is gevallen, is de oorlog voorbij.'
'"Zij" bedriegen zichzelf nogal eens. Optimisme is misschien een goed ding en een grote hulp – maar misschien is realisme het nog meer.'
'Wilt u zeggen dat u denkt dat de stad niet gauw zal vallen?'
'Ik denk dat de Russen zich uitstekend bewust zijn van het belang ervan en dat ze even vastbesloten zijn om de stad te houden als de Engelsen en de Fransen om haar in te nemen.'
'Ik geloof niet dat ik jaren achtereen dit soort dingen zou kunnen verdragen,' zei Henrietta.
'Dan zou ik naar huis gaan. Ik geloof dat er al enkelen van jullie zijn vertrokken.'
'Degenen die niet begrepen wat verplegen is, zijn weg,' zei ik. 'Maar ik geloof dat wij er geen spijt van moeten hebben.'
Weer werd er aan de deur gekrabd. Dokter Adair riep iets – in het Turks, vermoedde ik, en de man die de koffie had gebracht, kwam binnen met nog iemand. Hij was lang, met bruin haar en bruine ogen, maar leek blond vergeleken met het donkere van onze gastheer.
'Philippe!' zei dokter Adair. 'Fijn dat je zo gauw gekomen bent. Laat ik je voorstellen. Monsieur Philippe Lablanche, juffrouw Pleydell, juffrouw Marlington.'
Philippe Lablanche boog.
'Ze zijn zo ongelukkig geweest om in de stad te verdwalen. Wil jij ze terugbrengen naar Scutari?'
'Met genoegen,' zei de galante Fransman, wiens ogen straalden van bewondering, voor Henrietta naar ik dacht, die heel mooi was ondanks haar uniform.
'Ik bied je geen koffie aan,' zei dokter Adair, 'omdat ze zo gauw mogelijk terug moeten.' Hij wendde zich tot ons. 'Monsieur Lablanche is een van onze onschatbare bondgenoten. Hij zal goed voor u zorgen.'
'Ik doe mijn best.'
'Er is vervoer op de binnenplaats. Zo komt u naar de waterkant.'
'We moeten gaan, dames,' zei Monsieur Lablanche.
We stonden op en ik zei tegen dokter Adair: 'We moeten u bedanken.'

Hij boog zijn hoofd ter beantwoording.
'Wat hadden we zonder u moeten beginnen...' begon Henrietta en huiverde.
'Het is het nadenken waard,' antwoordde hij. 'Zie het maar als een nuttige ervaring en zorg dat u in de toekomst minder onbezonnen bent.'
'Ik dacht echt dat we verdoofd zouden worden en naar iemands harem worden gesleept.'
'Ik hoop dat de teleurstelling niet al te groot is.'
Henrietta barstte in lachen uit. 'Maar het is allemaal tot onze voldoening geëindigd. Dank u, dokter Adair. Dank u duizendmaal.
'Eenmaal is voldoende.'
En we vertrokken.
Zoals hij zei, stond er een rijtuig te wachten op de binnenplaats. Toen we instapten, was ik opgetogen en ook wat in de war door het avontuur. Wat deed hij daar, zo gekleed, levend als een Turkse pasha? Wat betekende het allemaal? Wat een geheimzinnige man was hij! Hij werd steeds boeiender naarmate ik meer van hem te weten kwam.
Philippe Lablanche bleek charmant te zijn. Hij was heel beleefd, vooral als je hem vergeleek met dokter Adair. Hij wees op de landmerken van de oude stad waar we doorheen reden. De schemer was gevallen en van de minaretten werden de gelovigen opgeroepen tot het gebed. De stad, prachtig en geheimzinnig, leek verleidelijk, maar toch onheilspellend in het vage licht. Ik keek naar Henrietta. Haar ogen waren groot en de opwinding had haar wangen kleur gegeven. Ze keek of ze betoverd was.
Philippe Lablanche vertelde ons dat hij verbonden was aan het Franse leger en dat dokter Adair een grote vriend van hem was. 'Een fantastische man. Ik ken niemand zoals hij. Hij is... wat zeg je wanneer een man...'
'Uniek?' stelde ik voor
'Wat is uniek?'
'Als er niemand anders op aarde is zoals hij.'
'Dat,' zei hij, 'is dokter Damien Adair.'
'Hebt u zijn boeken gelezen?' vroeg ik.
'Maar natuurlijk. Ze zijn in het Frans vertaald. Dus heb ik ze gelezen. Maar misschien is dat niet zo goed. Op een dag zal ik ze lezen zoals dokter Adair ze geschreven heeft.'
'Hij is een man die van het avontuur houdt.'
'Dat is zijn leven.'
'Maar u moet ook een avontuurlijke tijd hebben, monsieur Lablanche.'
'Ja, ja. Maar zo is het in een oorlog.'
'Ik neem aan,' zei Henrietta, 'dat we geen vragen moeten stellen over wat u doet.'
'U begrijpt het precies.'
'Dan,' ging Henrietta verder, 'vragen we er ook niet naar. We laten onze ver-

beelding stiekem werken en zullen er nooit zeker van zijn.'
'Dat is aardig van u... om mij zo hoog aan te slaan.'
'U bent aardig. U brengt ons terug naar de veiligheid.'
'Dokter Adair heeft gelijk. Het is niet verstandig als dames alleen gaan wandelen.'
'We stelden ons al voor dat we naar de harem van een sultan werden gebracht,' lachte Henrietta.
'O... dat is niet onmogelijk. Het is bekend dat zulke dingen gebeuren. Sommige dames zijn ontvoerd. Ziet u, deze mensen denken niet als wij.'
'Ik weet het,' zei ik. 'Vrouwen zijn in bepaalde landen niet van belang, ze zijner alleen om de mannen te dienen.'
'Dat is zo, mademoiselle. Zo ziet u alweer, op vreemde plaatsen moet je voorbereid zijn op vreemde gewoonten.'
'We zullen deze dag nooit vergeten, hè Anna?' zei Henrietta. 'Eerst een paar uur vrijheid. Wat een zaligheid! Dan verdwaald... met al de doodsangst van het rijden door straten zonder te weten waar je heen gaat. Had hij het ons maar gezegd! Maar hij kon het niet, de arme man, hij begreep ons niet. En dan tegenover dokter Adair te staan die er uitzag als de sultan zelf... Geweldig!' Ze keek Philippe Lablanche bijna vleiend aan om hem over te halen wat meer te vertellen over de vreemde gewoonten van die fascinerende dokter.
Maar hoe charmant hij ook was – hij scheen er werkelijk op uit te zijn om ons een plezier te doen– toch vertelde hij ons niets, als hij al iets te vertellen had.
We staken nu de Bosporus over.
'We verlaten Europa en gaan naar Azië,' zei Henrietta. 'Dat klinkt ook avontuurlijk... maar het is gewoon een kanaaltje. Wat een fascinerende plek is dit! Ik zou willen dat we er meer van konden zien. Het is gek om ergens te zijn en alleen maar rijen hospitaalbedden te zien.'
'Ik vind u geweldig,' zei Philippe Lablanche 'U bent zeker een grote troost voor die gewonde mannen.'
'Dat is meer dan dokter Adair van ons vindt,' zei ik.
'O nee. Hij vindt dat u goed werk doet. Niemand kan dat ontkennen. We hebben zoveel over u gehoord en over de goede mevrouw Nightingale. Ze wordt als een heldin beschouwd... meer dan dat. Als een heilige. En u, haar helpsters, bent engelen... Engelen van barmhartigheid. U zult nooit worden vergeten.'
'We voelen ons niet direct als engelen, vind je niet, Anna?' vroeg Henrietta. 'Niet in het hospitaal. Hoewel sommige mannen ons graag zo zien, geloof ik.'
'Maar de staf vindt ons de helft van de tijd alleen maar lastig.'
'Dat is niet waar. Er is alleen geen tijd om te zeggen hoe goed u bent. Er is zoveel te doen.'
We hadden de oever bereikt. 'Ik ga met u mee naar het hospitaal,' zei Philippe Lablanche.

'O, dat hoeft niet,' zei ik hem. 'Hier kan ons niets ovekomen.'
'Ik zou mijn missie niet als voltooid beschouwen als ik dat niet deed. Ik moet u trouwens nog iets zeggen. Ik heb dingen te doen in het hospitaal. Veel van onze mannen liggen er. Ik heb mijn plichten en kom zo nu en dan hier.'
'Misschien zien we u dan nog eens,' zei Henrietta.
'Dat hoop ik. Ik zal er zelfs voor zorgen dat we elkaar terugzien.'
We beklommen de helling. Het hospitaal voor ons zag er bijna romantisch uit in de duisternis zonder de meedogenloze zon die het afbrokkelende verval liet zien. Nu zou het best een paleis van de sultan kunnen zijn.
'We zijn u zo dankbaar,' zei Henrietta. 'U bent zo lief voor ons geweest... zodat we niet het gevoel kregen dat we een paar onnozele halzen waren. Zo is het toch, Anna?'
'Inderdaad. Dank u, monsieur Lablanche.'
'Het was me een groot genoegen u te begeleiden.'
Hij nam mijn hand en glimlachte tegen me. Toen pakte hij de hand van Henrietta. Ze gaf hem een van haar verblindende glimlachjes.
'Dank u. Dank u,' zei ze. Hij had nog steeds haar hand vast. 'Vaarwel.'
'Nee... niet vaarwel. Ik kom hier vaak. Dan zoek ik u op. Dat is veel aardiger dan vaarwel zeggen...'
'Inderdaad,' antwoordde Henrietta.
'Kom,' zei ik. 'Laten we hopen dat we niet te veel moeilijkheden hebben veroorzaakt door te laat te komen.'
We gingen het hospitaal binnen. Over een paar minuten begon onze dienst. En dat, dacht ik, is het eind van ons avontuurtje. Maar ik bleef steeds aan dokter Adair denken en bleef me over hem verwonderen.
Ik wierp een blik op Henrietta. Ik was er zeker van dat zij aan hetzelfde dacht.

Laatste dagen in Scutari

Naderhand praatten we erover, toen we naast elkaar lakens wasten in de enorme tobbe. We hadden de mouwen opgestroopt en onze armen plonsden diep in het grauw wordende water.

'Weet je,' zei Henrietta, 'ik geloof dat hij daar een harem heeft. Ik geloof dat hij leeft als een sultan. Toen we die kamer binnenkwamen, verwachtte ik dat hij in zijn handen zou klappen en zeggen: "Neem ze mee, baad ze in ezelinnenmelk, omcirkel hun enkels met juwelen, parfumeer ze met de geuren van Arabië en zend ze naar mijn legerstede."'

'Ik geloof dat hij tot alles in staat is.'

'Daar ben ik van overtuigd. Maar Anna, is hij de meest fascinerende man die je ooit hebt ontmoet?'

'Hij is de vreemdste. Ik verafschuw hem.'

'Ik weet niet wat ik aan hem heb. Hij loopt gewoon het hospitaal uit als hij er genoeg van heeft – en gaat naar zijn harem. Wie zou er nu aan zoiets denken? Ik zou ze wel eens willen zien, jij niet?'

'Wie?'

'Die haremvrouwen natuurlijk. Ik stel me hen voor... zwarte ogen en sensueel. Dat zwarte spul dat ze om hun ogen smeren, maakt hen erg verleidelijk. Stel je voor, dat je niets met de wereld te maken hebt, omdat je heer en meester het je beveelt. Je kunt zien dat ze maar één doel in hun leven hebben: aantrekkelijk zijn voor een man. Zou het niet gek zijn geweest als we naar zijn harem waren gesleept en hem toen hadden begroet met: 'Dokter Adair, neem ik aan.'

'Je verbeelding neemt altijd een loopje met je gezonde verstand. Ik denk niet dat er een harem is. Ik geloof dat mensen naar dit soort plaatsen gaan voor de drugs. Je kunt je voorstellen dat ze daar met hun allen op divans liggen en opiumpijpen roken.'

'Je bent veel erger dan ik. Ik heb liever een harem. Maar wat een interessante man. Ik heb nooit iemand ontmoet die zo fascinerend was.'

Ze bleef aanhoudend over hem praten.

De winter overviel ons. IJzige winden bliezen over het land en het was onmogelijk de patiënten warm te houden. Er was altijd een tekort aan iets. Sinds onze komst had de organisatie van juffrouw Nightingale, haar doorzettingsvermogen en gezond verstand een groot verschil gemaakt, maar er was nog steeds niet genoeg.

Eliza werkte nu in wat de invaliden-keuken werd genoemd, die door juffrouw Nightingale geïnstalleerd was. Zijzelf had arrowroot en vleesessences meegebracht en betaald, omdat ze die wilde hebben voor de zeer zwaargewonden. Eliza's kracht was nuttig bij het optillen van zware pannen, en ik denk dat dit

werk meer geschikt voor haar was dan het gewone verplegen.
Ethel was veranderd. Ze leek gelukkiger. Ik ontdekte de reden ervan toen ik zag hoe ze een van de gewonden verpleegde. Het was iets in de manier waarop ze zijn dekens gladstreek, de glimlach om haar lippen; en ik zag aan zijn reactie dat er iets speciaals tussen hen was.
Ze was zachtmoedig, rustig, sommigen dachten misschien onbekwaam, maar haar zwakheid en hulpeloosheid had een zekere allure, zelfs voor een man op een ziekbed die zich ook vrij hulpeloos moest voelen.
Op een dag toen ik in de keuken was om te helpen met het klaarmaken van voedsel voor een van de zwaargewonden, zei Eliza tegen me: 'Heb je Ethel gezien?'
'Ja,' antwoordde ik.
'Ze is verliefd.'
'Op die man.'
'Ja, die. Ik wilde dat de oorlog voorbij was. Ik hoop alleen maar dat hij niet zover opknapt dat hij er weer op uit gestuurd kan worden. Er is geen kans dat hij terugkomt, als hij er weer in moet.'
'Wat heeft hij?'
'Het gewone. Kogel in zijn borst. Ze dachten dat hij eraan ging toen hij werd binnengebracht, zoals zoveel van hen, arme duivels. Maar hij is er doorheen gekomen. Als je het mij vraagt heeft de liefde hem geholpen.'
'Dus hij is verliefd op Ethel?'
'Ze kregen tegelijk een klap van de molen. Cupido, hè? Nou, hij heeft ze direct geraakt.
'Wat lief. Ze ziet er anders uit... mooi.'
'Dat is waar. Prachtig wat een beetje liefde kan doen. Weet je, sinds Cupido heeft toegeslagen, wordt hij beter. En zij ook. Ik heb me wel eens zorgen over haar gemaakt. Herinner je je nog die tijd op dek? Vast wel. Iets wat wij geen van allen gauw zullen vergeten. En ze zou het gedaan hebben, hoor. Ze hebben een bende moed, die kleintjes. Ze zou zo overboord zijn gegaan als je haar niet tegengehouden had.'
'Dat voelde ik ook.'
'Nou, ze heeft het niet gedaan. En ik denk dat ze hier goed uit zal komen als ze hem heeft om voor te zorgen. Ik geloof dat dat precies goed voor Ethel zou zijn.'
'Denk je dat hij met haar wil trouwen?'
'Dat zegt hij. Hij heeft een boerderijtje ergens op het platteland. Samen met zijn broer. Broer houdt het lekker warm tot hij terugkomt. Echt iets voor Ethel. God helpe ons. Ik bid dat die arme vent niet zodanig beter wordt dat hij er weer op uit moet... net goed genoeg om op het goede ogenblik naar huis te worden gestuurd... en terug naar dat boerderijtje met onze Ethel.'
'Eliza,' zei ik, 'je bent een heel goede vrouw.'

'Wat! Ben je helemaal krankzinnig of zo? Dat doen de dingen je hier aan.'
'Ik zal je zeggen wat de dingen je hier aandoen. Het zorgt dat je dingen en mensen duidelijker gaat zien.'
'Ik zal blij zijn als ik die kleine Ethel goed en wel in haar boerderijtje zie. Dat wil ze graag. Het idee dat ze terug zou moeten naar die zwijnenstal van een kamer om te naaien. Ik krijg er wat van. Ze zou er niet langer dan twee jaar zitten.'
'We zouden het niet toestaan.'
'Wat bedoel je met "we"?'
'Jij en ik.'
'Wat heeft het met jou te maken?'
'Evenveel als met jou.'
Ze keek me met dichtgeknepen ogen aan en begon te lachen. 'Weet je wat je kort geleden over me zei?'
'Ja.'
'Ik betaal je met gelijke munt.'
'Dank je.'
Toen ik op het punt stond om weg te gaan, zei ze: 'En ik zal je zeggen dat er nog iemand is die het net zo te pakken heeft als Ethel.'
'Wat te pakken heeft?'
'Liefde.'
'O?'
'Henrietta.'
'Henrietta? Maar op wie dan?'
'Weet niet. Vertel jij het maar. Iemand. Ik zie het op haar gezicht. En ik moet je nog wat zeggen. Het gebeurde toen jullie terugkwamen na die late tocht... toen jullie verdwaald waren.'
Ik knikte.
'Ik zag haar gezicht. Het straalde. Ik heb dat eerder gezien en weet wat het betekent. Ik wil er wat onder verwedden dat Henrietta het even erg te pakken heeft als onze Ethel.'
'Je vergist je. Er is niemand.'
'Ik weet het zeker. Je kunt de oude Eliza niet voor de gek houden.'
'Ik zal het wel uitvinden. Ik ken haar goed.'
'Doe het... en je zal zien dat ik gelijk heb.'
Hierna dacht ik veel aan Henrietta.

Er was weinig tijd voor dingen naast het werk. Hoewel er minder verwondingen waren, kwamen mannen binnen vanuit Sebastopol en omgeving, half doodgevroren zonder behoorlijke kleding en bijna verhongerd. We werkten dagenlang, vrijwel zonder onderbreking, pikten een paar uur rust op onze divans wanneer het mogelijk was.

Zo nu en dan praatte ik met Henrietta en zag wat Eliza bedoelde. Ze had een zekere uitstraling en ik maakte me bezorgd omdat ze zoveel over dokter Adair sprak.

'Ik vraag me af of hij nog terugkomt. Vind je het hier niet anders zonder hem? Zo saai. Wat een man! Stel je voor... hij leuke dingen doen met zijn harem, terwijl wij hier zitten.'

'Ik vind hem absoluut verachtelijk. Hij is een goede dokter en die hebben we nodig. Maar hij loopt gewoon weg en laat ons in de steek... op zoek naar genot.'

'Een man als hij zou je nooit echt leren kennen.'

'Misschien is het beter hem niet te kennen.'

'Ik zou het heerlijk vinden alles over hem te weten te komen.'

Die glans in haar ogen, die klank in haar stem. O nee, dacht ik, Henrietta zou niet zo dwaas zijn om verliefd op hem te worden. Of wel? Maar hij was weg en misschien zagen we hem nooit meer terug. Toen dacht ik aan mijn plan de wereld te laten zien hoe hij werkelijk was, te voorkomen dat hij mensen misbruikte zoals hij Aubrey had misbruikt, te voorkomen dat hij zorgeloos experimenteerde met levens, zoals hij het met dat van mijn zoon had gedaan. Nee, dat was niet eerlijk. Hij had niet direct Julians leven genomen; hij had het gewoon niet gered omdat hij wilde experimenteren, zoals hij de soldaat aan pijn had onderworpen om ervaring op te doen.

Hij had geen gevoel, hij was hard en wreed. Ik haatte hem en door de intensiteit van mijn haat leek het hospitaal saai zonder hem. Zo moest het ook, natuurlijk, omdat het zo was; maar zijn aanwezigheid, het vooruitzicht om hem plotseling tegen te komen, het gevoel van haat en wrok dat in me opvlamde, gaf me meer energie en betekenis aan de dagen.

Op een dag, toen ik onderweg was naar de ziekenzaal, kwam ik Philippe Lablanche tegen. Hij uitte zijn vreugde over onze ontmoeting en vertelde dat hij bezig was aan een van zijn periodieke bezoeken aan het hospitaal. Hij vertrouwde erop dat mijn avontuur me geen kwaad had gedaan en ik zei dat dat zeker niet zo was en dat het heel plezierig was geëindigd.

'Geen tochtjes meer naar Constantinopel?'

Ik schudde mijn hoofd. 'Dat was een zeldzame kans. We hebben het hier zo druk dat er weinig tijd overblijft om hebbedingetjes te kopen.'

'Binnenkort zal Sebastopol vallen en dan hebt u misschien wat tijd om iets te zien van die verbazingwekkend interessante stad.'

'Dat zal ik zeker doen voor we naar huis gaan.'

'Maar niet direct. U moet nog iets langer blijven om de patiënten te verzorgen, denk ik. Daarna misschien...' Hij lachte vrolijk tegen me. Toen vroeg hij: 'En uw vriendin?'

Ik zei waar hij haar kon vinden en hij ging weg.

Later zag ik Henrietta en vroeg of ze hem gezien had.

'Ja,' zei ze, 'de galante Fransman. Hij is wel een lieverdje, vind je niet?'
'Ik vind hem heel charmant.'
'Hij zegt dat hij vaak in het hospitaal is en ons graag wil meenemen op een toer door Constantinopel.'
'Helaas zijn we hier niet om al het moois te zien.'
'Jammer. Ik moet zeggen dat ik een nieuwe ontmoeting met onze fascinerende vriend best aardig zou vinden. Ik wens alleen...' Ik keek haar vragend aan en ze ging door: 'Ik geloof dat jij hem net zo mist als ik.'
'Wie?'
'De demonische duivel.'
Ik forceerde een lach maar voelde een rilling van ongerustheid. Ik kon Eliza's woorden niet uit mijn gedachten zetten.
'Ik zou willen dat hij genoeg kreeg van zijn harem en bij ons terugkwam.'
'Ik neem aan dat we van zo'n man niet kunnen verwachten dat hij de plicht boven zijn pleziertjes plaatst.'
Ze lachte me uit. 'O, Anna, ik kan er niets aan doen. Je kijkt zo streng. Dat doe je altijd als je over hem praat. En aldoor denk ik dat jij hem even fascinerend vindt als ik. Houd je je nog steeds aan je queeste?'
'Als je bedoelt dat ik nog steeds een manier wil vinden om de wereld te tonen wat voor iemand hij is, ja.'
'Maar wat is hij? Dat weten we niet. Daardoor is hij het meest opwindende in ons leven. Ik weet zeker dat hij ons altijd de baas zal zijn... wat we ook met hem proberen te doen.'
Ze lachte stilletjes in zichzelf en ik dacht: Ze is geobsedeerd door hem.
Ik geloofde dat ik dat misschien ook was. Maar dat was anders. Ik wist dat hij een gevaar was voor degenen om hem heen. Ik had de desintegratie van mijn echtgenoot gezien en gaf hem er de schuld van. Ik had zijn boeken gelezen en wist via zijn schrijven veel van hem. Zijn heidense geest keek me vanaf de bladzijden aan en ik wist dat die er nog was.
En ik bleef me bezorgd maken over Henrietta. Ik wist hoe impulsief ze kon zijn. Als hij terugkwam, als hij enig idee had van haar gevoelens voor hem, wat zou hij dan doen? Zou hij proberen er gebruik van te maken? Ik was er bang voor. Ik hoop dat hij nooit terugkomt, zei ik tegen mijzelf.
Maar in mijn hart verlangde ik naar zijn terugkeer.

Dichtbij de ziekenzalen was een kamertje waar we wat voorraden hadden en ik was daar op een dag toen Charles Fenwick binnenkwam. Hij zag er doodmoe uit. Zoals alle dokters werkte hij aan één stuk door en altijd gefrustreerd door het gebrek aan medische uitrusting.
'O, Anna,' zei hij. 'Ik ben blij dat je alleen bent. Ik wilde met je praten.'
'Het schijnt lang geleden sinds we met elkaar gesproken hebben.'

'De twee hospitalen vormen er feitelijk één en toch verbaast het me hoe zelden je je vrienden ziet.'
'Hoe gaat alles?'
'Niet zo best. Dat ellendige beleg. Konden ze er maar doorheen breken. We hebben nu geen ernstige gewonden, maar het weer vermoordt onze troepen. Cholera... dysenterie. Die zijn steeds grotere vijanden geweest dan de Russen. Er moet een eind aan komen. Ze houden het toch niet eeuwig uit.'
'Ze zijn heel vastbesloten en weten wat lijden is. Denk maar aan Napoleon toen hij naar Moskou optrok.'
'Dit is anders. Sebastopol moet vallen. Het is verbazingwekend dat de stad het zo lang uithoudt, maar het kan niet eeuwig zo doorgaan en als de stad eenmaal gevallen is, is de oorlog praktisch voorbij. Daar wilde ik niet over praten met jou. Het gaat om ons.'
'Bedoel je... de dokters?'
'Nee. Jij, Anna... en ikzelf.'
Ik keek hem vragend aan en hij legde een hand op mijn arm. 'Ik denk aan de tijd wanneer dit voorbij is en we naar huis gaan. Heb jij daaraan gedacht?'
'Een beetje.'
'Ga je terug naar je eigen huis?'
'Er is niets anders. Juffrouw Nightingale gaat de ziekenhuizen thuis reorganiseren. Ik zou het prettig vinden daarbij betrokken te worden.'
'Heb je aan een huwelijk gedacht?'
'Waarom... Nee.'
'Ik wel,' zei hiij. 'Ik heb het gevoel dat ik me wil ontdoen van al deze verschrikkingen. Ik wil ze vergeten... de stank die een deel van het dagelijks leven is geworden... de pijn en het lijden overal om ons heen.'
'Maakt dat geen deel uit van het leven van dokters en verpleegsters?'
'Geen onnodige pijn zoals dit, niet die afgrijselijke ziektes die teweeg worden gebracht door onhygienische toestanden, honger, en ontstoken wonden die niet goed behandeld kunnen worden. Ik kom de dagen alleen maar door door aan de toekomst te denken.'
'Ik denk dat we dat allemaal doen.'
'Ik wil een toekomst om me op te verheugen – ergens een rustige praktijk, misschien op het platteland. Of, als je dat liever wilt, in Londen.'
'Ik?'
'Ik zou willen dat je dit met me deelt, Anna.'
'Hoor ik je goed?'
'Ik geloof van wel.'
'Dan is dit een huwelijksaanzoek?'
'Precies.'
'Maar Charles... ik dacht...'

'Wat dacht je?'
'Ik wist dat je me graag mocht, maar ik dacht dat je geïnteresseerd was in Henrietta... ik bedoel, op die manier.'
'Natuurlijk mag ik Henrietta graag, maar ik hou van jou.'
'Ik ben stomverbaasd.'
'Mijn liefste Anna, natuurlijk hou ik van jóú. Ik hou van je kracht en je ernst, je toewijding. Ik hou van alles van je. Als je belooft met me te trouwen zodra we vrij zijn van al deze dingen, zou het me veel geven om me op te verheugen, plannen te maken...'
Hij had mijn handen gepakt en keek me ernstig in de ogen.
'O Charles,' zei ik. 'Het spijt me zo. Ik was hier niet op voorbereid. Ik weet dat het klinkt als de woorden van een kuise maagd, maar het is echt zo. Ik had er geen idee van. Ik wist zeker dat het Henrietta was.'
'Nu je weet dat dat niet zo is, wat is je antwoord?'
Ik zweeg. Ik dacht aan een plattelandspraktijk, een nieuw leven, een nieuw huis, het dorpsplein, de oude kerk met de taxisbomen die er al honderden jaren stonden, dauw op het gras, de lekkere geur van vochtige aarde, de zachte regen, madeliefjes en boterbloemen – en ik verlangde plotseling hevig naar dat alles.
Hij keek me gespannen aan.
'Charles, er is heel veel wat je niet van me weet.'
'Het zal opwindend zijn elkaar te leren kennen.'
'We zijn hier... op deze plaats,' hield ik hem voor. 'Het leven is hier niet natuurlijk. Misschien neem je besluiten waar je later spijt van hebt.'
'Ik denk niet dat ik hier spijt van zal hebben.'
'Zoals ik zei – je kent me niet.'
'Ik ken je wel. Heb ik je niet gezien in Kaiserwald? En hier? Ik ken je oprechte karakter, je eerlijkheid, je goedheid, je medelijden. Ik heb gezien dat je je helemaal aan de zieken hebt gewijd.'
'Je hebt een verpleegster gezien, dat is alles. Ik ben goed, ja. Het zou valse bescheidenheid zijn het te ontkennen. Maar dat is slechts één kant van me. Ik kan niet aan een huwelijk denken. Ik ben er niet klaar voor.'
'Ik begrijp dat het onverwacht is. Denk erover na. Ik hou van je, Anna, we zouden er iets goeds van kunnen maken. Onze interesses zijn zo nauw verweven.'
'Er is iets wat ik je moet vertellen, Charles. Ik ben al eerder getrouwd geweest.'
'Anna!'
'En ik had een kind.'
'Waar is je man?'
'Hij is dood.'
'Ik begrijp het. En het kind?'
'Hij is ook gestorven. Het was een ongelukkig huwelijk. Mijn man was verslaafd aan drugs die hem ten slotte gedood hebben. Mijn kind is gestorven toen het

nog geen twee was.' De tranen prikten in mijn ogen.
Hij zag het en sloeg een arm om me heen. 'Mijn arme Anna.'
'Ik ben er nog niet overheen,' zei ik hem.
'Dat begrijp ik.'
'Ik heb mijn meisjesnaam aangenomen en ben opnieuw begonnen als ongetrouwde vrouw. Ik voelde dat dat het beste was. Ik kon het niet verdragen om over mijn huwelijk en de dood van mijn kind te praten, maar ik vertel je dit omdat het je helpt begrijpen waarom ik nog niet aan hertrouwen kan denken.'
'Dat zul je op een dag doen...'
'Ik weet het niet. Het lijkt zo kort geleden. Ik geloof niet dat ik ooit over de dood van mijn kind heen zal komen.'
'Er is één manier om van zo'n tragedie te herstellen,' zei hij, 'en dat is een ander kind te krijgen.'
Ik zweeg.
'Anna,' ging hij door, 'zeg nog geen nee. Denk erover na. Denk wat het zou kunnen betekenen. We zouden plannen kunnen maken voor de toekomst, als we weg zijn uit deze hel. Het kan niet lang meer duren, weet je. Het einde is in zicht. Jij en ik, en de kinderen die we zullen hebben. Dit is de beste manier om de geest van het verleden te verslaan. Je kunt geen verdriet blijven hebben.'
Hij kuste mijn handen en ik voelde grote genegenheid voor hem. Ik wist dat hij een goede man was en hij zou me een weg tonen uit mijn verdriet. Het was een andere weg dan die van wraak die ik tot nu toe gevolgd was. Ik zag me op het gazon van dat landhuis, de vrouw van de dokter, met haar gezin dat rond haar opgroeide, haar kinderen die misschien wat op de kleine Julian zouden lijken... kinderen van wie ik zou houden, die ik zou koesteren... kinderen die die schrijnende leegte konden verzachten die ik nooit was kwijtgeraakt sinds ik Julian verloren had.
Plotseling was ik me ervan bewust dat de tijd voorbijging. Je voelde je altijd schuldig wanneer je een paar ogenblikken van de uren van plicht afsnoepte.
'Ik moet gaan,' zei ik.
'Denk eraan,' hield Charles vol.
Ik schudde mijn hoofd maar wist dat ik het zou doen.
Hij kuste me voorzichtig. 'Anna, ik hou van je.

Ik vertelde Henrietta niets over Charles' aanzoek, ik kon er niet toe komen erover te spreken. Ik wist dat ze zou aandringen zijn verzoek te accepteren. Ze mocht hem heel graag en had gezegd dat ze hem een goede dokter en een goed mens vond. Er waren ogenblikken waarin ik dacht dat een huwelijk met hem het beste voor me zou zijn. Zou ik mijn hele leven als eenzame vrouw doorbrengen? Natuurlijk wilde ik verplegen in een van de nieuwe ziekenhuizen die juffrouw Nightingale zou proberen op te zetten na onze terugkeer. Maar was

dat voldoende voor me? Ik had het moederschap ervaren en de overstelpende liefde voor mijn kind had me geleerd dat ik het gevoel zou hebben dat mijn leven verspild zou zijn als ik geen kinderen kreeg.
Zoals veel mensen had ik een bewondering voor Florence Nightingale die op verafgoding begon te lijken. Er was iets aan haar ontembare geest, haar toewijding, haar rustige, bijna meedogenloze doelmatigheid die zelfs indruk hadden gemaakt op de mannen die in het begin zeer sceptisch tegenover haar plannen hadden gestaan. Ze had het huwelijk en het moederschap de rug toegekeerd voor een bepaald doel; maar ze had nooit de vreugde gekend van een kind in haar armen. Ik wel, en dat had me overtuigd dat niets anders ooit de plaats van die vreugde kon innemen.
Hier was een nieuwe weg voor me. Ik kon met Charles trouwen, ik kon vrouw en moeder zijn. Ik kon het verleden de rug toekeren. Ik kon dat zinloze verlangen naar wraak vergeten. Het nieuwe vooruitzicht dat zich voor me opende liet me dat zinloze verlangen naar wraak zien voor wat het werkelijk was: kinderlijke woede. Kleine kinderen probeerden hun pijn te verzachten door zich tegen een ding te keren. Aubrey was zwak geweest; hij had gemakkelijk geleid kunnen worden. Een sterke man zou niet aan drugs verslaafd zijn geraakt zoals hij. Ik had dokter Adair de schuld gegeven van zijn val — en hij was er deels verantwoordelijk voor – maar het lot van een mens ligt in zijn eigen handen.
En terwijl ik dacht aan mijn paradijs in Engeland – een plattelandspraktijk, kinderen om me heen – zag ik de Demon, zoals ik hem altijd in gedachten had genoemd, om me lachen.
Ik zal hem vergeten, hield ik mijzelf voor.
Maar om de een of andere reden wist ik dat ik dat nooit zou doen. Hij had iets duivels. Hij kon me betoveren. Ik geloofde dat hij Henrietta had betoverd. En mij?
Hij had als een inlander door het Oosten getrokken. Hij had alle soorten vreemde geheimen en gewoonten ontdekt, misschien mysterieuze... misschien zelfs occulte. Hij was niet als andere mannen. Je kon hem niet gewoon beoordelen. Wat had hij, zo gekleed, gedaan in dat huis in Constantinopel? Wat betekende dat?
Ik concentreerde me weer op Charles en zijn huwelijksaanzoek, maar kon de Demon Dokter niet van me afzetten.
En op een dag stond ik tegenover hem.
Hij liep de zalen door in zijn witte jas alsof hij nooit weg was geweest en gaf me een kort knikje, waarmee hij aangaf dat er niets ongewoons was aan zijn plotselinge verschijning.
Maar al gauw maakte hij zijn aanwezigheid voelbaar. Hij vond tekenen van ondoeltreffendheid in de ziekenzalen. Hij gaf de verpleegsters de schuld. Patiënten waren verwaarloosd, zei hij. Alsof hij niet wist dat de arme kinderen uitge-

put waren na uren zonder rust. En dat van een man die zichzelf een paar weken ontspanning gunde wanneer hij er zin in had.
Ik kookte van woede en was kwader dan toen ik hem de laatste keer zag.
Hij vond dat de verpleegsters te lang op dezelfde plaats bleven en wilde dat er een paar naar het Kazerne Hospitaal zouden gaan en dat er vandaar anderen hier kwamen om hen te vervangen.
Henrietta en Ethel hoorden tot degenen die gekozen waren om naar de Kazerne te gaan. We vonden het jammer, hoewel we niet ver van elkaar zouden werken, maar je zag de verpleegsers uit het andere hospitaal niet zo vaak.
Henrietta legde zch erbij neer. Maar Ethel niet. Ze had veel verdriet.
'Zie je,' legde ze Eliza en mij uit, 'dan zie ik Tom niet meer. We zullen elkaar nooit meer zien.'
'Je kunt toch hier komen om hem op te zoeken,' troostte ik haar.
'Dat is niet hetzelfde. Ik heb hem verpleegd. Ik heb het hem nog niet verteld. Het zal zijn dood zijn.'
'Wat is dat voor een idioot idee om mensen te verhuizen?' vroeg Eliza.
'Het is die dokter Adair,' zei Ethel. 'Hij zegt dat we onze plichten hebben verwaarloosd. Ik was bij Tom toen hij door de ziekenzaal liep. Hij moet wat gemerkt hebben.'
Ik zei boos: 'Het is zo dom. De verpleegsters zijn overwerkt. Natuurlijk vergeten ze zo nu en dan iets. Hij wil gewoon problemen veroorzaken.'
Ethel was wanhopig.
Naderhand zocht Eliza me op. 'Dit zal de jonge Ethel meer dan overstuur maken. Ik ben bang dat de jonge romance eraan kapot kan gaan. Denk je dat je er iets aan zou kunnen doen?'
'Hoe?'
'Praten met hem... de almachtige.'
'Denk je dat hij naar mij zou luisteren?'
Ze keek me met een sluwe blik aan. 'Naar jou, heel misschien.'
'Hij veracht ons allemaal. En ik heb niets gedaan om mij in zijn ogen acceptabel te maken.'
'Ik denk dat hij je kent. Ik bedoel, de rest van ons is gewoon wat huisraad voor hem, en niet eens nuttig.'
'O, zelfs hij moet zien wat de verpleegsters doen.'
'Misschien doet hij het, maar hij laat het zichzelf niet zien. Hij is de grote, machtige dokter en verpleegsters zijn gewoon dienstmeiden die komen en gaan op zijn bevel.'
'En jij denkt dat ik hem zou kunnen veranderen?'
Eliza knikte. 'Het is de moeite van het proberen waard.'
Ik moest lachen om het plan, maar op dat moment besloot ik toch een poging te wagen.

De gelegenheid deed zich diezelfde middag voor. Ik zag hem de kamer binnengaan waar Charles met zijn aanzoek was gekomen en volgde hem.
'Dokter Adair.'
Hij draaide zich met een ruk om en keek me aan. Ik voelde alle woede en wrok die ik opgeslagen had, naar boven komen.
'Juffrouw... eh...'
'Ik weet dat u denkt dat ik zeer vermetel ben door het te wagen u aan te spreken...' Ik zweeg even, maar hij zei niets. 'Maar er is iets, wat ik u zeggen moet. Ik geloof dat het uw idee is om sommige verpleegsters van het Algemene naar het Kazerne Hospitaal en vice versa te laten verhuizen.'
'Verwacht u dat ik mijn plannen met u bespreek?' vroeg hij bijna opgewekt.
'Ik vraag u dit speciale plan met me te bespreken.'
'Mag ik weten waarom?'
'Ja. U verhuist de verpleegsters in het wilde weg zonder het werk dat ze doen, in overweging te nemen.'
'Ik weet wat voor werk ze doen.'
'En u veracht dat lage werk. Maar, dokter Adair, ik verzeker u dat het gedaan moet worden en dokters zouden juffrouw Nightingale dankbaar moeten zijn voor alles wat ze bereikt heeft.'
'Dank u, juffrouw... eh... door me aan mijn plicht te herinneren.'
'Er is een verpleegster, Ethel Carter, die ook moet verhuizen. Dat gaat echter niet.'
Hij trok zijn wenkbrauwen op en de donkere, glanzende ogen namen me op. Ik kon niet raden wat ze uitdrukten. Cynisch plezier, misschien.
'Laat ik het uitleggen,' zei ik.
'Dat zou ik u zeker vragen.'
'Ze heeft een band met een jonge soldaat. Zijn toestand is enorm verbeterd en ook zijzelf is veel beter. Ze kunnen niet gescheiden worden.'
'Dit is een hospitaal, geen huwelijksbureau, juffrouw... eh...'
'Daar u zo'n moeite met mijn naam schijnt te hebben, laat ik u dan zeggen dat het Pleydell is.'
'Ah... juffrouw Pleydell.'
'En ik denk niet dat het hier een huwelijksbureau is. Ik ben hier lang genoeg om te weten wat het wel is: een plek van veel lijden.' Ik was woedend op mezelf omdat mijn stem oversloeg en ik moest vechten om mijn emotie niet te tonen. 'Als een soldaat gelukkiger gemaakt kan worden, is dat dan geen onderdeel van zijn genezing? Natuurlijk veronderstel ik dat het iets is, wat u niet gelooft.'
'Hoe weet u wat ik geloof? U neemt heel wat als vanzelfsprekend aan, juffrouw Pleydell.'
'Is dit nu zoveel om te vragen? Alleen dat deze ene verpleegster niet hoeft te verhuizen?'

'Als haar naam op de lijst voor de Kazerne staat, moet ze gaan.'
'En die soldaat dan, die zijn leven voor zijn land gegeven zou hebben, het misschien heeft gedaan... hoe staat het met hem? Heeft hij geen aandacht nodig omdat een of andere halfgod een lijst heeft gemaakt?'
Zijn lippen krulden flauwtjes. Ik denk dat het idee dat hij een halfgoed werd genoemd, hem wel aanstond. Hij zag zichzelf ongetwijfeld als verheven.
'Luister naar me,' ging ik door, terwijl ik steeds bozer werd. Ik had mijn vijand voor me staan, de man die ik dolgraag wilde vernietigen! Ik haatte zijn verwaande glimlach. Hij hoonde me, geamuseerd door mijn woede, dwong me om steeds meer verwijten naar zijn hoofd te slingeren, waarvan hij geloofde dat ik er later spijt van zou hebben.
'Ik kan moeilijk iets anders doen,' zei hij, 'behalve weggaan, wat als onbeleefd beschouwd zou kunnen worden.'
Ik ging door: 'De soldaat werd binnengebracht vanuit Sebastopol. Hij was bijna doodgevroren. Men dacht dat hij niet langer dan een paar dagen zou leven. Ethel Carter heeft hem verpleegd en er is een vonk tussen die twee overgesprongen. Sindsdien is zijn genezing begonnen. Ik kan u zeggen dat zij een ongelukkig leven heeft gehad. Ze heeft haar kind verloren...' Mijn stem aarzelde opnieuw. 'Ze zijn van plan samen een nieuw leven op te bouwen. Ze helpen elkaar. Ze kunnen niet gescheiden worden. O, ik weet dat u dit niet begrijpt. U bent veel te knap om de simpele dingen van het leven te begrijpen. Als u moe bent, gaat u gewoon weg... u laat anderen het werk verder doen, terwijl u opgaat in fantasiekostuums en in...'
'Ja?' vroeg hij 'Ga door. Waar ga ik in op?'
'Dat weet u heel goed. Ik weet gelukkig niets van dit soort plaatsen en wil graag dat het zo blijft.'
'Onwetendheid is niet iets wat de wijze verlangt.'
'Voor u is het een grap. Maar er zijn andere manieren om te genezen dan die u praktiseert. Er is geluk, tevredenheid, hoop op de toekomst... Die zijn even doeltreffend als medicijnen. O, ik weet dat het dwaas is een beroep op u te doen, en zeker niet als het iets betreft dat u als onbelangrijk beschouwt. U bent hard en meedogenloos en menselijk lijden betekent niets voor u.'
'Ik wist niet dat we zulke goede bekenden waren,' zei hij.
'Ik begrijp u niet.'
'En toch hebt u zojuist een gedetailleerd verslag van mijn karakter gegeven.'
Ik was verstomd door verslagenheid, afschuw en frustratie. Wat had ik gedaan? Ik was er alleen in geslaagd me als een idioot aan te stellen.
Ik draaide me om en liep de kamer uit.
Ik keerde terug naar mijn plichten, met brandende wangen en stekende ogen. Het huilen stond me nader dan het lachen.
Waarom had ik dat allemaal gezegd? Alle haat was uit me komen tuimelen en

hij had me alleen maar uitgelachen. Hij was slecht. Hij was wreed. Hij gaf niets om de gevoelens van anderen. Ze waren voorwerpen om te gebruiken, hun lichamen dienden om op geëxperimenteerd te worden, zodat hij ervaring kon opdoen en de wereld verbazen met zijn kennis. Kon ik hem maar van zijn voetstuk smijten! Kon ik de wereld maar tonen wat hij werkelijk was!
De volgende dag zag ik Eliza in de keukens.
Ze zei: 'De uitwisseling heeft plaatsgevonden. Ons stel is naar de Kazerne en die van daar zijn nu in de Algemene.' Ze gaf me een duwtje. 'Ethel is nog hier. Is die even blij. Zij en Tom mogen extra vrijen.' Ze gaf me een knipoog. 'Met hem gepraat?'
Ik knikte.
Ze begon te lachen. 'Zie je wel. Ik zei toch dat je het kon.'
'Dat hoeft niet de reden geweest te zijn. Hij zei niet dat hij zou helpen. In feite liet hij het tegenovergestelde doorschemeren.'
'Mannen!' zei Eliza met een lachje bij de herinnering. 'Sommigen zijn zo. Allemaal even hoog en verheven. Maar wat geeft dat? Je hebt het gedaan.' Ze keek me even plechtig aan. 'God zegene je, Anna. Ik hoop dat alles goed komt voor jou. Jij wilt kleintjes, dat is het... net als Ethel. Sommigen willen het en anderen willen het niet – en jullie tweeën willen het.'

Het was een vreselijke winter. Ik hoop dat ik er nooit meer zo een zal meemaken.
Ik dacht aanhoudend aan die arme mannen voor Sebastopol, verlangend naar overgave die moest komen; maar beseffend dat degenen binnen de stad – hoewel de val onvermijdelijk was – niet de ontberingen van de belegeraars hoefden te verdragen.
Een ziekte die sommigen de Aziatische Cholera en anderen gewoon de Gevangenis Koorts noemden trof het leger. Ik zag de mannen aankomen in de *arabas*, een soort Turkse munitiewagens. Veel mannen waren al dood toen ze werden binnengebracht. Het was hartverscheurend de Turkse werklieden de graven te zien delven – diepe holen waar de lichamen in gegooid werden.
Sommige verpleegsters kregen ook koorts. Het hospitaal werd geïnfecteerd en we leefden allemaal met de angst van een spoedige dood.
Het was een prachtige aanblik juffrouw Nightingale te zien op haar nachtelijke wandeling door de ziekenzalen. Ze zag er mooi en sereen uit in haar zwartwollen japon met de witlinnen kraag en manchetten en schort, en met de witte kap onder een zwartzijden doek. Ze hield haar lamp hoog, bleef hier en daar staan bij een bed om een koortsig voorhoofd te strelen, een woord van troost te spreken, te glimlachen en een boodschap van hoop te brengen. Ze werd beschouwd als een wezen van een andere wereld, een engel. De mannen waren zich uitstekend bewust van wat ze had gedaan om hun enig comfort te geven. Het was

grappig te zien hoe degenen die hun leven lang nauwelijks een zin hadden geuit zonder obsceniteiten, hun tong in bedwang hielden als juffrouw Nightingale in de buurt was. Ze was onoverwinnelijk, ze had allure en gratie en schoonheid, zo eenvoudig gekleed als ze was. Ze riep onmiddellijk respect en adoratie op.
Ik zal me altijd bevoorrecht voelen dat ik zo dichtbij haar heb gewerkt.
Zelfs die verschrikkelijke winter moest voorbijgaan en met de komst van de lente kwamen er minder gewonden naar het hospitaal.
Er was nieuwe hoop in de lucht.
Ze kunnen het niet lang meer uithouden, zei iedereen.
Ik zag minder van Henrietta. In die lange donkere wintermaanden werkten we ieder uur van de dag tot ver in de nacht en als we even konden rusten, vielen we uitgeput meteen in slaap.
Philippe Lablanche was een veelvuldige bezoeker van het hospitaal. Dan kwam hij altijd naar me toe en wisselden we een paar woorden; en ik wist dat hij dat ook deed met Henrietta. Charles maakte er een gewoonte van naar de Generale te komen als hij even kon, maar zoals alle dokters, had hij het nog drukker dan wij.
Soms vroeg hij dan: 'Denk je er nog over?' en ik antwoordde altijd: 'Ja.'
En er waren tijden dat ik het dwaasheid vond om te aarzelen. Ik had de kans om het leven te delen van een goed mens. Ik kon hem zelfs van nut zijn in zijn werk. Ik was niet langer een onschuldig meisje. Ik wist iets van het huwelijk. Ik zocht niet naar een ridder in een blinkend harnas om me mee te voeren op zijn ros. Ik had de kans om een leven te delen dat interessant en dankbaar zou zijn. Maar ik bleef aarzelen.
De komst van de lente op de Krim was als een tonicum voor ons allen. Er kwamen heel wat krokussen en hyacinten uit op het plateau.
Nieuws van de toestanden aan het front en in de hospitalen waren door oorlogscorrespondenten naar huis gestuurd en er waren woedende kreten in de pers verschenen. Een van de goede dingen die hieruit voortkwamen was dat Monsieur Alexis Soyer, de beroemde chef van de Reform Club, toezicht kwam houden op de keukens. We zegenden Monsieur Soyer! Hij was zijn kunst zeer toegewijd; hij koos soldaten uit van wie hij dacht dat ze talent hadden en leerde hun heerlijke, voedzame hachee maken. Hij liep over de zalen met zijn mannen die grote soepterrines droegen en werd toegejuicht door de zieken als het lekkers werd opgeschept. Hij maakte heerlijk brood, en ontwierp een theepot die voldoende thee kon bevatten om er vijftig mannen van te voorzien, en de thee voor de vijftigste was even heet als voor de eerste. De komst van Monsieur Soyer maakte een groot verschil voor ons.
Nu en dan hadden we wat vrije tijd, maar mijn uren van vrijheid vielen niet altijd samen met die van Henrietta. In deze lentedagen waren we bijna luchthartig. We waren de winter doorgekomen en Sebastopol kon onmogelijk nog

een winter overleven. We zeiden tegen onszelf dat we volgend jaar om deze tijd allemaal thuis zouden zijn.
Er was een amusant incident. Een buitengewoon gewichtig doende heer met twee imposante bedienden met wijde broeken en goudgalon en goudkleurige sjerpen kwam het hospitaal binnen.
Hij was zeer opgewonden en we konden niet verstaan wat hij zei, tot iemand eraan dacht dokter Adair te roepen.
Ik hoopte dat hij de taal niet zou verstaan, want, zoals ik tegen Henrietta zei: We hebben alleen zijn woord dat hij al die Oosterse talen beheerst.'
Maar hij begreep het en begon met de gewichtige heer een lang en ernstig gesprek.
Verscheidene verpleegsters, waaronder ikzelf, Henrietta en Eliza, bleven erbij staan om te zien wat de uitkomst zou zijn.
Ten slotte wendde dokter Adair zich tot ons: 'Ik denk dat ik onmiddellijk juffrouw Nightingale moet speken. Deze heer – op verzoek van zijn zeer rijke en vooraanstaande meester – biedt een grote som geld voor een van de verpleegsters die dan zal worden toegevoegd aan de harem van de vooraanstaande heer.'
We staarden hem verbaasd aan.
'Ik vraag me af wie het is,' voegde hij eraantoe. 'Het zal interessant zijn het te weten.'
We hoefden niet lang te wachten, want de heer kwam breed glimlachend op ons af. Hij naderde Henrietta en boog voor haar. Toen wendde hij zich weer tot dokter Adair.
'Dus u bent de uitverkorene,' zei dokter Adair tegen Henrietta. Ik zag dat hij zich afvroeg welke speciale eigenschappen Henrietta had om de Oosterse smaak te bekoren. Ze moest ergens gezien zijn. En ik wist dat ze met Philippe Lablanche had gedineerd.
Henrietta vond het niet leuk. 'Wat gaat u tegen hem zeggen?'
'Dat u niet te koop bent.'
'Zal hem dat niet beledigen?'
'Ik zal het tactvol brengen. Misschien dat u al besproken bent.'
Henrietta giechelde. 'Ik heb me dikwijls afgevraagd hoe ik het zou vinden in de harem van een sultan.'
'U zou het waarschijnlijk niet zo plezierig vinden als u denkt. Maar het zou beleefd zijn als u zich nu terugtrok en de zaak aan mij overliet. Ik zal veel tact nodig hebben. Hij mag zich in geen geval beledigd voelen.'
We vertrokken. Ik merkte dat mensen naar Henrietta keken. Het verbaasde me allerminst dat zij de uitverkorene was. Ze was veel mooier dan de meesten van ons; en bovendien was ze levendiger. Het lag voor de hand dat ze de aandacht opeiste.
'Je mag wel oppassen,' zei ik 'Misschien besluit hij wel om je te ontvoeren.'

Ongeveer een week later was er kennelijk meer activiteit in Sebastopol en er kwamen grote aantallen gewonden aan.
Toen we de *arabas* zagen naderen, gingen wij naar buiten met de mannen die de brancards droegen en probeerden het de gewonden zo gemakkelijk mogelijk te maken, terwijl ze naar binnen werden gedragen.
Dit was altijd hartverscheurend werk. Ik vond het vreselijk, maar ik was nu gewend aan de afschuwelijke aanblik en hoewel ze me even diep troffen als eerst, was ik er tenminste op voorbereid.
Toen ik zag hoe een van de mannen kreunend op een brancard werd gelegd, dacht ik dat hij iets bekends had. Vuil en onverzorgd, in een bebloed jasje, zag hij eruit als zoveel van die arme kerels, en toch had hij iets.
Toen wist ik het en mijn hart bonsde van schrik, want deze jongeman was Lily's echtgenoot, William Clift.
'O God,' bad ik, 'laat hem niet sterven.'
Ik dacht aan Lily en haar vreugde om de baby; ik stelde me haar thuis voor, wachtend op nieuws. Het moest niet het nieuws zijn van de dood van haar man. Ze had zo op geluk gehoopt. Ik herinnerde me de verandering in haar toen ze ons vertelde dat ze ging trouwen met Willam, en later toen de de baby kwam.
'Alstublieft, laat de baby geen wees worden,' bad ik. 'Laat Lily geen weduwe zijn.'
Maar hoeveel weduwen en wezen waren er wel niet door deze stompzinnige, zinloze oorlog!
'Maar niet Lily,' bleef ik bidden. 'Niet Lily.'
Ik ging naar de ziekenzaal en zocht naar hem. Het duurde lang, maar ten slotte had ik hem gevonden.
Ik knielde bij zijn bed. 'William, weet je wie ik ben?'
Het leek of hij luisterde, maar zijn ogen waren niet op mij gericht. Ik was bang dat hij al half dood was.
'William,' ging ik door. 'Ik ben Anna Pleydell... Lily's vriendin.'
'Lily,' mompelde hij, en ik dacht dat hij probeerde te glimlachen.
'Ga niet dood,' zei ik in mijzelf. 'Je mag niet doodgaan. Je moet beter worden. Je hebt Lily en de baby.'
Maar ik was bang.
Ik liep het kamertje binnen dat ik als een soort schuilplaats gebruikte. Het scheen een speciale betekenis te hebben sinds Charles me hier had gevraagd met hem te trouwen. En het was hier dat ik met dokter Adair had gesproken en hem had overgehaald Ethel niet van haar Tom te scheiden. Het was instinct dat me erheen bracht. Ik wist dat ik Damien Adair moest vinden, want ironisch genoeg had ik het idee dat hij alleen kon helpen.
Het verbaasde me niet dat hij er was. Hij had een paar flessen van een plank genomen en stond er fronsend naar te kijken.
'Dokter Adair.'

Hij draaide zich om. 'Juffrouw... eh...'
'Pleydell,' zei ik.
'O ja, natuurlijk.'
'Er ligt daar een man. Ik ken hem. Ik ken zijn vrouw. Ze heeft een baby.'
'Er liggen daar vele mannen en ik waag het te zeggen dat veel van hen een vrouw en een baby hebben. Wat is er zo bijzonder aan die man van u?'
'Hij mag niet sterven. Hij moet gered worden.'
'Het is onze plicht hen allemaal te redden als dat mogelijk is.'
Ik ging naar hem toe en trok aan zijn arm. Hij keek verbaasd en ook geamuseerd.
'Alstublieft,' zei ik.' Ga naar hem kijken... nu. Zeg dat hij gered kan worden. U móét zijn leven redden.'
'Waar is hij?'
'Ik zal u naar hem toe brengen.'
Hij volgde me naar de zaal en ik bracht hem naar William Clift. Daar onderzocht hij hem een hele tijd. Ik keek toe terwijl zijn bekwame vingers William betastte. Eindelijk trok hij de deken weer over William heen. Hij ging terug naar het kamertje en ik volgde hem. Toen keerde hij zich om en keek me aan.
'Hij heeft twee kogels in zijn dij. Ze zijn aan het zweren. Misschien heeft hij een kansje als ze er onmiddellijk uit worden gehaald.'
'Geef hem die kans alstublieft. Ik smeek het u.'
Hij keek me strak aan. 'Goed. Ik zal nu direct opereren. U kent hem, dus u kunt er beter bij zijn. Misschien kunt u helpen.'
'Ja,' zei ik enthousiast. 'O ja.'
'Hij moet voorbereid worden. Laten ze een scherm om zijn bed zetten. Ik zal het daar moeten doen. Er is geen andere plek.'
'Ik ga gelijk.'
Ik was hem plotseling dankbaar. Hij was de enige die het kon doen, dat wist ik, zelfs al hadden zijn experimenten het leven van mijn eigen zoon gekost.
Het was de vreemdste ervaring die ik tot nu toe had beleefd. William lag op zijn bed. Hij was niet genoeg bij kennis om te weten wat er met hem ging gebeuren. Daar was ik blij om.
Ik bleef tegen hem fluisterren: 'Je wordt weer beter, William. Je gaat naar huis, naar Lily en de baby... zo'n schat van een baby. Lily is zo trots op hem en dat zul jij ook zijn. Naar huis, William, daar ga je weer naartoe.'
Ik weet niet of hij begreep wat ik zei, maar hij scheen getroost.
Toen dokter Adair kwam, keek hij me rustig aan. Hij zei: 'Ik heb liever dat u niet spreekt over wat u nu gaat zien. Ik wil dat u hier bent omdat ik denk dat de patiënt u nodig heeft. Maar dit is tussen ons... de dokter, de verpleegster en de patiënt.'
Hij haalde een flesje uit zijn zak.

'Geef me een glas,' zei hij.
Hij schonk er een vloeistof in.
'Til het hoofd van de patiënt op.'
Dat deed ik en hield het vast terwijl William de vloeistof opdronk.
'Hoe heet hij?'
'William Clift.'
Hij knikte en boog zich over William. 'William Clift. Kijk me aan. Kijk me in de ogen. Kijk. Kijk. Wat zie je? Je ziet in mijn geest. Ik ga twee kogels uit je dij halen. Je zult niets voelen... niets... helemaal niets. Je vriendin is hier bij je, je vriendin van thuis.'
Dokter Adair bleef William aankijken en zeggen: 'Je zult er niets van voelen... niets... niets.'
William sloot zijn ogen en scheen in te slapen.
'We moeten snel handelen,' zei Damien Adair tegen me, 'terwijl het middel nog werkt.'
Ik beefde. Ik had het gevoel dat ik in tegenwoordigheid was van een of ander mystiek wezen wiens volkomen onorthodoxe methodes anders waren dan alles wat ik tot nu toe had gezien.
'U kunt met hem praten. Praat over zijn vrouw en over thuis...'
Dat deed ik. 'We gaan naar huis, William. Lily wacht op je. De baby is al een stuk groter. Hij zal zijn vader willen zien. Lily is zo blij en wacht op je... wacht... in de winkel die je kent... en je gaat terug en dan is er geen bloed meer, geen slachtpartij... alleen thuis... thuis... Je neemt de baby mee naar het park. Het park is beeldig nu en de band speelt er altijd op zondag.'
Ik bleef de dingen zeggen die het eerst bij me opkwamen. Intussen zag ik de behendige vingers aan het werk. Hij hield één kogel omhoog en glimlachte triomfantelijk op een bijna onmenselijke manier. Wat me het meest verbaasde, was dat William zich niet had bewogen terwijl de operatie werd uitgevoerd.
'Praat door,' beval hij en dat deed ik.
Toen hoorde ik hem een zucht slaken. Ik draaide me om en hij stond met de tweede kogel in de hand.
'Het is gebeurd,' zei hij. 'Na een poosje zal hij de pijn voelen, maar nu nog niet. Voorlopig is alles goed. Als hij wakker wordt, moet u rustig bij hem blijven zitten. Als hij probeert te praten, geef dan antwoord. Over ongeveer een uur krijgt hij pijn. Dan zal ik hem wat geven. Kom direct bij me als u er iets van merkt. Ik ben op zaal. Laat de schermen om het bed staan tot u hoort dat u ze mag verplaatsen.'
Ik bleef naast William zitten en voelde me vreemd opgetogen. Ik was getuige geweest van een wonder. De man had vreemde krachten. Wat had Philippe ook alweer over hem gezegd? Uniek. Dat was zo. En we hadden samen een geheim. Ik mocht niemand vertellen wat ik gezien had.

Mijn emoties waren verward. Ik zat er bijna een uur en toen ik zag dat Williams gezicht vertrok van de pijn, ging ik snel op weg om dokter Adair te zoeken, die, zoals hij gezegd had, op zaal was.
'Ik kom zo,' zei hij.
Hij kwam naar Williams bed, deed wat druppels uit zijn flesje op een lepel en gaf ze aan William. 'Zo, dat geeft hem nog wat uren respijt.'
'En dan?'
'De pijn zal terugkomen, maar hoe langer die wegblijft, des te meer kans zijn lichaam heeft om te genezen. U kunt hem nu alleen laten. Ongewijfeld hebt u nog veel te doen.'
Ik zei: 'Dank u, dokter Adair.'
Ik weet niet hoe ik die dag mijn werk deed. Mijn gedachten tolden. Ik bleef denken aan de gebeurtenissen achter die schermen – hijzelf, ikzelf en de man die misschien lag te sterven in zijn bed.
Er waren ogenblikken dat ik dacht: Hij experimenteert met die vreemde bekwaamheden. Wat voor recht heeft hij om op mensen te experimenteren – hen te gebruiken als proefkonijnen? En toch... als hij Williams leven had gered...
Ik bleef maar aan hem denken. Maar dat deed ik al sinds ik hem ontmoet had... eerder zelfs.
Er was niemand met wie ik erover kon praten. Hij had erop gewezen dat het tussen ons moest blijven.
Dus bleef ik slapeloos liggen en het eerste wat ik de volgende dag deed, was naar William Clift gaan kijken.
Hij zag er bleek en doodziek uit.
Maar hij leefde nog.

De avond van de volgende dag, geloof ik dat hij me zocht. Ik was op zaal en hij ging naar William Clift en onderzocht hem. Toen hij wegging van het bed liep ik naar het kamertje en vroeg me af of hij binnen zou komen.
Hij bleef bij de deur staan en glimlachte triomfantelijk tegen me.
'Ik denk,' zei hij, 'dat we onze patiënt kunnen houden.'
Golven van opluchting spoelden over me heen. Ik vergat op dat moment mijn vijandelijke houding tegenover hem.
'Weet u het zeker?'
Hij werd ongeduldig. 'Niemand kan ooit zeker zijn. Op dit ogenblik kan ik zeggen dat hij even goed is als je kunt verwachten, niet beter. En dat is vooruitgang.'
Hij keek ongeduldig. 'Hij moet zorgvuldig verpleegd worden.'
'Natuurlijk.'
'U moet hem verplegen. Trakteer hem op verhalen over zijn vrouw en baby.'
Mijn stem trilde. 'Dat zal ik doen.'

Hij knikte en ging weg.
Ik zat veel bij William, verbond zijn wonden, praatte met hem over thuis. Ik zag hoe zijn lusteloosheid verdween, ik zag de hoop in zijn ogen.
Een week na het incident zag ik dokter Adair op zaal. Hij zei: 'Ik denk dat we onze patiënt gezond en wel naar zijn vrouw en baby kunnen sturen.'
Ik geloof niet dat ik me na de dood van Julian ooit zo gelukkig had gevoeld.

Gedurende de lange zomermaanden werden er minder gewonden binnengebracht en zoals altijd, leden de meesten meer aan ziekten dan aan hun wonden. William Clift ging goed vooruit, wat wil zeggen, niet te snel, want ik was bang dat hij, als hij volledig hersteld was, weer naar het front gestuurd zou worden. Hij was zeer zwak maar niet langer in levensgevaar – en zo wilde ik het graag hebben.
Ethel was nu officieel verloofd. Ze praatte onophoudelijk over de boerderij op het platteland. Ze was Tom zo dankbaar, omdat hij, toen ze hem over zichzelf had verteld, zei dat hij het begreep. Ze was van plan om een stoet kinderen te krijgen en lang en gelukkig te leven.
Eliza was verrukt over de manier waarop Ethels leven zich ontwikkelde. Ik ontdekte dat ze een vrouw was die het prettig vond iemand te hebben om voor te zorgen, en nu Tom voor Ethel zorgde, gaf ze al haar aandacht aan mij. Zij was een van de weinigen die iets van mijn verleden wist, sinds ik haar erover verteld had in die stormachtige nacht aan dek; ze verraadde nooit vertrouwelijke zaken, maar het had haar houding tegenover mij veranderd. Ze wilde dat ik een echtgenoot vond, zoals Ethel had gedaan. Daar ze zich bewust was van dokter Fenwicks gevoelens voor mij, vond ze dat het ideaal. Het was leuk de zachte kant van haar karakter te ontdekken. Ze leek zo formidabel, zo bereid om te vechten voor wat ze als haar recht beschouwde. Heel wat verpleegsters waren bang voor haar – evenals de patiënten, en ze gehoorzaamden haar zonder iets te vragen. Ze noemden haar grote Eliza. Ik was erg op haar gesteld geraakt.
Henrietta was in een goed humeur. Ze was gevleid door het feit dat ze de uitverkorene van de onbekende pasja of sultan was, die haar voor zijn harem wilde hebben en lachte veel om het incident. Ze praatte over de mysteries van het Oosten en hoe spannend het zou zijn die te onderzoeken. Ze zei dat ze het gebiologeerd zijn van dokter Adair in het onderwerp goed kon begrijpen en scheen het gesprek dikwijls op dokter Adair te brengen.
'Ik heb hem vandaag gezien,' zei ze dan. 'Hij is echt fantastisch... met die sfeer van autoriteit. Niemand zou zijn bevelen durven negeren. Je krijgt de indruk van een superieur wezen. Voel jij dat ook, Anna, nu je hem een beetje kent?'
'Nee. Hij is een dokter die van experimenteren houdt. Ik denk dat hij dol is op risico's.'
'Hij heeft Lily's man het leven gered.'

'Soms hebben risico's succes, maar ik denk dat hij wilde laten zien hoe knap hij was.'
'Je bent niet eerlijk, Anna. Ik vind hem geweldig. Nu lach ik vaak over ons plan. Herinner je je hoe we altijd over hem spraken? Hoe we op onze queeste gingen met het doel aan te tonen dat hij een bedrieger was... een zelfingenomen kwakzalver?' Ik zweeg. 'Het was natuurlijk een soort spelletje. We meenden het nooit serieus. Hoe kon dat ook? En als je hem hier ziet... Hij maakt dat alle anderen onbelangrijk lijken. O, ik bedoel het niet zo. Charles is zo'n goed mens, maar...'
'Je hebt liever de zondaar dan de heilige.'
'Ik denk niet dat die termen toepasselijk zijn. Charles is toch geen heilige. En dokter Adair... nou ja, misschien... In ieder geval vind ik hem de charmantste man die ik ooit heb ontmoet.' Ze vouwde haar handen over haar borst en hief haar ogen naar de zoldering. Henrietta's gebaren waren, net als haar praten, nogal eens overdreven.
Ik zei niets meer, ik kon hem echt niet met Henrietta bespreken.
Maar Eliza praatte over Henrietta tegen mij.
Ze zei: 'Ik maak me zorgen over haar. Er kunnen moeilijkheden van komen. Ik geloof niet dat het goed is voor een jonge vrouw om zo voor die dokter Adair te voelen. Dat had die arme Eth ook. En je ziet het. Het zwijn gaat ervandoor en laat haar met een kind zitten.'
'Wat heeft dat met Henrietta en dokter Adair te maken?'
'Ze heeft net zo'n gevoel voor hem. Ze is als was in zijn handen.'
'O Eliza, je bent veel te melodramatisch.'
'Ik ken mannen. In mijn werk moest je dat wel. Al die bewondering is precies wat ze willen. Ze kunnen er in het begin niet genoeg van krijgen. Dan, als zo'n meisje ze niet meer aanstaat, willen ze er niets meer van horen... niet van haar. Maar eerst past het precies in hun straatje en ik geloof niet dat dokter Hoog en Verheven anders is dan anderen. En zij maakt er geen geheim van dat hij haar zo krijgen kan.'
'Nee, Eliza, dat is niet waar. Het komt gewoon omdat we altijd nogal veel belangstelling voor hem hebben gehad.'
Ze keek me scherp aan. 'Jij toch niet! Jij bent toch verstandiger.'
'Verstandig, hoezo?'
'Om weg te blijven van types zoals hij.'
'Ja, Eliza, zo verstandig ben ik wel.'
'Die andere dokter is een aardige heer. Hij is dol op je en je zou het slechter kunnen treffen.'
'Dat is lief van je, Eliza,' zei ik met gevoel. 'Ik geloof dat het je echt veel kan schelen.'
'Natuurlijk kan het me schelen. Ik wil niet dat jij en Henrietta zich aanstellen vanwege mannen.'

'Dat doen we niet.'
Ze schudde haar hoofd alsof ze er niet zo zeker van was.
Augustus was voorbij en het was nu september. We voelden ons geen van allen op ons gemak. De gedachte aan nog zo'n winter was buitengewoon deprimerend.
De Russen werden wanhopig. Maar de Fransen en de Engelsen ook. Toen hoorden we dat er een vreselijke slag geleverd werd voor Sebastopol en we wachtten sidderend op de uitslag.
We hoefden niet lang te wachten. Er kwam een boodschapper en we renden hem allemaal tegemoet om het laatste nieuws te horen.
De Fransen hadden het Malokoff Fort bestormd en ingenomen.
'Goddank!,' klonk het, want we wisten dat het fort de sleutel tot Sebastopol was.
'De Russen vluchten de stad uit, maar wat er van over is, hebben ze in brand gestoken. Het is niets dan een zee van vlammen.'
Toen, plotseling, omhelsden we elkaar allemaal.
Bijna twaalf maanden hadden we gewacht op de val van Sebastopol, en nu was het gebeurd. We twijfelden er niet aan dat de oorlog voorbij was.

We hadden gelijk, hoewel er nog een paar haarden van tegenstand genomen moesten worden. Het meeste werk was gedaan. Iedereen had het over thuis. Maar natuurlijk lag het hospitaal vol patiënten en sommigen waren te ziek om vervoerd te worden. We konden niet allemaal weggaan en hen alleen achterlaten. We zouden dus in ploegen vertrekken en sommigen van ons zouden moeten blijven tot er niets meer te doen was.
Met het oog op de bijzondere omstandigheden was Ethel een van de eersten die vertrok. Hoewel Tom voldoende genezen was om te vertrekken, had hij nog veel zorg nodig en Ethel ging mee om hem die te geven.
Samen met Henrietta en Eliza zag ik hun aan boord gaan. Wat een verschil met het meisje dat hier gekomen was. Ik dacht eraan dat zelfs uit het kwade iets goeds kon komen, want de oorlog had Ethel uit een ellendig leven gehaald dat niet lang had kunnen duren, en had haar een toekomst gegeven die veel goeds beloofde.
Ze stond ons aan de railing na te kijken en we wachtten tot de boot niet meer te zien was. Toen gingen we terug naar het hospitaal, te ontroerd om te spreken.
Ik had Lily een brief geschreven en Ethel had beloofd die te bezorgen. Ik wilde dat ze wist dat het werkelijk goed ging met William en dat ik hem verzorgde. Er was niets dat haar meer rust kon geven, behalve de terugkeer van William zelf.
Het hospitaal was nu anders. Dagelijks werden er een paar mannnen naar huis gestuurd. Alleen de ergste gevallen bleven achter. Sommigen zouden zeker ster-

ven, maar men hoopte dat de anderen over een paar maanden voldoende waren opgeknapt om naar huis te gaan.
Charles moest een groep gewonden begeleiden.
Hij kwam me van zijn orders vertellen.
'Ik zou willen, Anna, dat je met me mee kon gaan.'
'Ik ga ook gauw naar huis, maar nu zorg ik voor William Clift, en hoewel hij aardig opknapt, is hij nog niet zo ver om vervoerd te worden. Dus ben ik hier nodig.'
'Je zou natuurlijk altijd je plicht voor laten gaan.'
Ik was er niet zeker van dat hij gelijk had. Ik wilde nog niet weg, omdat ik het gevoel had dat ik hier was gekomen met een bepaald doel en dat doel was nog niet helemaal bereikt. Ik moest nog een poosje in de buurt van dokter Damien Adair blijven – hoewel ik niet wist wat ik wilde doen.
Charles kuste me innig.
'Zodra je terug bent, kom ik naar je toe. Ik denk dat je dan wel een besluit genomen hebt.'
'Ja, Charles,' zei ik. 'Dat is het beste.'
'Thuis ziet alles er anders uit, vooral als we weer in het normale leven terug zijn.'
Ik was het met hem eens. 'Het kan nu niet lang meer duren.'
Toen praatte hij over wat hij wilde gaan doen. Hij wilde zien wat er was, zorgvuldig een praktijk kiezen en niets doen totdat hij met mij had overlegd. Ik kon zien dat hij een voorkomende echtgenoot zou zijn en dat ik geluk had zo'n man te vinden die van me hield.
Toen zijn boot vertrok, keek ik hem na en later miste ik hem. Het was zo prettig iemand te hebben die van me hield, ook al wist ik niet of die liefde wederkerig was.
Onze diensten waren nu betrekkelijk licht en er was dikwijls gelegenheid om een paar uur voor onszelf te hebben. Soms nam een gezelschap van ons een *caïque* om naar Constantinopel over te steken. De stad was nu heel anders. Er was geen vijandelijke bedreiging meer. De winkels hadden meer licht en altijd scheen er muziek op straat te zijn. Ook waren er veel restaurants waar we konden eten of gewoon wijn of dikke Turkse koffie konden drinken.
Men kende en respecteerde ons. We hadden nu de reputatie dat we goed werk deden, en hoewel veel mensen in het begin nogal sceptisch tegenover ons hadden gestaan, was dat niet langer het geval.
Henrietta was nog opgewekter dan gewoonlijk. Ze scheen bijna koortsachtig vrolijk. Eens zei ze tegen me: 'Ik weet niet hoe ik het hierna in Engeland uithoud. Ik zou het heerlijk vinden nog verder naar het Oosten te gaan. Er is zoveel dat ik zou willen weten.'
Pierre Lablanche was nog in Constantinopel en nam ons een paar maal mee uit; hij kwam dikwijls in het hospitaal en ik dacht dat hij gecharmeerd was van

Henrietta. Ze flirtte veel met hem en hij scheen dat zeer aantrekkelijk te vinden. Daar ze haar leven lang veel aandacht had gehad, scheen ze het te verwachten en ervan te genieten.
Aanhoudend vroeg ze Philippe naar de gewoonten van het volk en als hij over zijn reizen sprak, zat ze geboeid te luisteren – ze verbeeldde zich, dacht ik, dat ze door de woestijn reed, en een tent opzette in een oase, alles heel romantisch. Ik had het idee dat dokter Adair zelden uit haar gedachten was.
Eens kwam ze terug uit Constantinopel met een kostuum dat ze gekocht had. Het was van zijde met een omhulsel van een materiaal dat los over een broek hing die heel wijd was en om de enkels bijeengehouden werd.
'Waarom heb je dat in vredesnaam gekocht?' vroeg ik.
'Omdat ik het leuk vond.'
'Dat kun je toch niet dragen.'
'Waarom niet? Ik zal het aantrekken, dan kun je zien hoe het me staat.'
Een paar minuten later stond ze voor me te stralen in haar nieuwe kostuum.
'Je ziet eruit als de koningin van de harem,' zei ik. 'Maar je bent er te blond voor.'
'Maar ze zijn wel eens blond. Er zijn slavinnen uit verre landen onder.'
'Henrietta, je bent helemaal gek.'
'Dat weet ik. Maar het is toch leuk om gek te doen.'
'Je zou het trouwens thuis wel op een gekostumeerd feest kunnen dragen. Daar is het heel geschikt voor.'
Haar uitdrukking veranderde alsof ze dat niet prettig vond.
'Het zal vreemd zijn thuis te komen,' zei ze toen langzaam. Stel je voor... na dit allemaal. Nogal komisch, vind je niet?'
Ik keek haar vol verbazing aan. Ik dacht dat ze, zoals de meesten van ons, naar huis verlangde.
'Zeg me niet dat het je spijt, het hospitaal achter je te laten, met de ziekenzalen, gewonde mannen... alle verschrikkingen ervan, de onmogelijkheid om het schoon te houden, de toestand waarin we hebben geleefd. Je hebt toch zeker wel naar huis verlangd?'
'Het is er natuurlijk heel wat comfortabeler.'
Ik lachte. 'Is dat alles?'
'Hier bestaat de mogelijkheid dat er iets fantastisch kan gebeuren. Thuis... wat heb je daar? Bals, feesten, het ontmoeten van de juiste mensen. Het is hier romantischer.'
'Henrietta, je verbaast me! Ik dacht dat je zat te springen om naar huis te gaan.'
'Dingen veranderen,' zei ze en glimlachte.
Een paar dagen later bezocht Philippe ons in het hospitaal en nodigde ons uit die avond met hem te gaan eten. Hij zou ons om zes uur komen halen en we namen zoals altijd de *caïque* naar Constantinopel.

Ik droeg een lichtgroene japon die ik had meegebracht. Hij was heel eenvoudig en kon gemakkelijk in mijn draagtas worden gestopt. Het was behalve mijn uniform, de enige japon die ik bij me had. Ik had hem niet dikwijls gedragen, omdat ons uniform ons beschermde als we ons in een moeilijke situatie bevonden – zoals Henrietta en ik hadden ondervonden toen we dat avontuur beleefde in de straten van de stad.
Maar die avond zou Pilippe bij ons zijn en hij was wel gewend aan de gewoonten van Constantinopel.
Henrietta had een lange cape en het verbaasde me te zien dat ze haar Turkse kostuum eronder droeg. Ze zag er heel mooi uit en haar vrolijkheid die avond was buitengewoon aanstekelijk . Je voelde dat je van de avond moest genieten omdat zij er zo van genoot.
Toen we op het punt stonden in de *caïque* te stappen, kwamen we dokter Adair tegen.
'Gaan jullie dineren in Constantinopel?' vroeg hij.
Philippe zei van ja.
'Twee dames en één heer! Dat hoort toch niet. Hoe zou u het vinden als ik mijzelf uitnodigde om aan de party deel te nemen?'
We waren allemaal verrast. Henrietta's ogen schitterden.
'Maar dat zou enig zijn!' riep ze.
'Dank u,' zei dokter Adair, 'dat is dan geregeld.'
De *caïque* was vol, zoals gewoonliijk, en dokter Adair zei: 'Iedereen wil nog gebruik maken van de laatste weken hier. Binnenkort zijn we allemaal vrij om te gaan.'
Ik herinnerde hem aan het feit dat er patiënten waren die nog niet vervoerd konden worden.
'Een kwestie van tijd,' zei hij, 'ik denk dat u de dagen telt.'
Maar ik antwoordde dat we gelukkig waren dat de oorlog voorbij was en dat er weer een mogelijkheid bestond om een normaal leven te leiden.
'Normaal is altijd zo verleidelijk... althans als je erop terugkijkt of ernaar verlangt.'
De tocht over de Bosporus was heel kort en al gauw stapten we uit. Verschillende *caïques* waren op hetzelfde ogenblik aangekomen en er was nogal wat drukte aan de oever. Dokter Adair pakte mijn arm en Philippe die van Henrietta.
'Kijk eens even om naar de overkant,' zei dokter Adair zacht tegen me. 'Ziet het er niet romantisch uit? Niet zoals het hospitaal dat we kennen. Bij dit licht lijkt het meer op het paleis van een kalief, vindt u niet?'
Hij lachte min of meer ironisch tegen me. Ik vond hem gesloten. Maar zo was hij altijd.
'Het ziet er heel anders uit, geef ik toe.'

'U zult ook toegeven dat het iets is wat u nooit zult vergeten.'
Ik draaide me om. Henrietta en Philippe waren niet langer te zien.
Hij keek rond. 'Je raakt mensen zo gemakkelijk kwijt in zo'n drukte. We vinden hen wel.'
Maar we vonden hen niet.
We liepen langs de waterkant. Dokter Adair keek me aan met wat ik me verbeeldde dat spottende verslagenheid was.
'Het geeft niet,' zei hij. 'Ik denk dat ik weet waar Lablanche van plan was heen te gaan.'
'Heeft hij het u gezegd? Ik heb het niet gehoord.'
'O... ik ken zijn geliefdste plekje. Kom, dan gaan we er heen. Laat alles maar aan mij over.'
Hij leidde me naar een van de rijtuigjes die stonden te wachten om gehuurd te worden. Ze werden getrokken door twee paarden en we zaten naast elkaar toen we aan onze tocht door de stad begonnen. Het was heel romantisch, vooral bij avond. Maar ik moest nog steeds over de schok heenkomen van het alleen met hem zijn. Hij praatte nonchalant maar met kennis van zaken over de architectuur en vergeleek de moskee, gebouwd door Suleiman de Grote met die van Sultan Achmed de Eerste. We waren nu een van de bruggen naar het Turkse gedeelte van de stad overgestoken.
'Ik denk dat we hier onze vrienden zullen vinden,' zei hij. 'Anders moeten we het met elkaar stellen.'
'Als u liever hebt dat ik terugga naar Scutari...'
'Waarom? Ik dacht dat u zo graag buitenshuis wilde gaan eten.'
'Ik had het aanbod van Monsieur Lablanche aangenomen, maar nu ik hem kwijt ben...'
'Dat geeft niet. U hebt een andere beschermer.'
'Maar misschien hebt u andere plannen.'
'Alleen om ergens te dineren. Kom, laten we naar binnen gaan. Best mogelijk dat de anderen er al zijn.'
We stapten uit en hij leidde me het restaurant binnen. Het was er vrij donker en er stonden brandende kaarsen op de tafels. Een man in een prachtig livrei van blauw en goud met een goudkleurige sjerp kwam naar ons toe. Ik begreep hun gesprek niet, maar de man in livrei – kennelijk de gerant – was bijna onderdanig.
Dokter Adair wendde zich tot mij. 'Onze vrienden zijn er nog niet. Ik heb om een tafel voor twee gevraagd en daar kunnen we op hen wachten. Zodra ze komen, zegt hij dat we hier zijn. Komen ze niet, dan ben ik bang, juffrouw Pleydell, dat u het met mij moet doen.'
We werden naar een tafel in een alkoof gebracht, wat afgesloten van de rest van de zaal.

'Het is prettig om apart te zitten als je met elkaar praten wilt,' zei hij.
Ik voelde me niet op mijn gemak en toch was ik opgetogen. Ik had een lange, slinkse weg afgelegd om deze man te vinden en nu zat ik tegenover hem. Wat een succes.
'Ik hoop dat u zin hebt in Turkse gerechten, juffrouw Pleydell. Het is anders dan wat u thuis krijgt, of in het hospitaal. Maar je moet avontuurlijk zijn, vindt u niet?'
'Ja, natuurlijk.'
'U schijnt er niet erg zeker van. Bent u avontuurlijk?'
'Dat moet toch wel als je naar de Krim gaat?'
'Tot op zekere hoogte, ja. Maar u bent een toegewijd verpleegster en zou ongetwijfeld naar het eind van de wereld gaan als uw beroep u daar riep. Houdt u van kaviaar? Anders is er een lekkere schotel van vlees gevuld met pepers die in alle soorten sausen zijn gedoopt.'
'Uit angst dat ik anders niet avontuurlijk zou zijn, wil ik dat wel proberen.'
'Goed, en daarna stel ik Circassische kip voor. Die is gekookt in een saus van walnoten.'
'Vindt u niet dat we op de anderen moeten wachten?'
'O nee...'
'Maar ik zou de gast van Monsieur Lablanche zijn.'
'Hij heeft de uitbundige Henrietta om bezig te houden.'
'Denkt u echt dat ze zullen komen?'
'Er is een mogelijkheid. Ik weet niet zeker hoeveel er van dit soort eetplaatsen in Constantinopel zijn, maar dit is er één van en het is beroemd... dus bestaat er een mogelijkheid dat ze hier naartoe komen.'
'Ik dacht dat u er zeker van was dat we ze hier zouden vinden, dat het een geliefde plek van Monsieur Lablanche was.'
'Hij is een man die goed onderscheid weet te maken en hij kent dit zeker.'
'U bent niet bijster direct. Daarnet gaf u me een heel andere indruk.'
'We maken onze eigen indrukken, juffrouw Pleydell, maar waarom zouden we ons druk maken over zoiets onbenulligs? Hier zitten we en dineren *à deux*. Het is een goede gelegenheid om samen te praten.'
'Denkt u dat we iets hebben om over te praten?'
'Mijn lieve juffrouw Pleydell, we zouden toch wel heel saai zijn als we voor één avond niets hadden om over te praten. We hebben samengewerkt... u hebt zich een beeld van me gevormd...'
'En u van mij. Tenminste als ik u ooit opgevallen ben.'
'Ik heb een uitstekend observatievermogen. Ik mis weinig.'
'Maar sommige dingen zijn toch niet belangrijk genoeg voor u.'
'Zeker niet, juffrouw Pleydell.'
De man in livrei kwam naar onze tafel, gevolgd door een ober, iets minder

prachtig gekleed, en de order werd gegeven. Dokter Adair koos een wijn en al heel gauw kregen we de eerste gang.
Hij hief zijn glas. 'Op u... en alle nachtegalen die hun huis hebben verlaten en de zee zijn overgestoken om onze soldaten te verplegen.'
Ik hief het mijne. 'En op de dokters die ook gekomen zijn.'
'Uw eerste protégé is nu wel op weg naar huis,' zei hij.
'O, u bedoelt Tom. Ja, hij is op weg naar huis met Ethel. Ze gaan trouwen.'
'Om lang en gelukkig te leven?'
'Daar hoop je op. Er is een boerderij en Ethel komt van het platteland.'
'En uw tweede?'
'U bedoelt William Clift die nu langzaam beter wordt.'
'Dat was op het kantje.' Hij keek me strak aan.
Op dat moment arriveerde de Circassische kip en we zwegen terwijl we bediend werden.
'U zult dit heerlijk vinden,' zei dokter Adair. Hij vulde mijn glas. 'Ja,' ging hij door, 'ik wilde met u praten over William Clift.'
Ik trok mijn wenkbrauwen op.
'U kijkt verbaasd.'
'Ik ben verbaasd dat u me waardig vindt om een patiënt met me te bespreken. Ik verbeeldde me dat u vond dat verpleegsters hun plaats moesten kennen en heen en weer draven op bevel van de dokters en zich verder moesten bezighouden met dienstbodewerk.'
'Moeten ze dat dan niet? Maar dat wil niet zeggen dat ik weiger met u over William Clift te praten. Zijn wonden genezen. Hij was stervende toen hij binnen werd gebracht, maar hij heeft het overleefd... en na verloop van tijd zal hij weer fit zijn en waarschijnlijk heel oud worden. Hij had gemakkelijk kunnen sterven, weet u.'
'Ja, dat weet ik.'
'Die kogels waren diep naar binnen gedrongen. Ze waren gaan zweren. Het was erop of eronder.'
Ik keek naar hem en dacht: Ik heb gelijk. Hij wil lof toegezwaaid krijgen. Aldoor verlangt hij naar glorie voor dokter Adair.
'U zult zich herinneren dat ik onorthodoxe methoden gebruikte. Het is maar goed dat ik dat deed. Anders, juffrouw Pleydell, zou William Clift nu niet meer leven.'
'U gaf hem iets te drinken...'
'Meer dan dat. Ik bracht hem onder hypnose. Een methode die thuis niet altijd wordt goedgekeurd. Maar, juffrouw Pleydell, mijn methoden passen niet altijd bij de conventionele en daarom ben ik geen conventionele dokter.'
'Dat weet ik.'
'Ik geloof dat pijn de genezing tegenhoudt. Een patiënt moet zoveel mogelijk

zonder pijn zijn. Als het lichaam pijn lijdt, vertraagt dat de genezing. Ik zou iedere methode gebruiken om pijn te elimineren.'
'Dat schijnt me zeer prijzenswaardig.'
'Maar er zijn een paar mensen in het medische beroep die het er niet mee eens zijn. Zei ik een paar? Ik bedoel veel. Ze geloven dat pijn door God gegeven is – of door iemand Daarboven – net zoals vergelding. "Daar zij pijn en er was pijn!" Ik ben daartegen. Ik ben in het Oosten geweest en heb geen minachting voor methoden die anders zijn dan die van ons. In bepaalde richtingen zijn we vergevorderd, maar er zijn andere manieren waarin we achter staan bij een volk dat, volgens bepaalde normen, primitief zou worden genoemd in vergelijking met ons. Verveel ik u, juffrouw Pleydell?'
'Helemaal niet. Het is juist interessant.'
'U was erbij. U zag wat er met William Clift gebeurde. Ik heb zijn leven gered. Anders was hij dood geweest en was uw Lily een weduwe en haar kind een wees.'
Waarom moet hij zo opscheppen? dacht ik. Hij heeft natuurlijk gelijk. Hij heeft iets prachtigs gedaan. Maar waarom moet hij afbreuk doen aan zijn werk door die eeuwige grootspraak?
'Ik heb hem in slaap gebracht, zodat ik de operatie kon uitvoeren zonder dat zijn lichaam tegenspartelde. Het is een methode die ik in Arabië heb geleerd. Hij mag niet lichtvaardig gebruikt worden en ik pas hem dan ook alleen toe in mijn werk als het absoluut noodzakelijk is. U, juffrouw Pleydell, stond erop dat ik het leven van die man moest redden. Ik moest u tonen dat ik het kon. En dat heb ik gedaan.'
'Ik begrijp niet waarom u het mij moest laten zien, een gewone verpleegster, een van die aanhangsels die zo nu en dan nuttig kunnen zijn maar meestal een blok aan het been vormen.'
'U bent te bescheiden en ik denk dat bescheidenheid niet echt een deel van uw karakter vormt. Dus kom ik tot de conclusie dat het valse bescheidenheid is. Houdt u van kip?'
'Dank u, ja. Ik ben niet bescheiden. Maar uw mening over ons is duidelijk.'
'Waarom neem ik dan de moeite u dit te vertellen?'
'Misschien vindt u het prettig als iedereen weet hoe knap u bent.'
'Ja. Maar dat hoef ik niet meer te onderstrepen. U weet het al.'
Plotseling begon ik te lachen en hij ook.
'Laten we tot de kern komen,' ging hij door. 'Eens had u een heel slechte mening over me, geloof ik. U dacht dat ik mijn post had verlaten door weg te gaan en me over te geven aan wild gedrag. U werd bij me gebracht, en daar zat ik in een Turks kostuum. Wat dacht u toen?'
'Dat u wilde bijkomen van het harde werk in het hospitaal.'
'Ik wist dat u dat zou denken. Daarom moet ik het uitleggen. Zeg, dacht u dat ik ergens een harem had verstopt? Dat ik een wellustig leven leidde en me te

buiten ging aan alle soorten ondeugden?'
'Ik had uw boeken gelezen.'
'Heel aardig van u.'
'Helemaal niet. Ik kreeg ze, was geboeid door uw avonturen en kon zien wat voor soort man u was. Dat bleek uit uw boeken.'
'Het was onzorgvuldig me zo te verraden. Ik heb onder inboorlingen geleefd, zoals ik dat heb beschreven. Pas als je een van hen wordt, leer je hen kennen. En ik heb veel van hen geleerd. Toen u bij me werd gebracht, stond ik op het punt om op een missie te gaan. U weet dat er een afschuwelijk gebrek aan materiaal was in het hospitaal. Herinnert u zich de man met het geamputeerde been? Kunt u zich de shock voorstellen die het lichaam van die man onderging met niets om de pijn te verdoven? Wat waren zijn kansen op herstel? Armzalig. Maar had ik zijn been niet geamputeerd, dan was de man zeker doodgegaan. Nu was er nog een flauwe hoop. Met bepaalde medicijnen had hij een goede kans gehad. Zo had ik verwacht operaties uit te voeren. Dus ging ik eropuit om middelen te vinden waarmee ik mensen in slaap kon brengen. Ik wist waar ik die dingen krijgen kon. Verdovende middelen. Verdovende middelen om onze patiënten tot rust te brengen, mijn lieve juffrouw Pleydell, en niet de verdovende middelen die gewoonlijk in ziekenhuizen worden gebruikt. Maar zulke medicijnen geven ze alleen aan iemand van hun eigen soort. Dus moest ik iemand van hen zijn. Het is meer dan alleen maar kleding of taal... het is de persoonlijkheid. Ze kennen me zoals ze zichzelf kennen. Ze vertrouwen me. Als ik niet op die kleine expeditie was gegaan – toen u geloofde dat ik mijn post verlaten had en me had overgegeven aan alle geneugten van een harem – had ik het leven van uw William Clift niet kunnen redden.'
'Het spijt me dat ik u zo verkeerd beoordeeld heb.'
'Dank u. Ik vergeef het u. Het is zo gemakkelijk verkeerde conclusies te trekken, iemand schuldig te verklaren door onwetendheid.'
'Dat realiseer ik me.'
'En u hebt uw mening over me veranderd?'
Ik aarzelde en hij keek geschokt.
Ik zei: 'Het is niet aan mij om een mening te vormen. Dat kon ik alleen doen uit onwetendheid, zoals u zei.'
Een ober kwam om de borden mee te nemen en prachtig gebak te brengen, gevuld met noten en honing – baklava – en ook een schaal met zoetigheid.
'Dit is een heel verrukkelijke maaltijd,' zei ik.
'Daar ben ik het mee eens. Maar ik praat liever over ons dan over voedsel.'
Hij leunde met zijn ellebogen op de tafel en keek me doordringend aan.
'Dokter Adair, u probeert me toch niet te hypnotiseren?'
'Dat zou niet gemakkelijk zijn, ben ik bang. U zou tegensputteren. Die arme William Clift was niet in de positie dat te doen. Maar u zit daar – en ziet er bui-

tengewoon goed uit, als ik het zeggen mag, ondanks uw lange tijd in het hospitaal – uw geest zou zich ertegen verzetten.'
'En als ik me overgaf, wat zou u dan doen?'
'Ik zou proberen u te verlokken en weg te voeren uit uw conventionele manier van doen.'
'Conventioneel! Ik ben verre van conventioneel.'
'Ik zou het geheim van de nachtegaal ontdekken.'
'Wat bedoelt u daarmee?'
'Precies wat ik zeg. Ik denk altijd aan u als aan de nachtegaal. Dat is toch niet zo wonderlijk, dacht ik.'
'Het verbaast me dat u wel eens aan me denkt.'
'Nee, juffrouw Pleydell, mijn lieve kleine nachtegaal, u weet wel beter.'
'Nee, echt niet. Ik heb alleen gemerkt dat u de verpleegsters niet schijnt te zien.'
'Ik zie ze allemaal en u in het bijzonder.'
'O ja?'
'U interesseerde me. U verbergt iets. Ik zou willen weten wat dat was. U vraagt wat ik zou doen als ik de controle had over uw geest. Ik zou zeggen: Vertel me alles... vertel me wat er met je is gebeurd en wat je heeft gemaakt tot wat je bent.'
'Wat denkt u dat er met me is gebeurd?'
'Dat is het geheim. Iets heeft... iets wat heel belangrijk voor u was... iets tragisch... iets waarvoor u een ander de schuld geeft. Dat zou ik willen weten.'
Ik voelde mijn lippen trillen. Dus het was duidelijk merkbaar. Herinneringen aan het gaan naar de Munster en Julian daar dood vinden, sloegen over me heen. En de wetenschap dat deze man er toen was...
Ik had inderdaad een geheim, en dat was mijn wraakneming. En nu zat hij hier tegenover me en ik was zijn gast en wist niet waarom het allemaal zo anders was dan wat ik me had voorgesteld dat het zijn zou. Ik was vreselijk onzeker van hem... en van mijzelf.
'Als u zou praten, kan dat misschien helpen,' zei hij.
Ik schudde mijn hoofd.
'Wat vindt u van de baklava?' vroeg hij toen.
'Het is nogal zoet.'
'De Turken houden van zoete dingen. Probeer iets van deze zoetigheid. Ook alweer zoet. Het is een en al zoetheid.'
Ik dacht: Hij weet te veel. Hoe kan hij in vredesnaam hebben ontdekt dat ik vroeger een tragedie heb meegemaakt? Heb ik me verraden? Eliza en Henrietta wisten het. Eliza heeft nooit contact met hem gehad – bovendien zou ze nooit iets verraden. Henrietta? Ik voelde me niet helemaal gerust. Ik dacht aan Henrietta die aanhoudend over hem sprak. Deze avond nog, toen hij voorstelde met ons mee te gaan, was ze verrukt geweest.
Ik moest snel van onderwerp veranderen en begon over zijn boeken te praten.

'Heeft iemand het er met u over gehad?' vroeg hij.
'Ja, iemand in Engeland, die met u bevriend was... o, lang geleden. Stephen St Clare.'
'Stephen, ja. Hij was een grote vriend van me. Ze hadden een aardig buiten op het platteland. Bent u er ooit geweest?'
'O ja.'
'Hij is dood, arme Stephen... en de broer ook. Dat was treurig.'
'De broer?' echode ik zwak.
'Ja. Hij is gestorven. Daar u de familie kende, wist u waarschijnlijk ook dat Aubrey aan drugs was verslaafd. Hij ging er te ver in. Heel treurig. Hij had een ongelukkig huwelijk.'
'O?'
'Ja... een wispelturig soort meisje aan wie hij niets had. Hij heeft haar in India ontmoet, geloof ik.'
'Hebt u haar gekend?'
'Nee, ik hoorde het verhaal. Arme vent. Hij was een zwakkeling en kwam tussen het verkeerde stel mensen terecht. Een goede, doortastende vrouw had hem kunnen veranderen.'
'O?' Ik voelde mijn verontwaardiging, maar moest mijn gevoelens voor me houden, ik had me al vergist met zijn onverschilligheid. Er was weinig wat hem ontging.
'Je zou gedacht hebben dat een vrouw die getrouwd was met zo'n man alles zou hebben gedaan wat ze kon om hem te helpen. In plaats daarvan verliet ze hem... ging gewoon weg. Daarna kwam hij in een neergaande spiraal terecht en je kunt je niet aan dat soort dingen blijven overgeven. Ik begreep het op tijd. Er was ook een kind, dat ook is gestorven.'
Ik greep de tafel beet. Ik moest kalm blijven, ondanks mijn impuls om te roepen: Luister naar mijn kant van het verhaal.
'Ik was er toevallig in die tijd. Er was een ongeschikte kinderjuf. De vrouw was naar Londen gegaan. Het kind werd verwaarloosd. Dat dronken lor van een kinderjuffrouw had nooit voor dat kind mogen zorgen. Ze hadden een dokter moeten roepen.'
'Maar u werd geroepen...'
'Te laat. Het kind was al dood toen ik het zag.'
Ik staarde hem ongelovig aan.
'Waarom interesseert het u zo?'
'Dus hij is gestorven,' zei ik. 'En het kind is ook gestorven. Wat is er met de vrouw gebeurd?'
'Ze is vertrokken. Woonde in Londen, geloof ik. Ze zal wel van een sociaal leven gehouden hebben.'
Ik zou hem een klap willen geven. Ik wilde op de tafel slaan in mijn verdriet en

woede. Het was of ik vernietigd werd nu alles zo levendig terugkwam en ik hoorde hoe ik beschuldigd werd. Maar het ergste was dat mijn liefste Julian al dood was toen de Demon Dokter kwam, als hij tenminste de waarheid vertelde.
Hij had me voorgesteld als een losbollige, onverschillige vrouw die haar kind in de steek had gelaten voor een tochtje naar Londen en niet had geprobeerd haar man de steun te geven die hem had kunnen redden. Hoeveel mensen geloofden dat? Hoe kon ik hem vertellen van die vreselijke orgieën in de grot, de walgelijke riten, de schok toen ik ontdekte wat voor soort man ik getrouwd had en de reden waarom ik naar Londen was gegaan en hoe alles me tegen gezeten had? Hoe durfde hij de zaak zo terloops, zo wreed, te interpreteren?
'Hebt u iets, juffrouw Pleydell?'
'Nee... nee, natuurlijk niet.'
'Deze hartvormige dingetjes zijn heerlijk. Neem er een.'
'Nee, dank u.'
'Ah, hier is de koffie.'
De koffie werd geserveerd op een koperen blad in goudkleurige kopjes. Ik probeerde me te beheersen toen de koffie ingeschonken werd. Mijn emoties waren op hol geslagen. Zo bij hem te zitten en op zo'n intieme manier te praten, was heel verwarrend; en zijn versie van wat er in de Munster was gebeurd, had me al mijn energie ontnomen.
Hij bleef me voortdurend aankijken. 'Zeg eens. Waarom wilde u zo graag verpleegster worden?'
Ik voelde dat ik iets moest doen. Ik wilde schreeuwen: Wat weet u van wat er in de Munster is gebeurd? Hoe had ik kunnen blijven? Het was niet mogelijk geweest Aubrey te redden. Hij was al te ver weg. Ik had hem niet kunnen helpen door te blijven. Ik moest weg. Ik kon het verdriet over het verlies van mijn kind niet verdragen. Hoe durft hij zomaar van me te zeggen dat ik onverschillig was en zorgeloos? Ik dwong mezelf om verder te gaan. 'Ik had het gevoel dat ik iets in me had. Ik vermoed dat u het absurd zult vinden. Maar als ik mensen aanraakte, was er een reactie. Het leek of ik een genezende eigenschap had.'
Hij strekte zijn hand uit over de tafel en pakte die van mij. 'Deze handen,' zei hij. 'Het zijn mooi gevormde handen. Blanke handen... toch flink... magische handen.'
'U lacht me uit.'
'Nee, helemaal niet. Ik heb u verteld dat ik de mystiek van het Oosten heb gezien. Ik geloof dat bepaalde mensen gezegend zijn met een vreemde kracht. Ik heb u in het hospitaal gezien. Ja, u hebt een genezende aanraking. Wilde u daarom verpleegster worden?'
'Dat zal het wel zijn. Ik wilde iets doen met mijn leven.'
'Door wat er gebeurd was?'

'Wat bedoelt u?'
'Het geheim, kleine Nachtegaal.'
Ik probeerde te lachen. 'U wilt iets opbouwen wat niet bestaat.'
'Dat is niet waar. Het bestaat wel. Vertel het me. Misschien kan ik van nut zijn.'
'Er is niets wat ik wens te vertellen.'
'Er zou iets kunnen zijn wat kan helpen als u het vertelt.'
'Helpen voor wie?'
'Voor u? Voor mij?'
Ik schudde mijn hoofd en trok mijn hand terug die hij nog vasthield.
'U bent erg afstandelijk,' zei hij.
'Op wat voor manier?'
'Ik geloof dat u me niet vertrouwt.'
Ik lachte en haalde mijn schouders op.
'U wilt niet dat ik weet wat u probeert voor me te verbergen.'
'Voor u? Waarom zou ik iets voor u verbergen?'
'Ik wil juist dat u me dat vertelt. Lieve Nachtegaal, we zijn hier niet op de ziekenzaal. We zijn vrij... voor één avond.
'Wat betekent dat?'
'Dat er geen plichten zijn die ons wegroepen van een buitengewoon plezierige ontmoeting. Ik ben blij dat we de anderen zijn kwijtgeraakt. En u?'
'Ik... eh...'
'Kom nou, vertel de waarheid.'
'Het is heel interessant geweest. Maar het kon met de anderen ook prettig geweest zijn.'
'Twee is veel beter dan vier. Met zijn tweeën praat je meer intiem. Met zijn vieren zijn er dikwijls twee gesprekken tegelijk aan de gang. Nee, ik prefereer dit en ik ben blij dat het op zo'n manier is gegaan. Ik geloof dat ik u op den duur zou kunnen overhalen te ontdooien.'
'Ik ben niet bevroren.'
'Dat bent u wel. U bent bevroren in dat geheim van het verleden. U laat uw leven erdoor regeren. U probeert uw natuurlijke impulsen te sublimeren door verpleegster te worden. Wat gaat u doen als u terugkomt? Gaat u mee met juffrouw Florence Nightingale? Ik heb gehoord dat ze grootse dingen doet in Londen. Of gaat u met Charles Fenwick trouwen? Dat bent u misschien van plan.'
'Hoe komt het dat u zoveel van mijn zaken weet?'
'Ik zei al dat ik mijn ogen open heb en daar Charles een dokter in het hospitaal was, weet ik natuurlijk iets van hem. Gaat u met hem trouwen?'
'Ik weet het niet. Ik ben er niet zeker van. Hier is alles zo anders dan thuis. Ik denk dat ik beter kan wachten met het nemen van een beslissing tot ik weer thuis ben tussen de bekende dingen, de gewone manier van leven. En ik wil altijd mijn gave om te verplegen op de een of andere manier blijven toepassen.'

'Wat een voorzichtige dame bent u. Doet u nooit iets impulsiefs?'
'Ik geloof van wel, dikwijls.'
Zijn ogen hielden de mijne vast. 'Daar ben ik blij om.'
'Waarom?'
'Omdat het dikwijls heel stimulerend is. Dus u gaat met dokter Fenwick trouwen. Hij krijgt een aardige kleine praktijk op het platteland... niet te groot om hem weg te houden van zijn vrouw en kinderen. Het leven van een dokter op het platteland van Engeland kan buitengewoon plezierig zijn.'
'Hoe kunt u dat weten?'
'Uit observaties. Ik denk toch niet dat u verslaafd zou raken aan het knusse leven. U hebt iets dat zich uitstrekt naar iets meer... nieuwe ervaringen, avontuur... Natuurlijk zoudt u zich kunnen installeren in uw gezellige doktershuis met uw gezellige gezin, en nooit iets van andere dingen weten. Er is een gezegde, dat dat wat je nooit hebt, ook nooit mist. Maar u, juffrouw Pleydell... O, ik vraag het me af. Ziet u, er was iets in uw verleden dat u toch niet helemaal tot de conventionele jongedame maakte die u probeert te zijn.'
'O ja? Is dat het resultaat van uw scherpe observaties? Ik noem het liever sombere verbeelding. Maar ik ben gevleid dat u zoveel aandacht aan mijn zaken hebt gegeven.'
'U zou nog meer gevleid zijn als u wist hoeveel aandacht ik eraan geef.'
Ik trok mijn wenkbrauwen op.
'U bent niet echt verbaasd,' zei hij. 'U weet toch dat ik speciale belangstelling voor u heb.'
'Ik verbeeld me dat u opgaat in wat je noemt beleefde tafelgesprekken met een gezelschap dat geen ernstig gesprek kan garanderen.'
'Maar dat is toch niet de indruk die ik u vanavond gegeven heb?'
Ik zweeg.
Hij ging door: 'Straks gaan we hier weg. Het was een buitengewoon prettige avond voor mij. Ik zou willen dat er geen eind aan kwam.'
'Het was heel vriendelijk van u me een diner aan te bieden. Ik had er geen idee van dat u mijn gastheer zou zijn.'
'Als u het geweten had, had u dan de uitnodiging afgeslagen?'
'Nadat ik die van Monsieur Lablanche al geaccepteerd had...'
'Dat bedoelde ik niet. Bent u bang van me?'
'Bang van u. Waarom zou ik?'
'Er is een miosschien reden...'
'Nu doet u geheimzinnig.'
'Lieve Nachtegaal, ben ik niet altijd geheimzinnig? Maar nu niet meer zo, omdat ik geloof dat u weet wat er in mijn geest omgaat. Ik geloof dat u en ik elkaar beter moeten leren kennen. Tenslotte hebben we in het hospitaal samengewerkt.'

'Samen! U vleit me. Ik heb alleen maar bevelen opgevolgd.'
'Toch... samen.' Hij legde zijn hand over de tafel. 'Sluit jezelf niet op in dat geheime verleden. Breng het naar buiten. Laten we erover praten. Laat ik u bewijzen dat u niet alleen bedoeld bent om verpleegster te zijn. U bent ook een vrouw... en een aantrekkelijke.'
Ik voelde dat ik een kleur kreeg. 'Wat bedoelt u?'
'Dat u het leven bekijkt zoals het is, dat u zichzelf niet ontzegt wat van u zou moeten zijn.'
'Ik ben me niet bewust van enige zelfverloochening.'
'Laat ik u dit zeggen. Ik ken u goed. U bent een vrouw als andere vrouwen, en in deze Victoriaanse tijd van belemmering en onderdrukking geven veel vrouwen zich niet de kans zichzelf te zijn. Ze proberen een of ander koudbloedig ideaal te worden dat voor ze is opgezet. Ziet u niet dat het de gemeenschap van mannen goed uitkomt zulke vrouwen in de maatschappij te hebben... zolang er een ander soort vrouw is tot wie ze zich kunnen wenden voor hun bevrediging? Van zulke vrouwen wordt verwacht dat ze alles onderdrukken wat natuurlijk aan hen is – hun emoties en de bevrediding van hun zintuigen, waar echt geen schaamte aan te pas komt. Ik heb op u gelet. U bent een normale, gezonde vrouw, in staat tot diepe emoties, dat weet ik. U onderdrukt ze in die roeping tot verplegen. Ik heb u zien werken of er niets anders in het leven bestaat. U vecht tegen iets en houdt het op een afstand. Als u me dat geheim zou vertellen, als we het samen konden bespreken, als u en ik ware vrienden konden worden...'
Ik keek hem kalm aan. 'Ware vrienden?' herhaalde ik.
'De meest ware vrienden... de beste vrienden, tussen wie er geen barrières bestaan. We gaan hier vandaan. U gaat met me mee...'
Ik wist wat hij voorstelde en kreeg een kleur. Hij zag mijn verlegenheid en moest erom lachen.
Hij dacht dat ik alles verdrongen had. Dit was een hoogst onverwachte wending van de gebeurtenissen.
Hij was slecht. Natuurlijk was hij slecht. Ik had het mijzelf laten vergeten omdat hij het leven van William Clift had gered. En waarom had hij dat gedaan? Niet uit menslievende overwegingen, maar om te tonen dat hij almachtig was.
Ik stond half van mijn stoel op. 'Dokter Adair, ik wil terug naar het hospitaal.'
Hij haalde zijn schouders op en keek me spottend aan.
'Ik had inderdaad gelijk,' zei hij. 'Maar ik besefte niet hoe machtig de gevangenis is die u om uzelf hebt opgebouwd.'
'Uw metafoor is vrij duister. Ik ben volkomen vrij om mijn eigen leven te regelen en weet dat ik dit gesprek niet langer wil voortzetten. Dank u voor het diner. En nu, als u zo vriendelijk wilt zijn om te zeggen hoe ik terug moet, neem ik afscheid.'

'U kunt niet alleen in de straten van Constantinopel zijn op dit uur van de avond.'
'Ik zal veiliger zijn...'
'Dan met mij? Ik denk van niet. Ik zou u nooit mijn gezelschap opdringen. Ik zou u kunnen dwingen maar dat is een andere zaak. Kom, we gaan, want ik zie dat u opgewonden bent. U ziet mij als de booswicht, de verleider, ja toch? Ik heb uw antagonisme tegenover mij altijd gevoeld. Het maakt me nieuwsgierig en ik heb geprobeerd het te veranderen... op een onhandige manier. Ik heb een hoge dunk van u, juffrouw Pleydell, maar vanavond is het me mislukt... De eerste slag is verloren, maar eerste slagen beslissen de uitkomst nog niet.'
'U praat alsof we in oorlog zijn met elkaar.'
'Ja, dat is een toepasselijke omschrijving. Maar u zult merken dat ik een goedgunstige overwinnaar ben en dat het vredesverdrag prettig voor u zal zijn.'
'Dat is onzin.'
Hij keek me strak aan en ik wist dat ik zijn bedoeling niet verkeerd beoordeeld had.
Ik wilde weg, alleen zijn, om alles wat hij aan tafel had gezegd, te overdenken en de betekenis erachter te ontdekken.
Hij stond samen met mij op en de in schitterende livrei gestoken man boog ons het restaurant uit. Al gauw staken we de brug over naar het Christelijk Constantinopel.
'U hoeft me alleen maar naar de *caïques* te brengen,' zei ik.
'O nee, ik breng u terug naar het hospitaal.'
'Dat hoeft niet.'
'Ik wil het.'
Ik zei niets, maar was me bewust van zijn ogen op me. Er was iets van vrolijkheid in, iets spottends. Ik voelde me niet op mijn gemak, alsof ik vuil was. Ik was volkomen in de war en kon niet geloven dat ik zijn bedoeling correct interpreteerde. Maar hij was zo slecht dat ik ervan overtuigd was dat ik gelijk had.
We kwamen bij de helling van het hospitaal. Daar bedankte ik hem weer zo formeel mogelijk voor zijn gastvrijheid.
'Het eind van een avond die zo anders had kunnen zijn,' zei hij. 'Een conventionele avond. Maar die je kunt verwachten met iemand die zo conventioneel is als u.'
'Er was maar één eind mogelijk,' zei ik. 'Dank u.'
Hij hield mijn hand stevig vast. 'Niet het enig mogelijke eind, juffrouw Pleydell.'
'Het enig mogelijke wat mij betreft.'
'Laat maar, dit is pas het begin.'
Ik draaide me om en liet hem alleen.
Ik rende naar de slaapkamer. Wat jammer dat het niet mogelijk was om alleen

te zijn. We waren al aardig uitgedund en er was veel meer ruimte, maar alleen zijn was onmogelijk.
Eliza lag al op haar divan. Ze opende haar ogen toen ik binnenkwam. 'Waar is Henrietta? Ik zag jullie samen weggaan.'
'Is ze nog niet terug?'
'Nee.'
'Dokter Adair ging mee en we zijn Henrietta en Philippe Lablanche kwijtgeraakt.'
Ze hief haar hoofd op, leunde op een elleboog en keek me aan. 'Dus je was alleen met dokter Adair.'
Ik knikte. 'Wat ben ik moe, Eliza.'
'Hm,' gromde ze en ging weer liggen. Ze zei niets meer, maar ik wist dat ze niet sliep.
Ik bleef aan de avond denken, wat hij had gezegd over mijn in de steek laten van Aubrey. Het was zo oneerlijk. Wie had hem die indruk gegeven? En zijn bedekte suggestie! Hij was natuurlijk zo met alle vrouwen. Hij beschouwde ons als slaven. Had hij niet in het Oosten gewoond? Had hij hun manieren niet geleerd? Ik had de vrouwen gezien, hun lichamen bedekt met lange kledij, hun gezichten gesluierd... om alleen door hun meesters te worden gezien. Hij had net zo geleefd als zij. Hij deelde hun kijk op vrouwen. We waren hier op aarde om de wensen van mannen te bevredigen en vooral van mannen als Damien Adair. Toevallig waren hij en ik bij elkaar gekomen. Maar was het toeval of had hij het kwijtraken van de anderen georganiseerd? Hij had gedacht dat het eenvoudig zou zijn. Verdrongen! Mijn natuurlijke fysieke verlangens gesublimeerd met verplegen! Wat een brutaliteit! En hij had gezinspeeld op een soort verwantschap tussen ons. Als ik hem vroeger al had gehaat, deed ik het nu dubbel. Ik voelde me gekneusd en geschokt. Hij had me diep gekwetst door wat hij over mijn huwelijk had gezegd.
Henrietta kwam veel later.
Ze boog zich over me heen om te kijken of ik sliep. Ik deed alsof. Ik wist dat ze met vragen over de avond zou komen en wilde mijn gedachten beter in bedwang hebben voor ik haar antwoord gaf.

Ik kon de volgende dag niet aan de stroom vragen ontsnappen. Henrietta drong aan op informatie.
'Wat is er gebeurd? Het ene ogenblik waren jullie er en het volgende waren jullie weg.'
'Ik weet niet hoe het is gebeurd. We merkten plotseling dat jullie er niet meer waren.'
'Philippe loodste me door de drukte. Ik dacht dat jullie achter ons aankwamen.'
'We bleven staan om om te kijken, herinner ik me.'

'Dat moet het geweest zijn. O, Anna, wat is er gebeurd?'
'Dokter Adair dacht dat jullie naar een of ander restaurant waren gegaan. Hij zei dat dat een lievelingsplek van Philippe was... of zoiets. Daar zijn we naartoe gegaan en hebben met z'n tweetjes gedineerd.'
'Alleen met dokter Adair! O, Anna, wat opwindend.'
Ik zweeg.
'Hij is zo fascinerend. Natuurlijk is Philippe heel aardig maar... Wat is er gebeurd?'
'We hebben gewoon gedineerd, gepraat en zijn daarna weer naar het hospitaal teruggegaan. Ik was al lang binnen voordat jij kwam.'
'Ja. Je lag al in diepe slaap. Waar hebben jullie het in vredesnaam over gehad?'
'O... over het hospitaal.'
'Ik zou gedacht hebben dat je dolblij was om er even uit te zijn.'
'Nou ja, hij is een dokter en het is heel belangrijk voor hem.'
'Het moet geweldig voor jou zijn geweest.'
Weer stilte.
Ze zei: 'Als ik het was geweest, had ik het reuze spannend gevonden. Ik bedoel... al die avonturen van hem... wonen in een harem en zo. Ik zou over zoveel dingen met hem gepraat hebben.'
'Jij hebt altijd zoveel met iedereen te bepraten.'
Ze lachte. 'Zeker speciaal met hem. Ik denk dat hij de meest verbazingwekkende man...'
Ik kon haar geestdrift voor hem niet langer verdragen en zei dat ik nu echt op zaal moest zijn.

Het was ongeveer een week later dat we hoorden dat we naar huis zouden gaan. De meeste gewonden werden naar Engeland teruggebracht en slechts een paar moesten blijven.
Toen het vertrek naderde, merkte ik dat Henrietta's gedachten er niet bij waren. Weer had ik het gevoel dat ze niet weg wilde.
Eliza merkte het en maakte er tegen mij een opmerking over.
Ik geloof dat ze zich bezorgd over me maakte. Ze was ervan overtuigd dat ik met dokter Fenwick moest trouwen omdat dat het beste voor me was.
'Ik heb dikwijls gezegd dat jij een van die vrouwen bent die een gezin willen hebben. Je wilt kinderen en zo krijg je ze. O, ik weet dat je dokter Fenwick niet als een fantastische vent beschouwt voor wie je door de hel zou willen gaan. Zo is het niet. Het leven is niet zo, geloof me. Ik weet het. En als een meisje iets goeds ziet, moet ze het pakken en er niet te lang over zeuren, anders pikt een ander het in. Dat soort kansen groeien niet aan de bomen.'
Ik vond het nooit erg als ze zich met mijn zaken bemoeide, het was prettig dat de grote Eliza me onder haar vleugels had genomen.

Maar ik vroeg me af wat ze zou doen als we in Engeland terug waren en ik vroeg het haar.
Ze haalde haar schouders op. ' Misschien ga ik naar een van die ziekenhuizen waar ze het over hebben. Ik zou vast wel kunnen zeggen dat ik genoeg ervaring heb. Dat of het oude spul. Wie weet? Het is kruis of munt.'
'Maar waar ga je wonen als je terugkomt?'
'Ik vind wel een kamer. Die zijn er altijd.'
'Eliza, ga mee met Henrietta en mij. Ik heb ruimte over in het huis dat ik gehuurd heb.'
'Wat? In jouw huis logeren? Je bent stapelgek. Mensen als ik kun jij toch niet in huis halen!'
'Mijn lieve Eliza, ik kies mijn gasten en dus degenen die ik aardig vind.'
Ze lachte me uit. 'O nee, het is heel anders als u thuiskomt, hoor. Vrienden hier zijn nog geen vrienden daar. Hier zijn we allemaal hetzelfde. We zijn allemaal samen. Maar als we thuis zijn, is dat anders.'
'Het wordt wat we ervan maken, Eliza. Ik wil dat je bij mij komt tot je besluit wat je wilt gaan doen. Misschien gaan we wel samen naar een van die ziekenhuizen.'
'Dan wilt u dat werk niet langer doen. U gaat met die aardige dokter Fenwick trouwen.'
'Eliza, zeg alsjeblieft dat je met ons meegaat. Dan zoeken we Ethel op in haar boerderij.'
'Dat zou leuk zijn.'
'Het is dus geregeld.'
'Je bent me er een,' zei ze. Ze fronste het voorhoofd. 'Ik hoop dat het goed komt tussen u en dokter Fenwick.'
'Zulke dingen hebben tijd nodig.'
'Kort geleden was ik bang dat u iets voelde voor die dokter Adair... zoals Henrietta.'
'Voor hem! O nee! Hij is heel terughoudend.'
'Dat maakt geen verschil. Ik zou zeggen dat hij niet deugt. Hij is op zoek naar Nummer Een en dat is dokter Adair.'
'Je zunt wel gelijk hebben.'
'Maar hij heeft wat – dat moet ik toegeven. Ik geloof dat vrouwen bij bosjes voor hem vallen. Het is die manier die hij heeft... en die donkere blikken en die geheimzinnigheid over het Oosten en zo. Hij heeft vast een leven geleid... en op de een of andere manier weet jij daarvan.'
'Hij schijnt nogal indruk op jou gemaakt te hebben.'
'Hij zou nog indruk maken op een stenen muur, die man, maar ik maak me ongerust over Henrietta. Jij hebt gezond verstand. Je hebt van alles meegemaakt. Je bent getrouwd geweest en je weet dat het niet allemaal rozengeur en mane-

schijn is. Maar Henrietta is eigenlijk nog een baby. Ze is zo onschuldig... zo'n beetje als Ethel maar op een andere manier, als je begrijpt wat ik bedoel.'
'Ik geloof dat Henrietta voor zichzelf kan zorgen. Ze schijnt zo luchthartig en flirterig, maar in feite is ze heel slim.'
'Ik weet het niet. Meisjes kunnen gek doen als het om mannen gaat en met dat soort mannen weet je het nooit.'
'Maar je denkt toch niet dat dokter Adair en Henrietta...'
'Het zou me niks verbazen. Als hij een vinger optilt, is ze weg. Je hebt gemerkt hoe ze is als hij in de buurt komt... zelfs als er over hem wordt gepraat. Hij hoeft maar een woord te zeggen en ze gaat er met hem vandoor – en dat zal haar geen goed doen.'
'Eliza, je vergist je. Ze ziet monsieur Lablanche veel.'
'Een aardige kerel, dat wel... als dokter Fenwick, maar het zijn niet altijd de aardige mensen die meisjes willen hebben als ze niet veel gezond verstand hebben en de meeste vrouwen hebben dat niet. Ik weet waar ik het over heb.'
Was dat zo? vroeg ik me af.
Toen de dag van ons vertrek naderde, werd Henrietta nadenkender. Ze verviel in stiltes – zeldzaam voor haar. Ik vroeg of ze iets had en ze verzekerde me dat er niets aan de hand was. Maar ik wist dat ze ergens over piekerde.
Het was de avond voordat de boot vertrok. We wisten niet precies hoe laat we uit Scutari zouden vertrekken, maar hadden de waarschuwing gekregen dat we klaar moesten zijn om in te schepen als we de orders kregen.
Ik zag dokter Adair die dag en wist dat hij naar me had uitgekeken. We gingen het kamertje binnen naast de nu verlaten ziekenzaal.
'Zo,' zei hij. 'Morgen gaat u weg.'
'Ja.'
'U wilt niet gaan?'
Ik aarzelde. Tot op zekere hoogte had hij gelijk. Ik voelde me leeg. Ik was hier naartoe gekomen, vastbesloten om aan te tonen wat voor man hij was, en wat had ik gedaan? Niets. Hij was me steeds te slim af geweest. Het enige waar ik in geslaagd was, was dat ik me afhankelijk van hem had gemaakt. Het was voor het eerst dat ik dat toegaf. Nu zag ik in dat ik, als ik bij hem was, als we samen praatten, voelde dat ik leefde. Ik had me gevoed met mijn haat, ik had ervoor geleefd – en het was een feit dat het leven geen zin zou hebben zonder dat. Overal was leegte.
'Dus ik heb gelijk,' zei hij triomfantelijk. 'U wilt niet weg.' Hij kwam dichter naar me toe en legde een hand op mijn arm, hield die stevig vast. 'Ga niet.'
'Hoe kan ik nu blijven? We hebben gehoord dat we het hospitaal moeten verlaten.'
'Er zijn meer plaatsen dan het hospitaal. U weet hoeveel belangstelling u hebt voor de stad. Ik zou u een paar fascinerende wijken kunnen laten zien.'

'Dat is absurd. Waar zou ik moeten wonen?'
'Dat regel ik wel.'
'Stelt u me werkelijk voor...?'
Hij keek me glimlachend aan en knikte. 'Kom, juffrouw Pleydell, juffrouw Nachtegaal in een kooitje. Doe waar u zin in hebt, ook al is het tegen de wetten die de maatschappij voor u heeft neergelegd. Blijf hier. Ik zorg dat alles voor u geregeld wordt.'
'Ik weet natuurlijk dat u het niet meent.'
'Ik meen het in volle ernst.'
'Waarom?'
'Omdat ik u zal missen als u weg bent.'
'Natuurlijk niet.'
'Echt, juffrouw Pleydell, ik ken mijn eigen gevoelens.'
'Kom, vaarwel dokter Adair.'
'Ik zeg niet vaarwel. Als u vastbesloten bent om morgen te gaan, zeg ik au revoir. Omdat we elkaar terug zullen zien, weet u.'
Hij hield mijn hand vast en dwong me hem in de ogen te kijken. Ik voelde hoe de emotie mijn gezond verstand deed smelten. Ik was heel treurig, niet omdat ik het hospitaal verliet, niet omdat de oorlog voorbij was – hoe zou dat kunnen? Dat waren zaken waar ik blij over moest zijn. Maar als ik de waarheid moest zeggen, was het omdat ik hem niet langer zou zien. Hij had me zo lang geobsedeerd – zelfs nog voordat ik hem ontmoette. Ik had geleefd voor mijn wraak en nu we oog in oog tegenover elkaar stonden, was die me ontglipt.
Ik wilde met hem blijven vechten. Ik wilde meer van die *têtes à têtes* tijdens een etentje, als hij tegenover me zat en van die indirecte opmerkingen maakte, zoals dat er een bepaalde verwantschap tussen ons zou kunnen zijn – die ik, tot mijn schande, opgewonden in overweging nam.
Ik zou gedeprimeerd zijn als we vertrokken en vroeg me af wat ik in Londen moest doen. Ik zou steeds wensen dat ik terug was tussen alle verschrikkingen van het hospitaal in Scutari – waar ik aanhoudend werkte, getuige was van dingen die me ziek maakten en met medelijden vervulden, waar ik 's avonds neerviel op mijn divan te uitgeput voor alles behalve de korte slaap tot de volgende ochtend. Maar steeds was er een mogelijkheid geweest om hem te zien, of zelfs een paar woorden met hem te wisselen, om iets te ontdekken waarvan ik mijzelf kon voorhouden dat het een deel was van zijn zelfingenomenheid en laaghartigheid.
Ik zou hem missen. Dat was een milde manier om uit te drukken wat ik zou voelen. Mijn leven zou leeg zijn zonder hem.
'Vaarwel, dokter Adair,' ze ik weer.
Hij hield mijn hand in de zijne. 'Ga niet,' zei hij zacht.
'Vaarwel.'

'U bent onvermurwbaar.'
'Natuurlijk. Ik ga naar huis.'
'We zien elkaar weer terug.'
'Misschien...'
'Niet misschien. Ik zal zorgen dat het gebeurt. U krijgt spijt van uw vertrek, dat weet ik.'
Ik glimlachter, trok mijn hand terug en liep weg.

Later die dag kwam Henrietta naar me toe. 'Anna. Ik ga niet.'
'Wat bedoel je... ik ga niet.'
'Ik ga niet naar huis.'
'Je kunt niet in het hospitaal blijven.'
'Dat weet ik. Ik ben het ook niet van plan.'
'Maar,je kunt niet...'
'Ik kan het wel... als we hier weggaan. We zijn al afgemonsterd. Ik kan gaan waar ik wil. Ik blijf hier.'
'Waar?'
'In Constantinopel.'
'Alleen?'
'Het is allemaal in orde. Maar ik moet een besluit nemen.'
'Wat voor besluit?'
'Het gaat om Philippe. Hij heeft me gevraagd met hem te trouwen.'
'Heb je ja gezegd?'
Ze schudde haar hoofd. 'Ik weet het niet zeker. Ik heb tijd nodig.'
'Maar je kunt later toch altijd hierheen komen.'
'Dat wil ik niet. Ik blijf hier.'
'Maar dat kun je niet.'
'Grace Curry en Betty Green en nog een paar blijven ook.'
'Dat is anders. Die kunnen voor zichzelf zorgen. Ze zijn geen jonge meisjes meer.'
'Ik heb mensen die voor me zorgen. Ik moet blijven, Anna. Niets kan me van gedachten doen veranderen.'
'O, Henrietta,' zei ik. 'We zijn samen hier naartoe gekomen. We zijn aldoor samen geweest.'
'Dat weet ik. We hebben een fijne vriendschap, maar dit is belangrijker voor me dan al het andere. Jij gaat naar huis. Je hebt Eliza bij je. Zij is beter dan ik...'
'Blijf hier niet, Henrietta.'
'Ik moet.'
'Je hebt me niet alles verteld.'
Ze zweeg. 'Er zijn dingen waarover je niet kunt praten. Je kunt je gevoelens niet uitleggen. Dit is iets wat ik alleen moet doen.'

'Heb je ernstig nagedacht over wat je doet?'
'Ik denk al eeuwen aan niets anders. Ik wacht niet tot morgen. Ik ga vanavond.'
'Ik kan het niet geloven, ik ben er volkomen kapot van.'
'Ik heb steeds uitgesteld het je te vertellen. Maar ik had het eerder moeten doen. Je kent me. Ik vind het niet prettig iets te doen. Ik doe altijd of het niet bestaat. Zo ben ik altijd geweest.'
'Misschien kan ik beter bij je blijven.'
Ze keek me geschrokken aan. 'Nee. Nee. Je moet naar huis. Eliza gaat met je mee. O, Anna, wat zullen Jane en Polly blij zijn. En Lily ook. Ze gaan het gemeste kalf slachten.'
'Henrietta, is er iets wat je me wilt vertellen?'
Ze schudde haar hoofd. 'Nee... nee... ik moet dit doen, Anna. Probeer het alsjeblieft te begrijpen en op een dag... misschien al gauw... kom ik naar je toe. Dan vertel ik je alles. Dan begrijp je het.'
Ze omhelsde me en hield me zwijgend vast, want we waren alle twee te emotioneel voor woorden.
Ik vond Eliza en vertelde haar wat Henrietta had gezegd.
Ze zei: 'Ik zag het aankomen. Ik wist het. Arme Henrietta, ze weet niet wat ze zich op haar hals haalt.'
'Ik heb met haar gepraat. Ik heb haar gesmeekt met ons mee te gaan. Ik heb zelfs gezegd dat ik wel wilde blijven.'
'Dat moet je niet doen. Je moet naar huis. Je moet leven zoals de bedoeling was. Dokter Fenwick zal komen en als je met hem getrouwd bent, vraag je je af waarom je het zo lang hebt uitgesteld.'

Het was een gespannen afscheid van Henrietta. Nog een paar vrouwen hadden besloten te blijven en ook zij vertrokken die avond.
Ik kon me niet voorstellen dat ik haar verloren had. We waren zo lang samen geweest. Ik was gekwetst en verbaasd dat ze zo weg kon gaan. Ze kende mijn gevoelens en wilde alles uitleggen, maar kennelijk kon ze daar niet toe komen.
'Het is liefde, dat is het,' zei Eliza. 'Die is sterker dan vriendschap. Alles wordt vergeten als een man zijn liefje wenkt.'
We gingen met Henrietta het hospitaal uit, zagen hoe ze de weg afliep naar de waterkant. We zagen haar in de *caïque* stappen. Toen staarde ik, want dokter Adair was naar haar toe gekomen en stond naast haar.
Eliza wendde zich tot mij. 'Ik zei het toch. Ik wist het.'
'Wat?' vroeg ik, hoewel ik het wist.
'Ze gaat er met hem vandoor. Hij hoefde maar met een vinger te wenken en weg is ze, vergeet haar vriendinnen... iedereen. Nou ja, zo zit de wereld nu eenmaal in elkaar.'
'Ze gaat naar Philippe Lablanche.'

'Dat zal wel.'
'Dat heeft ze me verteld.'
'Ze wilde niet dat je de waarheid wist. Ze was betoverd door hem. Dat was zo klaar als een klontje. En nu gaat ze er met hem vandoor. O, de stommerik. En wij zijn er niet als hij haar aan haar lot overlaat. Hij heeft haar genomen... en ik denk dat hij jou ook wilde hebben. Ik ken dat soort. God helpe onze kleine Henrietta.'
'Ik geloof het niet. Ze zou het me verteld hebben. Ze heeft heel duidelijk Philippe genoemd...'
'Hij wachtte toch op haar? Natuurlijk zegt ze dat het Philippe is. Ze wil niet dat je de waarheid weet. Ik heb het zien aankomen. Ik ken het leven. Ze gaat een paar weken, een paar dagen, misschien een paar uur met onze geheimzinnige meneer op stap en denkt dat dat de moeite waard is.'
'Maar geen van beiden zal toch zoiets doen.'
'Wat bedoel je, geen van beiden? Hij is een schurk en zij is een dwaas. Hij pikt alles wat hij krijgen kan en zij heeft er al weken naar toe geleefd.'
'Misschien moet ik proberen haar te vinden en haar terug te brengen.'
'Hoe? Waar? Ze zit midden in de stad voordat jij bij haar in de buurt kunt zijn. Als zijn maîtresse... En ze blijft niet lang bij hem. We kunnen niets doen.'

Ik kon de laatste nacht in Scutari niet slapen en lag te woelen in mijn bed. Wat deden ze nu? Ze waren samen. Damien – ik noemde hem in gedachten Damien – zou met haar vrijen. Hij was er natuurlijk ervaren in en de arme Henrietta was onschuldig, onervaren, een dromerig schoolmeisje in feite. Ze geloofde zeker dat het eeuwig zou duren en voor hem was ze een van die liefjes die hij even nam en liet vallen als hij genoeg van haar had – zoals de vrouwen in een harem. Misschien had hij wel een harem in dat huis in Constantinopel. Ik stelde me de vrouwen voor in hun prachtige Turkse kledij, die doorzichtige wijde broeken, samengebonden bij de enkels... wachtend tot hun heer hen riep. Te denken dat Henrietta een van hen was geworden... een slavin, niet meer. En hij had geprobeerd mij een van hen te maken! Ik veronderstelde dat hij ons daar graag samen had willen hebben.
Ik moest niet langer aan hen denken. Henrietta had haar keus gemaakt. Ze moest zich eraan houden. Wat had ze gedaan? Ze had haar onafhankelijkheid, haar beschaafde manier van leven, opzij gezet om een slavin te worden.
Spookachtige beelden flitsten door mijn hoofd. Ik zag hem voor me, over de tafel leunend met haar praten, zoals met mij. Ik zag hun vrijen, en in mijn fantasie was het niet Henrietta die deelnam aan die erotische houdingen, maar ik. Ik vocht met mijzelf. Ik wilde daar zijn. Wat een beschamende erkenning! Het was niet waar. Ik wilde hem nooit meer zien. Ik wilde vergeten dat ik ooit over hem had gehoord. Maar hoe kon ik? Hij was al zo lang een deel van mijn leven.

Ik had mijn verdriet gevoed met snoepjes van wraak. Ik was door de leegte van mijn leven gegaan in de hoop dat ik mij zou wreken. Ik had hem van alle soorten gemeenheden voorzien. Hij was de Demon Dokter – niet helemaal menselijk. Hij had me in bezit genomen alsof hij het fysiek had gedaan. Hij was slecht en toch was het leven zo leeg zonder hem.
Terloops dacht ik aan Charles Fenwick. Zo'n leegte had ik niet gevoeld toen ik de boot, waarmee hij naar huis voer, nakeek. Toch was Charles een goede, eerlijke man. Hij bood me heel wat, en ik had me ervan afgekeerd. Ik moest redelijk en verstandig zijn. Ik moest de Demon Dokter uit mijn hoofd zetten.
Ik moest proberen te slapen, anders was ik morgenochtend doodmoe en er was veel te doen. Ik dwong me aan mijn thuiskomst te denken. Zodra ik het wist, had ik Jane en Polly de datum van mijn aankomst geschreven, maar ik wist niet of ze de brief op tijd hadden ontvangen.
Ik kon zeker zijn van een welkom. Ze zouden inderdaad het gemeste kalf slachten, zoals Henrietta had gezegd. Wat zou er gepraat worden. Jane, Polly, Lily... ze zouden alle drie van alles willen weten. Ik zou moeten uitleggen van Henrietta en Eliza aan hen voorstellen.
William Clift zou samen met ons reizen. Ik zou hem thuisbrengen. Een geschenk voor Lily. En wat een geschenk! Ik moest dankbaar zijn voor wat ik in staat was te doen.
En het was Damien die zijn leven had gered, dus zo was ik terug bij hem. Het was zinloos te proberen hem uit mijn gedachten te zetten.
Ik ging over ieder detail van die dag, toen hij achter het scherm Williams leven had gered met zijn vreemde methoden. Niemand anders had het kunnen doen. Niemand anders zou gedurfd hebben wat hij deed. Dat moest ik niet vergeten – en evenmin moest ik vergeten dat we hem verkeerd beoordeeld hadden. Toen we hem vonden met die tulband – en hij er zo schitterend uitzag – had hij zich niet overgegeven aan erotische avonturen; hij had medicijnen verschaft die hij aan William en anderen had toegediend en had zo hun leven gered.
Hij was in bepaalde opzichten satanisch, maar hij was een goede dokter. Hij had veel gedaan dat schandelijk zou worden gevonden, maar hoeveel levens had hij niet gered? En hoeveel verloren? Dokters konden niet aldoor levens redden. Het lag in de aard van hun werk dat ze moesten experimenteren.
Daar was hij weer, domineerde mijn gedachten, hield me uit de slaap en vervulde me met een ellendig gevoel van verlies.
Slapen was die nacht niet mogelijk.

De volgende dag gingen we aan boord van de boot die ons naar Marseille zou brengen. Hij was bijna even krakkemikkig als de *Vectis* en was nauwelijks zeewaardig; maar ik was het me vrijwel niet bewust. Mijn gedachten waren in Constantinopel.

De soldaten die goed genoeg waren om te reizen, gingen met ons mee, ook William was erbij. Het was tenminste een troost dat ik hem mee naar huis nam, naar Lily.
Ik voelde me ontroerd toen we door de Bosporus kwamen, keek naar de oevers, naar de minaretten en torens van Constantinopel en het hospitaal bij Scutari. Eliza en ik stonden naast elkaar te kijken.
'Heel wat water is er onder die brug gestroomd sinds we hier kwamen,' zei ze 'Ik herinner het me goed... wij met ons vieren. We waren toen al vrienden geworden. Wat ben ik blij dat dat gebeurde.'
'Net als ik,' zei Eliza; ze was altijd kortaf als haar emoties erbij betrokken waren. 'In ieder geval is alles voor Ethel goed afgelopen,' ging ze verder. 'Wie had dat gedacht? Een van de slachtoffers van het leven. Zo zie je, je kunt nergens zeker van zijn. Echt een stralende romance. Ik vraag me af hoe het met haar gaat. Wat zal het leuk zijn haar weer te zien.'
'Zeker.' Ik was het ermee eens.
Toen gingen we naar binnen, naar onze vuile, kleine hut.
Tot op zekere hoogte herhaalde de geschiedenis zich. Het duurde niet lang of we zaten in een storm. Eliza en ik gingen naar dek en zaten naast elkaar, terwijl de golven tegen de romp van ons wrakke schip beukten en we vroegen ons af, evenals bij die eerdere gelegenheid, of we het zouden overleven.
'Het is net als toen, maar nu zijn we met ons tweeën,' zei Eliza, 'en Ethel is veilig thuis. Dat toont maar weer dat je het nooit moet opgeven, wat jij?'
'Inderdaad,' zei ik.
'Denk je eens in. Als jij er niet voor had gezorgd dat ze niet overboord ging, had ze nooit Tom ontmoet, nooit dat leven op het platteland gekregen. Geeft het je geen gevoel van macht, dat je zo'n invloed hebt op iemands leven?'
'We hebben toch allemaal invloed op elkaars leven.'
'Ja, daar heb je wel gelijk in. Maar als je een leven redt, is dat toch wel iets anders.'
Ik dacht aan hem bij dat door schermen ingesloten bed, terwijl hij de kogel in zijn hand hield. Ik dacht aan zijn methoden... dat hij per se wilde dat William geen pijn zou hebben, dat hij een medicijn gaf dat ongetwijfeld in onze ziekenhuizen thuis niet geaccepteerd zou worden. Hij had andere levens gered... en er een paar verloren. Hoe voelde dat?
Eliza zei: 'Je zit nog steeds te piekeren.'
'Nou ja, er is veel om over na te denken. Wat is er niet allemaal gebeurd met ons! We moeten andere mensen zijn geworden. We hebben dingen gezien die ons hebben geschokt... verschrikkingen die we nooit zullen vergeten. Mensen thuis horen over de triomf van de oorlog en ze stellen zich onze dappere soldaten voor, dravend naar de overwinning... en het is allemaal even fantastisch en romantisch. Maar zo is het helemaal niet. Dat is iets wat jij en ik nooit zullen vergeten, Eliza.'

'Dat is waar.'
We zwegen en dachten aan de lange uitputtende dagen, aan de tijden wanneer de *arabas* binnenkwamen met gewonden, het aanhoudende gevecht tegen gebrek aan bedden, materiaal, alles wat we nodig hadden.
Plotseling zei ze: 'Je moet een keus maken. Ga je in een van die hospitalen werken die juffrouw Nightingale wil opzetten, of ga je met dokter Fenwick trouwen?'
'Het is moeilijk vooruit plannen te maken, Eliza.'
'Dat betekent dat je het nog niet weet.'
'Dat kan. En jij, Eliza?'
'Ik heb nooit een toegewijde minnaar gehad die op me wachtte. Ik hoor tot de mensen die voor zichzelf moeten zorgen. Misschien wordt het het ziekenhuis voor me. Ik weet het niet. Ik maak nooit plannen. De dingen gebeuren of je plannen maakt of niet. Jij en ik zitten hier en jij wilt dat ik met je meega. Wie zou dat gedacht hebben toen we hier naartoe gingen?'
'Je was nogal achterdochtig wat ons betreft.'
'Ik dacht dat je een van die dames was die maar zo'n beetje speelde,en ik wist dat het geen speeltuin zou zijn.'
'We hebben elkaar leren kennen en dat was goed. Ik zal onze vriendschap altijd koesteren, Eliza.'
'Ik weet dat het een beetje sullig klinkt, maar ik ben erg op je gesteld geraakt en ik was echt bang dat je iets onnozels zou gaan doen. Die man! Wat had hij toch? Hij was niet als andere mannen, hè?'
'Je bedoelt dokter Adair.'
'Ja. Die ogen van hem schenen dwars door je heen te kijken. En hij had een knap gezicht. Zo zie je ze niet vaak. Ik bedoel maar, er zijn van die mensen... je ziet ze en vijf minuten later kun je je niet meer herinneren hoe ze eruitzagen. Hij daarentegen...eens gezien, nooit vergeten.'
'Ja, ik denk dat je gelijk hebt.'
'Hij was toch wel boeiend. Zelfs ik voelde het. Je had het idee dat hij je kon laten doen wat hij wilde.'
Ik knikte.
'Ik kon zien wat je voor hem voelde.'
'Ik... wist van hem voordat ik hem ontmoette. Hij heeft boeken geschreven over zijn avonturen in het Oosten. Hij is geïnteresseerd in medicijnen die in landen ver van ons vandaan, worden gebruikt. Hij gelooft dat wij in het Westen onze ogen en oren voor de Oosterse methoden sluiten. Hij denkt dat we iedere weg moeten onderzoeken en niets aan het toeval moeten overlaten.'
'Ik kan zien dat hij je te pakken heeft gekregen. Je gloeit zo'n beetje als je over hem praat.'
'Gloeit?'

'Nou ja, ik ben niet zo goed met woorden. Maar je ogen glanzen en er is iets in je stem. Ik kan zien dat hij jou net zo heeft beïnvloed als Henrietta.'
'Dat kwam door wat ik over hem gehoord had. Ik wilde erachter komen of het allemaal waar was.'
'Hij zal best een goede dokter zijn. Niet van het soort dat dokter Fenwick is. Dat is een goede man en die ander is niet direct wat je een goede man noemt. Hij zou niet alleen alles over medicijnen willen uitzoeken, maar over gewoonten en dingen en zo.'
'Hij heeft onder hen gewoond. Dat was de enige manier waarop hij hen kon leren kennen, de enige manier waarop hij zijn ontdekkingen kon doen.'
'En wij weten wat sommige van die manieren zijn. Hij is helemaal man, dat moet ik van hem zeggen. Hij heeft een hoge dunk van zichzelf. Hij denkt dat we er allemaal zijn voor hem en dat hij gebruik van ons kan maken. Ik kon zien wat hij met Henrietta deed.'
'Ik geloof niet dat ze tegen me zou liegen. Als ze naar hem toe was gegaan, zou ze het gezegd hebben.'
Eliza schudde haar hoofd. 'Nee,' zei ze met nadruk. 'Ze wist hoe jij over hem dacht.'
'Ik heb nooit over mijn gevoelens met haar gesproken.'
'Dat was niet nodig. Ze wist het omdat ze het zelf ook voelde en toen ze met hem wegging, wilde ze niet dat jij het wist omdat ze dacht dat het jou zou kwetsen. Dus verzon ze dat verhaal over trouwen met de Fransman.'
'Ik geloof het niet.'
'Dat zou ze doen. Ze keerde zich af van wat pijnlijk was. Ze zou je voor geen geld van de wereld willen kwetsen. Ze wilde niet dat jij wist dat zij de prijs had gekregen... want zo ziet ze het. Ze is naar hem toe gegaan. God helpe haar. Het zal niet lang duren. Zij is niet van het soort dat hem tevreden houdt. Hij heeft een oogje op jou. Jij bent veel serieuzer. Ik kon zien dat hij op je lette en ik denk dat zij veel gemakkelijker was. Ze stond klaar om in zijn armen te vallen. Ik ken mannen en ik ken vrouwen. Wees dankbaar voor wat je hebt. Je kunt kiezen. Dokter Fenwick en een goed leven met kleinjes, dat is wat je nodig hebt om dat andere kleintje tot rust te brengen. En dat kun je kunt doen als je een ander hebt. Jij bent het soort vrouw dat kinderen nodig heeft, zoals ik je al eerder heb gezegd. Als je een beetje gezond verstand hebt – en ik geloof dat je dat hebt – neem je dokter Fenwick. En dank je gelukkige gesternte dat hij er is voor jou.'
'O, Eliza,' zei ik. 'Het is goed met je te praten.'
We zwegen een poosje, toen zei ik: 'Denk je dat de boot blijft drijven tot Marseille?'
'Vast wel. Al zou je het niet denken als je dat gebeuk van de golven ziet dat ze krijgt.'
'Stormen schijnen vertrouweljkheden uit te lokken.'

'Dat komt omdat je dan roekeloos bent. Achter in je hoofd is de gedachte dat je het misschien niet overleeeft en daarom zeg je wat je werkelijk denkt.'
'Ik had me niet gerealiseerd dat ik mijn belangstlling in dokter Adair zo verraden had.'
'O, beste meid, het straalde van je af. Alles aan je gloeide als hij langs kwam. Ik heb je uit dat kamertje zien komen, je weet wel, dat kleintje naast de ziekenzaaal. Je kwam de kamer uit met hem, helemaal stralend.'
'Als Henrietta?'
'Ja, net zo. Maar bij haar verwacht je het. Niet bij jou. Dus dan betekent het meer.'
'Wees gerust, ik zal hem niet meer zien.'
'Laat dokter Fenwick niet te lang wachten. Mannen worden ongeduldig, zelfs de besten.'
We zwegen weer.
Toen zei ik: 'De storm is niet meer zo fel.'
'Het is even stil.'
'Het zal gek zijn om thuis te komen na zo'n lange tijd,' zei ik.

Terugkeer naar Kaiserwald

Door elkaar geschud en wat zeeziek bereikten we Marseille. Toen kwam de tocht naar Parijs, waar we een nacht in hetzelfde hotel doorbrachten als op de heenweg. Vervolgens naar Calais en de boot die ons het Kanaal over moest brengen. We hadden het druk met het verzorgen van de soldaten die we bij ons hadden, al was geen van hen meer ernstig ziek.

Toen de witte rotsen in het zicht kwamen, voelde ik een storm van emoties. Thuis leek zo knus en gezellig, en toch voelde ik dat er zoveel van me was achtergebleven. Ook was ik van de wijs gebracht te horen dat ik mijn gevoelens zo duidelijk had verraden. Eliza had me doen beseffen hoe heftig die waren. Verrukt! Ik gloeide, had ze letterlijk gezegd. Was het zo duidelijk? En had hij het gemerkt?

Wat een dwaas was ik! Ik was erop uitgegaan om hem te vernietigen en het scheen dat hij mij vernietigd had.

Ik moest nu de waarheid onder ogen zien. Ik wilde bij hem zijn. Meer dan wat dan ook wilde ik dat. Hij was de meest fascinerende persoon die ik ooit had ontmoet. Hij was een moeilijk te doorgronden man. Je zou zoveel over hem te weten willen komen... meer dan in je hele leven mogelijk was. Had hij mijn kind indirect gedood? Nee. Julian was al dood toen hij binnenkwam. Maar hij had Aubrey beïnvloed, geloofde ik. Mijn ontmoetingen met hem waren kort geweest, de wetenschap dat hij in de buurt was, had me opgewonden; en wat ik dacht dat brandende woede was, was in het tegendeel veranderd.

En hij had Henrietta genomen!

Ik had het gevoel dat hij wilde dat ik dat wist. Hij was boos, omdat ik niets van zijn avances wilde weten. Ik twijfelde niet aan wat die suggesties van hem te betekenen hadden gehad. Hij had me bij zich willen hebben als zijn gewillige maîtresse en slavin. Er was geen spoor van een huwelijksaanzoek geweest. Zou zo'n man willen trouwen? Een vrouw, een normaal gezin, zouden zijn vrijheid aan banden leggen. Hij zou op avontuur willen gaan wanneer hij ervoor in de stemming was. Hij was arrogant en immoreel. Hij was eraan gewend door het leven te schrijden, te nemen wat hij wilde en het achter te laten zodra hij er geen behoefte meer aan had. En hij zou voor geen enkele vrouw veranderen.

Hij was uniek. En daarom voelde hij zich gerechtigd om te handelen zoals hij deed.

En ik was zo stom geweest me door hem te laten inpalmen. Wat zal hij het amusant hebben gevonden. Mij te zien, stralend van vreugde omdat hij iets tegen me had gezegd. Eliza zag het, dus hij zeker ook. Hij zou denken dat ik zijn suggestie had afgeslagen omdat ik bang van hem was, bang om uit dat conventionele harnas te stappen.

En dus had hij Henrietta gewenkt en zij was direct bereid geweest naar hem toe te gaan.
Wat een broddelwerk had ik van alles gemaakt! Eerst mijn huwelijk. Had ik moeten blijven en proberen een andere man van Aubrey te maken? Had ik hem moeten helpen bij het vechten tegen die verschrikkelijke verslaving? Toen het gebeurde, had ik geloofd dat ik niets anders kon doen dan weggaan. Maar had ik het mis gehad? Was ik hard en onverschillig geweest? Ik had de eed gebroken die ik had gezworen: hem lief te hebben en te koesteren in ziekte en gezondhed. En toen had mijn zinloos idee van wraak me op de zee van ellende doen drijven waar ik bijna in verdronken was toen ik mijn baby verloor.
Ik was dwaas geweest. Ik had het leven onder ogen moeten zien. Ik had het vierkant moeten accepteren en mijzelf niet moeten bedriegen.
En nu moest ik opnieuw beginnen.
Kon ik met Charles trouwen? Was het eerlijk tegenover hem als mijn gevoelens volkomen in beslag werden genomen door een ander... en door zo'n man! Er kon nooit iemand zijn zoals hij. Als ik hem nog eens zag, hoe sterk zou ik dan zijn? Maar zo... hoe kon ik met Charles trouwen?
Ik was blij dat Eliza bij me was. Misschien konden we samen naar een van de ziekenhuizen gaan. Tenslotte waren we getraind voor dit werk.
De rotsen waren nu vlakbij. Bijna thuis!
Het was een ogenblik van grote vreugde toen we bij het Victoria Station aankwamen. Mijn brief was op tijd gekomen en Joe stond te wachten met het rijtuig. Lily was bij hem. Ik zal nooit vergeten hoe ze keek toen ze in Williams armen vloog.
Een paar ogenblikken klemden ze zich aan elkaar vast. Ze keek hem aan, zocht in zijn gezicht om te zien of hij dezelfde was... haar William.
Toen wendde ze zich tot mij. 'O, juffrouw Anna... u hebt hem gered. U hebt hem bij me teruggebracht.'
'Ik heb hem niet gered, Lily. Dat was de dokter... dokter Adair.'
'God zegene hem. Ik wilde dat ik hem kon bedanken voor wat hij gedaan heeft.'
En daar was Joe. Hij stond maar naar me te kijken.
'Eindelijk thuis...' zei hij. 'Ze zaten op hete kolen. Vanaf het ogenblik dat ze het wisten.'
'En waar is juffrouw Henrietta?' vroeg Lily.
'Die blijft daar nog... een poosje.'
'O... ik dacht dat u samen terug zou komen.'
'Dit is Eliza, juffrouw Flynn. Ze was samen met mij verpleegster en blijft een tijdje bij ons.'
'Stel je voor,' zei Lily. 'Wat een tijd moeten jullie hebben gehad. Ik ben zo blij dat u er was, juffrouw Anna. Ik kan niet zeggen hoe ik me voelde toen ik van u hoorde dat William veilig was.'

'We moeten verder,' zei Joe. 'De paarden worden ongeduldig. Ze blijven niet graag lang stilstaan.'
En zo reden we in het rijtuig de straten door.
Toen we bij mijn huis kwamen, stonden Jane en Polly bij de deur. Ik rende naar hen toe en ze omhelsden me.
'Wel, wel,' zei Polly. 'Wat een dag! We hebben de dagen geteld, wat jij, Jane?'
Jane zei dat het heerlijk was me weer te zien. Maar waar was juffrouw Henrietta? Ik zei dat ze nog een tijdje daar bleef en dat ik juffrouw Eliza had meegebracht. Ze was samen met mij verpleegster geweest.
In de hal hadden ze een banier opgehangen waar 'Welkom Thuis' op geschilderd was. Het was ontroerend. Ik keek er vol emotie naar en dacht hoe gelukkig ik toch was met zulke mensen die om me gaven.
'Kijk, hier is rosbief,' zei Polly. 'We dachten dat u dat wel lekker zou vinden na al dat vieze buitenlandse spul dat u daar natuurlijk gegeten hebt.'
'Jullie denken aan alles,' zei ik.
Eliza was wat rustig en afwachtend, maar Jane en Polly waren warm en vriendelijk tegen haar.
'Ik breng u naar juffrouw Henrietta's kamer omdat die warm en gelucht is,' zei Jane. 'Hoe lang duurt het voor juffrouw Henrietta thuiskomt, juffrouw Pleydell?'
'We weten het niet zeker. Maar ik denk dat het een goed idee is juffrouw Flynn haar kamer te geven.'
Wat vreemd leek het aan een tafel te zitten met smetteloos linnengoed en de uitstekend klaargemaakte maaltijd te eten die Jane voor ons neerzette. Lily en William bleven eten en ik drong eropaan dat Jane en Polly bij ons aan tafel kwamen. 'Dat hoort niet,' zei Jane, maar desondanks vonden ze het prachtig.
Naderhand vertrokken Lily en William; Joe reed hen naar de zaak van de Clifts waar hem ongetwijfeld een groots welkom wachtte.
Nog vreemder was het in een zacht bed te liggen in een eigen kamer. Wat koel en schoon leken de lakens en ze roken naar de zakjes lavendel die Polly tussen het linnengoed had gelegd.
Toch voelde ik me rusteloos en bedroefd, alsof ik nooit meer iets van tevredenheid zou kennen. Ik was dwaas en de waarheid stond me steeds helderder voor ogen. Ik was verliefd geworden op een mythe.

De dagen schenen lang, Er was niet genoeg te doen. Ik deed wat boodschappen, hoewel ik al zoveel kleren had. Maar dan was ik tenminste bezig.
Eliza paste zich goed aan en was al gauw bevriend met Jane en Polly. Ze accepteerden haar en het was vanzelfsprekend dat ze een van hen was.
'Moet je dat zien!' zei Polly bewonderend, 'die heeft de kracht van een man.'
Dat was toen Eliza een meubelstuk in een van de kamers verplaatste. Ze wilde

zich dolgraag nuttig maken en stond erop te helpen bij het huishoudelijke werk. We informeerden naar een geschikt ziekenhuis waar we zouden kunnen werken. Ik las in de kranten dat juffrouw Nightingale fondsen bijeenbracht voor het trainen van verpleegsters in de St Thomas en King's College Ziekenhuizen. We vroegen ons af of wij ervoor in aanmerking zouden komen. Terwijl we er nog over nadachten, kwam Charles Fenwick naar Londen.

Zijn komst kreeg de kennelijke goedkeuring, niet alleen van Eliza die haar gevoelens al zo dikwijls tegen me uitgesproken had, maar ook van Jane en Polly. Ze overtroffen zichzelf bij de lunch die ze hem voorzetten.

Na de maaltijd maakten Charles en ik een wandeling door Kensington Gardens, waar hij me van zijn plannen vertelde.

'Ik zei wel dat ik wilde wachten voordat ik betrokken raakte bij een praktijk. Ik wilde jou eerst raadplegen. Maar dit kwam onverwacht en leek me ideaal. Ik moest snel een besluit nemen.'

'Ik ben blij dat je dat hebt gedaan. Jij moet beslissen, Charles.'

'Je weet dat ik hoop dat het ook jouw leven zal zijn.'

'Ik wil niet dat je mij erbij betrekt, Charles. Zie je, misschien...

'Ik begrijp het. Je bent onzeker. Alles wat er is gebeurd, brengt je van je stuk. Ik denk niet dat iemand die daar is geweest en zag wat wij hebben gezien en beleefd, ooit nog dezelfde zal zijn.'

'Je bent zo goed en begrijpend dat het nogal lomp van me lijkt...'

'O, onzin! Ik wil dat je gelukkig wordt en ik wil dat je er zeker van bent dat dat wat je doet het beste voor jou is.'

'Ik weet dat ik een stommerd ben. Maar ik kan maar geen beslissing nemen.'

We zaten bij de Ronde Vijver en keken naar de kinderen die met bootjes speelden.

Ik probeerde het uit te leggen. 'Ik ben geen jong, onervaren meisje. Ik ben getrouwd geweest. Eerst lijkt alles even prachtig en dan verandert het en zie je de fouten die je hebt gemaakt.'

'Daardoor ben je op je hoede,' gaf hij toe.

'Ik zou zo niet moeten zijn... tegenover jou. Ik weet hoe vriendelijk je bent... hoe goed.. Jij zou op je hoede moeten zijn. Ik heb mijn man verlaten. Als ik een goede vrouw was geweest, zou ik gebleven zijn, hoe moeilijk het ook was. Misschien ben ik niet het type vrouw dat een goede echtgenote wordt.'

'Als je met de juiste man trouwt, wel. Ik zal je zeggen wat we moeten doen. We gaan naar Meriton. Zo heet die plaats. Aardig, hè? Het is in Gloucestershire. Ik houd van de Cotswolds. De praktijk doe ik samen met een partner, dokter Silkin. Hij is niet direct oud, maar van middelbare leeftijd, halverwege de vijftig – en hij wil het wat rustiger aan gaan doen. Hij wil een partner die op den duur de hele praktijk overneemt. Het is een pracht kans. Ik voelde meteen voor hem en voor de plaats.'

'Het klinkt ideaal voor jou... precies waar je naar zocht.'
'Ik heb een alleraardigst klein huis gevonden dat precies goed voor ons zou zijn in het begin. Het is bijna naast het doktershuis. Er is een leuke tuin met twee appelbomen en een kersenboom. Het zou ideaal voor ons zijn om te beginnen. Ik wil graag dat je het ziet.'
'Ik ben zo bang...'
'Je hoeft nergens bang voor te zijn. En je moet weten dat ik je volkomen begrijp. Je voelt je niet zeker. Nou, het verstandigste is dan om je nergens mee te haasten. Maar ga mee om het te zien. Geen verplichtingen. Kom en zeg me wat je ervan vindt.'
'Zolang je maar begrijpt...'
'Dat doe ik, dat verzeker ik je. Wanneer kom je? Kom op een zaterdag en breng Eliza mee. Dan hoef je niet alleen te reizen. Ik kom je halen van het station.'
'Goed, ik kom.'
We kwamen door de Bloemen Laan waar de nanny's zaten, terwijl de kinderen om hen heen renden. Ik dacht hoe charmant kinderen waren en voelde een steek van verdriet die ik altijd kreeg bij herinneringen aan Julian.
Toen gingen we terug naar huis waar Jane muffins had klaargemaakt voor de thee en Polly trots rondliep met de cake, die ze in een mum van tijd een beetje opgedoft had, omdat we bezoek hadden.
Iedereen scheen even opgewekt en ik dacht uit de blikken die ze met elkaar wisselden, op te maken dat dit, zoals ze zeiden, 'mijn aanstaande' was.

Zoals afgesproken kwam Charles ons van het station halen met het rijtuig dat hij gebruikte voor zijn visites. Hij begroette ons vrolijk en Eliza en ik zaten binnen, terwijl hij op de bok zat.
Het land was prachtig. Misschien leek het nog mooier omdat we zo lang geen bomen langs de wegen hadden gezien en groene velden waar boterbloemen en madeliefjes groeiden. Het leek zo fris en vredig.
Toen kwamen we in Meriton, een oeroud stadje met een markt. Alles was gebouwd van de geelgrijze Cotswoldsteen. Aubretia en arabis groeide uit de muren voor de huizen en de tuinen erachter waren vol kleurige bloemen.
Eliza zei: 'Wat mooi is het hier. Ik wist niet dat er zulke plaatsen bestonden.'
'Het is liefelijk,' zei Charles trots.
'Het is zo vredig.'
'Ja, daar denk je aan... aan vrede.'
We gingen eerst naar het huis van Charles. Hij had al een huishoudster, een gezellige vrouw van middelbare leeftijd die vastbesloten was, volgens de gewoonte van alle huishoudsters, om hem te bemoederen. Het huis van met wingerd begroeide grijze steen was alleraardigst, de tuin goed verzorgd. 'Tweemaal per week komt er een man. Die heb ik van de vorige bewoners geërfd.'

'Je kunt het zo heel goed aan,' zei ik. 'Ik zie dat je al een deel van Meriton bent.'
'We lunchen bij mijn partner. Hij stond erop toen hij hoorde dat je komen zou. Hij heeft een groter huis en zei dat het voor jou gemakkelijker was. In feite nodigt hij me iedere zondag voor de lunch uit. Een heel prettige regeling.'
Ik begreep wat hij bedoelde. Dokter Silkin, met een fris gezicht en grijs haar, was een alleraardigste man. Hij begroette ons hartelijk en het was duidelijk dat hij volkomen tevreden was met de regeling die hij had getroffen. Charles, daar was ik zeker van, was een betrouwbare partner en het leek me toe dat dokter Silkin zichzelf feliciteerde dat hij iemand die zo geschikt was, gevonden had.
'U moet kennismaken met mijn dochter. Dorothy!' riep hij, 'waar ben je? Onze gasten zijn er.'
Ik verwachtte niet z'n jong iemand. Ik dacht dat ze een jaar of twintig, eenentwintig was. Ze had mooie bruine ogen en glad bruin haar dat aan weerszijden langs haar wangen viel en in een wrong achter in haar nek zat. Ze had een zacht gezicht, in zekere zin zelfs mooi, zonder nu direct regelmatige trekken te hebben, en met iets heel warms. Ze was het soort meisje dat je onmiddellijk aardig vond omdat ze een innerlijke goedheid uitstraalde die ik wel had gezien in oudere gezichten, maar zelden in iemand die zo jong was.
Ze lachte tegen ons en zei: 'Welkom in Meriton. Charles heeft ons over u verteld en over de geweldige dingen die u hebt gedaan op de Krim.'
'Dorothy is doodnieuwsgierig naar alles wat er is gebeurd,' zei Charles en keek het meisje met een blik van tedere toegeeflijkheid aan. 'Ze denkt dat juffrouw Nightingale een heilige is.'
'Dan zit ze er waarschijnlijk niet ver naast,' zei ik.
'Hebt u haar echt gezien?' vroeg Dorothy.
'O ja.'
'En ze heeft met u gesproken?'
'Anna heeft voor haar gewerkt,' zei Charles. 'Anna, je krijgt hier een warm welkom omdat je in hetzelfde hospitaal hebt gewerkt als juffrouw Nightingale.'
'Kom nou. Dat is het niet alleen,' protesteerde dokter Silkin.
Het was een mooi huis en Dorothy was een uitstekende gastvrouw. Boven de haard van de eetkamer hing een olieverfschilderij. Het was het portret van een vrouw op wie Dorothy zo sprekend leek dat ik dacht dat het haar moeder moest zijn.
Later werd dat bevestigd. Ze was vier jaar geleden gestorven en sindsdien zorgde Dorothy voor haar vader.
'Ze is een geweldige gastvrouw en zorgt goed voor me,' zei dokter Silkin, die vol liefde naar zijn dochter keek. 'Bovendien helpt ze me bij mijn werk. Ze kan enorm goed met de patiënten omgaan.'
'En houdt de moeilijke mensen op een afstand,' zei Charles met een glimlach. 'Maar degenen die het nodig hebben krijgen de juiste hoeveelheid sympathie.'

Ze praatten over het leven in een kleine stad; de vriendschappelijke bijeenkomsten, de kerkelijke functies, de muziekavonden, de dineetjes. Ik kon zien dat Charles het heerlijk vond en kennelijk goed bevriend was geraakt met de Silkins. Het was inderdaad een ideale regeling.

Kon ik mijzelf als deel van die wereld voorstellen? Waarom niet? Het was een prettige, comfortabele stijl van leven. Ik kon me nuttig maken. Door mijn kennis van verplegen zou ik een streepje voorhebben. Ik zag mijzelf in dat huisje met zijn stenen muren en wilde wingerd wonen... zou ik me daar dan ingekapseld voelen, opgesloten? Maar misschien kreeg ik kinderen... kleintjes om de pijn weg te nemen die ik nog steeds voelde om het verlies van Julian.

Het was een plezierige dag.

Laat in de middag reed Charles ons naar het station. Hij keek me weemoedig aan toen hij afscheid nam.

'Misschien kom je weer gauw,' zei hij. 'Laat het me dan weten. Ik weet zeker dat de Silkins je aardig vonden.'

'Ik hen ook. Ik geloof dat je een wijs besluit hebt genomen, Charles.'

'Dus je vond het aardig... en hen mocht je ook. Dat is een eerste stap.'

Eliza was stil in de trein.

'Hij is een goed mens,' zei ze toen. 'Het zou een goed leven zijn. Je boft, weet je dat wel?'

'Als ik maar een besluit kon nemen.'

'Iedereen met gezond verstand zou het doen, behalve natuurlijk' – ze keek me van terzijde aan – 'behalve als haar plannen ergens anders liggen.'

'Ik heb geen plannen. Ik heb alleen het gevoel dat het zo gezellig is... te gezellig... verstikkend. Alsof je in een zacht veren bed ligt en naar beneden zakt, erin gevangen wordt... op een gezellige, gemakkelijke manier.'

'Wat jij je al niet in je hoofd haalt. Bovendien, wat er is mis met een veren bed?'

Ze keek me sluw aan en we zwegen een tijd lang. Ik leunde naar achteren, luisterde naar het eentonige gedreun van de trein en dacht aan mijzelf in dat kleine huis. En toen drong zich een andere figuur in mijn gedachten... met een cynische glimlach, terwijl hij me vasthield met zijn ogen. Niets voor jou, zei hij. Je wilt vrij zijn en de wereld verkennen. Je wilt de conventies wegvegen. Denk niet aan wat je hoort te doen, ga denken aan wat je prettig vindt. Ontdek jezelf... ik zou je kunnen tonen...

Maar hij was weg. Ik zou hem waarschijnlijk nooit meer terugzien. En als dat wel zo was, wat dan? O, ik was echt, zoals Eliza zei, niet bij mijn goede verstand.

Eliza zei: 'Wat vond je van juffrouw Dorothy?'

'Allerliefst.'

'Ja... en de dochter van de dokter. Ze zou een goede vrouw zijn... voor een dokter.'

'Dat denk ik ook.'

'En ik denk vast dat dat gebeurt... op een dag. Het zou mooi uitkomen, vind je niet?'
'Je bedoelt Charles?'
'Daar heb je het, alles kant en klaar, als het ware, en goed voor de markt.'
'Je maakt gekke opmerkingen.'
'Geeft niet, zolang je me maar begrijpt.'
'Ik begrijp je best, Eliza. Je zegt dat, als ik blijf uitstellen en dokter Fenwick weiger, Dorothy heel goed zijn vrouw zou kunnen worden.'
'Je zou kunnen zeggen dat het die kant opgaat. Ik denk dat ze hem heel bijzonder vindt, omdat hij op de Krim en met juffrouw Nightingale heeft gewerkt... dat alleen al heeft hem in haar ogen tot een held gemaakt.'
'Die dokters waren ook helden.'
'En dokter Fenwick is niet alleen een goed mens maar ook een held.'
'Je hebt altijd zo positief over hem gesproken.'
'Als je iets verliest, apprecieer je het soms des te meer.'
'Wil je me zeggen dat ik dokter Fenwick verlies aan Dorothy Silkin als ik hem niet gauw aan de haak sla?'
'Precies,' zei ze.
'Weet je, Eliza, ik ben eigenlijk blij dat er een Dorothy Silkin is. Ik denk dat ze de ideale vrouw voor Charles zal zijn. Hij verdient de beste en zij zou veel beter bij hem passen dan ik.'
'Jij zou beter voor hem zijn... en hij is goed voor jou.'
'Ik vraag me af of ik me thuis zou voelen in zo'n plaats. Wat er met me gebeurd is, heeft grote gevolgen gehad. Ik heb je iets verteld over de Munster St Clare, maar niet alles. Ik heb mijn man verloren, en mijn kind. Dat soort dingen kun je niet zomaar opzij schuiven. En toen... Scutari. Zou ik kunnen opgaan in een gezellig plattelandsleven? Eliza, nu ik het vandaag heb gezien, geloof ik niet dat ik het zou kunnen. En Charles pijn doen is iets, waar ik niet aan durf te denken. Dus toen ik vandaag dat meisje zag, hen samen zag... begrijp je wat ik bedoel?'
'Ja,' zei Eliza. 'Het zou een oplossing zijn. En het zou je rust geven, denk ik.'
Ik knikte.
Toen sloot ik mijn ogen en luisterde naar het ritme van de trein.

Twee dagen later ontving ik twee brieven. Een was van Henrietta. Ik herkende haar handschrift ogenblikkelijk en scheurde de brief open.

Mijn lieve Anna, (schreef ze)
Ik denk dat je je van alles hebt afgevraagd wat mij betreft. Het was eigenlijk ook iets verschrikkelijks, vond je niet? Ik bedoel... op het laatste ogenblik te beslissen om niet te gaan. Ik had het je eerder moeten vertellen. Maar ik was in zo'n toestand!

Zo onzeker. Eerst zou ik gaan en toen weer niet. Je kent me.
Het feit is dat ik nu een getrouwde vrouw ben. Philippe en ik zijn getrouwd. Hij had me al een paar keer gevraagd en ik was een beetje voorzichtig... gek voor mij... maar ik had die ervaring met Carlton gehad, weet je nog wel? Herinner je je hoe ik daar in terechtgekomen was en hoe moeilijk het was me er weer van los te maken? Ik wilde niet weer een faux pas maken. Dus aarzelde ik en zei Ja en toen Nee. Toen kwam de tijd van ons vertrek en ik dacht: Als ik nu wegga, zie ik hem nooit meer terug. Dat gebeurt wel eens als je door zulke afstanden wordt gescheiden. Dus ik moest blijven en met mijzelf worstelen.
Dokter Adair was heel aardig. Hij gaf me uitstekende adviezen. Hij kent de taal en de gewoonten en zo. Wat een man! Ik vind hem nog steeds het meest fascinerende wezen dat ik ooit heb gezien. Ik zeg dat niet tegen Philippe, maar ik denk dat hij het wel weet. Hij heeft enorme bewondering voor dokter Adair, zoals zoveel mensen. Hij is gewoon een heel apart iemand, als je begrijpt wat ik bedoel.
Het feit is dus dat ik ten slotte Philippe toch niet in de steek kon laten – en nu zijn we getrouwd. We blijven in Constantinopel tot Philippe zijn werk hier heeft afgemaakt. Het is allemaal heel belangrijk en geheim; hij werkt voor de Franse autoriteiten en nog wat, en hij moet hier nog een poos blijven. Vredesverdragen en zo. Philippe is echt een heel belangrijke man. Daarna gaan we in Parijs wonen. Wat zal dat leuk zijn! Je moet bij ons komen logeren, we zullen een heerlijke tijd hebben.
Heb je dokter Fenwick al gezien? Ik hoop dat tussen jullie alles naat wens verloopt. Anna, mijn liefste vriendin, vergeef me dat ik zo'n beestachtige kleine deserteur ben geweest, maar ik moest wel en ben nu heel gelukkig. Ik weet dat het goed is geweest met Philippe te trouwen. Zodra we hier vertrekken, laat ik het je weten. Misschien komen we voor een bezoek naar Engeland en jij komt natuurlijk naar Parijs.
Ik mis je om mee te praten en je dingen te vertellen.
Misschien ben ik zwanger, maar het is te vroeg om er al iets van te zeggen. Zou dat niet geweldig zijn? Jij bent de eerste die het hoort.
Alle liefs, mijn lieve, lieve vriendin,
Henrietta

Ik glimlachte. Wat typerend voor haar. Ze moest wel gelukkig zijn. Ik had het gevoel dat er een zware last van me afgevallen was. Ze was niet bij Damien Adair, ze was bij Philippe. Ze is nooit met Damien weggegaan. Het is nu allemaal zo begrijpelijk, zo natuurlijk. Hij had haar gezien op de *caïque* en was samen met haar overgestoken. Philippe stond natuurlijk te wachten aan de overkant.
En hij was hulpvaardig geweest. Hij kende de taal en de gewoonten... ik had nooit naar Eliza moeten luisteren. Wat hebben we toch veel verdriet door te luisteren naar onwetenden, al bedoelen ze het nog zo goed.
Ik voelde me geweldig opgelucht en blij.

In de opwinding over Henrietta's brief had ik de andere brief vergeten. Die kwam uit Duitsland. Ik opende hem en tot mijn verbazing was hij afkomstig uit Kaiserwald. De Hoofd Diacones vroeg me in haar nogal plechtige Engels of ik wilde overwegen naar Kaiserwald te komen voor een kort bezoek. Ze wist van mijn verblijf in Scutari en herinnerde zich nog goed hoe uitstekend ik in Kaiserwald had gewerkt. Ze vroeg me te komen en mijn vriendin juffrouw Marlington mee te brengen. Ik kon verzekerd zijn van een hartelijk welkom. Van alle verpleegsters die een korte tijd in het ziekenhuis hadden gewerkt, had ze het meeste respect voor mij.

Ik las de brief een paar maal over.

Er was iets nodig om me uit die leegte te tillen, uit dat gevoel van het leven in het niets, dat rustige leven zonder belangrijke gebeurtenissen dat gevolgd was op die afschrikwekkende tijd in Scutari.

Ik wist dat ik naar Kaiserwald zou gaan. En praatte er met Eliza over – maar eerst vertelde ik haar van Henrietta.

'Zie je,' zei ik, 'het was toch Philippe. Je had het helemaal mis wat betreft dokter Adair.'

'Nou ja, ze is nu met Philippe getrouwd.'

'Je denkt nog steeds...'

'Dat ze eerst naar hem toeging? Ja. Ik denk dat ze naar hem toeging, bang werd en dat Philippe aan kwam zetten en dat ze hem nam als een soort uitweg.'

'O Eliza, nee. Dat zou ze me verteld hebben.'

'Jou verteld hebben? Terwijl ze wist hoe het met jou stond?'

'Wat bedoel je... hoe het met mij stond?'

'Dat is toch duidelijk te zien... voor mij.'

'Soms lees je dingen die er niet zijn, Eliza.'

'Ik niet. Je stond niet direct onverschillig tegenover hem, hè?'

'Niemand kan onverschillig tegenover hem staan. Kijk maar naar jou. Jij ook niet.'

'O, ik kijk dwars door hem heen.'

'Denk je niet, Eliza, dat je soms iets ziet wat er niet is? Je hebt nu eenmaal een vreselijke hekel aan hem.'

'Ik haat alle mannen die vrouwen aandoen wat hij doet, zo. Ik heb er te veel van gezien. Sommigen denken dat we er alleen maar zijn voor hun plezier en hij is er een van. Ik haat het hele zootje.'

'Laat ik je nog een nieuwtje vertellen. Ik heb een uitnodiging om naar Duitsland te komen.'

Ze schrok en ik vertelde haar van de brief van de Hoofd Diacones.

'Nou, nou, ze moet wel iets bijzonders aan je vinden. Ga je?'

'Het is een vrij dwingende invitatie.'

'Je wilt graag gaan.'

'Ik word hier zo onrustig. Er gebeurt niets. Ik dacht dat we in de verpleging konden gaan, maar het gaat allemaal zo langzaam.'
'Dat vind ik ook.'
'O Eliza, je hebt geen idee hoe mooi het is in die bossen. Ze hebben iets heel eigenaardigs. Je voelt dat trollen en reuzen en mensen uit sprookjes niet ver weg zijn. Ik had nooit zoiets gekend. Heb je zin om mee te gaan?'
'Ze hebben mij niet gevraagd.'
'Omdat de Hoofd Diacones niet weet niet dat je bij me bent. Henrietta is de eerste keer meegegaan. Ik zie niet in waarom jij niet zou meegaan. Je bent verpleegster. Je zou jezelf nuttig kunnen maken. Het is hard werken. Ze zal Henrietta verwachten en nu kom jij.'
'Ik ben gewend aan hard werken.'
'Het is natuurlijk niet zo hard als in Scutari.'
'Denk je dat ik mee zou kunnen gaan?'
'Waarom niet? Henrietta heeft een uitnodiging. Waarom zou jij niet komen in haar plaats? O Eliza, ik neem je mee naar Duitsland.'

Binnen een paar dagen waren Eliza en ik onderweg. Het had me moeite gekost haar te overreden dat ze er welkom zou zijn.
'Tenslotte,' zei ik, 'verwacht de Hoofd Diacones dat ik Henrietta meebreng en ze zou het niet prettig vinden als ik alleen reisde. En tussen ons gezegd en gezwegen, jij bent een betere verpleegster dan Henrietta en dat zal ze in Kaiserwald interesseren.'
Ondanks haar ongerustheid was ze opgetogen over het plan.
Het rijtuig stond op ons te wachten toen we het stationnetje bereikten en ik was me weer bewust van de prikkelende geur van de dennen toen de mystieke sfeer van het bos ons omringde. Ik keek naar Eliza en zag dat ze verrukt was en dat het bos haar ook onder zijn betovering had.
En daar was Kaiserwald zelf, en toen de torentjes en torens voor me oprezen, kwamen de herinneringen weer boven: Gerda, de ganzenhoedster; Klaus, de marskramer; Frau Leiben. Arme Gerda, wat was ze ziek geweest. Maar ze was weer beter en was nu ongetwijfeld verstandiger. Dat was allemaal gebeurd voor ik Damien Adair ontmoette en ik heb hem toen verdacht.
Wat dwaas leek dat nu. Maar was het wel zo?
Ik moest mijn Demon Dokter vergeten. Ik kon pas vrede vinden als hij niet langer in mijn gedachten was. Maar dat was gemakkelijker gezegd dan gedaan. Ik moest verstandig zijn. Er was maar een kleine kans dat ik hem ooit weer zou zien.
We werden ontvangen door dezelfde Diacones die ons begroet had toen ik aankwam met Henrietta – degene die wat Engels sprak. Ze keek verbaasd naar Eliza en ik vertelde dat juffrouw Marlington nu getrouwd was en dat Eliza haar plaats

had ingenomen. Ze knikte en zei dat de Hoofd Diacones op mijn komst zat te wachten en gevraagd had om me, zodra ik aangekomen was, naar haar toe te brengen.
We werden gelijk naar haar kamer gebracht en ze kwam me met uitgestrekte armen begroeten. 'Juffrouw Pleydell, wat ben ik blij dat u gekomen bent. Goed van u om zo snel te reageren.'
'Ik was vereerd dat ik gevraagd werd,' antwoordde ik. 'Juffrouw Marlington is getrouwd en is niet in Engeland. Dit is juffrouw Eliza Flynn die samen met mij op de Krim soldaten heeft verpleegd. Ik vertrouw erop dat u het niet erg vindt.'
'Erg vinden? Het is uitstekend. Welkom, juffrouw Flynn. Het is een genoegen iemand te ontmoeten die zulk goed werk heeft gedaan. Er zal veel zijn om over te praten.'
Ze vroeg ons te gaan zitten en vervolgde: 'U zult het een en ander ervaren hebben. Overal ter wereld komt er verandering in ziekenhuizen en in de verzorging van zieken. Het schijnt dat er eindelijk aandacht wordt geschonken aan dit belangrijke werk... dankzij juffrouw Nightingale.'
'Dat geloof ik ook,' zei ik. 'Er zijn schema's voor trainingen in de maak.'
'En wat doet u nu?'
'We wachten, Eliza en ik, in de hoop dat er iets voor ons bij zal zijn.'
De Hoofd Diacones glimlachte van mij naar Eliza.
'U hebt samengewerkt,' zei ze.
'O ja. En we hopen dat te blijven doen. Eliza – juffrouw Flynn – heeft zich volledig gewijd aan de verpleging.'
'Ja,' zei Eliza. 'Ik weet dat ik dat wil.'
'Dat is de geest die we nodig hebben. En de verpleegster die bij u was tijdens uw vorige bezoek, juffrouw Pleydell, is nu getrouwd?'
'Ze is in Constantinopel getrouwd met een Fransman die werkt bij de Franse Legatie daar.'
'O ja... onze bondgenoten. Een alleraardigste persoonlijkkheid, maar geen toegewijde verpleegster, dacht ik. Het is een hard beroep, zoals u alle reden hebt om aan te nemen.'
'Nou en of,' beaamde Eliza.
'En we moeten voldoende toewijding hebben om de ontberingen te accepteren. Ik heb het zo geregeld dat u een eigen kamer hebt en ik denk dat u daar nu wel graag naar toe wilt gaan. Later praten we wel verder.'
'Dank u,' zei ik, en de Diacones die ons ontvangen had, werd geroepen en bracht ons naar onze kamer.
Die was heel klein, net een cel. Er stonden twee bedden, een stoel, een kast en een tafeltje. De muren waren kaal op een crucifix na.
'Wat een vrouw,' zei Eliza, 'en zij is hier de baas!'
Ik knikte. 'Eliza, je weet niet hoe we worden geëerd. Een kamer voor onszelf!

Henrietta en ik sliepen op een soort slaapzaal die in hokjes was verdeeld. Dit is luxe.'
'Het is prachtig,' zei Eliza. 'Stel je voor zo'n plaats te leiden. Ik wil graag de ziekenzalen zien. Ik wil zien hoe het gedaan wordt. En met dat bos om je heen en de bomen en alles...'
'Ik ben blij dat het je bevalt, Eliza. Ik ben blij dat je gekomen bent. Misschien heeft ze ons iets te bieden. Als dat zo is... Maar we zijn er net. Laten we maar afwachten.'
Later spraken we weer met de Hoofd Diacones. Ze vroeg langdurig naar de methoden die in Scutari werden toegepast. We vertelden over het afschuwelijke gebrek aan materiaal, de ziekten waarmee we te maken kregen en die rampzaliger bleken te zijn dan de wonden, opgelopen tijdens de gevechten. Ze gaf toe dat ze zich altijd inspande voor de hygiëne en geloofde dat als die niet goed was, het een belangrijke doodsoorzaak kon zijn.
Het was heel interessant met haar te praten en ik was zeer gevleid door de manier waarop ze me in vertrouwen nam. Ook was ik dankbaar dat ze Eliza had geaccepteerd, want ze betrok haar bij het gesprek en luisterde aandachtig als Eliza haar mening gaf.
Zelden had ik Eliza zo gelukkig gezien; ze genoot kennelijk van haar bezoek.
Die nacht lag ik in bed, met Eliza in het andere, en was blij dat ze bij me was. Ik was erg op haar gesteld en hoopte dat ze een gelukkig leven zou krijgen. Ze was zo goed, ondanks haar pogingen om het tegendeel te bewijzen.
Lieve Eliza, ik was even goed in staat voor mijzelf te zorgen als zij voor zichzelf. Maar was ik dat? Ik was, ondanks mijzelf, betrokken geraakt bij iemand die me nooit gelukkig zou kunnen maken. Ik lag te denken aan mijn vorige bezoek hier. Dat was in de dagen voordat ik dokter Adair had ontmoet. Vreemd hoe mijn leven in brokken verdeeld scheen te zijn; de tijd voordat ik iets van zijn bestaan afwist, gevolgd door al die jaren waarin hij een schimmige figuur van dreiging was geweest en toen de daadwerkelijke confrontatie.
Eindelijk viel ik in slaap en droomde van hem. Ik was in het bos en Gerda, de ganzenhoedster, was er ook. Het was erg verward en ik was blij toen ik wakker werd.
Eliza was enthousiast. 'Wat een heerlijke lucht!' riep ze 'O, ik hou van de geur van de bomen. Het is vredig hier. Ik ben blij dat ik ben meegekomen. Het zal fijn zijn hier een poosje te werken.'
Ik lachte tegen haar. Het was heerlijk haar gelukkig te zien.
Ik herinnerde me de lange houten tafel waaraan we zaten met havermout en roggebrood en de drank van gemalen rogge. De Diaconessen kenden me nog en toonden hun blijdschap toen ze me weer zagen. Ze verwelkomden Eliza. Er was zoveel gebeurd sinds ik hier was geweest, maar in bepaalde opzichten leek het of ik nooit vertrokken was.

Na het ontbijt kregen we een rondleiding door de ziekenzalen en later gingen we naar het heiligdom van de Hoofd Diacones voor een nieuw gesprek.
Ik was verrukt dat Eliza eraan kon deelnemen op een manier die haar bekwaamheid toonde. Ze zei dat ze op de ziekenzalen wilde werken terwijl ze hier was, want ze had gezien dat er ruimte was voor meer verpleegsters.
Dus spraken we af dat we de volgende dag zouden beginnen.
'Neem vanmiddag wat rust,' zei de Hoofd Diacones. 'U hebt een lange reis achter de rug en moet er van bijkomen. Ik weet hoe prettig u het vond wandelingen in het bos te maken, juffrouw Pleydell.'

Die middag nam ik Eliza mee voor een wandeling, zoals Henrietta en ik altijd deden toen we hier waren.
Eliza genoot. Ze zei: 'Ik heb nog nooit zoiets gezien. Wat zijn die bellen die je zo nu en dan in de verte hoort?'
Ik legde haar uit dat het bellen van koeien waren die anders gemakkelijk in het bos konden verdwalen. 'De bellen vertellen je waar ze zijn.'
Ze was opgetogen.
We kwamen langs het huisje waar Gerda's grootmoeder had gewoond. Er was geen enkel teken van leven. Toen we bij een open plek kwamen, stelde ik voor daar even te gaan zitten.
Eliza zei: 'Ik zou hier graag willen werken. Het is zo vredig. Zie je... ik weet niet hoe ik het zeggen moet... het is of sommige dingen er niet op aankomen. Iedereen is belangrijk en ook weer niet, als je begrijpt wat ik bedoel.'
'Ik geloof van wel, Eliza.'
'Als je getrouwd bent...'
'O, dat weet ik niet zeker.'
'Je gaat met dokter Fenwick trouwen als je een beetje verstand hebt.'
'Misschien heb ik dat niet.'
'O ja. Je hoofd zit er goed op. Je bent alleen verblind, dat is alles. En je kunt nu niet goed zien. Je trouwt met hem omdat hij de juiste voor je is... en dan gaat het best met je. Maar hoe zal het met mij gaan?'
'Eliza, je zult altijd mijn vriendin blijven en welkom zijn waar ik maar ben.'
'Dat weet ik. Het is niet gemakkelijk voor me om het te zeggen. Ik vind je fantastisch. Je bent een fijne vrouw, Anna. Een van de besten. Ik zal nooit vergeten wat je voor Ethel hebt gedaan... en voor mij ook.'
'Je overdrijft. Het was dokter Adair die Tom voor Ethel gered heeft.'
'Die! O, die laat alleen maar zien hoe knap hij is. Jij hebt het gedaan.'
'Dat is belachelijk, Eliza.'
'Ik word nog een dwaas op mijn oude dag. Ik zei al dat ik wil dat je krijgt wat je verdient. Je zult vast een hoop kinderen krijgen en dan ben je voor altijd gelukkig, want die dokter Fenwick is een goede man en goede mannen groeien

niet aan de bomen. Van wat ik van ze weet, zijn ze even zeldzaam als sneeuw in juli.'
'Je bent een cynische oude tante, Eliza. Laten we niet over mij praten. Wat zou je graag wilen dat er met je gebeurde? Als je een wens mocht doen, wat dan?'
'Ik zou die Hoofd Diacones willen zijn op een plaats als deze met een eigen ziekenhuis. Ik zou het op mijn manier doen. Ik zou het beste ziekenhuis van de wereld hebben. Gek... toen we in Scutari aankwamen, wilde ik meteen weer terug. Ik vroeg me af waaraan ik begonnen was. En toen... toen zag ik wat we deden en was ik zo blij dat ik er was. Ik wist dat ik zieken wilde verplegen. Er is niets wat ik liever wil.'
'Ik weet hoe je je voelt.'
We zaten op het gras met onze rug tegen een boom en ze vertelde me haar dromen. Ze hield ogenblikkelijk van deze plek. Ze wilde haar eigen ziekenhuis waar zij de regels kon vaststellen, waar ze zich aan de zieken kon wijden.
We bleven lang praten en Eliza was nog nooit zo openhartig geweest.
Ik hield veel van haar en bad dat haar droom op een dag gerealiseerd zou worden – het was zo'n nobele ambitie.

Iemand klopte aan de deur. Het was een van de jongere Diaconessen. De Hoofd Diacones vroeg of ik onmiddellijk naar haar heiligdom kon komen.
We waren pas terug van onze wandeling en Eliza was nog in gepeins, nog in de droom van haar leiding aan een ziekenhuis als Kaiserwald.
Ik zei: 'Ik moet maar gelijk gaan.'
Toen ik aan de deur van het heiligdom klopte, riep de Hoofd Diacones me binnen. Er stond een man met zijn rug naar het raam.
'Daar bent u,' zei de Hoofd Diacones. 'Ik ben zo blij dat u er bent. U beiden kent elkaar goed, neem ik aan.'
Ik staarde vol ongeloof naar hem. Hij was zo aan één stuk door in mijn gedachten geweest dat ik even het idee had dat ik dit beeld van hem had opgeroepen.
Ik hoorde mijzelf stamelen: 'Dokter Adair...'
'Dezelfde. Wat een plezier u hier te zien.'
Hij kwam naar voren en pakte mijn hand.
'Ik heb al het een en ander over Scutari van juffrouw Pleydell gehoord,' zei de Hoofd Diacones, 'en voel me vereerd dat ik u beiden hier heb... en juffrouw Flynn ook. U hebt samen een verschrikkelijke maar geweldige ervaring gehad.'
'We hebben alleen gedaan wat van ons verwacht werd. Zo is het toch, juffrouw Pleydell?'
'Ja natuurlijk. We hebben gewoon hard gewerkt en ons best gedaan.'
'Het zal wel heel anders zijn geweest dan Kaiserwald,' zei de Hoofd Diacones.
'Volkomen anders,' gaf hij toe.
'Ga zitten... allebei. Hebt u genoten van uw wandeling door het bos, juffrouw

Pleydell? Juffrouw Pleydell is verliefd op onze bossen, dokter Adair.'
'Dat begrijp ik. Een betoverende plaats. Romantisch, hè juffrouw Pleydell?'
'Ja, dat vind ik echt.'
Hij haalde een stoel en hield die vast toen ik ging zitten. Ik keek over mijn schouder en bedankte hem. Hij glimlachte wat spottend en ik kon de betekenis van die glimlach niet interpreteren.
'Ga zelf ook zitten, dokter Adair. Juffrouw Pleydell, dokter Adair heeft een project met me besproken en denkt dat u erbij betrokken zou kunnen worden... want ik vertelde hem dat u hier was.'
Ik draaide me om om hem aan te kijken en dacht dat ik een ondeugende blik in zijn ogen zag.
'Ja, juffrouw Pleydell. Ik was blij toen ik hoorde dat u in Kaiserwald was aangekomen. Dit project betreft Rosenwald... niet zo verschillend van Kaiserwald – minder groot en minder goed geregeld.' Hij glimlachte beleefd naar de Hoofd Diacones die haar hoofd dankbaar boog en mompelde: 'We waren niet altijd zoals nu, dokter Adair. Het kost tijd om zoiets te ontwikkelen.'
'Maar u bent het ermee eens dat Rosenwald na verloop van tijd... met het juiste Hoofd...
een Kaiserwald zou kunnen worden?'
'Ik geloof zeker dat dat kan, wanneer de juiste mensen samenwerken... toegewijde mensen die bereid zijn tot opofferingen.'
'We hebben allemaal het grootste respect voor uw kundigheden, juffrouw Pleydell.'
'Ik ben blij het te horen.'
'Het is zo dat ik de plaats ga inspecteren. De Hoofd Diacones kan natuurlijk niet met me mee. We hebben de zaak samen besproken en zijn tot de conclusie gekomen dat nu u hier toevallig bent' – weer gaf hij me die glimlach – 'u Rosenwald met mij moest gaan bezoeken en me uw mening geven over de mogelijkheden ervan.'
'Met welke bedoeling?'
'Ik ken uw plannen niet.'
'U bedoelt dat ik daar misschien kan gaan werken?'
'Ik wil er graag uw mening over. U hebt bewezen een goede verpleegster te zijn. En misschien wordt u wel buitengewoon enthousiast om het daar op te bouwen...'
'Dat zou betekenen dat ik mijn huis moet opgeven... alles...'
'U kijkt te ver vooruit. Ga morgen met me mee. Dan inspecteren we de plaats samen en u vertelt me wat u van de mogelijkheden vindt. Ik vertrek morgenochtend al vroeg naar Rosenwald... te paard. U rijdt toch, juffrouw Pleydell?
'Ja. Maar ik heb geen rijkostuum bij me.'
'Hebben we niets voor haar?' vroeg hij.

De Hoofd Diacones dacht dat dat mogelijk kon zijn. Natuurlijk kon niemand in het ziekenhuis paardrijden, maar ze kende Fräulein Kleber die een uitstekende amazone was en zeker bereid zou zijn uit te lenen wat nodig was.
'Als dat vandaag geregeld kan worden, kunnen we morgenochtend gaan. Het neemt de hele ochtend om er te komen. Maar we zouden voor het donker terug kunnen zijn. Als er moeilijkheden zijn, blijven we in Rosenwald.'
De Hoofd Diacones keek vrij bezorgd. Ik verbeeldde me dat ze dacht dat ik een chaperonne zou moeten hebben en dat ze zou voorstellen een van de Diaconessen mee te nemen, maar die gedachte zette ik van me af daar ik wist dat geen van hen paardreed.
Ik zei: 'Eliza Flynn is hier bij me, dokter Adair. Misschien herinnert u zich haar nog.' Hij fronste geconcentreerd. 'Ze was vrij groot... een heel efficiënte zuster.'
'O ja. Grote Eliza. Ik vind niet dat ze mee moet gaan. Maar rijdt ze goed?'
'Ik weet bijna zeker dat ze dat niet doet.'
'Het is de bedoeling dat u en ik alleen gaan, juffrouw Pleydell. We moeten er geen mensen bij hebben. Het is alleen om te kijken... de mogelijkheden te beoordelen en zo...'
Ik kon het niet helpen, maar ik fleurde op. Ik ging een hele dag doorbrengen in zijn gezelschap. Geen ogenblik kwam het bij me op dat ik graag in Rosenwald zou willen werken. Het enige wat me interesseerde was dat hij terug was gekomen en dat ik alleen met hem zou zijn... een hele dag.
En verder dacht ik echt niet.

Eliza was verbijsterd. 'Die man... hier!'
'Je moet niet zo verbaasd zijn. Het is heel gewoon dat hij hier is. Hij is een beroemde dokter. Hij heeft belangstelling voor plaatsen als deze. Duitsland is al lang het centrum van een paar van de beste Europese ziekenhuizen en het is niet meer dan natuurlijk dat mensen, nu al deze hervormingen plaatsvinden, hier naartoe komen.'
'Ik geloof dat hij het allemaal geregeld heeft. Hij heeft jou hier gekregen...'
'O Eliza, doe niet zo absurd. Waarom zou hij?'
'Omdat hij in je geïnteresseerd is. Hij is klaar met Henrietta en nu ben jij aan de beurt.'
'Ik zeg je dat we een ziekenhuis gaan bekijken. Daar is niets romantisch of geheimzinnigs aan.'
'Jij met hem alleen! Ik ga mee.'
'We gaan te paard en jij kunt niet rijden. O Eliza, het is niets...'
'Nou, je lijkt het anders best fijn te vinden.'
'De plaats interesseert me... Rosenwald. Misschien kunnen we er samen een poosje heen.'
Ze vrolijkte wat op bij het vooruitzicht en ik zei haastig: 'Ik moet naar Fräulein

Kleber, die hier vlakbij woont. De H.D. zegt dat ze me een rijkostuum kan lenen. Ze heeft er een paar en is ongeveer even groot als ik.'
'Bedoel je dat de H.D dit goedvindt? Dat je alleen met hem uitgaat?'
'Je maakt van een mug een olifant. Kom mee. Ik ga naar Fräulein Kleber.'
Bijna met tegenzin ging ze mee.
Fräulein Kleber woonde in een allerleukst huis, niet ver van het huisje van Frau Leiben.
We vonden het gemakkelijk, maar toen we het huis naderden, hoorden we een schot. We schrokken en keken elkaar verslagen aan, en op dat moment klonk er nog een schot en nog een.
'Er is iets aan de hand.' zei Eliza.
We renden naar het huis. Er was niemand te zien. Toen we door de prachtig onderhouden tuin naar de stallen liepen, hoorden we weer een schot. Het geluid kwam van de andere kant van de stallen.
Toen zagen we wat het was. Er was een schietschijf opgesteld en een vrouw stond erop te vuren. Ze hoorde ons naderen en draaide zich om.
'O, neem me niet kwalijk,' riep ze. 'Ik ben aan het oefenen voor het *Schützenfest.* Dat hebben we binnen een maand en de fijne puntjes zijn er bij mij af.'
Ze was van middelbare leeftijd en begon al grijs te worden, maar ze was slank en lang en ongeveer van mijn lengte.
'Zijn we op een ongeschikt moment gekomen?' vroeg ik.
'O nee, nee. U bent toch van Kaiserwald? Ik wist dat u zou komen en natuurlijk wil ik u graag een kostuum lenen.'
Ik stelde Eliza voor, maar daar ze geen Duits sprak kon ze niet aan het gesprek deelnemen.
'Wat aardig van u,' zei ik. 'Ik heb geen rijkostuum meegebracht, want ik dacht dat er toch geen gelegenheid zou zijn om te rijden.'
Ze knikte. 'Ik was vergeten wanneer u precies kwam. Ik word zo in beslag genomen door het *Schützenfest.* Dat hebben we ieder jaar. Ik doe altijd met deze dingen mee en probeer nu het schieten in te halen. Ik verheug me vooral op het *Vögelschiessen* – dat is op de gaai schieten. Ik hoop altijd *Schützen-König* te worden. Die wordt ieder jaar gekozen. Natuurlijk is er geen enkele vrouw die dat tot nu toe bereikt heeft.'
'Ik wens u veel geluk,' zei ik.
'Kom binnen. Ik zal even mijn geweer wegzetten.'
We kwamen bij een schuur die tot een soort wapenkamer was verbouwd.
'Mijn vader was een geweldige schutter. Hij was bijna ieder jaar *König.* Dit zijn zijn geweren, die heb ik geërfd. Maar helaas niet zijn behendigheid.'
Ze borg het geweer weg, wendde zich tot mij en nam me aandachtig op. 'We hebben ongeveer dezelfde maat, dus dat zal geen problemen geven.'
In haar slaapkamer toonde ze me vier rijkostuums, die me allemaal pasten. Ze

zei dat ik kon nemen wat ik mooi vond en ik koos een bleekgrijze rok en jasje, en een grijze hoed.
Ik probeerde het aan. 'Het had voor u gemaakt kunnen zijn,' zei ze. 'Hebt u een behoorlijk paard?'
'Daar zorgen ze voor.'
'Uit de stallen van Herr Brandt, neem ik aan. Hij zorgt wel voor iets goeds. Hij heeft mooie paarden.'
'Ik ben u zeer dankbaar, juffrouw Kleber.'
'O, ik ben altijd blij als ik iets voor Kaiserwald kan doen. Iedereen hier in de buurt trouwens. We zijn er trots op... en we hebben er allemaal voordeel van. Dus, ik ben heel blij dat ik iets wat paste voor u had.'
'Interessante vrouw,' zei ik toen we weggingen. 'Jammer dat je haar niet kon verstaan.'
'Ik begreep een paar woorden,' zei Eliza 'Ik denk dat ik de taal gauw zou oppikken als ik hier langer was.'
'Vast wel.'
'Dat kostuum past goed.' Ze keek me aandachtig aan. 'Je ziet er... anders uit.'
Ik praatte er verder niet over.

Ik leefde de rest van die dag in een soort roes. Het was als een droom. Ik was naar Kaiserwald gegaan en hij was er. Het leek wel een wonder. Ik had zo aanhoudend aan hem gedacht dat het was of de intensiteit van mijn gedachten hem opgeroepen had.
En ik zou een hele dag met hem doorbrengen... alleen. Eliza, wist ik, keurde het af. Maar ik wilde er niet met haar over praten. Toen we naar bed gingen, deed ik of ik onmiddellijk in slaap viel. Ik was ervan overtuigd dat ze klaarwakker was.
De volgende ochtend was ik vroeg op. Ik trok het rijkostuum van Fräulein Kleber aan. Ik wist dat het me stond, want ik had er altijd goed uitgezien in een rijkostuum. Ik was opgetogen.
Dokter Adair had voor paarden gezorgd en, naar ik hoorde, uit de stallen van Herr Brandt. Hij had een mooi zwart dier, dat van mij was een kastanjebruine merrie. Hij reed schitterend, zoals ik al verwacht had. Zo te paard had hij iets van een figuur uit de Griekse mythologie. Ik hoopte dat mijn uitbundige stemming niet al te opvallend was.
Toen we van Kaiserwald wegreden, keek ik om. Ik zag beweging bij een raam. Dus Eliza stond er. Ik kon me de uitdrukking op haar gezicht voorstellen. Ze was zo fel tegen deze onderneming; en ze was iemand die, als ze eenmaal ergens van overtuigd was, zich eraan vastklampte. Het zou veel moeite kosten haar mening over dokter Adair te veranderen. Ze hield maar vol dat hij Henrietta had genomen en haar melodramatisch had achtergelaten voor Philippe Lablanche – en

niets zou dat kunnen veranderen. Maar het meest beangst was ze voor wat hij mij zou aandoen.
'Hoe bevalt uw paard?' vroeg hij.
'Ze schijnt goed handelbaar.'
'Mooi. Paarden kunnen temperamentvol zijn en het wordt een lange dag. Ik hoop dat u even goed bent te paard als in de ziekenzaal.'
'Ik heb in India gereden en buiten op het platteland. Maar ik ben natuurlijk geen expert, al denk ik dat ik betrekkelijk goed met een paard kan omgaan.'
'In ieder geval ben ik bij u om voor u te zorgen.'
'Dat,' zei ik, 'is een rustgevende gedachte. Hoe lang bent u nog in Scutari gebleven?'
'Niet langer dan nodig was. Er moest nog het een en ander worden opgeruimd. Maar ik ben zo gauw mogelijk naar Engeland gegaan.'
'Hebt u nog iets van Henrietta gezien?'
'O ja. Ik heb haar met Lablanche gezien. Ze schenen heel tevreden met elkaar.'
'Henrietta schreef dat u erg behulpzaam was geweest.'
'Ik heb gedaan wat ik kon. De rest moesten ze zelf uitzoeken.'
'Ik hoop dat het goed gaat.'
'Ook dat ligt aan hen.'
'Die zaken gaan niet altijd zoals men denkt... ook al verwachten mensen er in het begin alles van.'
'We kunnen hun alleen maar geluk wensen.'
'Wat gek dat u tegelijk met mij in Kaiserwald bent.'
'Dat is echt niet zo gek.'
'Vindt u van niet?'
'Ik heb het geregeld. Met andere woorden, ik vroeg de Hoofd Diacones u uit te nodigen. Toen ik wist dat u er was, kwam ik ook.'
'Maar waarom?'
'Ik heb een plan.'
'U bedoelt met Rosenwald? Wilde u voorstellen dat ik dit werk op me zou nemen... wat het ook is?'
'Ik vond het een goed idee u mee te nemen om de plaats te bekijken.'
'Dus u had het allemaal zo geregeld.'
'Ik moet bekennen van wel. Ziet u, het is niet zo toevallig als u eerst dacht.'
'Aardig van u om plannen voor mijn toekomst te maken.'
'U bent een goede verpleegster, en uw talenten moeten niet verspild worden. U kent de toestand van ziekenhuizen overal ter wereld. U bent een discipel van juffrouw Nightingale en weet wat ze zich voorstelt om te gaan doen.'
'Ja,' zei ik.
Ik voelde me hevig teleurgesteld. Toen hij zei dat hij onze ontmoeting geregeld had, dacht ik even dat hij *míj* wilde zien.

'Ik heb veel belangstelling voor deze plaats,' zei ik koel.
'Dat wist ik. En ik kan u verzekeren dat ik me verheug op de uitkomst.'
We reden zwijgend verder, toen vroeg hij me wat mijn plannen waren en ik zei dat ik eigenlijk wachtte op wat er zou gaan gebeuren. Ik wist dat er hervormingen in de ziekenhuizen zouden plaatsvinden, maar was er niet zeker van waar ik dan in paste.
'En Grote Eliza?'
'We willen samen blijven.'
'Het schijnt dat u goede vriendinnen bent geworden.'
'Ze is heel goed en betrouwbaar.'
Hij zweeg.
Ten slotte zei ik: 'En u? Wat zijn uw plannen? Gaat u weer naar een of ander woest land om daar als inlander te wonen en de geheimen van het Oosten te ontdekken?'
'Ik wacht net als u op wat komen gaat.'
'Dus u hebt geen plannen?'
'Ik heb veel plannen, maar er zijn omstandigheden waar je rekening mee moet houden. Ik heb soms het gevoel dat je het lot tart door te veel plannen te maken.'
'U bedoelt dat de mens wikt en God beschikt.'
'God of iemand.'
We reden door een dorpsstraat en ik moest achter hem gaan rijden. Ik merkte dat mensen naar hem keken toen hij voorbij kwam en het verbaasde me niet. Hij zag er zo gedistingeerd uit.
Toen we weer uit het dorp waren, praatte hij een beetje over Rosenwald. De verpleegsters zouden geen Diaconessen zijn en het zou ook geen religieuze instelling zijn, alleen een ziekenhuis. Op dit ogenblik stond alles nog in de kinderschoenen. Er waren weinig patiënten, niet meer dan dertig, dacht hij. De verpleegsters waren boerenmeisjes uit de omgeving – eenvoudige kinderen zonder echte opleiding.
'U schijnt er veel belangstelling voor te hebben.'
'Mijn belangstelling gaat uit naar het vinden van de juiste persoon om er leiding te geven. De Hoofd Diacones is een zeer bekwame vrouw. Kaiserwald zou niet zijn wat het is zonder haar.'
'Daar ben ik het mee eens.'
'Ha... we zijn er bijna. U hebt niet te lang in het zadel gezeten, hoop ik.'
'Nee, het ging heel gemakkelijk.'
'En de kleine merrie heeft zich onberispelijk gedragen. Kijk. Je kunt de torens van hier af zien. Mooie ligging, vindt u niet?'
Ik keek. Daar lag een klein slot in het hart van het bos, niet veel anders dan Kaiserwald.

We reden het binnenplein op. Een man pakte onze paarden aan en dokter Adair gaf orders om ze voedsel en water te geven.
We werden ontvangen door een vrouw die wel het hoofd van de verpleegsters zou zijn. Ze was kennelijk diep onder de indruk van dokter Adair.
'U hebt zeker verfrissingen nodig,' zei ze, 'het is een hele tocht vanaf Kaiserwald.'
Hij zei dat we graag iets wilden hebben en of we dat ook buiten konden krijgen. We hadden bepaalde dingen te bespreken.
We zaten aan een tafel voor het slot en keken neer op een vallei. De bergen in de verte vormden een prachtige achtergrond en het bos was heel mooi.
Ik voelde me gelukkiger dan ik in lange tijd was geweest. Waarom? Vroeg ik me af. Omdat hij me een post wilde aanbieden. Ik kon hier komen en Eliza meebrengen. Misschien zou hij een enkele keer langs komen, als hij tijd kon vinden tussen zijn bezoeken aan exotische plaatsen. En als hij al eens aan me dacht, zou hij dan denken: O ja, Anna Pleydell, de vrouw die ik de leiding in Rosenwald heb gegeven.
'Dit is plezierig,' zei hij. 'Vindt u ook niet?'
'Ja, heel plezierig.'
'Een goede plaats om te werken?'
'Het is heel mooi.'
'Het leven zou iedere dag hetzelfde zijn. Patiënten die komen en gaan. Vindt u dat aantrekkelijk?'
'Ik weet niet of ik nu direct rust wil... en verder niets.'
Hij lachte. 'Nee, dat verwachtte ik niet. Maar het is een fijne plaats... voor de geschikte persoon. Je moet zo'n baan zijn toegewijd. Het zou een klein koninkrijk kunnen zijn met degene die de controle uitoefent als machtig hoofd... die deze kleine wereld regeert, maar natuurlijk weinig contact heeft met wat er daar buiten gebeurt. Dit bier is goed, vindt u niet? En *Sauerbraten* met de onvermijdelijke *Sauerkraut*. Tenslotte zijn we in Duitsland... en de natuur is prachtig.'
Ik zei dat ik dat ook vond.
'Als we klaar zijn, moeten we een inspectietocht maken, want we kunnen niet te laat vertrekken.'
Maar hij scheen geen haast te hebben en we bleven nog zitten, met ons bier en vlees. Het was zo vredig, en het weer was zo mooi. Er hing een vage mist die de bergen een blauwige tint gaf. Ik voelde me gelukkig... gewoon te zitten en nu en dan op te kijken en zijn ogen op me gevestigd zien. De onwerkelijke sfeer om ons heen maakte dat ik me er bijna van kon overtuigen dat ik alles had gedroomd.
Later liepen we samen de ziekenzaal door. Er waren, zoals hij had gezegd, zo'n dertig patiënten. Hij keek allen na en stelde de verpleegsters heel wat vragen,

niet alleen over de patiënten maar ook over hun werk. We inspecteerden de keukens en de slaapzalen. Die waren vrijwel gelijk aan die in Kaiserwald. De lange slaapzaal was in hokjes verdeeld en alles was netjes en schoon.
Het was een uur of vier toen hij voorstelde om te vertrekken. Het verbaasde me dat hij het zo laat had laten worden en ik twijfelde of we voor het donker thuis konden zijn. Maar hij wist dat waarschijnlijk wel en scheen er niet van onder de indruk te zijn.
We namen afscheid van de verpleegsters en vertrokken.
'Zo, dat is voorbij,' zei hij, 'een noodzakelijk onderdeel van het werk.'
'Het hele doel van deze expeditie,' hielp ik hem onthouden.
Hij lachte tegen me en ik merkte dat zijn houding was veranderd.
Een mijl lang zei hij niets en toen bracht hij zijn paard dicht naast het mijne.
'Ik ben bang dat we te laat zijn vertrokken om Kaiserwald nog te halen.'
'Waarom zijn we dan niet eerder weggegaan?'
'Nu we eenmaal zo'n eind hadden gereden, moesten we ook alles zien. We kunnen natuurlijk naar een herberg gaan.'
'Ik heb er onderweg niet veel gezien.'
'Er zijn er wel een paar. Anderzijds... een vriend van me heeft een jachthuis, niet ver van hier. Ik denk dat het een uitstekend idee is om ons voor de nacht aan zijn gastvrijheid over te leveren.'
'De Hoofd Diacones verwacht ons terug.'
'Ze zal denken dat we vannacht in Rosenwald blijven. Ik had gezegd dat dat een mogelijkheid was.'
We reden nog een kwartier door. De zon stond laag aan de hemel, al gauw zou hij verdwenen zijn.
We waren nu diep in het bos. 'We zijn vlak bij het jachthuis. Het is er heel mooi.'
'Uw vriend zal wel verrast zijn. Misschien heeft hij gasten.'
'Ik mag van hem hier altijd logeren en wanneer ik maar wil. Hij woont hier niet echt. Het is tenslotte niet meer dan een jachthuis.'
'Misschien is het wel afgesloten.'
'Er is inwonend personeel.'
We kwamen bij een open plek en het huis lag voor ons. Het was groter dan ik me had voorgesteld – een miniatuur slot met een toren en torentjes. Er vlakbij was een klein huis en daar bracht hij me naar toe. Zodra we naderden, verscheen er een man aan de deur en toen hij ons zag, slaakte hij een uitroep van vreugde en herkenning.
'Herr Doktor!' riep hij.
'We komen een nachtje slapen, Hans,' zei dokter Adair. 'Maar ik denk dat de Herr Graf er niet is.'
'Nee, Herr Doktor. Ik zal het huis voor u openen.'
'Graag, Hans. We hebben een eind gereden, zijn moe en hebben honger.'

Ik zei: 'Maar we kunnen toch beter naar een herberg gaan. Uw vriend is er niet...'
'Nee...nee. Dit is een regeling die we samen hebben. Als de Graf hoort dat we hier waren en weer weg zijn gegaan, zou hij van zijn stuk zijn gebracht. Bovendien kan hij nog komen. Als hij op jacht is, blijft hij hier slapen. Het houtvuur ligt klaar, de bedden worden gelucht en er is altijd iets te eten.'
'Het lijkt buitengewoon...'
'Het is feitelijk algemeen gebruik.' Hij lachte tegen me. 'Ik geloof dat u een bang vermoeden koestert.'
'Alles lijkt plotseling zo veranderd.'
'Hoe? Zeg het eens.'
'Toen we het ziekenhuis gingen bekijken en terwijl we het aan het inspecteren waren, leek alles normaal... redelijk.'
'En nu vindt u het onredelijk?'
Er kwam een jongeman het huisje uit om de paarden mee te nemen.
'Goedenavond, Franz,' zei dokter Adair. 'Gaat het goed met Frieda?'
'Ja, Herr Doktor.'
'En met de kleine?'
'Uitstekend.'
'We blijven hier vannacht. Je vader doet de boel voor ons open. Heeft je moeder nog iets voor ons te eten?'
'Natuurlijk. We zijn altijd op alles voorbereid.'
'Goed.'
'De Herr Graf was hier een maand geleden.'
'Dat hoorde ik. Het is zo aardig van hem en jullie allemaal ons op deze manier te verwelkomen.'
'De Herr Graf zou boos zijn als u geen gebruik van het jachthuis maakte wanneer u in de buurt bent.'
'Dat heb ik al tegen mijn metgezellin gezegd.'
'Wat een interessante plaats,' zei ik.
'En comfortabel, dankzij de goede familie Schwarz,' zei dokter Adair. 'Ik zal u binnenbrengen. De houtvuren branden nu vast wel.'
Hij pakte mijn arm en nam me mee naar het jachthuis.
'Kijk eens. Bent u tevredengesteld? We komen niet zomaar binnenvallen. En ik werk niet met een of ander trucje. Dit is inderdaad het jachtslot van Graf von Spiegal en het is een feit dat hij een vriend van me is en het een belediging zou vinden als we naar een herberg zouden gaan.'
'Fijn om zulke vrienden te hebben.'
'U hebt gelijk.'
We kwamen een grote hal binnen. Het vuur was al aangestoken en begon goed te branden. 'De slaapkamers zijn klaar. Het enige wat nog gebracht moet worden zijn de heetwater pannen om de bedden te verwarmen.'

'Is dat wat u Duitse doeltreffendheid noemt?'
'Het is in ieder geval doeltreffend en daar we nu in Duitsland zijn, hebt u misschien gelijk.'
Er kwam een vrouw de hal binnen; ze was van middelbare leeftijd en vrij dik, met rozige wangen en een bos vlaskleurig haar.
'Ha, hier is Else,' zei dokter Adair. 'Else, dit is juffrouw Pleydell. U komt ons verzorgen, dat weet ik.'
'We hebben hete soep en koud wildbraad. Is dat voldoende, Herr Doktor?'
'Precies wat we nodig hebben.'
'En de kamers? De Eiken en de...?' Ze aarzelde en keek van hem naar mij. Ik voelde dat ik een kleur kreeg bij de veronderstelling. Moest ze één of twee kamers klaarmaken?
Hij merkte mijn verlegenheid en had er plezier om.
Hij zei: 'De Eiken Kamer en die ernaast, graag, Else. Prettig om weer eens hier te zijn. Wat een goed idee van me te bedenken dat het jachthuis zo dichtbij was. Dit is veel plezieriger dan een herberg langs de weg. Ga toch zitten. Het eten duurt nog even, denk ik.'
'Een half uur, Herr Doktor,' zei Else.
'Prachtig. Misschien kunnen we intussen het stof van de tocht even afwassen. Mogen we wat warm water van je hebben?'
'Ik zal het Frieda laten brengen.'
'En met Frieda gaat het goed?'
Else zette de handen in haar zij en keek hem ondeugend aan.
'Verwacht er weer een,' zei dokter Adair. 'Hoe oud is de kleine Fritz? Niet ouder dan twee, wed ik.'
'Frieda is blij.'
'En alles gaat goed?'
'Alles is best, Herr Doktor.'
'Kom toch bij het vuur zitten,' zei hij tegen mij.
'U schijnt hen goed te kennen.'
'O, ja. Ik heb hier een paar maal gelogeerd. De graaf is buitengewoon gastvrij.'
Hij keek me kritisch aan. 'Ik geloof dat u zich niet helemaal op uw gemak voelt. Laat me eens raden. U denkt dat u alleen blijft met een man wiens reputatie u als onbetrouwbaar beschouwt. Is het dat?'
Ik zei snel: 'Moet ik dat denken?'
'Misschien.'
'U bent niet dezelfde als toen we op weg gingen,' zei ik. 'U was koel... bijna afstandelijk.'
'En nu ben ik warmer en wat intiemer. Is het dat?'
'Vertel me nu eens waarom u me hier hebt gebracht.'
'Om u bescherming voor de nacht te bieden. U zou niet lekker geslapen heb-

ben in het bos; en de herbergen hier in de buurt zijn niet altijd even goed.'
'Wist u dat we hier zouden komen... ik bedoel, toen we vertrokken?'
'Ik zag het als een mogelijkheid. Maar laat ik de situatie verduidelijken. De bedienden zijn in hun eigen huis. We hebben het jachthuis voor onszelf.' Hij keek me nog steeds aan. 'Hoe vindt u dat?'
'Ik kan me nauwelijks voorstellen dat de Hoofd Diacones dat verwachtte.'
'Het is haar zaak toch niet? Alleen u en ik moeten ons erin thuisvoelen. Ik hoef niet te vragen hoe u erover denkt. U hebt een heel expresssief gezicht. Dat had u altijd al. Ik herinner me de haat en minachting in uw ogen... Hier zijn de feiten: U en ik zullen vannacht hier zijn... alleen. Het is een zeer romantische plek. Een jachtslot midden in het bos. U vindt dat ik niet te vertrouwen ben. Ik ben een soort monster in wiens gezelschap geen enkele fatsoenlijke vrouw alleen zou moeten zijn. Misschien hebt u gelijk. Maar laat ik u geruststellen. Als u het wenst, zeg ik tegen Hans en de anderen dat we hier niet blijven. We zoeken een herberg, of als dat de grenzen van het decorum overschrijdt, rijden we vanavond door naar Kaiserwald. Daar. Aan u de beslissing.'
'Hoe kunnen we nu nog gaan? Ze maken alles voor ons klaar.'
'We kunnen zeggen dat we onze plannen veranderd hebben. Het zijn goede bedienden die nooit het excentrieke gedrag van degenen die het voor het zeggen hebben, bekritiseren.'
Frieda verscheen met twee kannen heet water. Hij praatte even met haar over haar kinderen – het kind dat ze al had en het andere dat ze verwachtte. Ik bedacht hoe charmant hij soms kon zijn.
Toen gingen we naar boven.
'De Eiken Kamer is de beste,' zei hij, 'dus die is voor u.'
Het was een heerlijke kamer, het vuur knetterde en de dansende vlammen wierpen schaduwen door de kamer. Kaarsen brandden in de kandelaars. Er stond een groot hemelbed en in een alkoof stonden een lampetkan en een kom.
Ik waste me met het hete water en bracht mijn haar in orde.
Na een poosje werd er aan de deur geklopt. Ik riep: 'Kom binnen,' en hij kwam de kamer in. Hij had zijn jasje uitgedaan, en droeg een witzijden overhemd met wijde bisschopsmouwen. Het was open aan de hals.
'Mooi,' zei hij, 'u bent zover. U zult wel honger hebben. Ik geloof dat ons eten al staat te wachten. We eten beneden. Ze zijn heel onopvallend. Verreweg de beste bedienden die er zijn.'
Beneden in de hal met de hoge zoldering en trofeeën aan de wanden – geweren en speren die waarschijnlijk door de eeuwen heen gebruikt waren – was een tafel gedekt waarop een dampende terrine stond. Er stond ook wijn op de tafel.
Else stond klaar om ons te serveren; ze schepte de soep op en schonk de wijn uit.
'Die is van de graaf... van zijn eigen wijngaarden,' vertelde dokter Adair. 'Hij

staat nooit toe dat iets minder dan het beste van het beste aan zijn gasten wordt voorgezet. Hij zegt dat zijn druiven een speciale kwaliteit hebben.'
Else merkte op dat alles, behalve de soep, koud was. Ze had het wildbraad en het brood binnengebracht en er was appeltaart als dessert. Daar die ook koud was, kon ze ons verder alleen laten met onze maaltijd.
'Laat alles staan als u klaar bent,' zei ze. 'Ik ruim het later wel op... dan stoor ik u niet.'
'Wat attent van je. Welterusten, Else.' Ik zei ook goedenacht.
Ik raakte bijna bedwelmd door de verandering in de gebeurtenissen. Hij was dit van plan geweest. Ik wist het en kon het niet helpen maar voelde me in de zevende hemel. Ik voelde dat ik leefde, zoals ik niet meer had gedaan, besefte ik nu, sinds ik hem de laatste maal had gezien. Het had geen zin om te doen alsof, ik wilde bij hem zijn. Ik wilde niet praktisch denken, zoals Eliza zo graag wilde. Ik wilde ieder moment beleven en me niet bezighouden met gezond verstand en toekomst en wat het beste voor me was. Dit was wat ik wilde en niemand kon me zo opwinden als hij. Het leven was veel te lang saai en rustig geweest. Ik wilde leven wat de consequenties ook mochten zijn.
Hij hield mijn stoel voor me klaar en nam toen tegenover me plaats. Hij hief het glas. 'Op ons... en deze avond.'
Ik dronk met hem.
'Laten we de soep proberen. Die is zeker heerlijk. Else is een uitstekende kokkin. Ik heb u zoveel te zeggen maar eerst moeten we eten.'
'Ik ben nieuwsgierig naar wat u te zeggen hebt.'
Hij keek me over de tafel aan. 'Kaarslicht is charmant, vindt u ook niet? Wat is het stil. Soms hoor je 's nachts de geluiden van het bos... de vogels, de nachtdieren. Dat kan fascinerend zijn.'
Ik proefde de soep nauwelijks, was veel te opgewonden om aandacht aan voedsel te besteden. Toch vroeg ik me af wat zijn plannen waren... en in mijn hart wist ik het.
Hij stond op en nam mijn bord.
'U speelt voor bediende. Wat een ongewone rol voor u.'
'Maar dit,' antwoordde hij, 'is een ongewone avond. Het wild zal wel uit het bos komen. U zult het zeker heel lekker vinden.'
'Dank u. Jaagt u ook als u hier bent?'
'Ik jaag niet op dieren. Het is geen bezigheid die me aantrekt. U weet iets van mijn interesses. Daar hoort jagen niet bij.'
'U jaagt op informatie. U zoekt naar kennis.'
'Nou ja, ik ben arts. Ik ben buitengewoon geïnteresseerd, zoals u weet, in de methoden die in de wereld worden gebruikt. Je kunt zeggen dat dat mijn jachtgebied is.'
'Dat weet ik.'

'Er is veel vooroordeel in ons beroep. Ik ben een man die er niet van houdt langs de lijnen te lopen die voor me uitgestippeld zijn. Het heeft me kritiek opgeleverd... niet alleen van leden van mijn beroep.'
'U bedoelt dat uw onorthodoxe methoden niet altijd zijn geaccepteerd.'
Hij knikte en vulde mijn glas bij.
'De graaf zal willen weten of we zijn wijn geapprecieerd hebben. Hij zou het jammer vinden als we er niet van genoten.'
'Ik drink niet graag veel wijn.'
'Ik evenmin. Het stompt de zintuigen af. En dat zou ik niet willen. Vanavond wil ik ieder moment beleven.'
'Wat wilde u zeggen?'
'Iets waarvan ik denk dat u het al weet. Ik heb een ontdekking gedaan.'
'O, welke?'
Hij keek me strak aan. 'Dat mijn leven heel saai is zonder jou.'
Ik staarde hem aan.
'Je bent niet echt verbaasd. Je wist het.'
Ik schudde mijn hoofd. 'U hebt me zojuist het ziekenhuis laten zien en hebt erop gezinspeeld dat ik er de leiding van zou kunnen krijgen. Ik dacht dat dat de reden van uw belangstelling was.'
'Dát is zeker niet mijn bedoeling.'
'Maar uw gedrag...'
'Ik bereidde alles voor. Ik wilde je hier brengen... in het hart van het bos waar we alleen konden zijn... helemaal alleen.'
Ik stond op. Hij kwam naar me toe en sloeg zijn armen om me heen.
'Je moet weten hoe het met ons staat.'
Toen hield hij me tegen zich aan en kuste me... niet een maal, maar vele malen. Ik was duizelig van opwinding. Het kon me niet schelen, al was het maar voor deze ene nacht, maar ik wilde hier zijn, ik wilde bij hem blijven... al was er verder niets... deze nacht moest ik bij hem zijn.
Hij liet me los en ik hoorde hem zachtjes lachen. Het was een lach van triomf.
'Je ziet hoe het is,' zei hij.
Ik keek hem hulpeloos aan.
'We zijn voor elkaar bestemd,' ging hij door. 'Dat hebben we altijd geweten. Jij vocht ertegen. Je was besloten me te haten en je kon me niet zo haten, als je niet van me hield.'
Ik hoorde mijzelf zeggen: 'Ik weet het niet. Ik ben helemaal in de war.'
'Maar in je hart weet je het wel. Ik hou van het rood in je haar. En je ogen zijn groen... heel groen als je gelukkig bent. Nu zijn ze heel groen.'
'Toe,' zei ik, 'zullen we gaan zitten?'
'En ons maal beëindigen? Een uitstekend idee. Hier is de appeltaart. We mogen Else niet beledigen.'

Ik was nu kalmer. Hij zat tegenover me en zijn ogen glansden. Ze leken donker en diep. Ik herinnerde me hoe hij William gehypnotiseerd had en voelde dat ik mijzelf wilde verliezen in die donkere ogen. Een stem binnenin me zei dat ik moest oppassen. Hij was een geboren verleider. Er moesten heel wat van dit soort avonden in zijn leven zijn geweest. Ongetwijfeld was dit de manier waarop hij vrouwen altijd behandelde met wie hij zich een poosje wilde amuseren. Maar ik wilde niet opnieuw naar die stem luisteren. Ik was veel te lang verdrietig en eenzaam geweest.
Ik wilde niet verder kijken dan deze nacht, al verbaasde ik me over mezelf. Want dit was de vijand, de man die ik had gezworen te vernietigen en hier zat ik nu als een gewillig slachtoffer.
Ik denk dat hij wist wat ik voelde; hij wist dat hij de macht had om iedere weerstand die ik voelde, te breken.
Hij zei: 'Je was buitengewoon bevooroordeeld tegen me voordat je me ontmoette. Ik weet waarom.'
Even schrok ik. Maar hij ging door: 'Je had mijn boeken gelezen. Ik was buiten de paden getreden, hè? Wat kon een keurig opgevoede jongedame denken van een man die geleefd had als een Arabier in een tent, die een tijd lang een Arabier was, een man uit India, een Turk...'
'Je moet een buitengewoon opwindende tijd hebben gehad.'
'Het leven moet toch opwindend zijn, vind je niet?'
'Helaas is dat niet voor iedereen weggelegd.'
'Als het niet zo is, moeten de mensen uitvinden waarom niet en het vervolgens proberen.'
'Ik kan zien dat jij daar bedreven in zou zijn.'
'Voor jou geldt dat ook, denk ik. Je hebt je geheimen O, kijk maar niet zo geschroken. Ik zal niet proberen ze uit je te persen. Je hebt nu eenmaal besloten dat het leven er niet is om van te genieten. Het is mijn taak – mijn plicht – te bewijzen dat je ongelijk hebt.'
'En hoe wil je dat doen?'
'Door je te laten zien hoe goed het kan zijn.'
'Denk je dat dat mogelijk is?'
Hij knikte en lachte tegen me. 'Toen ik besefte hoe graag ik je in mijn leven wilde hebben, deed ik er iets aan.'
'Maar ik ben niet het simpele schaap dat je misschien in me ziet. Ik kan niet verleid worden door protesten en lieve woordjes.'
'Nee, dat kun je niet. En het zijn geen woorden waar ik aan denk, maar daden.'
Hij gooide zijn servet opzij en stond op, stak zijn handen uit, pakte die van mij en trok me naar zich toe.
'Mijn lieve Nachtegaal, dit is onvermijdelijk.'
Ik probeerde iets te zeggen, maar mijn hart bonsde zo snel dat het onmogelijk

was. Hij hield me tegen zich aan en zo bleef ik staan.
'Het is nog vroeg,' zei hij. 'De Eiken Kamer heeft een balkon. Laten we daar naar het bos gaan kijken.'
'En dit allemaal...' en ik wees naar de tafel.
'Ze sluipen discreet naar binnen en halen alles weg als wij ons hebben teruggetrokken. Is dit niet een door en door romantische plaats? Wel anders dan dat kamertje in de Generale van Scutari, weet je nog – waar een paar van onze schermutselingen plaatsvonden?'
'Ik herinner het me nog,' zei ik.
Hij sloeg een arm om me heen en we gingen naar de Eiken Kamer waar de brandende houtblokken een flikkerend licht wierpen op de eiken wanden. Hij nam me mee naar het het balkon waar we bleven staan kijken naar het donkere bos. De geur van de dennen was bedwelmend. Er vloog een donkere schaduw langs het raam en ik hoorde het krassen van een uil.
'De vleermuizen vliegen laag vannacht,' zei hij en kuste me. 'Wat heb ik hiernaar verlangd... al heel lang. Ik ben gelukkig vanavond.'
'Ik ben zo verbaasd, zo...'
'Gelukkig,' vulde hij aan.
Ik zweeg en hij vervolgde: 'Zeg de waarheid, Nachtegaal. Je gaat niet van me weg.'
'Ik ben hier alleen...' begon ik.
'Maar je bent uit vrije wil meegekomen. Al heb ik je ook nog zo nodig, toch zou ik het niet anders willen. Als je niet wilt dat ik bij je blijf, kun je me wegsturen.'
Ik stak mijn hand op en raakte zijn gezicht aan. Hij nam die en kuste hem snel.
'Ik begrijp mijzelf niet,' zei ik.
'Ik begrijp je wel, liefste. Je was eenzaam, vocht tegen je verdriet, haatte in plaats van dat je liefhad en weigerde te zien hoe goed het leven kan zijn. En vannacht, omdat ik hier bij je ben, omdat we in het hart van het bos zijn, omdat er magie in de lucht zweeft, vergeet je alle barrières die je voor jezelf hebt opgebouwd. Je stopt met je verdriet en leeft.'
Een matheid kwam over me. Ik wilde geen weerstand bieden. Ik wilde mijn armen voor hem openen. Morgen zou ik mijn dwaasheid wel onder ogen zien, maar deze nacht was onweerstaanbaar. Ik liet toe dat hij me naar het hemelbed leidde, waar we naast elkaar gingen zitten.
Hij kuste me en zei: 'Eindelijk. Laten we alles vergeten behalve dat we hier samen zijn... dat ik voor jou beteken wat jij voor mij betekent, en als dat twee mensen overkomt, is er slechts één uitkomst.'
Ik keerde me naar hem toe. Hij kuste mijn hals en mijn lippen; en terwijl hij me bleef kussen, voelde ik me wegglijden in zo'n gevoel van geluk als ik niet voor mogelijk had gehouden.

De dag was juist begonnen. Ik was wakker geworden en lag te denken aan wat er gebeurd was. Nooit had ik zo'n hartstocht gekend, nooit zo'n vreugde. Ik dacht aan Aubrey en aan de eerste dagen van ons huwelijk. Hij was een tedere minnaar geweest en onze verhouding had idyllisch geleken. Toen kwam dat ontwaken in Venetië en het groeiende besef dat het niet Aubrey was om wie ik gaf, het was het verliefd zijn, het bewonderd en geadoreerd worden... liefhebben en genot krijgen.
Dit was heel anders. Dit was een geweldig avontuur met een man tot wie ik onherroepelijk werd aangetrokken en die toch een mysterie voor me was.
Hij fascineerde me volkomen en ik kon alleen maar aan hem denken. Wat ik voor Aubrey had gevoeld, was als de vergelijking tussen bleek maanlicht en de stralen van de zon.
Weer voelde ik die verrukkelijke matheid. Ik dacht: Ik zal deze nacht nooit vergeten. Die blijft me de rest van mijn leven bij. Als hij weggaat, zal ik me die herinneren. Ik had moeten weten dat er nooit iemand kon zijn als hij.
Misschien was ik een dwaas. Ik had me zo bereidwillig overgegeven – nauwelijks overgegeven; mijn verlangen was even groot als het zijne. Ik had een nieuw wezen in mijzelf ontdekt – een sensuele, veeleisende vrouw. Hij had me wakker geschud, me mijzelf getoond.
Mijn handen lagen slap naast me en plotseling voelde ik dat hij er een pakte.
'Wakker, Nachtegaal?'
'Ja. Het is bijna ochtend.'
'En dan vertrekken we. Je hebt geen spijt... Susanna?'
'Nee,' antwoordde ik, 'helemaal niet.' Toen schrok ik, want ik besefte dat hij mijn eigen naam had gebruikt. Hij had me Susanna genoemd en ik was altijd Nachtegaal of juffrouw Pleydell voor hem geweest.
'Waarom noem je me Susanna?'
'Waarom niet? Zo heet je. Susanna St Clare, een charmante naam. Anna was nooit helemaal jij. Susanna, dat is anders. Je bent een Susanna.'
'Je wist dat ik...'
'Het krampachtig bewaarde Geheim van de Nachtegaal,' zei hij. 'Het was nooit een geheim voor mij.'
'Waarom heb je dat niet gezegd?'
'Hoorde ik iets te vertellen wat jij zo vastbesloten was achter je te laten?'
'Wanneer heb je het ontdekt?'
'Vanaf het allereerste begin. Ik heb je in Venetië gezien.'
'O, ik heb jou ook gezien. Die avond... jij bracht Aubrey thuis.'
'Dus je wist wie hem thuisbracht. De slechte dokter Damien die, geloofde je, hem had aangemoedigd bij zijn dwaasheid.'
'Ja, daar was ik zeker van.'
'Dat wist ik.'

'En je zei dat ik een oppervlakkige, frivole vrouw was, dat het spijtig was dat hij me getrouwd had en dat ik hem had kunnen redden.'
'Had je hem dan misschien niet kunnen redden?'
'Hoe kon ik dat? Het was afschuwelijk. Die grot...'
'Aubrey was absurd en melodramatisch. Toen hij hoorde over Francis Dashwood en Medmenham, moest hij hetzelfde doen. Hij was eigenlijk nog een jongen.'
'Jij moedigde dat drugsgebruik bij hem aan.'
'Dat is niet waar!' ontkende hij fel. 'Ik was geïnteresseerd in het effect ervan. Ik moest wel, omdat ik kon zien dat er medische waarde was in wat op een roekeloze manier en uitsluitend uit sensatiezucht genomen werd. Ik moest dat uitvinden.'
'Dus je vond het uit via deze mensen. Je liet hen die drugs nemen zodat je het effect ervan kon zien.'
'Helemaal niet. Ik heb ze getest op mijzelf. Zij hadden hun eigen drugs.'
'Je had ook verslaafd kunnen raken.'
'Ik niet. Ik wist wat er gedaan moest worden.'
'Je was daar... in die grot.'
'Ja, het was een verbazingwekkende openbaring.'
'Je was in India toen het allemaal begon.'
'Er was daar een klein groepje. Ik ben de namen van de mensen vergeten. Een onnozele vrouw die het leven saai vond en dat clubje begon. Ik heb wat tijd met hen doorgebracht. Ik moest alles leren.'
'Waarom heb jij niet geprobeerd Aubrey te redden?'
'Ik maakte me echt ongerust en probeerde hem juist te helpen. Zijn broer was een grote vriend van me. Ik dacht dat hij de gewoonte af zou kunnen leren, maar toen hij met die grot begon, was het hopeloos en toen jij hem verliet, helemaal. Daarna ging hij snel bergafwaarts.'
Ik zei aarzelend: 'En die nacht... toen mijn baby stierf... was jij er ook. Je hebt hem een van je drugs gegeven. Je experimenteerde op hem... en hij is gestorven.'
'Ook dat is niet waar. Ik vertelde je al dat hij dood was toen ik bij hem kwam. Ik was er, ja. Ik was in de grot. Ik keek naar de gevaarlijke capriolen van deze mensen onder de invloed van de drugs die ze genomen hadden. Het leerde me een heleboel. We gingen terug naar het huis. Een van de meisjes was hysterisch over het kind. De oude nanny was dronken. Ik ging naar boven en zag dat het kind al dood was. Hij is aan congestie van de longen gestorven.'
'Als je eerder geroepen was...'
'Wie weet, misschien...
'Als ik niet weg was geweest...'
'Ja, als jij niet weg was geweest.'
'Je schijnt bepaalde conclusies te trekken. Mijn vader lag op sterven. Ik moest

naar hem toe. Mijn kind was gezond toen ik wegging.'
'Het spijt me,' zei hij. 'Ik weet hoe je geleden hebt.'
Ik voelde de tranen op mijn wangen. Ik beleefde het allemaal opnieuw... dat verschrikkelijke moment toen ik het huis binnenkwam en zag dat mijn baby dood was.
Hij nam een lok van mijn haar en wond die om zijn vinger. Toen zei hij zacht: 'Dat is allemaal voorbij. Er ligt een toekomst voor je. Je moet vergeten. Susanna, liefste, er is nieuw leven voor je. Je moet stoppen met die rouw. Je moet weer leven.' Ik antwoordde niet en hij vervolgde: 'Susanna St Clare. Het is een mooie naam. Er ligt symmetrie in. Maar ik denk dat Susanna Adair beter zal klinken.'
Ik zweeg toen de betekenis van zijn woorden tot me doordrong. 'Bedoel je... dat je me vraagt je vrouw te worden?'
'Ik weet geen andere manier waarop je mijn naam zou kunnen dragen. Wat zeg je ervan? Mooi, vind je niet?'
Hij sloeg zijn armen om me heen en hield me dicht tegen zich aan.
'Zeg tegen me dat je het met me eens bent, want, zoals ik al zei, ik vind mijn leven saai zonder jou. En wat ik niet kan verdragen, is saaiheid. Toe, trouw nu met me, Nachtegaal.'
'Je hebt haast.'
'Helemaal niet. Ik had het al lang in gedachten.'
'Je gaf me anders geen enkele aanwijzing.'
'Ik moest die muur van weerstand afbreken.'
'Dat heb je nu in ieder geval gedaan.'
'Heb ik dat... helemaal? Je ziet me nog steeds als een soort monster, geloof ik.'
Ik lachte. 'Als ik dat doe... kan het me niet schelen.'
'Dat hoor ik graag. Je hebt me genomen met al mijn zonden erbij. En die zijn legio, ben ik bang. Want veel waarvan je me beschuldigd hebt, is waar, weet je.'
'Ik weet van het wilde nomadenbestaan, de veroveringen... de tochten op paden die niet vaak door Engelse heren bewandeld worden.'
'Zo is het, maar dank zij die tochten kan ik nu de waarde van mijn grote liefde herkennen.'
'Bij jou verandert alles in je voordeel.'
'Zo leef ik nu eenmaal, Susanna. Ik zal je tonen hoe je dat doet. Wil je met me meegan naar die wilde verre uithoeken van de wereld?'
'Ja,' zei ik.
'Van het ene ogenblik op het andere? Zo is het met mij.'
'Als we trouwen...' begon ik.
'Wanneer we trouwen,' corrigeerde hij me.
'Zouden we kinderen kunnen krijgen.'
'Dat is een mogelijkheid.'
'Als ik ooit nog een kind krijg, laat ik het nooit over aan de zorgen van een kin-

derjuffrouw. Hoe groot de verleiding ook mag zijn.'
'En?'
'Jij zou tochten willen maken... wilde avonturen... Wat dan?'
'Als er een kind zou zijn,' zei hij, 'maakt dat een verschil voor ons beiden. Ik twijfel er niet aan of het verandert mij net zo goed als jou. Maar soms zal ik je dan alleen laten, voor verfrissende beelden. Ik beloof je dat mijn afwezigheid kort zal zijn.'
'Ik zie je nog niet gevestigd, met een professioneel leven zoals...'
'Als een normale dokter. Mijn lieve Susanna, ik ben een man met veel facetten. Als de tijd rijp voor me is om mijn avontuurlijk leven vaarwel te zeggen, vestig ik me bij mijn gezin en vind wel middelen om mijn kennis van medicijnen en het leven uit te breiden. Ik denk dat ik een ideale vader zal zijn.'
Ik sloot mijn ogen. Ik dacht: Geluk is een vroege ochtend in een jachthuis in het hart van een bos met de man van wie ik hou naast me.'

Het bos was prachtig in de vroege morgen.
We waren met zonsopgang opgestaan en even later vertrokken. Alles leek volmaakt: de vroege zon glinsterend door de bomen, het ontwaken van de vogels, de flauwe bries die door de dennenbomen waaide en de onvergetelijke geur die in de lucht hing.
Ik wist niet dat er zo'n tevredenheid bestond.
Hij zei: 'We moeten een van de eerstkomende dagen vertrekken. Als we in Engeland zijn, trouwen we zo gauw mogelijk. Ik zie geen reden tot uitstel. Jij?'
'Nee.'
Hij lachte tegen me. Ik was verrukt. Mijn leven lang had ik me niet zo gevoeld. Al die jaren had ik mijn verdriet meegedragen en had geprobeerd het tot rust te brengen met de gedachte aan wraak; maar hoeveel heerlijker waren de gedachten aan liefde.
Het leven wordt verrukkelijk, dacht ik. Niets is gewoon bij hem. Ik zal hem volgen op zijn avonturen en als ik een kind krijg zal is het leven wonderbaarlijk compleet zijn. Ik zal Julian natuurlijk nooit vergeten. Is er één moeder die het kind dat ze gebaard heeft, vergeet? Maar ik zal Julian zien in mijn kind en dit kind zou van Damien zijn. Ik zou voor altijd voldaan zijn. Ik dankte God dat hij me uit mijn ellende gehaald en in dit volmaakte geluk had gebracht en bedacht dat het heden niet zo heerlijk kon zijn als ik vroeger niet had geleden.
In deze stemming kwam ik in Kaiserwald.
We werden begroet door de Hoofd Diacones. Ik zag dat ze zich niet gerust voelde over onze nachtelijke afwezigheid.
'We waren zo verrukt van Rosenwald,' vertelde Damien haar, 'dat we te laat zijn vertrokken. Tenslotte had ons bezoek geen zin als we niet alles zagen. We hebben de nacht toen doorgebracht in het jachthuis van Graf von Spiegal.'

Ze keek opgelucht. 'En hoe gaat het met de Herr Graf?'
'O, uitstekend.'
Dat bevredigde haar. Hij keek me ondeugend aan.
Bij Eliza was het niet zo gemakkelijk. Ik zag dat ze geschokt was.
Dus dacht ik dat ik het haar beter gelijk kon vertellen. 'Ik ga trouwen met dokter Adair.'
'O, wat een plotseling besluit.'
Ik knikte.
'Je ziet er anders uit,' zei ze.
'Ik voel me anders.'
Dat was alles. Ze veranderde van onderwerp en vroeg naar Rosenwald, maar ik zag dat ze haar lippen van afkeuring op elkaar drukte. Ik praatte enthousiast over de mogelijkheden van de plaats. 'Op het ogenblik hebben ze verpleegsters die niet zijn opgeleid. Het is een grote uitdaging voor iemand die er een Kaiserwald van wil maken.'
'Ik dacht dat jij dat zou doen.'
'Dat dacht ik eerst ook. Ik dacht dat hij me daarom Rosenwald wilde laten zien.'
'Maar hij had een andere bedoeling. Je hebt er niet lang over nagedacht, hè?'
'Ik hoefde er niet over na te denken, Eliza. Ik wist het. Zo is het wel eens.'
'Ik geloof dat je een fout maakt. Als je met hem trouwt, wordt het huilen met de pet op, zoals ze zeggen.'
'Ik denk dat het meer lachen van vreugde wordt,' antwoordde ik.
'Je hebt goed te pakken, hè?'
'Ja, Eliza. Dat heb ik zeker.'
'Ja, zo'n man is het. Hij hoeft maar een vinger op te tillen en te wenken. Dat is genoeg. Jij volgt.'
'Mijn lieve Eliza, er zijn veel dingen die we niet van elkaar kunnen weten. Dit is het juiste voor mij. Dit is wat ik meer dan wat dan ook wil. Ik ben zo gelukkig als ik nooit voor mogelijk had gehouden. Hij kan alle verdriet van me afnemen. Hij geeft me het gevoel te leven...'
'Hoe lang?'
'Voor de rest van ons leven, Eliza. Daar zal ik voor zorgen.'
Ze zuchtte. 'Vertel me meer over Rosenwald.'

Ik wilde niet dat Eliza's gevolgtrekking dat ik te gronde zou gaan me deprimeerde en gaf me over aan mijn geluk. Hij had de Hoofd Diacones verteld dat we binnen een paar dagen moesten vertrekken en dat we zouden gaan trouwen. Haar eerste gedachte gold Rosenwald. 'Ik had gedacht dat misschien juffrouw Pleydell... het zou een uitdaging voor haar geweest zijn.'
'Inderdaad,' zei hij glimlachend, 'maar ze neemt nu een nog grotere uitdaging op zich.'

Eliza ging mee toen ik het rijkostuum terugbracht naar Fräulein Kleber. Zodra we het huis naderden, hoorden we geweerschoten. Ze was nog steeds aan het oefenen. Ik ging naar de achterkant van de schuur waar verscheidene mensen stonden.

'O, daar bent u, juffrouw Pleydell,' zei ze. 'U komt het kostuum terugbrengen. Zat het goed?'

'Het was uitstekend. Hoe kan ik u bedanken voor uw vriendelijkheid?'

'Door me geluk te wensen bij het *Schützenfest*.'

'Natuurlijk, ik wens u alle geluk die er is!'

'Dit zijn mensen uit de buurt. Iedereen is hier voor het *Fest*. Ik leen de geweren uit.'

'U schijnt hier een echte weldoenster te zijn, als u mensen uw bezittingen uitleent.'

'In het geval van de geweren is het dwaasheid, al deze mensen zijn mededingers.'

'U bent vast beter dan die allemaal.'

'Als dat niet zo is, is het in geen geval door gebrek aan oefening. U zou verbaasd zijn over het aantal mensen dat naar me toekomt om te oefenen. Nou ja, ik heb de geweren van mijn vader en die kunnen net zo goed nuttig gebruikt worden. Kom mee naar binnen en drink een glas wijn.'

Ik bedankte haar en zei dat ik de oefeningen niet wilde onderbreken, bovendien moesten we terug naar Kaiserwald. We gingen over twee dagen weg.

'In ieder geval ben ik blij dat ik u heb kunnen helpen.'

'Nogmaals hartelijk bedankt. Ik hoop dat u iedere keer het doel raakt.'

'Wat een aardige vrouw,' zei ik toen we vertrokken, en Eliza was het ermee eens.

In gedachten had ik hem dokter Damien, de Demon Dokter, genoemd. Ik vertelde het hem en hij zei: 'Nu word ik Damien, de ideale echtgenoot.'

'We moeten maar afwachten of je die titel verdient. Nu noem ik je gewoon Damien.'

'Ik houd van de manier waarop je dat zegt. Je laat het zo goddelijk klinken.'

Hij klaagde erover dat we niet alleen konden zijn in het ziekenhuis. Steeds was er iemand die tussenbeide kwam.

'Die vriendin van je, Grote Eliza, kleeft aan je als een bloedzuiger. Ze ademt vuur iedere keer dat ze me ziet.'

'Je haalt gewone vergelijkingen en metaforen door elkaar. Draken blazen vuur, bloedzuigers niet.'

'Ze is een heel bekwame vrouw en kan in een oogwenk van een bloedzuiger in een draak veranderen. Laten we door het bos gaan wandelen lopen. Daar kunnen we plannen maken. Realiseer je je wel dat er een boel geregeld moet worden?'

'Ja.'
'We moeten maar apart gaan, anders loopt Eliza weer achter ons aan. Ik zie je wel op de open plek... laten we zeggen, over tien minuten.'
Ik was het ermee eens.
Nooit zal ik die middag vergeten. Ik had al eerder rampen meegemaakt, maar nooit een die zo onverwacht was. Nooit was ik zo van de toppen van extase in de diepte van wanhoop gestort.
Ik verliet het ziekenhuis met een vrolijk hart, in een zee van geluk. Het was niet bij me opgekomen dat dingen zo snel zouden kunnen veranderen.
Ik kwam bij de open plek. Hij was er al. Hij zag me en toen hij snel naar me toekwam, klonk er plotseling een schot. Ik hoorde de luide knal, zag hem een halve seconde blijven staan en toen langzaam op de grond vallen.
Ik vloog naar hem toe. Overal was bloed. Hij lag op het gras en ik staarde vol afgrijzen naar hem. Ik hoorde mijzelf mompelen: 'Damien... dood.'
Ik knielde bij hem neer. 'Damien,' fluisterde ik. Zijn ogen waren gesloten en er was een vreselijke stilte om hem heen.
Ik moest onmiddellijk iets doen, de kogel was waarschijnlijk in zijn rug gedrongen. Wat we nodig hadden was een dokter... en zo snel mogelijk.
Zo vlug ik kon, rende ik terug naar het ziekenhuis.

Wat was ik dankbaar voor dokter Kratz en dokter Bruckner. Ze handelden vlug en efficiënt. Er kwam een brancard en Damien werd naar het ziekenhuis gebracht. Het was een zegen dat er medische hulp aanwezig was.
Ze bleven lang met hem bezig en ik wist dat hij ernstig gewond was.
'O God,' bad ik, 'laat hem niet sterven... niet nu... nu we elkaar juist hebben gevonden. Dat zou ik niet kunnen verdragen. Ik wil alles... alles doen, maar laat hem niet sterven.'
Het was het onsamenhangende gebed van een angstige vrouw die van het toppunt van geluk in de diepste diepte van wanhoop terecht was gekomen.
Ik wachtte tot de dokters weer verschenen. Ze hadden een zeker respect voor me en ik wist dat ze me de waarheid zouden vertellen.
'We hebben de kogel verwijderd,' zeiden ze.
'Wordt hij weer beter?'
Ze zwegen.
'Zeg het me. Zeg het me,' smeekte ik.
'We weten het niet. Hij zat in de wervelkolom. Het is nu nog te vroeg.'
'Ik zal hem verplegen.'
'Ja... ja.'
'Mag ik naar hem toe?'
'Hij is buiten bewustzijn.'
'Alleen om bij hem te zitten.'

Ze keken elkaar aan en knikten.
Dus zat ik bij hem. Hoe anders zag hij eruit. Hij was zo bleek; zijn diepliggende ogen waren gesloten en de geciseleerde trekken vielen nog meer in het oog. Ik kende hem alleen vol vitaliteit... meer levend dan iedereen die ik kende en nu leek hij... dood.'
De Hoofd Diacones kwam binnen. Ze legde een hand op mijn schouder. 'U kunt hem beter alleen laten. Hij heeft rust nodig, en u hebt zorg nodig, mijn kind.' Ik keek haar aan met ogen vol wanhoop en ze zei: 'We moeten bidden voor zijn genezing. Hij is heel sterk. Hij heeft altijd zijn zin gekegen en nu wil hij extra graag leven nu hij en u samen plannen hebben gemaakt.'
Ze bracht me naar mijn kamer en dwong me op bed te gaan liggen.
Eliza kwam binnen.
De Hoofd Diacones zei tegen haar: 'Zorg voor juffrouw Pleydell. Ze heeft u nodig.'
Eliza knikte.

Wat schenen de dagen lang! En de nachten! Slapen kon ik niet.
Eliza sliep evenmin. 'Misschien was dit wel het beste,' zei ze.
'Eliza,' zei ik, 'als hij sterft, zal ik nooit meer gelukkig zijn. Ik heb me zo ellendig gevoeld, ik ging zo op in mijn tragedie, ik heb gepiekerd over de wreedheid van het leven en nu zie ik dat ik mijn verdriet alleen maar groter maakte. Ik ben er overheen gegroeid. Hij toonde me hoe dwaas ik was. Bij hem had ik weer mijn ware zelf kunnen worden. Als hij niet beter wordt, raak ik die kans kwijt. Toen hij me vroeg met hem te trouwen, kende ik volmaakt geluk. Ik wil aanhoudend bij hem zijn. Begrijp je dat, Eliza?'
'Ik geloof dat ik het ga begrijpen.'
Hij moet beter worden. Jij en ik zullen hem verplegen tot hij weer beter is. Je helpt me toch, Eliza?'
'Ja, ik zal je helpen.'
'O, dank je.'
'Ik dacht dat je gelukkig zou worden in dat huis van dokter Fenwick, maar nu zie ik dat dit de man is die je wilt hebben... het komt er niet op aan wie of wat hij is.'
'Ik ben blij dat je dat nu inziet, Eliza.'
Die ochtend had ik een gesprek met de dokters. Het nieuws was moedgevend.
'We denken dat er een goede kans op genezing is.'
Ik was overstelpt van vreugde. Toen zag ik de blikken die ze wisselden.
'Wat is er?' vroeg ik angstig.
'We weten niet hoe hij er voor zal staan... als hij beter wordt.'
'Ik begrijp het.'
'Ja, juffrouw Pleydell. We kunnen maar één ding doen en dat is afwachten.'

Door mijn zorg om hem schonk ik weinig aandacht aan het mysterie waar iedereen zich mee bezig hield.
Wie had dat schot afgevuurd dat kennelijk bedoeld was geweest om hem te doden? Hij was alleen op de open plek geweest, duidelijk zichtbaar. Iemand moest op hem hebben geschoten vanuit de beschutting van de bomen.
Er was de laatste tijd veel drukte in de omgeving vanwege het *Schützenfest* dat binnenkort gehouden zou worden. Van overal vandaan klonken de schoten. Kon een verdwaalde kogel dokter Adair getroffen hebben, misschien van een jongeman of vrouw die niet aan het gebruik van een geweer gewend was?
De kogel werd onderzocht. Die was heel gewoon en er viel weinig uit op te maken. Wie had dokter Adair willen doden? Hij was geen inwoner van de plaats. Hij was zelfs geen inwonend arts – hij was alleen maar op bezoek.
De oefenbaan van Fräulein Kleber lag in de buurt. Kon iemand die geprobeerd had het doel te raken, echt zo gemist hebben? Het leek de meest waarschijnlijke verklaring. Het onderzoek ging door maar niemand had een oplossing voor het mysterie. En er was niets wat erop wees dat iemand had geprobeerd dokter Adair te vermoorden.
Een week ging voorbij – een week waarin mijn hoop telkens groeide en afnam. Hij leefde nog. Dokter Kratz zei dat hij zich aan het leven vastklampte met een koppigheid die verbazingwekkend was. Hij was zich van me bewust en ik wist dat hij troost putte uit mijn aanwezigheid. Als ik niet bij hem was, nam Eliza het over. De zorg waarmee ze dat deed, verbaasde me. Ze beschermde hem met grote felheid, zij die hem altijd zo intens gehaat had, was vastbesloten dat hij beter moest worden.
Eerst waren we bang geweest dat hij verlamd zou blijven. Ik probeerde me voor te stellen hoe zijn leven zou zijn – hij, zo'n buitengewoon actieve man voor altijd aan zijn bed gekluisterd. Ik beloofde mijzelf dat ik voor hem zou zorgen en mijn leven aan hem wijden.
Maar zijn vastberadenheid had resultaat. Binnen een week kon hij zijn benen bewegen en binnen drie weken liep hij met behulp van een stok.
Intussen werd het onderzoek voortgezet. Niemand gaf toe dat hij een schot had gelost. Maar was het mogelijk dat iemand had kunnen schieten zonder het zich bewust te zijn?
Ik maakte korte wandelingetjes in het bos – Eliza en de Hoofd Diacones stonden erop dat ik het moest doen ter wille van mijn gezondheid. Iedere minuut wilde ik naast zijn bed zitten maar besefte de wijsheid van hun woorden.
Mijn wandelingen brachten me onveranderlijk naar de open plek; en op een dag vroeg ik me af wat er met Gerda gebeurd was. Ze zei dat ze de duivel in het bos had ontmoet. Ze was verleid en had bijna haar leven verloren toen ze de drank had ingenomen om van het kind af te zijn.
Ik herinnerde me het gesprek met haar grootmoeder. Sinds mijn terugkeer naar

Kaiserwald had ik Frau Leiben niet meer gezien. De deur van haar huisje was altijd gesloten. Ik had toen gedacht dat Damien misschien wel die duivel in het bos was geweest. Was dat mogelijk? Stel dat het waar was? Stel dat Frau Leiben dat wist? Stel dat zij dat schot had afgevuurd... uit wraak?
Nee. De man die ik kende zou nooit misbruik hebben gemaakt van een simpel meisje. Maar zou hij dat niet? Ik was er niet zeker van. Het wonder was dat het geen verschil voor me zou maken als dat zo was.
Het idee achtervolgde me en iedere dag ging ik naar de open plek.
Ik dacht aan Frau Leiben, aan haar zorg om haar kleindochter die niet was als andere meisjes... het simpele kind dat droomde als ze de ganzen hoedde.
Wat zou Frau Leiben de man hebben gehaat die haar kleindochter had verleid! Ik kon me voorstellen dat ze had gezworen haar kleindochter te wreken. Had ik me niet willen wreken op de man van wie ik geloofde dat hij de schuld was van de dood van mijn kind? Ja, ik kon de emotie van Frau Leiben begrijpen.
Het huisje lag vlak bij de open plek. Ze kon vanuit een raam op hem geschoten hebben. Dat zou gemakkelijk voor haar zijn geweest.
Toen ik weer eens langs kwam, stond de deur open. Ik riep: 'Frau Leiben!'
Ze kwam naar de deur, keek me even aan en toen zag ik dat ze me herkende.
'Nee maar... als dat Fräulein Pleydell niet is. Dus u bent weer bij ons terug.'
'Ik ben hier alleen voor een poosje, maar ik heb u niet gezien.'
'Ik ben weg geweest en nu pas terug. Ik was op bezoek. Er is hier een ongeluk gebeurd toen ik weg was, hè.'
'Ja, dokter Adair is neergeschoten.'
'Wie heeft dat gedaan?'
'Het is een mysterie.' Ik keek haar strak aan. 'Iemand had een geweer en...'
'Er wordt om deze tijd van het jaar altijd geschoten. Maar we hebben nooit eerder een ongeluk gehad.'
'Het lijkt nogal vergezocht om te denken dat het een verdwaalde kogel was.'
Als ze schuldig was, toonde ze wel bewonderenswaardig veel zelfbeheersing. Ze zei: 'Ik kon het niet geloven toen ik het hoorde.'
'Hoe lang bent u weggeweest, Frau Leiben?'
'Een maand... misschien wat langer. Ik ben net terug.'
Ik stelde me haar voor zoals ze terugkwam in haar huisje. Had ze een geweer in huis? De meesten hadden er een. Ze schoten duiven die ze vervolgens opaten. Er waren vossen die kippenhokken binnengingen en doodgeschoten moesten worden. Ze had hem vanuit haar raam kunnen zien aankomen. Ik stelde me voor hoe ze in een aanval van woede haar geweer pakte en schoot. Het kon zo gemakkelijk gebeuren. Daarna had ze zich stil gehouden. Wie zou weten dat ze weer thuis was? Ze had een volmaakt alibi.'
'Het is vreselijk,' zei ze. 'En dokter Adair. Ik hoorde dat hij aan de beterende hand was.'

'Ja,' zei ik.
'Had hij een idee wie...?'
Ik schudde mijn hoofd.
'Kom even binnen, wilt u?'
Het eerste wat ik daar binnen zag, was een wieg met een baby.
'Ik heb hem mee teruggebracht.' Het gezicht van Frau Leiben was een en al tederheid. 'Is het geen engeltje?'
Ik keek naar het kind. 'Wiens baby is het?'
'Van Gerda.'
'Gerda! Waar is Gerda?'
'Ze reist rond met haar man. Ze blijven nergens lang al hebben ze een aardig huisje zo'n veertig kilometer hier vandaan. Daar ben ik geweest. Ze zijn er niet vaak. Ze leiden een zwervend bestaan.'
'Ze is dus getrouwd.'
'Ja, ik dacht niet dat het ooit zou gebeuren.'
'Haar man...'
'Misschien herinnert u zich hem nog wel. Het is Klaus, de marskramer. Hij was altijd dol op Gerda en zij op hem. Maar hij ging zijn eigen gang en dat blijft zo. Gerda ligt hem. Ze stelt geen vragen. Ze zijn geen van beiden als andere mensen. Maar het lijkt of ze verstandiger is bij hem dan bij anderen en hij schijnt zachter... vriendelijker. Hij zorgt voor haar. Hij is slim. Hij verdient geld. Gerda is gelukkig. Ze is aldoor bij hem. Altijd reizend en onderweg. Gerda is tevreden. Ze heeft iemand die voor haar zorgt. Ik heb mijn best gedaan. Ziet u, haar ouders gingen gewoon weg. Die wilden haar niet. Dat betekent iets voor een kind. Ze kon niet zo goed leren als andere kinderen. Ze droomde altijd. En toen kwam die tijd... Lieve help, ik word nog bang als ik eraan denk. Ze zou een kind krijgen... mijn kleine Gerda.'
'Weet Klaus ervan?'
'Hij weet er een heleboel van. Hij was de man. Het was zijn kind. Dat heeft hij nooit ontkend.'
Ik voelde een stroom van opluchting. Ik was er zo zeker van geweest dat ik hier de oplossing zou vinden... al was ik er bang voor.
Ik zei: 'Maar ze had het over een ontmoeting met de duivel in het bos, weet ik nog. We dachten dat het iemand was die ze niet kende.'
'Zo was het niet. Ze wist dat ze het niet had mogen doen. Ik waarschuwde haar altijd, maar ik zal het niet goed gedaan hebben. Ik vertelde haar dat het zondig was en dat de Duivel meisjes in verleiding bracht. Dus dacht ze dat het de Duivel in Klaus was die haar had verleid. U hebt geen idee hoe warrig Gerda kan zijn. In haar gedachten was het de Duivel die bij haar kwam via Klaus, ziet u. Dat was wat ze in haar hoofd had.'
'Ik begrijp het. Maar ze heeft toch geprobeerd van het kind af te komen.'

'Dat kwam ook door Klaus. Hij wilde zich toen niet vastleggen met een vrouw en zo... en wat moest hij met een kind beginnen? Hij had haar het spul gegeven om als ze zwanger zou zijn het binnen de eerste twee maanden van haar zwangerschap in te nemen... Arme Gerda. Alsof zij daar enig idee van had. Ze liet te veel tijd voorbijgaan en het had haar haar leven gekost als jullie, goede mensen van Kaiserwald, er niet waren geweest. Klaus zei dat het spul goed geholpen zou hebben als ze maar niet te lang had gewacht. Hij had het aan zoveel meisjes verkocht en altijd met het gewenste resultaat.'

De baby begon te huilen. 'Excuseer me,' zei ze. Ze pakte hem op en liet hem aan me zien. 'Een vrolijk kereltje... lijkt op Klaus. Zo heet hij. Kleine Klaus.'

'U bent gelukkig dat u hem bij u hebt.'

Ze lachte. 'Het is net als vroeger toen Gerda aan mij werd overgelaten. Ik voel me weer jong, met iets om voor te leven. Dit is een pienter kereltje... zo handig als een aap. Niet als mijn arme Gerda. Zelfs toen ze nog maar zo klein was als hij nu, kon je al zien dat ze anders was dan andere kinderen. Maar hij is helemaal zijn vader.'

'Ik ben zo blij dat alles goed is afgelopen met haar en dat ze gelukkig is.'

'Ja, ze is gelukkig. Heb haar nooit zo gelukkig gezien. Ze houdt van dat reizen en trekken en Klaus zorgt voor haar. Soms komen ze hier... als ze de ronde maken. Hoe lang blijft u ditmaal?'

'Ik weet het nog niet.'

'Ik hoop dat u hier nog een poosje bent. Ik zal nooit vergeten wat u en de goede mensen van Kaiserwald voor Gerda hebben gedaan.'

Ik zei dat ik gaan moest en liep peinzend terug door het bos.

Vol zelfverwijt dacht ik dat ik hem de schuld had gegeven van Gerda. Hoe kon ik? Ik had bewust een zaak tegen hem opgebouwd om mijn wonden niet te voelen. Ik had haat toegepast als verzachtende zalf.

Hoe kon ik ooit bij hem goedmaken wat ik gedaan had?

Iedere dag ging hij vooruit. Hij kon nu korte wandelingen maken langs het meer, waar we over de toekomst praatten.

Ik was heel gelukkig.

Op een dag zei hij: 'Het had zo kunnen zijn dat ik nooit meer had kunnen lopen.'

'Dat weet ik. Ik wilde je al mijn leven lang verzorgen.'

'Dat zou geen leven zijn geweest voor een sterke jonge vrouw.'

'Dat koos ik nu eenmaal.'

'Ik geloof dat je met me getrouwd zou zijn. Dan was je mijn verpleegster geweest.'

'Dat zou ik met liefde hebben gedaan.'

'En op den duur had je daar genoeg van gekregen.'

Ik schudde heftig mijn hoofd.
'Ik was van plan met je naar Egypte te gaan zodra we getrouwd waren. Een fascinerend land. Je zou ervan genoten hebben.'
'We gaan naar mijn huis in Londen en daar blijven we tot je weer fit bent om te reizen.'
'En wie bepaalt dat?'
'Ik.'
'Ik zie dat ik een sterke vrouw trouw.'
'Maar goed dat je dat begrijpt.'
'De laatste paar dagen heb ik zitten bedenken dat ik toch wel een gelukkig man ben. Ik krijg een kogel die mijn wervelkolom voorgoed had kunnen beschadigen, als hij niet door een bijzonder soort geluk een levensgevaarlijke plek had gemist. Dat alleen is al een wonder. En bovendien heb ik mijn Susanna om me te verzorgen en me te koesteren en te beschermen voor de rest van mijn leven.'
'En ik ben de meest gelukkige vrouw omdat ik de enige heb gevonden die ik voor de rest van mijn leven als metgezel zou willen hebben – en het wonder is dat hij mij, ondanks zijn diverse avonturen, nog wil hebben ook.'
'Het is inderdaad wonderbaarlijk dat te beseffen. We zijn geen jonge mensen die vol idealen op weg gaan naar de avonturen van het leven. We kennen de voetangels en klemmen. Je weet dat ik gevaarlijk geleefd heb, in de gekste plaatsen. Ik heb veel gedaan wat in een beschaafde maatschappij niet geaccepteerd zou worden. Met andere woorden – ik heb een rijk leven gehad. En jij, mijn liefste, hebt geleerd wat lijden is. Laten we dankbaar zijn voor wat we geleerd hebben omdat dat ons leven voller zal maken. In de eerste plaats heeft het ons dankbaar gemaakt voor het Nu.'
'Je hebt natuurlijk gelijk.'
Ik biechtte hem op dat ik hem ervan had verdacht de verleider van Gerda te zijn. Maar hij wist zelfs niets van Gerda's bestaan af!
Hij lachte.
'Het is een groot voordeel dat ik niet aan een ideaal moet beantwoorden. Het enige wat ik moet doen, is laten zien dat ik niet zo slecht ben als je dacht.'
En zo keerde mijn geluk terug. Hij genas snel en binnenkort zou hij volkomen genezen zijn.

Hij wilde zo snel mogelijk naar huis, maar ik vond het beter nog een week te wachten zodat hij dan echt helemaal opgeknapt zou zijn. We zouden naar mijn huis gaan, dat ik aan wilde houden. Het kon ons pied-à-terre in Londen worden – het huis om in terug te keren na onze reizen.
'Jane en Polly zijn er,' vertelde ik hem 'en we hebben oude Joe, de koetsier. Het is hun huis. Ze zijn een deel van de familie, bij wijze van spreken. Ze moeten er altijd blijven.'

Hij vond het een prachtig idee. En zodra we thuiskwamen, zouden we trouwen. Toen we op een dag bij het meer zaten, kwam Eliza naar ons toe.
Ze zei: 'Er is iets wat ik u moet vertellen. Ik weet niet wat u zult doen en heb me afgevraagd of ik niet beter mijn mond kon houden... maar om de een of andere reden moet ik het zeggen. Ik kan zo niet verder. Soms heb ik eraan gedacht me in dat meer daar te verdrinken.'
'Eliza, waar heb je het over?'
'Ik was het. Ik heb het gedaan. Ik weet niet wat ze hier met je doen. Thuis zou het moord zijn... poging tot moord of zoiets. Hangen ze je daarvoor op?'
'O, Eliza,' zei ik. 'Dus jij was het.'
Ze knikte.
'Het kwam opeens over me. Ik hoorde hem zeggen dat hij je daar zou ontmoeten. Toen kwam er iets over me. Het ging niet alleen om hem... Het waren mijn stiefvader en sommige mannen voor wie ik moest werken. Het waren ze allemaal. Het was mánnen. Ik wilde mijzelf en alle vrouwen wreken... Maar het meest van alles was jij het. Ik had me altijd voorgehouden dat ik nooit om iemand zou geven, niet echt... zodat die belangrijker voor me waren dan ikzelf. En ik dacht aan jou en aan alles wat je voor Lily en voor mij had gedaan en wat een fijne dag het was toen we je leerden kennen. Ik heb dikwijls aan die stormachtige nacht gedacht. En ik wilde dat jij alle goeds zou hebben... alles wat juist was... alles wat je hoorde te krijgen. En er was die dokter Fenwick en ik dacht aan jou daar in die beeldige plaats met alle kindertjes die je zou hebben. En toen kwam hij... en hield dat allemaal tegen.'
'Dus heb je expres op me geschoten,' zei Damien glimlachend, 'eigenlijk niet eens zo'n slecht schot. Hoewel het de roos net niet heeft geraakt.'
'Goddank niet. Ik zie nu hoe ik aan het knoeien was, toen ik probeerde de dingen in eigen hand te nemen. Ik had u kunnen doden. Dan had ik dat voor de rest van mijn leven op mijn geweten gehad.... en nu zie ik dat het haar absoluut geen goed zou hebben gedaan.'
'Had je voor het eerst een geweer in je handen?' vroeg Damien nieuwsgierig.
Ze knikte. 'Maar ik had goed naar hen gekeken. Ik wist hoe ze het doen. De schuurdeur was open. Ze hadden vergeten hem op slot te doen... de schuur van juffrouw Kleber, weet u. Daar waren al die geweren. Ik heb er een gepakt. Hij was geladen, daar heb ik wel op gelet. Toen ging ik naar buiten en wachtte onder de bomen. En toen u kwam, schoot ik op u. Daarna heb ik het geweer teruggezet en ging er vandoor. Een paar maal heb ik terug willen gaan naar die schuur om een geweer te pakken en mijzelf dood te schieten. Omdat ik zag wat ik gedaan had. Nu begrijp ik dat je mensen niet kunt zeggen wat ze moeten doen. Anna zou niet met dokter Fenwick trouwen, wat er ook gebeurde. Ik dacht dat ik het beter wist dan zij... en het was allemaal voor haar. Maar toen ze dacht dat u dood was en ik aan haar gezicht zag wat u voor haar betekende, had ik zo wil-

len sterven. Ik wist dat ik verkeerd had gedaan... een vreselijke fout... omdat wat of wie u ook moge zijn, u degene bent die zij wil hebben en ze zou er nooit overheen gekomen zijn als u dood was gegaan. Ik wilde weg uit deze wereld. Ik dacht dat er geen plaats meer op deze wereld voor me was, na wat ik had gedaan.'
'O Eliza,' zei ik, 'dat heb je allemaal voor mij gedaan.'
'Ja. Het was voor jou. Ik schijn nogal mallig over mensen te worden. Hetzelfde was het met Ethel. Ik moest gewoon voor haar zorgen omdat zij niets kon. En, dacht ik, jij evenmin. Ik had tegen Ethel gezegd dat ze op mijn manier geld kon verdienen... en kijk eens wat er gebeurde. Ze kreeg een kind dat doodging. Arme Ethel, ze was bijna gek van verdriet. Ik moest wel voor haar zorgen omdat ze niets wist van het leven en de slechtheid van mannen. Toen ontmoette ze die Tom. Hij scheen wel goed en nu is ze gelukkig. En toen was jij er. Ik voelde voor je vanaf die nacht in de storm. Ik kon zien dat je iets speciaals had. Je maakte dat ik de dingen anders aanvoelde... mensen ook. Toen kwam die dokter Fenwick en hij was een zeldzaam goede man. Maar jij wilde per se hém...'
'En dus,' zei Damien, 'besloot je mij te verwijderen om de weg vrij te maken.'
'Ik dacht dat ze op den duur haar belang zou inzien. Als u eenmaal weg was, zou ze er wel overheen komen...'
'Heel logisch,' zei hij.
'Nu heb ik het verteld. Het is een pak van mijn hart. Maar wat gaat u nu doen? U gaat me aangeven, denk ik. Hij... in ieder geval. Voor mij is het uit. Maar het was toch een leven van niks. Gek... het beste was nog dat hospitaal in Scutari en het werken met Ethel en met jou, en zo nu en dan dokter Fenwick en voelen dat er toch nog iets goeds op de wereld was.'
'O, Eliza,' zei ik en sloeg mijn armen om haar heen.
'Nou ja, zo ben ik. Ik ben een moordenares, hè? Of bijna, maar dat maakt geen verschil. Ik heb het geprobeerd en het is mislukt, maar ik had het kunnen doen.'
'Ik begrijp het, Eliza. Ik weet hoe je geleden hebt. Je stiefvader... al die mannen... de vernedering. Ik begrijp het allemaal. En met de dokter gaat het goed. Hij is alweer bijna beter... Eliza, ik zal alles doen om je te helpen.'
'Dat weet ik... dat weet ik... Hoewel als het gelukt was, was alles voor je voorbij geweest. Maar jij hebt het toch niet voor het zeggen. Het gaat om hem. Hij is de man die ik heb geprobeerd te vermoorden.'
Damien keek haar aandachtig aan. 'Waarom heb je er geen eind aan gemaakt toen je me verpleegde? Dat zou toch niet zo moeilijk zijn geweest?'
'Maar toen wist ik... Misschien wist ik het zodra ik dat schot had gelost. En toen ik haar zag... later... en al dat verdriet op haar gezicht... toen wilde ik het liefste weglopen en doodgaan. Ik had alles willen doen om terug te gaan naar die ochtend en dat ik dan niet het geweer genomen had, dat ik de dingen gewoon aan hun lot had overgelaten. Daarna heb ik geprobeerd om het goed te maken. Ik heb me best gedaan u zo goed mogelijk te verplegen tot u weer beter was.'

'Je hebt me goed verpleegd. Je bent een goede verpleegster... een van de besten. Maar het was niet erg logisch. Eerst schieten en me dan zo verplegen.'
'Ik zei u al... ik had toen gezien hoe het met haar gesteld was...'
'Dat heb je allemaal voor haar gedaan,' zei hij. 'Dat is een heleboel. Ik heb net het besluit genomen over wat ik hieraan zal doen.'
We keken hem angstig aan. Hij lachte plagend naar ons en zei langzaam: 'Ik stel voor dat Eliza naar Rosenwald gaat.'
'Rosenwald... waarvoor?' vroeg ik stamelend.
'Om het ziekenhuis te leiden, natuurlijk. Ze heeft een sterke wil... is niet bang om in actie te komen als ze denkt dat het nodig is. Precies de persoon die we zoeken. Daar kun je je zonde boeten, Eliza, en als je je eerste leven hebt gered, kun je zeggen: Nu heb ik mijn daad uitgewist.'
'U bedoelt... u gaat me niet aangeven... vervolgen of hoe ze het noemen?'
'Nee. Ik vind dit plan beter.'
'Maar hoe kunt u me vertrouwen? Ik was van plan u te vermoorden. Hoe weet u dat ik niet nog eens zoiets zal proberen?'
'Een keer is genoeg. Dat probeer je niet een tweede keer.'
'En u wilt me leiding geven over... mensen?'
'Het was mijn leven dat je wilde nemen... en volgens jou was dat waardeloos... een bedreiging voor iemand van wie je hield. Het was een logische gedachte en ik ben altijd een groot voorstander van logica geweest.'
'Maar het was slecht van me om te doen wat ik deed.'
'Ja, inderdaad. Maar je motieven waren niet uit persoonlijk gewin. Je deed het voor iemand anders. Dat toont een groot vermogen tot genegenheid. Je geeft intens veel om iemand van wie ik hou. Dat bewijst dat we veel gemeen hebben. Je opvatting van mijn karakter is niet helemaal verkeerd. Ik ben een buitengewoon onwaardig iemand. Jij hebt de juiste capaciteit voor het leiden van een ziekenhuis. Wees maar blij dat de kogel landde op de foute plek. Als je me gedood had, zou ik je Rosenwald nu niet kunnen aanbieden.'
'Je doet er nogal luchthartig over,' zei ik.
'Helemaal niet. Eliza heeft haar gevoelens geuit. Ze zal nooit meer proberen iemand te doden omdat ze weet dat ze niemand kan veroordelen en dat niemand dat ooit kan, omdat je alle omstandigheden moet kennen voordat je een oordeel velt. Nu weet ze dat niemand helemaal slecht is... zelfs ik niet; niemand is helemaal een heilige... zelfs niet die goede dokter Fenwick. Eliza is wijzer dan ze was. Ze weet dat we onze eigen weg in dit leven moeten gaan en dat niemand die weg voor anderen kan regelen. Ze kan veel goed doen in Rosenwald. Wat zouden onbelangrijke dingen en beschuldigingen zonde van de tijd zijn geweest. Het is een zaak tussen ons. Ik heb eens een man gedood. Hij kwam met een mes mijn tent binnen. Ik heb hem gewurgd en zijn lichaam in het zand begraven. Het was hij of ik. Een tijdlang heb ik het erg gevonden, maar toen

heb ik een patiënt het leven gered en wist dat de rekening vereffend was. Zo zal het ook met Eliza gaan.' Hij keek haar glimlachend aan. 'Ik vind dat je maar eens gauw naar Rosenwald moet gaan kijken.'
Eliza was overstelpt door emotie. Ze keek of er een zware last van haar schouders genomen was. Toen stond ze op en zei: 'Ik weet niet wat ik moet zeggen behalve dat ik blij ben dat u het weet. Ik dacht niet dat het zo zou aflopen. Het was een loden last vanaf het ogenblik dat het gebeurde. Ik dacht dat ik er niet meer tegenop kon.' Ze keek naar het meer. 'Het zag er zo vredig uit. Ik dacht dat ik op een nacht als het stil was...'
'O Eliza, ik ben blij dat je het ons toch eerst hebt verteld.'
'En hij...' zei ze. 'Om me deze uitweg te bieden... nou ja, ik weet het niet... ik weet echt niet hoe iemand zo kan zijn voor iemand die geprobeerd heeft hem te vermoorden.'
'Kom,' zei Damien, 'het is gemakkelijker voor een zondaar om de kleine fouten van mensen te begrijpen dan voor een heilige. En als je begrijpt, vergeef je ook. Je bent sterk, Eliza. Je hebt moed om te doen wat je juist lijkt. Je bent in staat van iemand te houden met heel je hart, en geloof me, dat is geen al te gewone eigenschap. Je weet het belang van een geliefde persoon boven dat van jezelf te stellen. Dat bewonder ik. Je zult zien dat Rosenwald in de kortste tijd Kaiserwald overvleugelt.'
Ze keek me aan en haar glimlach drukte opluchting en vooral hoop uit. Ze keek in de toekomst, waarvan ze had geloofd dat die voor altijd verloren was. Toen knikte ze in de richting van Damien: 'Ik ken niemand zoals hij.'
'Nee,' zei ik. 'Ik ook niet.'